GianCarlo Casarelli

FISICA ED INGEGNERIA DEL REATTORE NUCLEARE

edizioni Riata

CAPITOLO 3

CAPITOLO 4

INDICE GENERALE

CAPITOLO 5

CAPITOLO 6

CAPITOLO 7

CAPITOLO 8

CAPITOLO 9

CAPITOLO 10

ELENCO DEI SIMBOLI

(CON RIMANDI AI PARAGRAFI DEL TESTO)

Simbolo	Descrizione	Par.
A	: numero di massa atomica	1.3
A	: area opaca al passaggio dei neutroni	1.6
A	: neutroni assorbiti nei materiali del mezzo moltiplicante nell'unità di tempo	5.1
A_V	: avvelenamento neutronico del combustibile	9.1
a_i	: reattività integrale parziale	6.7
b	: bruciamento o resa energetica del combustibile	10.1
$\langle b \rangle$	: bruciamento medio del combustibile durante un ciclo	10.2
b_{FC}	: bruciamento di fine ciclo	10.7
b_{SC}	: bruciamento allo scarico del combustibile dal nocciolo del reattore	10.7
barn	: unità di misura delle sezioni d'urto microscopiche	1.6
BWR	: Boiling Water Reactor; Reattore ad acqua bollente	1.1
BOL	: Begining of Life, inizio vita del combustibile	
B^2	: buckling	5.4
B^2_m	: buckling materiale	5.6
B^2_g	: buckling geometrico	5.6
CHFR	: Critical Heat Flux Ratio; rapporto di flusso termico critico	10.3
$C_i(t)$	: concentrazione dei precursori dei neutroni ritardati nell'unità di volume del nocciolo	7.5
c	: velocità della luce	1.2

D	: coefficiente di diffusione dei neutroni	5.3
DPM	: decadi per minuto	6.6
dk/dt	: rampa di reattività (p.c.m. s^{-1})	7.3
d	: distanza di estrapolazione	5.3
E	: energia prodotta dal reattore	10.2
$\langle E \rangle$	: energia media dei neutroni	2.7
EOC	: End of Cycle; fine del ciclo di funzionamento del reattore	6.7
E_b	: energia media di legame per nucleone	1.3
E_c	: energia cinetica	1.2
E_{CR}	: energia critica per la fissione	2.4
E_e	: energia di eccitazione del nucleo composto	2.1
E^*_n	: energia di soglia per una reazione nucleare	2.4
E_n	: energia cinetica del neutrone	3.1
E_o	: energia cinetica dei neutroni con velocità v_o = 2200 ms^{-1}	1.8
E_s	: energia di legame del neutrone associatosi al nucleo a formare il nucleo composto	1.4
E_T	: energia totale di una particella elementare	1.2
F	: neutroni sfuggiti dal nocciolo del mezzo moltiplicante nell'unità di tempo	5.1
F_g	: fattore di forma di grande ripartizione	10.2
F_l	: fattore di forma locale	10.2
F_R	: fattore di forma radiale	10.2
F_T	: fattore di potenza totale del nocciolo del reattore	10.2
F_z	: fattore di forma assiale	10.2
FBR	: Fast Breeder Reactor; Reattori autofertilizzanti veloci	10.1

f	: fattore di utilizzazione termica	4.2
f	: fattore di carico	10.2
$g_i(T)$	: fattore non 1/v	1.8
h	: coefficiente di scambio termico in convezione	10.2
J	: corrente neutronica	5.3
K_∞	: fattore di moltiplicazione infinito	4.2
K_{eff}	: fattore di moltiplicazione effettiva	4.3
$k(T)$	: conducibilità termica del combustibile	10.2
keV	: 10^3 eV	3.1
k_p	: fattore di moltiplicazione dei neutroni pronti	7.6
LWR	: Ligh Water Reactor; Reattori ad acqua leggera	1.1
LOCA	: incidente per perdita del refrigerante	10.3
L	: tempo o durata di funzionamento del reattore che determina un ciclo	10.2
L_f	: lunghezza di diffusione veloce o di rallentamento	3.5
L_t	: lunghezza di diffusione termica	3.5
L^2	: D/Σ_a area di diffrazione dei neutroni nella ipotesi monoenergetica	5.4
l_o	: tempo medio di vita del neutrone	6.2
l_p	: tempo medio di vita dei neutroni pronti	6.2
l_r	: tempo medio di ritardo nell'emissione dei neutroni di tutti i gruppi	2.3
MCHFR	: rapporto minimo di flusso termico critico	10.3
MCPR	: Minimum Critical Power Ratio; rapporto minimo di potenza critica	10.3
MLHGR	: Maximum Linear Heat Generation Rate; potenza massima lineare	10.3

MeV	: 10^6 eV	1.3
MR	: rapporto di moderazione	3.4
M	: lunghezza di migrazione	3.5
M	: fattore di moltiplicazione sottocritica	7.2
M_c	: massa critica del sistema moltiplicante nota anche come massa minima di combustibile necessaria perchè il sistema sia critico	5.10
m	: numero medio di collisioni necessario per degradare l'energia iniziale del neutrone dal valore E_1 al valore finale E_2	3.3
m_o	: massa a riposo di una particella elementare	1.2
m_n	: massa del neutrone	1.3
m_p	: massa del protone	1.3
N	: densità neutronica (neutroni cm^{-3})	1.1
N(n)	: densità neutronica in funzione del numero di generazioni neutroniche	7.2
n	: numero indice del ciclo neutronico	4.2
n	: numero della generazione neutronica	7.2
n	: numero che caratterizza un gruppo di elementi di combustibile (batch) caricati nel nocciolo all'inizio dello stesso ciclo	10.7
n	: ordine di moltiplicità del batch	10.7
PCI	: Pellet Clad Interaction; interazione pastiglia-guaina	10.3
PWR	: Pressurized Water Reactor; Reattore ad acqua in pressione	1.1
P	: quantità di moto del neutrone	3.3
P	: neutroni prodotti nell'unità di tempo dagli eventi di fissione	5.1

P	: potenza del reattore	10.2
$\langle P \rangle$	: potenza media del reattore	10.2
P_c	: potenza di canale che provoca la crisi	10.3
P_r	: potenza di canale effettivamente prodotta	10.3
P_t	: probabilità di non fuga dei neutroni termici dal nocciolo del reattore	4.3
P_v	: probabilità di non fuga dei neutroni veloci dal nocciolo del reattore	4.3
P	: potenza del reattore e/o potenza per unità di volume del nocciolo	8.12
p	: quantità di moto dei nucleo	3.3
p	: fattore di trasparenza alle risonanze (o probabilità di sfuggire alle catture per risonanza	4.2
p	: pressione del moderatore	8.1
$\langle p_s \rangle$	: potenza specifica media	10.2
Q	: potenza termica totale di barra	10.2
Q	: tonalità termica di una reazione nucleare	1.2
Q_β	: energia di eccitazione del nucleo precursore dei neutroni ritardati	2.3
q'	: potenza termica per unità di lunghezza di barre	10.2
$\langle q'' \rangle$	: flusso termico medio	10.2
q''_{CR}	: flusso termico critico	10.3
q'''	: potenza termica per unità di volume	10.2
RIA	: incidenti da reattività	10.3
R	: arricchimento nell'isotopo fissile ^{235}U	4.4
R_M	: rapporto tra il numero di nuclei di moderatore e numero di nuclei di combustibile	4.5

R_o	: reazioni neutrone-nucleo per unità di volume (cm^3) e di tempo (s)	1.6
SDP	: Slowing Down Power; potere di rallentamento	3.4
SUR	: Start Up Rate: numero di volte che la potenza del reattore aumenta di un fattore 10 in un minuto primo	6.6
SDM	: Shut Down Margin; Margine di Spegnimento	6.8
S	: intensità di una sorgente neutronica ausiliaria espressa in neutroni s^{-1}	7.2
S	: superficie di scambio termico	10.2
T	: temperatura assoluta	1.7
T	: spessore del riflettore di neutroni	5.9
T	: periodo del reattore	6.6
T	: periodo istantaneo del reattore	6.6
T_c	: temperatura del combustibile del nocciolo	8.1
T_c	: temperatura sull'asse centrale di barra	10.2
T_D	: tempo di raddoppio	6.6
T_M	: temperatura del moderatore	8.1
T_s	: temperatura alla superficie di barra	10.2
T_{10}	: decade o tempo necessario perchè la potenza del reattore vari di un fattore 10	6.6
$\int_{T_s}^{T_c} k(T)\, dT$	: integrale di conducibilità	10.2
t	: passo del reticolo	4.4
u.m.a	: unità di massa atomica	1.3
u	: letargia dei neutroni	3.3
V%	: frazione di "vuoto" nel nocciolo	8.1

v_o	: velocità dei neutroni con energia E_o = 0,025 eV	1.8
$<v>$	: velocità media	1.5
W	: potenza del nocciolo per unità di volume del nocciolo	5.2
α	: Σ_c/Σ_f	2.6
α	: parametro di collisione	3.3
α	: coefficiente di reattività	8.2
α_D	: coefficiente di reattività Doppler	8.3
α_M	: coefficiente di reattività del moderatore	8.4
α_p	: coefficiente di reattività da pressione	8.6
α_W	: coefficiente di potenza	8.8
α_V	: coefficiente di vuoto	8.5
α	: perdita di reattività per unità di energia prodotta (p.c.m/MWD/t)	10.7
β	: frazione dei neutroni di fissione ritardati	2.3
β^-	: radiazione beta (elettroni)	2.5
β_{eff}	: frazione efficace dei neutroni ritardati	6.3
β	: frazione complessiva di neutroni ritardati	7.6
$<\beta>$	: frazione media di nocciolo dei neutroni ritardati	6.3
γ	: radiazione elettromagnetica gamma	1.3
γ^i	: frazioni peso	6.3
γ	: frazione di vuoto	8.5
γ_i	: resa di fissione del prodotto i^{mo}	9.2
Δm	: difetto di massa	1.2
$<\Delta E>$	: perdita media di energia per collisione	3.3
$\Delta\rho$	: variazione di reattività	6.5
$(\Delta\rho/\Delta)_i$	: reattivita differenziale	6.7

∇^2	: operatore di Laplace o laplaciano	5.3
ϵ	: fattore di fissione veloce	4.2
η	: fattore di riproduzione termica	4.2
λ	: libero cammino medio	1.10
λ_i	: costante di decadimento del precursore i^{mo}	7.5
$<\lambda>$	: costante media di decadimento dei precursori	7.6
λ_i	: costante di decadimento del prodotto i^{mo}	9.4
Λ	: tempo di generazione dei neutroni	6.2
ξ	: guadagno medio di letargia per collisione	3.3
ν	: numero medio di neutroni per ogni evento di fissione	2.2
ρ	: reattività del nocciolo del reattore	6.4
ρ_o	: reattività della barra di controllo più efficace	6.8
ρ_c	: reattività complessivamente controllata dal sistema di controllo	6.8
σ	: sezione d'urto microscopica	1.6
$\sigma_T(E)$	: sezione d'urto microscopica totale funzione dell'energia E	1.7
$\sigma_{s.e}(E)$:	sezione d'urto microscopica di scattering elastico	1.7
$\sigma_{s.a}(E)$:	sezione d'urto microscopica di scattering anelastico	1.7
$\sigma_a(E)$	: sezione d'urto microscopica di assorbimento neutronico	1.7
$\sigma_c(E)$	: sezione d'urto microscopica di cattura radiativa	1.7
$\sigma_f(E)$	: sezione d'urto microscopica di fissione	1.7

$\Sigma_i(E)$	: sezione d'urto macroscopica in funzione della energia E per reazioni del tipo i^{mo}	1.9
τ	: bruciamento o resa energetica del combu-stibile	10.1
τ_i	: tempo medio di ritardo nell'emissione dei neutroni del gruppo i^{mo}	2.3
ϕ	: flusso neutronico (neutroni cm^{-2} s^{-1})	1.5
ω_i	: costanti di tempo soluzioni dell'equazione di Nordheim	7.5

ELENCO TABELLE

ELENCO FIGURE

CAPITOLO 1

RICHIAMI DI FISICA NUCLEARE

Questo capitolo contiene richiami descrittivi di nozioni e concetti presentati con maggiore dettaglio nei corsi di Fisica Atomica e Nucleare.

La loro presentazione ha qui lo scopo di richiamare quelle parti che si ritengono indispensabili per una corretta comprensione dei fenomeni che sono specifici della Fisica del Reattore.

1.1. Generalità introduttive

Un reattore nucleare di potenza durante il suo funzionamento presenta la singolare caratteristica di contenere al suo interno un numero estremamente grande di neutroni liberi, di neutroni cioè non legati all'interno del nucleo degli atomi che costituiscono i materiali del reattore.

La quantità di neutroni liberi contenuta nella unità di volume, numero di neutroni cm^{-3}, è detta **densità neutronica** ed è indicata generalmente con la lettera N.

Durante il funzionamento a potenza di un reattore nucleare la densità neutronica N è dell'ordine di qualche miliardo di neutroni per centimetro cubo.

I neutroni liberi esistenti in reattore sono caratterizzati da velocità comprese tra qualche migliaio di metri al secondo e qualche decina di migliaia di chilometri al secondo. La loro durata nel tempo o vita media nei reattori oggi commercialmente più diffusi, i Light Water Reactors (LWR), è dell'ordine di qualche decimo di millesimo di secondo $t = 3 \div 5 \cdot 10^{-4}$ s.

E' questo il tempo medio di permanenza allo stato libero dei neutroni prima di venire assorbiti dai nuclei dei materiali che costituiscono il nocciolo del reattore o di sfuggire dal volume occupato dallo stesso.

I neutroni presenti nel reattore sono continuamente generati ed assorbiti, ma il loro tasso di avvicendamento è talmente rapido che possono essere riguardati come una nuvola, un gas di particelle, che permea ed avvolge con continuità ogni materiale del nocciolo del reattore e ne permette il funzionamento.

Per nocciolo del reattore si intende quella regione del reattore nucleare nella quale è contenuto il materiale fissile destinato a produrre reazioni di fissione a catena autosostenentesi (par. 2.8).

In altre parole il nocciolo del reattore è costituito dai seguenti materiali:

- il combustibile destinato a produrre energia;
- i materiali di controllo destinati al controllo ed alla regolazione del reattore;
- il refrigerante destinato a mantenere opportunamente limitata la temperatura del nocciolo ed a trasferire il calore prodotto dal nocciolo alla turbina;
- il moderatore neutronico destinato a rallentare i neutroni (Cap. 3);
- il materiale strutturale destinato a garantire consistenza e geometria definita al sistema.

Il combustibile nucleare nei **LWR** è costituito da piccole pastiglie cilindriche di ossido di uranio UO_2 come riportato in Fig. 1.1.1 con diametro ed altezza rispettivamente di circa 1 cm ed 1,25 cm accatastate le une sulle altre a formare una barretta cilindrica di lunghezza complessiva pari a circa 380 cm.

L'insieme delle pastiglie di UO_2 che formano una barretta combustibile è racchiuso in un involucro metallico a parete sottile, la guaina, che ne garantisce la geometria ed isola completamente l'UO_2 dall'esterno come indicato in Fig. 1.1.2.

Un certo numero di barrette costituisce un elemento di combustibile, vedi Fig. 1.1.3.a, più elementi di combustibile opportunamente posizionati l'uno rispetto all'altro formano il nocciolo del reattore come indicato schematicamente in Fig. 1.1.3.b.

L'elemento di combustibile negli attuali **LWR** è costituito mettendo assieme, assemblando, le barrette di combustibile secondo un reticolo a passo quadrato. Attualmente sono in produzione per i reattori del tipo **B**oiling **W**ater **R**eactor (**BWR**) reticoli 8x8, reticoli cioè con le barrette combustibile ordinate in 8 righe ed 8 colonne, e per i reattori del tipo **P**ressurized **W**ater **R**eactor (**PWR**) reticoli 17x17 come riportato nelle Fig. 1.1.4 e 1.1.5.

1.2. Le leggi delle reazioni nucleari.

Le reazioni nucleari o interazioni che si verificano fra i neutroni liberi ed i nuclei dei materiali che costituiscono il nocciolo del reattore, determinano il comportamento istantaneo del reattore.

Per comprendere il funzionamento del reattore è quindi importante conoscere le leggi e le modalità che regolano le reazioni nucleari.

Per reazioni nucleari si intendono le reazioni che coinvolgono essenzialmente il solo nucleo dell'atomo.

Le reazioni chimiche come noto al contrario coinvolgono la corteccia o nuvola di elettroni atomici che orbitano attorno al nucleo.

In Fig. 1.2.1 è schematizzata a grandi linee la costituzione della materia mentre in Fig. 1.2.2 è schematizzato un esempio generico di famiglia di isotopi di un unico elemento chimico indicato con la lettera **x**. Nella metà inferiore della stessa figura sono evidenziate le caratteristiche di stabilità o meno dei nuclidi naturali ed artificiali, questi ultimi ottenuti con opportune reazioni nucleari.

Dato lo scopo di questo volume non verrà qui di seguito esposta la teoria delle reazioni nucleari in quanto del tutto inessenziale, ma si ricorderanno le leggi e le caratteristiche principali delle reazioni tra neutroni e nuclei atomici che si incontrano con maggiore frequenza in Fisica del Reattore.

Esse sono:

- **le reazioni di sparpagliamento o scattering elastico;**
- **le reazioni di sparpagliamento o scattering anelastico;**
- **le reazioni di cattura radiativa;**
- **le reazioni di fissione.**

Le leggi fondamentali che regolano le reazioni nucleari sopra elencate sono le seguenti:

1 - **Legge di conservazione dei nucleoni**

Il numero di nucleoni, protoni e neutroni contenuti nel nucleo, prima e dopo la reazione è costante.

2 - **Legge di conservazione della carica elettrica**

La somma delle cariche elettriche delle particelle interagenti rimane costante, è cioè la stessa prima e dopo la reazione.

3 - **Legge di conservazione del momento o quantità di moto mv**

Il momento o la quantità di moto totale, $P = \Sigma_i (mv)_i$ *delle particelle prima e dopo la reazione rimane costante.*

4 - **La legge di conservazione della energia**

Nelle reazioni nucleari si ha la conservazione dell'energia totale delle particelle reagenti; in altre parole l'energia totale delle particelle è la stessa prima e dopo la reazione.

Per energia totale delle particelle si intende l'energia E_T delle stesse risultante dalla somma della loro energia cinetica E_C e della energia equivalente alla loro massa a riposo m_0.

Per massa a riposo di una particella si intende come noto la massa della particella quando questa è ferma rispetto all'osservatore. La legge di conservazione dell'energia così come è stata formulata discende da uno dei risultati più noti della teoria della relatività ristretta di Albert Einstein che afferma in sintesi che massa ed energia sono grandezze equivalenti, convertibili l'una nell'altra e viceversa.

In termini quantitativi l'equivalenza delle due grandezze è espressa dalla relazione:

$$\Delta E = - \Delta m \cdot c^2 \qquad (1.2.1)$$

dove c è la velocità della luce nel vuoto che vale:
$c = 2{,}9979 \cdot 10^{10}$ cm s^{-1}.

La rel. 1.2.1 va interpretata dicendo che la annichilazione o scomparsa di una quantità di massa Δm rende disponibile energia nella quantità ΔE data dal prodotto della massa scomparsa per il quadrato della velocità della luce nel vuoto.

In conclusione, l'energia totale E_T di una particella con massa a riposo m_o e dotata di energia cinetica E_C è data dalla relazione:

$$E_T = E_C + m_o \cdot c^2$$

Osserviamo infine che la quarta legge delle reazioni nucleari permette di definire la condizione necessaria, in termini di energia, perchè una reazione nucleare possa verificarsi.

Una reazione nucleare che comporti una variazione Δm negativa delle masse reagenti o come si usa dire, che produca un difetto di massa Δm negativo, determina la liberazione di una quantità di energia $\Delta E>0$ calcolabile con la rel. 1.2.1 ed è una reazione che per quanto riguarda l'energia cinetica dei reagenti può sempre verificarsi. Questo tipo di reazione è detta esoenergetica cioè produttrice di energia.

In sintesi la massa dei prodotti della reazione è minore della massa dei reagenti in quanto la reazione esoenergetica produce la annichilazione o dematerializzazione di una quantità Δm delle masse nucleari reagenti.

Al contrario una reazione nucleare che comporti una variazione Δm positiva delle masse reagenti o in altre parole presenti un difetto di massa Δm positivo, perchè possa verificarsi richiede la introduzione o apporto di una quantità di energia ΔE equivalente secondo la rel. 1.2.1 alla materializzazione della massa Δm. In questo caso la reazione è detta endoenergetica cioè assorbitrice di energia.

In sintesi la massa dei prodotti della reazione è maggiore della massa dei reagenti in quanto in una reazione endoenergetica una parte della energia si materializza in una quantità equivalente Δm di massa nucleare.

Si usa chiamare la quantità $-(\Delta m \cdot c^2)$ **tonalità termica della reazione** e la si indica con la lettera Q.

$$Q = -(\Delta m \cdot c^2) \qquad (1.2.2)$$

Da quanto precede si può concludere che se la tonalità termica è positiva $Q>0$, la reazione è sempre energeticamente possibile mentre se la tonalità termica è negativa $Q<0$, la reazione può verificarsi solamente con l'apporto di energia dall'esterno.

1.3. Energia di legame

Quando un neutrone ed un protone si uniscono per formare un nucleo di deuterio, generalmente indicato con la lettera ^2H o ^2D, si osserva la contemporanea emissione di radiazione gamma con energia E = 2,23 MeV circa.

La reazione è la seguente:

$$p + n \longrightarrow d + \gamma$$

o in termini di atomi neutri:

$$^1H + {}^1n \longrightarrow {}^2D + \gamma$$

Per la quarta legge delle reazioni nucleari, quella di conservazione della massa-energia, è immediato concludere che l'energia liberata dalla reazione deve essere conseguenza di un difetto di massa Δm prodottosi con la reazione ed equivalente secondo la rel. 1.2.1 alla energia E = 2,23 MeV.

In altre parole la massa del nucleo di deuterio deve risultare minore per una quantità Δm equivalente a 2,23 MeV della somma delle masse del protone e del neutrone prese singolarmente.

Verifica dell'ipotesi sull'origine dell'energia elettromagnetica gamma

Il bilancio di massa espresso in **unità di massa atomica u.m.a.,** *dove:*
1 **u.m.a.** = $1{,}6605 \cdot 10^{-24}$ **g** *è il seguente:*

Masse iniziali **Massa del prodotto della reazione**

Massa del protone

$m_p = 1{,}007593$ **u.m.a.**

Massa del deuterio

$m_{^2D} = 2{,}014186$ **u.m.a.**

Massa del neutrone

$m_n = 1{,}008982$ **u.m.a.**

Il difetto di massa della reazione vale:

$$\Delta m = [2{,}014186 - (1{,}007593 + 1{,}008982)] = -2{,}389 \cdot 10^{-3} \text{ u.m.a.}$$

Osserviamo che la rel. 1.2.1 esprimendo le masse in **u.m.a.** *e l'energia in MeV =* 10^6 **eV** *con 1* **eV** *=* $1{,}60219 \cdot 10^{-19}$ *joule, assume la forma seguente:*

$$E\ (\text{MeV}) = -\ 931{,}6\ \Delta m\ (\text{u.m.a.}) \qquad (1.3.1)$$

Il difetto di massa **Δm** *sopra calcolato espresso in* **u.m.a.** *equivale in energia, usando la rel. 1.3.1 alla quantità:*

$$E\ (\text{MeV}) = 931{,}6 \cdot 2{,}389 \cdot 10^{-3}$$

$$E\ (\text{MeV}) = 2{,}226$$

Il risultato del calcolo conferma quindi l'ipotesi fatta circa l'origine dell'energia gamma osservata.

Il fenomeno ora descritto che accompagna la formazione del nucleo di deuterio, schematizzato in Fig. 1.3.1 ha validità del tutto generale; si vuole con questo dire che la massa di tutti i nuclei degli elementi conosciuti è sempre minore della massa somma delle masse dei rispettivi costituenti, protoni e neutroni, presi singolarmente.

Alla formazione di un generico nucleo di massa M_x costituito da Z protoni e $N = (A-Z)$ neutroni, corrisponde un difetto di massa Δm dato dalla:

$$\Delta m = [M_x - (Zm_p + Nm_n)] \quad (1.3.2)$$

Il difetto di massa espresso in termini di energia secondo le rel. 1.2.1 o 1.3.1 rappresenta l'energia liberata all'atto di formazione di quel nucleo, o inversamente rappresenta la quantità di energia mancante perchè il nucleo possa dividersi, disintegrarsi, nei suoi costituenti protoni e neutroni.

In ultima analisi essa rappresenta **la colla** che tiene assieme il nucleo vincendo le forze repulsive coulombiane che si esercitano tra protoni.

Per questa ultima considerazione il difetto di massa espresso in termini di energia è detto energia di legame del nucleo.

L'energia di legame totale del nucleo cresce al crescere del suo numero di massa A ma non in maniera lineare come appare evidente dalla curva (a) di Fig. 1.3.2.

Questa caratteristica può essere visualizzata meglio riportando come si è fatto nella curva (b) di Fig. 1.3.2 l'energia di legame media per nucleone E_b in funzione di A.

Si vede che per piccoli valori di A si hanno numerosi valori anomali rispetto all'andamento medio, mentre per $A>50$ circa, la curva assume un andamento continuo e decrescente.

Lo studio dell'andamento della curva che descrive l'energia di legame per nucleone in funzione di A è importante per individuare possibili sorgenti di energia di origine nucleare in base al principio di conservazione massa-energia ricordato alle pagine precedenti.

Infatti la curva mostra nuclei per i quali l'energia di legame media per nucleone E_b risulta particolarmente elevata e nuclei con energia E_b non molto elevata. I primi sono nuclei particolarmente stabili in quanto è maggiore rispetto ai secondi il difetto di massa che accompagna la loro formazione.

Questa osservazione suggerisce che è possibile ottenere energia nucleare ogni qualvolta si riesce a produrre una configurazione nucleare più stabile combinando due nuclei meno stabili.

La reazione si realizza con perdita di massa e liberazione di energia in quantità equivalente.

Ad esempio combinando due nuclei di deuterio ^2D ognuno caratterizzato da energia di legame totale $E = 2{,}23$ MeV, si può ottenere un protone ed un nucleo di trizio ^3H quest'ultimo caratterizzato da energia di legame totale $E = 8{,}48$ MeV.

La reazione è la seguente:

$$2\ ^2D \longrightarrow\ ^3H +\ ^1H$$

Il guadagno in energia di legame $E = 8{,}48 - 2 \cdot (2{,}23) = 4{,}02$ MeV derivante dal maggior difetto di massa per nucleone del trizio rispetto al deuterio, la si ritrova come energia cinetica dei due nuclei, il trizio ^3H e l'idrogeno ^1H.

Una reazione come la precedente che produce energia dalla unione di due nuclei leggeri in un nucleo più pesante e stabile è detta reazione di fusione nucleare.

Nella zona dei valori elevati di A della curva (b) di Fig. 1.3.2, si vede che le configurazioni più stabili si possono ottenere quando un nucleo pesante si divide in due più leggeri.

Per esempio l'energia di legame media per nucleone E_b dell'^{238}U vale circa 7,5 **MeV** mentre vale circa 8,4 **MeV** in prossimità di $A = 238/2 = 119$.

Una reazione nucleare che divida un nucleo di ^{238}U in due nuclei più leggeri ognuno con massa A circa la metà del numero di massa dell'^{238}U conduce quindi ad un sistema caratterizzato da accresciuta energia di legame pari a circa 0,9 **MeV** per nucleone. In totale la reazione può produrre un rilascio di energia, all'atto di formazione dei due nuclei, pari ad $E = 0{,}9 \cdot 238 = 214$ **MeV**.

Questa quantità di energia è circa 70 milioni di volte superiore alla energia che si libera in un singolo evento di combustione tra atomi di carbonio ed atomi di ossigeno.

Il processo di liberazione di energia per divisione o rottura di un nucleo pesante in due nuclei più leggeri è detto fissione nucleare.

Nuclei particolarmente stabili sono quelli che hanno un numero di nucleoni, protoni o neutroni, eguale a 2, 8, 20, 28, 50, 82 e 126. Nuclei con numero di protoni o numero di neutroni coincidente con uno dei valori sopra riportati sono detti nuclei con numero magico di nucleoni.

I nuclei con numero magico di neutroni presentano bassissima capacità di assorbimento per altri neutroni. Questa caratteristica è di notevole importanza in ingegneria nucleare in quanto permette di orientare la scelta dei materiali da usare in reattore quando si desidera che essi abbiano scarsa attitudine alla cattura neutronica.

Per esempio lo zirconio il cui isotopo più abbondante contiene 50 neutroni, è un materiale di notevole interesse per la realizzazione delle strutture interne del nocciolo reattore anche in conseguenza della sua bassa capacità di cattura neutronica.

1.4. Il nucleo composto

La maggioranza delle reazioni neutrone-nucleo si realizza in due fasi.

Nella prima, quella di "collisione" tra neutrone e nucleo bersaglio, il neutrone si associa o unisce al nucleo e forma il nucleo composto.

Se il nucleo bersaglio era ^{A}X, il nucleo composto che si forma sarà ^{A+1}X.

L'associazione del neutrone al nucleo bersaglio comporta la perdita di una certa quantità di massa o difetto di massa Δm cui corrisponde per la rel. 1.2.1 la liberazione della equivalente energia di legame.

Osserviamo che l'energia di legame resasi disponibile con l'assorbimento del neutrone nel nucleo bersaglio in generale differisce quantitativamente dalla energia di legame media per nucleone E_b definita nelle pagine precedenti.

Questo differente valore è dovuto alla complessa struttura del nucleo atomico.

Per il calcolo della energia di eccitazione del nucleo composto non è corretto utilizzare il valore della energia di legame media per nucleone E_b in quanto essa come valore medio non fornisce una indicazione dell'energia liberata dalla associazione al nucleo di uno specifico neutrone.

Per il calcolo della energia di eccitazione del nucleo composto è quindi necessaria la conoscenza del valore dell'energia di legame dello specifico neutrone associatosi al nucleo, energia che si usa indicare con la scrittura E_S.

Il valore dell'energia E_S *lo si ricava dai bilanci di massa prima e dopo la reazione di formazione del nucleo composto.*

Ad esempio bombardando ^{235}U *con neutroni si verifica la reazione:*

$$^{235}U + {}^{1}n \longrightarrow {}^{236}U^{*}$$

Il bilancio di massa è il seguente:

$$^{235}U = 235{,}0439 \text{ u.m.a.} \; +$$

$$^{1}n = \underline{1{,}0089 \text{ u.m.a.}} \; =$$

$$236{,}0528 \text{ u.m.a.}$$

La massa dell'^{236}U *vale a sua volta:*

$$^{236}U = 236{,}0456 \text{ u.m.a.}$$

Il difetto di massa Δm *della reazione lo si calcola con la rel. 1.3.2. Si ha:*

$$\Delta m = (236{,}0456 - 236{,}0528) \text{ u.m.a}$$

$$\Delta m = -0{,}0072 \text{ u.m.a}$$

L'energia di legame del neutrone catturato vale quindi:

$$E_s = 0{,}0072 \cdot 931{,}6$$

$$E_s = 6{,}70 \text{ MeV} \tag{1.4.1}$$

Calcoliamo ora l'energia di legame media per nucleone E_b *relativa all'* ^{236}U. *Essa vale:*

Massa dei reagenti **Massa del prodotto di reazione**

$92 \cdot m_p = 92 \cdot 1{,}007593 = 92{,}6986 +$

$144 \cdot m_n = 144 \cdot 1{,}008982 = 145{,}2934 =$

$237{,}9920$ $\qquad m_{^{236}U} = 236{,}0456$

Il difetto di massa che accompagna la formazione del nucleo di ^{236}U *vale quindi:*

$$\Delta m = 236{,}0456 - 237{,}992$$

$$\Delta m = -1{,}9464 \text{ u.m.a}$$

che in termini di energia equivale ad:

$$E = 931{,}6 \cdot 1{,}9464 = 1813{,}27 \text{ MeV}$$

L'energia di legame media per nucleone vale infine:

$$E_b = \frac{1813}{236} = 7{,}683 \text{ MeV} \tag{1.4.2}$$

Confrontando il valore E_s *dato dall'eq. 1.4.1 con* E_b *dato dall'eq. 1.4.2 è immediato riconoscere il notevole errore che si commetterebbe nell'attribuire all'energia di eccitazione del nucleo composto il valore* E_b *anzichè il valore* E_s.

L'energia E_s si ripartisce in un primo tempo tra i nucleoni del nucleo composto portandolo in uno stato eccitato.

Nella seconda fase della reazione il nucleo ^{A+1}X decade cioè si libera dell'eccesso di energia emettendo particelle o energia radiante.

La vita del nucleo composto è di circa $t = (10^{-15} \div 10^{-14})$ s.

Una delle caratteristiche delle reazioni che si sviluppano attraverso la formazione del nucleo composto è che la relativa probabilità di formazione presenta valori numerici notevolmente elevati in corrispondenza di particolari valori dell'energia dei neutroni incidenti. Questi picchi o valori massimi della probabilità di formazione del nucleo composto sono detti risonanze di assorbimento neutronico.

In fisica per fenomeno di risonanza si intende l'eccitazione o l'assorbimento di energia da parte di un sistema risonante ottenuta applicando ad esso un segnale di frequenza eguale ad uno dei valori di frequenza di oscillazione caratteristici del sistema stesso.

In fisica nucleare si parla di fenomeni di risonanza facendo riferimento alla seguente convenzione.

Gli stati o livelli eccitati del nucleo, Fig. 1.4.1, vengono assimilati alle frequenze di oscillazione proprie del sistema risonante mentre i neutroni di differente energia vengono assimilati ai segnali di differente frequenza applicati al nucleo.

Quando l'energia cinetica del neutrone incidente sommata alla energia di legame E_S dovuta alla formazione del nucleo composto coincide con uno dei livelli eccitati del nucleo, una delle frequenze proprie di oscillazione del sistema risonante, si osserva una grande probabilità di assorbimento del neutrone.

Ad esempio in Fig. 1.4.1 sono indicati alcuni dei valori dell'energia cinetica e di legame del neutrone che producono assorbimento per risonanza; essi sono E_1 ed E_2.

1.5. Il flusso neutronico

Si definisce come flusso neutronico ϕ il prodotto della densità neutronica N (neutroni$\cdot cm^{-3}$) per le velocità v dei neutroni stessi espressa in $cm \cdot s^{-1}$.

Se i neutroni che costituiscono la densità N hanno tutti la stessa energia cinetica E e quindi la stessa velocità v il flusso neutronico risulta dato dalla:

$$\phi = N \cdot v \tag{1.5.1}$$

Se l'energia cinetica degli N neutroni è invece distribuita su un ampio spettro di valori, l'espressione del flusso neutronico è la seguente:

$$\phi = \int N(v) \cdot v dv \tag{1.5.2}$$

dove $N(v)$ è la densità dei neutroni con velocità compresa tra v e $v+dv$.

Dividendo il termine di destra della rel. 1.5.2 per il numero totale di neutroni $N = \int_0^\infty N(v)\cdot dv$, si ottiene il valore medio della velocità degli N neutroni dato dalla relazione:

$$<v> = \frac{\int_0^\infty N(v)\cdot v dv}{\int_0^\infty N(v)\cdot dv} \qquad (1.5.3)$$

Si può quindi definire come flusso neutronico totale ϕ_0 la seguente quantità convenzionale:

$$\phi_0 = N\cdot <v> \qquad (1.5.4)$$

data dal prodotto della densità neutronica totale N per un valore unico e medio $<v>$ della velocità dei neutroni.

Il flusso neutronico ϕ_0 è quindi solo formalmente analogo al flusso neutronico ϕ dato dell'eq. 1.5.1.

Il flusso neutronico così come è stato definito è una grandezza scalare, è cioè completamente determinata dal suo solo valore numerico e non dalla direzione e verso di movimento degli N neutroni che lo costituiscono.

Fisicamente la grandezza flusso neutronico va interpretata come lo spazio complessivamente percorso in media nell'unità di tempo dagli N neutroni contenuti nell'unità di volume.

Dimensionalmente il flusso neutronico ϕ è definito come:

$$\phi = N \text{ (neutroni}\cdot\text{cm}^{-3}\text{)}\cdot v\cdot\text{(cm}\cdot\text{s}^{-1}\text{)}$$

$$\phi = \text{(neutroni cm}^{-2}\cdot\text{s}^{-1}\text{)}$$

Il legame tra energia cinetica e velocità corrispondente del neutrone è dato dalla formula classica:

$$E_C = \frac{1}{2}(m\cdot v^2) \qquad (1.5.5)$$

dove m *è la massa del neutrone.*

L'eq. 1.5.5 può essere scritta inversamente:

$$v(E) = 1{,}383\cdot 10^6 \sqrt{E} \quad [\text{cm}\cdot s^{-1}] \qquad (1.5.6)$$

dove l'energia cinetica del neutrone E *è data in* eV.

Si dimostra che la formula classica, eq. 1.5.5, per l'energia cinetica E_C *di una particella è valida fino ad energie di movimento* E_C *della stessa molto minori dell'equivalente in energia* $m_0 c^2$ *della sua massa a riposo cioè fino a quando è* $E_C << m_0c^2$.

In pratica la $E_C = ½(m_0v^2)$ *è valida fino a velocità* $v \leq 0{,}2c$, *dove* c *è la velocità della luce nel vuoto, cioè fino a che:* $E_C \leq ½\, m_0\, (0{,}2\, c)^2 \leq 0{,}02\, m_0c^2$.

Per un neutrone è $m_0c^2 \approx 940$ MeV *quindi la formula classica è valida fino a* $E_C \leq 0.02\cdot 940 = 18.8$ MeV.

In Fisica del Reattore l'energia cinetica di interesse dei neutroni è sempre minore o eguale a circa 18 MeV. *Al contrario, per un elettrone per il quale è* $m_0c^2 = 0.511$ MeV, *la formulazione classica, eq. 1.5.5, per l'energia cinetica è valida solamente per* $E_C \leq 0.02 \cdot 0.511 = 10$ **KeV**. *Per* $E_C > 10$ **KeV** *l'elettrone si dice relativistico.*

1.6. Le sezioni d'urto neutroniche ed il tasso di reazione

Il calcolo del numero atteso di reazioni o interazioni tra neutroni e nuclei che si verificano nell'unità di tempo e nel volume unitario di un mezzo percorso da neutroni che si muovono in tutte le direzioni, è uno dei problemi di base della Fisica del Reattore.

Consideriamo a questo scopo un volume $V = 1\ cm^3$ entro il mezzo attraversato dal flusso neutronico $\phi = N \cdot v$ e sia N_0 la densità dei nuclei (nuclei cm^{-3}) di detto mezzo materiale.

E' immediato supporre che il numero di interazioni tra i neutroni ed i nuclei sia proporzionale al prodotto della densità delle particelle coinvolte, rispettivamente gli N neutroni e gli N_0 nuclei contenuti nel volume considerato. Il fattore di proporzionalità in prima approssimazione lo si assume dato dall'area opaca al passaggio dei neutroni ossia dalla sezione geometrica A complessivamente opposta al movimento dei neutroni da tutti i nuclei contenuti nel volume considerato.

Se r è il **raggio geometrico** del nucleo, la sezione geometrica retta del nucleo nell'ipotesi che esso abbia forma sferica risulta eguale ad $s = \pi \cdot r^2$.

L'area opaca A opposta da tutti i nuclei contenuti nel volume V sarà quindi data dalla:

$$A = s \cdot N_0 \cdot V$$

Si ha quindi che il numero R_0 di collisioni neutrone-nucleo per cm^3 e per secondo che ci si può attendere è esprimibile con la relazione:

$$R_0 = \phi \cdot N_0 \cdot S$$

e quindi:

$$R_0 = \pi \cdot r^2 \cdot N_0 \cdot \phi \quad [reazioni \cdot cm^{-3} \cdot s^{-1}] \qquad (1.6.1)$$

L'eq. 1.6.1 può essere letta dicendo che il numero atteso o prevedibile di reazioni per cm^3 e per s, noto come **tasso di reazione**, è proporzionale al prodotto tra il flusso neutronico ϕ ed il numero di nuclei N_0 contenuti nell'unità di volume del materiale bersaglio e che la costante di proporzionalità è la sezione geometrica $S = \pi \cdot r^2$ del nucleo atomico.

In realtà si osserva che nella generalità dei casi il bombardamento neutronico di campioni di un materiale qualunque produce un tasso di reazione R_0 che è in effetti proporzionale al prodotto del flusso neutronico ϕ per il numero di nuclei N_0 complessivamente presenti nel campione, ma la costante di proporzionalità non coincide con la sezione o **area d'urto geometrica** del nucleo $S = \pi \cdot r^2$.

La rel. 1.6.1 non è quindi vera e deve essere sostituita con una relazione dove all'area o sezione geometrica del nucleo si sostituisce una opportuna **costante di proporzionalità** che si usa indicare con la lettera σ. Il tasso di reazione è quindi dato in accordo con l'esperienza, dalla relazione:

$$R_0 = \sigma \cdot \phi \cdot N_0 \quad [reazioni \cdot cm^{-3} \cdot s^{-1}] \qquad (1.6.2)$$

I nuclei degli atomi in ultima analisi, presentano aree opache al passaggio dei neutroni che sono differenti dalla loro area o sezione geometrica retta. La **costante di proporzionalità** σ della rel. 1.6.2 assume in definitiva il ruolo di area opaca effettiva o **sezione d'urto effettiva** del nucleo per quel tipo di reazione nucleare.

L'esperienza ha mostrato che le sezioni d'urto nucleari effettive σ, che d'ora in avanti chiameremo brevemente sezioni d'urto, possono assumere valori numerici su un ampio spettro che si estende da 10^{-5} a 10^{6} volte l'area geometrica dei nuclei.

Il valore numerico della σ lo si ricava sperimentalmente ed utilizzando la rel. 1.6.2. E' infatti:

$$\sigma = \frac{R}{\phi \cdot N_0} \quad \left[\frac{cm^2}{nucleo}\right] \tag{1.6.3}$$

Le sezioni d'urto σ sono dette sezioni d'urto microscopiche perchè si riferiscono al singolo nucleo.

Dimensionalmente le sezioni d'urto σ sono delle lunghezze al quadrato, cioè delle aree, come risulta anche dall'analisi dimensionale dell'eq. 1.6.3.

Poichè le **dimensioni geometriche** dei nuclei sono dell'ordine di 10^{-24} cm^2, come unità di misura delle sezioni d'urto σ si è assunto il **barn** dove:

$$1 \text{ barn} = 10^{-24} \; [cm^2] \tag{1.6.4}$$

E' ora più evidente l'utilità di avere introdotto la grandezza flusso neutronico ϕ. Osservando infatti l'eq. 1.6.2 si vede immediatamente che per calcolare l'importante quantità R_0 cioè il numero di reazioni che si verificano nell'unità di tempo e nella unità di volume, ad esempio il numero di fissioni per cm^3 e per secondo che si verificano nel combustibile del reattore, non è necessaria la conoscenza delle singole grandezze densità neutronica N e velocità neutronica v, ma è sufficiente la conoscenza del valore del loro prodotto $N \cdot v$ che è la quantità definita come flusso neutronico.

Il valore del flusso neutronico ϕ d'altra parte è direttamente ottenibile da misurazioni. Si ha infatti dalla rel. 1.6.2 che:

$$\phi = \frac{R}{\sigma \cdot N_0} \qquad (1.6.5)$$

dove R è la quantità ottenibile sperimentalmente e quindi misurabile ed N_0 e σ sono quantità ritenute note.

1.7. La dipendenza delle σ dall'energia cinetica dei neutroni

L'esperienza ha mostrato che le sezioni d'urto σ sono funzioni il cui valore numerico dipende dai seguenti parametri:

- l'energia cinetica relativa neutrone nucleo alla quale avviene la reazione;
- l'isotopo coinvolto;
- il tipo di reazione nucleare.

Per valutare il numero di reazioni che si verificano per ogni specie nucleare o isotopo occorre definire per ognuna di esse il valore della sezione d'urto σ di interesse in funzione dell'energia E alla quale avviene la reazione.

Le sezioni d'urto σ sono quindi più correttamente e completamente indicate usando la scrittura seguente:

$$^{k}\sigma_{i}(E) \qquad (1.7.1)$$

dove k indica l'isotopo considerato ed i il tipo della reazione nucleare, ad esempio lo scattering elastico, lo scattering anelastico, la cattura radiativa o la fissione per limitarci alle reazioni che ricorderemo nelle pagine seguenti.

Per ogni singolo isotopo si può quindi definire una sezione d'urto totale $\sigma_T(E)$ data dalla somma delle sezioni d'urto parziali che per quanto qui di interesse lo ripetiamo sono quelle di scattering, $\sigma_s(E)$, e di assorbimento neutronico, $\sigma_a(E)$, che a loro volta sono somma rispettivamente delle sezioni d'urto di scattering elastico, $\sigma_{s.e}(E)$, e di scattering anelastico, $\sigma_{s.a}(E)$, di cattura radiativa, $\sigma_c(E)$, e di fissione $\sigma_f(E)$ come sintetizzato nello schema di Fig. 1.7.1.

In generale vale quindi la relazione:

$$\sigma_T(E) = \sigma_{s.e}(E) + \sigma_{s.a}(E) + \sigma_c(E) + \sigma_f(E) \qquad (1.7.2)$$

Se si osserva l'andamento delle sezioni d'urto, $\sigma_T(E)$, della generalità dei nuclidi in funzione della energia E dei neutroni incidenti come riportato in Fig. 1.7.2, si vede che si possono individuare regioni o intervalli energetici all'interno dei quali la $\sigma_T(E)$ ha andamenti caratteristici.

In Fig. 1.7.2 l'intervallo o spettro energetico complessivo considerato si estende da 0,01 **eV** a 10 **MeV** in quanto è l'intervallo energetico all'interno del quale nel nocciolo del reattore si trovano neutroni in quantità non trascurabile.

Per quanto di interesse in quello che segue è sufficiente suddividere l'intero spettro energetico dei neutroni in tre regioni o intervalli energetici che sono:

- quello **termico** che si usa individuare tra 0,01 **eV** ed 1 **eV**;

- quello **epitermico** o delle risonanze che si usa estendere da 1 **eV** a 10^5 **eV**;
- quello **veloce** da 10^5 **eV** a 10^7 **eV**.

Per intervallo di energia termica si intende quella regione dello spettro energetico caratterizzato da valori della energia corrispondenti a quelli prevalentemente posseduti dagli atomi e molecole di un mezzo a temperatura $T > 0^oK$.

Le molecole di un gas, e con buona approssimazione gli atomi e molecole di solidi e liquidi, hanno energia di movimento per agitazione termica la cui distribuzione è ben rappresentata da una funzione detta Maxwelliana, che ha la seguente espressione:

$$N(E) = \frac{2 \cdot \pi \cdot N}{(\pi \cdot KT)^{3/2}} E^{½} \cdot e^{E/KT} \qquad (1.7.3)$$

In essa **N(E)** *è il numero di particelle per unità di volume con energia compresa in un intervallo unitario attorno ad* **E**, **N** *è il numero totale di particelle per* **cm^3**, $K = 8{,}617 \cdot 10^{-5}$ **$eV/0^oK$** *è la costante di Boltzmann e* **T** *la temperatura in gradi Kelvin del mezzo cui appartengono le particelle.*

L'intervallo energetico **occupato dalla maggioranza** *delle particelle di un mezzo in equilibrio per un certo valore della temperatura* **T** *del mezzo stesso secondo la funzione 1.7.3 si dice intervallo di energie termiche a quella temperatura.*

Neutroni che abbiano una distribuzione in energia corrispondente a quella delle particelle del mezzo entro il quale si muovono, espressa dalla funzione 1.7.3, sono detti **neutroni termici**.

Nell'intervallo di energie termiche, le sezioni d'urto d'assorbimento $\sigma_a(E)$ assumono in generale valori elevati con andamento gradualmente decrescente al crescere della energia E all'interno dell'intervallo stesso come mostrato in Fig. 1.7.2.

Molti nuclidi hanno sezione d'urto di assorbimento nell'intervallo energetico termico descrescente in maniera inversamente proporzionale alla radice quadrata della energia o come si usa dire, del tipo $1/v$, dove v è la velocità neutronica.

Osserviamo che l'energia neutronica E a cui fare riferimento per le reazioni neutrone-nucleo in realtà è l'energia relativa neutrone-nucleo bersaglio in quanto questo ultimo a rigori non è mai fermo come abbiamo ora ricordato a causa della agitazione termica che caratterizza atomi e molecole di qualunque materiale a temperatura T maggiore dello zero assoluto, $T > 0^{o}K$.

L'energia da considerare nelle reazioni neutrone-nucleo è quindi quella "vista" dal nucleo bersaglio che risulta dalla combinazione della energia di movimento del neutrone e dalla energia di movimento del nucleo che vengono a collisione.

In queste condizioni anche un fascetto di neutroni rigorosamente monoenergetici che incida sul bersaglio appare ai nuclei dello stesso come un fascetto di neutroni polienergetici cioè con energia distribuita su uno spettro continuo entro una banda più o meno grande.

Questa precisazione assume particolare importanza nella zona energetica caratterizzata da assorbimenti neutronici per risonanza in quanto ivi la sezione d'urto di assorbimento neutronico varia bruscamente di valore, da centinaia o migliaia di barn in corrispondenza del picco a pochi barn per energie leggermente superiori o inferiori a quella corrispondente al picco.

La "sensibilità" delle sezioni d'urto d'assorbimento al valore della energia di interazione neutrone nucleo nella zona energetica epitermica o delle risonanze è causa dello specifico comportamento del reattore in transitorio termico come sarà meglio chiarito più avanti nel capitolo sulla dinamica del reattore al paragrafo sul coefficiente Doppler.

Nell'intervallo energetico veloce, da 100 **KeV** in poi, le sezioni d'urto hanno in generale valori relativamente modesti, qualche decina di barns o meno, ed andamento decrescente con l'energia E.

In questo intervallo energetico le sezioni d'urto a soglia, cioè le sezioni d'urto per le reazioni che si verificano solamente per valori dell'energia E del neutrone incidente eguale o superiore ad un valore E' detto di soglia, hanno al contrario andamento crescente con l'energia E.

Un esempio è dato dagli andamenti dalle sezioni d'urto di fissione per l'^{238}U ed il ^{232}Th riportati nella Fig. 1.7.3.

Nelle pagine precedenti si sono considerati i **ratei** o **tassi di reazione neutrone-nucleo** nella ipotesi che i neutroni incidenti fossero tutti monoenergetici e questo ha portato alla definizione del tasso di reazione R_0 dato dall'eq. 1.6.2 ed all'eq. 1.6.5 per la valutazione quantitativa del flusso neutronico.

In realtà in un reattore nucleare i neutroni hanno distribuzione in energia estesa su un ampio spettro come già accennato nelle pagine precedenti.

E' necessaria quindi una generalizzazione delle eq. 1.6.2 e 1.6.5 che tenga conto della situazione reale.

Per questo indichiamo con $N(E)\ dE$ il numero di neutroni per cm^3 che hanno energia compresa tra E ed $E+dE$. Il flusso neutronico o l'intensità dei neutroni sarà data dalla relazione:

$$\phi(E)dE = N(E)\cdot v(E)\ dE \qquad (1.7.4)$$

dove $v(E)$ è la velocità dei neutroni con energia cinetica E.

Il tasso di reazione prodotto dai neutroni compresi nell'intervallo energetico dE sarà di conseguenza dato dalla:

$$R(E)dE = [N(E) \cdot v(E) \cdot \sigma(E) dE] \cdot N_0 \qquad (1.7.5)$$

dove N_0 è il numero di nuclei bersaglio cm^{-3}.

Il tasso di reazione complessivo dovuto a tutti i neutroni con energia compresa entro lo spettro considerato $(E_1 \div E_2)$ sarà di conseguenza la somma dei contributi elementari come definiti dall'eq. 1.7.5 su ogni intervallo dE.

Per dE di ampiezza infinitesima sarà quindi:

$$R = N_0 \int_{E_1}^{E_2} N(E) \cdot v(E) \cdot \sigma(E) \; dE \qquad (1.7.6)$$

Il calcolo del valore della rel. 1.7.6 che sostituisce la rel. 1.6.2 richiede la conoscenza dell'andamento, in funzione dell'energia E e nell'intervallo energetico di interesse, delle funzioni densità neutronica $N(E)$, velocità neutronica $v(E)$ e sezione d'urto $\sigma(E)$.

In molti casi importanti in Fisica ed Ingegneria del reattore termico le difficoltà di valutazione dell'eq. 1.7.6 possono essere facilmente superate ricorrendo a convenzioni e considerazioni che permettono di ritornare a formulazioni semplici analoghe alla rel. 1.6.2.

Per interazione con **neutroni termici**, la maggior parte dei nuclidi presenta, come già accennato, sezioni d'urto di assorbimento con andamento in funzione dell'energia E del tipo $1/\sqrt{E}$.

In parole il valore numerico delle sezioni d'urto $\sigma_a(E)$ diminuisce al crescere di E in maniera inversamente proporzionale alla radice quadrata dell'energia cinetica E dei neutroni, o che è lo stesso, in maniera inversamente proporzionale alla velocità neutronica $v(E)$ corrispondente. Si osserva cioè che vale la relazione:

$$\sigma_a(E) = K/(E)^{1/2}$$

o anche:

$$\sigma_a(E) = K/v(E) \tag{1.7.7}$$

Applicando l'eq. 1.7.7 a due valori dell'energia neutronica, uno E_o definito ma arbitrario ed uno E generico si ha:

$$\sigma_a(E_o) \cdot v(E_o) = K$$

$$\sigma_a(E) \cdot v(E) = K$$

da cui eliminando la costante K si ha:

$$\sigma_a(E) \cdot v(E) = \sigma_a(E_o) \cdot v(E_o)$$

e quindi:

$$\sigma_a(E) = \sigma_a(E_o) \frac{v(E_o)}{v(E)} \tag{1.7.8}$$

o anche:

$$\sigma_a(E) = \sigma_a(E_o) \left(\frac{E_o}{E}\right)^{1/2} \tag{1.7.9}$$

L'eq. 1.7.8 o l'eq. 1.7.9 vanno interpretate dicendo che quando sia noto il valore della sezione d'urto $\sigma_a(E_0)$ per un certo valore E_0 della energia, valore del tutto scelto arbitrariamente entro l'intervallo di validità della dipendenza $1/v$ della σ, è anche noto il valore della medesima sezione d'urto per un valore qualsivoglia E della energia neutronica anche esso preso entro l'intervallo di validità dell'andamento $1/v$ della σ stessa.

Introducendo l'eq. 1.7.9 nell'eq. 1.7.6 si ha:

$$R = N_0 \int N(E) \cdot v(E) \cdot \sigma(E_0) \frac{v(E_0)}{v(E)} dE$$

da cui:

$$R = N_0 \cdot \sigma(E_0) \cdot v(E_0) \cdot \int N(E) dE$$

indicando con N_T la densità neutronica complessiva, cioè ponendo:

$$N_T = \int N(E)\ dE \qquad (1.7.10)$$

si ottiene per il tasso di reazione R la relazione seguente:

$$R = \sigma(E_0) \cdot v(E_0) \cdot N_T \cdot N_0$$

ponendo infine:

$$\phi_0 = N_T \cdot v(E_0) \qquad (1.7.11)$$

si ha per R la relazione:

$$R = N_0 \cdot \sigma(E_0) \cdot \phi_0 \qquad (1.7.12)$$

In conclusione il tasso di reazione R in zona termica per nuclidi con sezione d'urto di assorbimento σ_a del tipo $1/v$, risulta indipendente dallo spettro energetico dei neutroni; esso è dato dal prodotto tra la sezione d'urto di assorbimento di cui si conosce il valore per **un unico** (ed arbitrario) valore dell'energia $E = E_0$ ed un **flusso neutronico convenzionale** ϕ_0 definito dall'eq. 1.7.11 come prodotto della densità neutronica totale N_T per un unica velocità neutronica v_0.

Questa ultima corrisponde per l'eq. 1.5.6 alla energia E_0 che determina il valore della sezione d'urto di riferimento $\sigma(E_0)$.

L'eq. 1.7.12 è formalmente analoga all'eq. 1.6.2 e come questa ultima non presenta particolari difficoltà per la sua valutazione quantitativa.

1.8. Le sezioni d'urto neutroniche a 2200 metri s^{-1}

Dalle considerazioni precedenti è derivata la pratica generalizzata di riportare nelle tabelle e nelle carte dei nuclidi il valore delle sezioni d'urto di assorbimento neutronico per un unico valore E_0 della energia neutronica.

Il valore dell'energia scelta come riferimento è quello della **energia più probabile** per neutroni che abbiano distribuzione in energia secondo una Maxwelliana alla temperatura $T = 20\ ^oC$.

In Tab. 1.8.1 sono riportati a titolo di esempio i valori dell'energia cinetica più probabile E_0, della corrispondente velocità più probabile v_0 e della velocità media $\langle v \rangle$ ($\langle v \rangle = 1{,}128\ v_0$) per neutroni con distribuzione in energia descritta da una Maxwelliana e per differenti valori di temperatura T.

L'energia neutronica presa a riferimento nelle pagine precedenti vale quindi $E_0 = 0{,}025$ **eV** e la corrispondente velocità neutronica vale $v_0 = 2200$ metri sec^{-1}.

I valori delle sezioni d'urto microscopiche di assorbimento relative all'energia E_0 (o alla velocità v_0) riportate nelle tabelle e nelle carte dei nuclidi indicate generalmente con la scrittura $\sigma(E_0)$ o $\sigma(v_0)$, sono comunemente ma **impropriamente dette "sezioni d'urto termiche"**.

Il flusso neutronico convenzionale ϕ_0 **è detto** "flusso neutronico a 2200 m/sec" o **impropriamente "flusso neutronico termico"**.

Non tutti gli elementi o isotopi hanno sezione d'urto d'assorbimento neutronico con andamento in zona termica del tipo $1/v$ ed alcuni di questi sono elementi importanti nella tecnica nucleare.

Per conservare anche per questi nuclidi la semplicità della rel. 1.7.12 per la valutazione del tasso di reazione in zona termica, **C.H. Westcott** ha calcolato ed introdotto per essi dei **fattori correttivi** da applicare alle $\sigma_a(E_0)$.

Per questi nuclidi la rel. 1.7.12 diviene:

$$R_{0i} = g_i(T) \cdot {}^{i}\sigma_a \cdot (E_0) \cdot N_0 \cdot \phi_0 \qquad (1.8.1)$$

dove $g_i(T)$ sono i fattori correttivi detti anche **"fattori non $1/v$"**. Essi risultano dipendere dalla temperatura T che caratterizza la distribuzione maxwelliana nella zona termica.

In Tab. 1.8.2 sono riportati i **fattori non** $1/v$ per alcuni elementi o nuclidi importanti in Ingegneria Nucleare esplicitandone la dipendenza dalla temperatura T (°C).

1.9. Le sezioni d'urto macroscopiche Σ(E)

Le sezioni d'urto macroscopiche sono definite dal prodotto delle sezioni d'urto microscopiche $\sigma(E)$ per il numero N_0 dei nuclei bersaglio contenuti nell'unità il volume. Esse sono indicate con la lettera Σ.

E' quindi:

$$\Sigma_i(E) = \sigma_i(E) \cdot N_0 \tag{1.9.1}$$

Il valore assunto dalle sezioni d'urto macroscopiche in un mezzo attraversato da neutroni, sintetizza le proprietà nucleari del mezzo stesso in quanto in esse è contenuta una doppia informazione e precisamente:

- la probabilità di reazione per nucleo incontrato dai neutroni indicata dal valore della sezione d'urto microscopica $\sigma_i(E)$;
- il numero complessivo di reazioni possibili dato dal numero di nuclei bersaglio esistenti cioè dalla densità N_0.

Le sezioni d'urto macroscopiche dimensionalmente sono l'inverso di una lunghezza come è immediato dedurre dalla rel. 1.9.1; esse si misurano in cm^{-1}:

$$\Sigma_i(E) = \frac{cm^2}{nucleo} \cdot \frac{nuclei}{cm^3} = \frac{1}{cm} \tag{1.9.2}$$

L'inverso delle sezioni d'urto macroscopiche è noto come libero cammino medio $\lambda_i(E) = 1/\Sigma_i(E)$, misurato ovviamente in centimetri, il cui significato fisico è quello di distanza media percorsa da un neutrone tra due interazioni successive.

Il significato fisico delle sezioni d'urto macroscopiche $\Sigma_i(E)$ è di conseguenza quello di **numero medio di reazioni o collisioni neutrone-nucleo** per **distanza unitaria percorsa dal neutrone.**

Dalla definizione di sezione d'urto macroscopica data dalla rel. 1.9.1 e dalla interpretazione del suo significato fisico è possibile verificare l'affermazione intuitiva fatta al par. 1.6 e cioè che il tasso di reazione è proporzionale al prodotto delle densità delle particelle coinvolte.

Si ha infatti:

Numero di collisioni neutrone-nucleo atteso nel tempo dt nell'unità di volume	=	Distanza percorsa nel tempo dt dagli N neutroni contenuti nell'unità di volume	•	Numero di collisioni neutrone-nucleo per distanza unitaria percorsa dai neutroni	
Rdt	=	(N • vdt)	•	Σ	*(1.9.3)*

semplificando ed introducendo la rel. 1.9.1 si ha:

$$R = Nv \cdot N_o \cdot \sigma_o$$

o anche:

$$R = (N \cdot N_o) \cdot v\sigma_o \qquad (1.9.4)$$

dove N è la densità dei neutroni ed N_o quella dei nuclei urtati.

La sezione d'urto macroscopica totale $\Sigma_T(E)$ di un mezzo materiale, in accordo con la rel. 1.7.2 è data dalla somma delle sezioni d'urto macroscopiche di scattering elastico $\Sigma_{s.e}(E)$ ed anelastico $\Sigma_{s.a}(E)$ e delle sezioni d'urto macroscopiche di cattura $\Sigma_C(E)$ e di fissione $\Sigma_f(E)$.

Per sezione d'urto macroscopica totale si intende quindi la:

$$\Sigma_T(E) = \Sigma_{s.e}(E) + \Sigma_{s.a}(E) + \Sigma_c(E) + \Sigma_f(E) \qquad (1.9.5)$$

Introduciamo ora alcune definizioni di cui si farà frequente uso nei capitoli seguenti.

Un mezzo materiale per cui sia nulla la sezione d'urto macroscopica di fissione, $\Sigma_f(E)=0$, un mezzo cioè caratterizzato da una sezione d'urto totale macroscopica data dalla $\Sigma_T(E)=\Sigma_{s.e}(E)+\Sigma_{s.a}(E)+\Sigma_c(E)$, si dice **mezzo diffondente**; se anche la $\Sigma_c(E)=0$ cioè se il mezzo non cattura neutroni si dice che è **puramente diffondente.**

Un mezzo materiale con sezione d'urto macroscopica di fissione diversa da zero, $\Sigma_f(E)\neq 0$, si dice **mezzo moltiplicante** facendo riferimento con questo al fatto che per ogni neutrone assorbito e che causa un evento di fissione viene prodotto un numero di nuovi neutroni **maggiore dell'unità.**

1.10. Una seconda definizione del flusso neutronico ϕ

Nei paragrafi precedenti sono state definite le grandezze sezione d'urto e tasso di reazione che permettono di dare alla grandezza flusso neutronico ϕ un'interpretazione alternativa a quella del par. 1.5.

A questo scopo si consideri il seguente esperimento ideale.

Si sottoponga un piccolo bersaglio al bombardamento simultaneo di numerosi fasci neutronici come schematizzato in Fig. 1.10.1.

Si supponga che mentre le intensità dei fasci neutronici sono differenti tra di loro, siano invece tutti eguali i valori dell'energia cinetica dei neutroni.

Il tasso di reazione complessivo tra i neutroni ed il bersaglio sarà dato dal prodotto seguente:

$$R = \Sigma_T (I_A + I_B + I_C + \ldots)$$

dove Σ_T è la sezione d'urto totale del bersaglio ed I_i sono le intensità dei fasci neutronici. L'ipotesi che tutti i neutroni abbiano la stessa energia cinetica permette di scrivere:

$$R = \Sigma_T (N_A + N_B + N_C + \ldots) v$$

dove N_A, N_B, N_C etc. sono le densità neutroniche dei vari fasci e v è la velocità dei neutroni. La densità neutronica complesiva N che incide sul bersaglio è ovviamente data dalla $N = N_A + N_B + N_C + \ldots$ e quindi il tasso di reazione complessivo è dato dal prodotto:

$$R = \Sigma_T \; N \cdot v \qquad (1.10.1)$$

E' immediato concludere che questo stesso stato di cose esiste in ogni punto entro il nocciolo del reattore che quindi rappresenta la moltiplicazione o generalizzazione dell'esperimento ideale precedente.

La rel. 1.10.1 vale quindi anche per un reattore dove N indica la densità neutronica nel punto considerato.

La rel. 1.10.1 per la definizione data 1.5.1 può essere scritta anche nella forma seguente:

$$R = \Sigma_T \, \phi$$

dalla quale si ha immediatamente che è:

$$\phi = \frac{R}{\Sigma_T} \qquad (1.10.2)$$

Ricordiamo ora che è:

$$\Sigma = \frac{1}{\lambda} = \text{Numero di reazioni per distanza unitaria percorsa da un neutrone}$$

e scriviamo l'equazione dimensionale della rel. 1.10.2:

$$\phi = \frac{R}{\Sigma_T} = \frac{\dfrac{\text{numero di reazioni}}{\text{cm}^{-3}\ \text{s}^{-1}}}{\dfrac{\text{numero di reazioni}}{\text{cm}^{-1}\ \text{neutrone}^{-1}}} = \frac{\text{neutroni}}{\text{cm}^2\ \text{s}} \qquad (1.10.3)$$

Il flusso neutronico ϕ del reattore può quindi essere definito come **la quantità di neutroni provenienti da tutte le direzioni e con verso qualunque che nell'unità di tempo attraversa una superficie di un centimetro quadrato.**

Tabella 1.8.1

Temperatura (^{o}C)	E_o (eV)	v_o (m sec^{-1})	<v> (m sec^{-1})
20	0,025	2200	2482
25	0,026	2216	2500
200	0,041	2800	3158
288	0,048	3040	3429
400	0,058	3400	3835
600	0,075	3800	4286
800	0,092	4200	4738

Corrispondenza tra temperatura della Maxwelliana ed energia cinetica, velocità più probabile e velocità media dei neutroni.

Tabella 1.8.2

T °C	Cd	In	^{135}Xe	^{149}Sm	^{233}U	
	g_a	g_a	g_a +	g_a	g_a	g_f
20	1,3203	1,0192	1,1581	1,6170	0,9983	1,0003
100	1,5990	1,0350	1,2103	1,8874	0,9972	1,0011
200	1,9631	1,0558	1,2360	2,0903	0,9973	1,0025
400	2,5589	1,1011	1,1864	2,1854	1,0010	1,0068
600	2,9031	1,1522	1,0914	2,0852	1,0072	1,0128
800	3,0455	1,2123	0,9887	1,9246	1,0146	1,0201
1000	3,0599	1,2915	0,8858	1,7568	1,0226	1,0284

T °C	^{235}U		^{238}U	^{239}Pu	
	g_a	g_f	g_a	g_a	g_f
20	0,9780	0,9759	1,0017	1,0723	1,0487
100	0,9610	0,9581	1,0031	1,1611	1,1150
200	0,9457	0,9411	1,0049	1,3388	1,2528
400	0,9294	0,9208	1,0085	1,8905	1,6904
600	0,9229	0,9108	1,0122	2,5321	2,2037
800	0,9182	0,9036	1,0159	3,1006	2,6595
1000	0,9118	0,8956	1,0198	3,5353	3,0079

da : C.H. Westcott, "Effective Cross Section Values for Well-Moderated Thermal Reactor Spectra", AECL-1101, January 1962

\+ E.C. Smith et al., Phys. Rev. 115, 1963 (1959)

Fattori correttivi $g_i(T)$

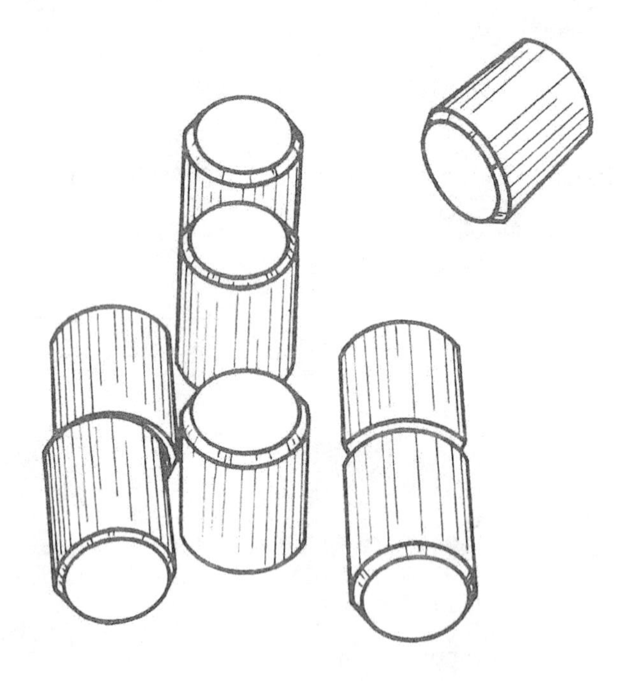

Fig. 1.1.1 *Pastiglie di combustibile UO_2 per LWR*

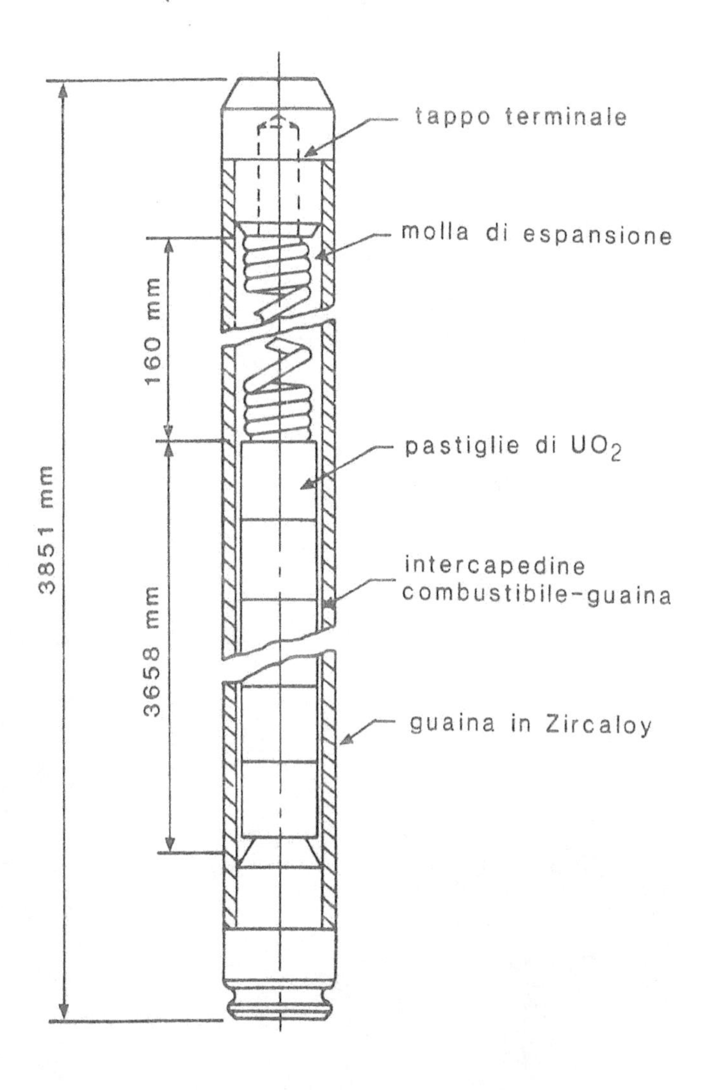

Fig. 1.1.2 *Sezione schematica di una barretta di combustibile*

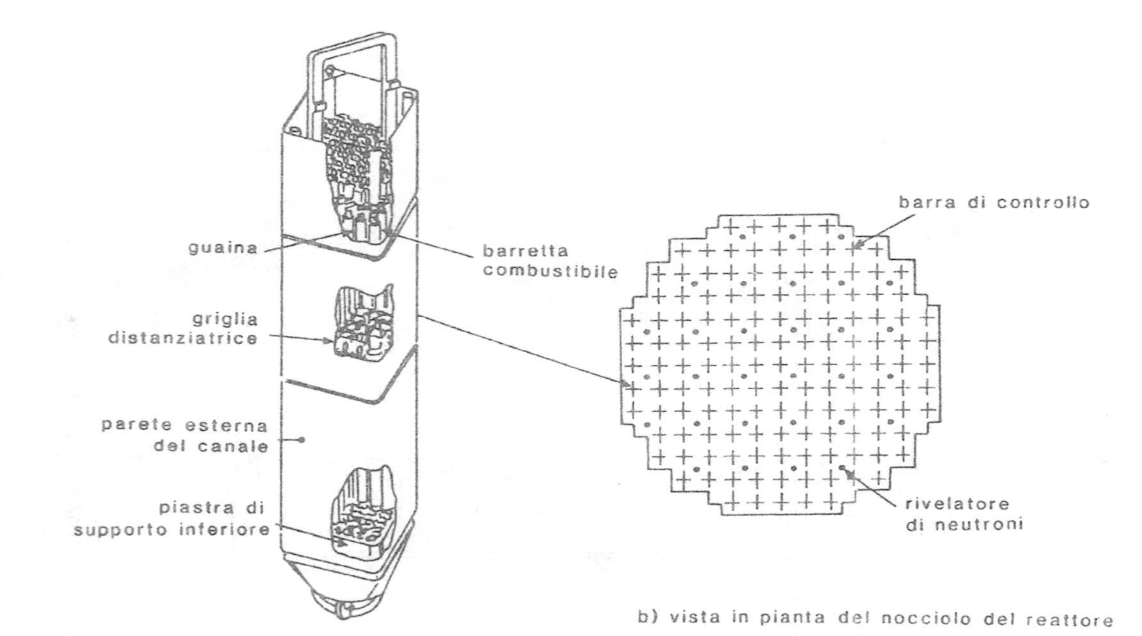

Fig. 1.1.3 *Elemento di combustibile per BWR (a) e sezione retta del nocciolo del reattore (b)*

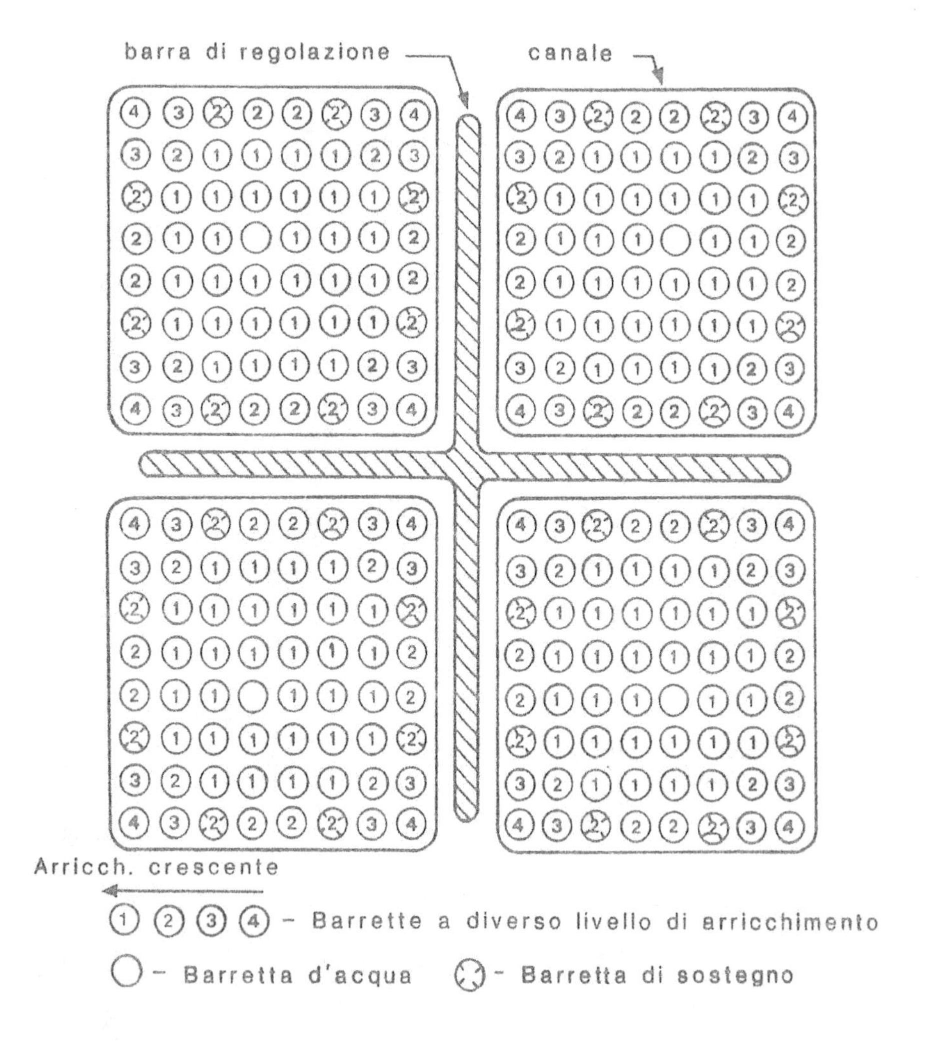

Fig. 1.1.4 *Quartina di elementi di combustibile per BWR con relativa barra di controllo cruciforme*

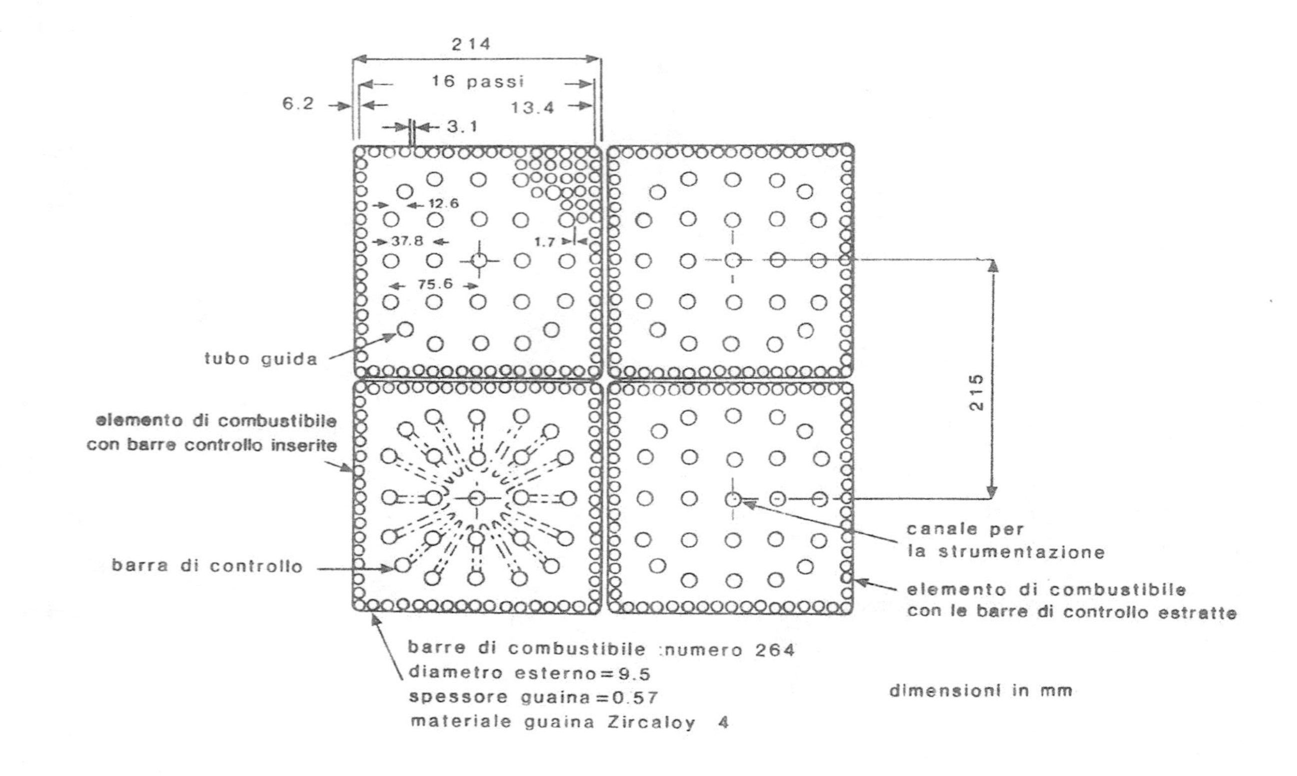

Fig. 1.1.5 *Quartina di elementi di combustibile per PWR; elementi di combustibile con barra di controllo inserita e barra di controllo estratta*

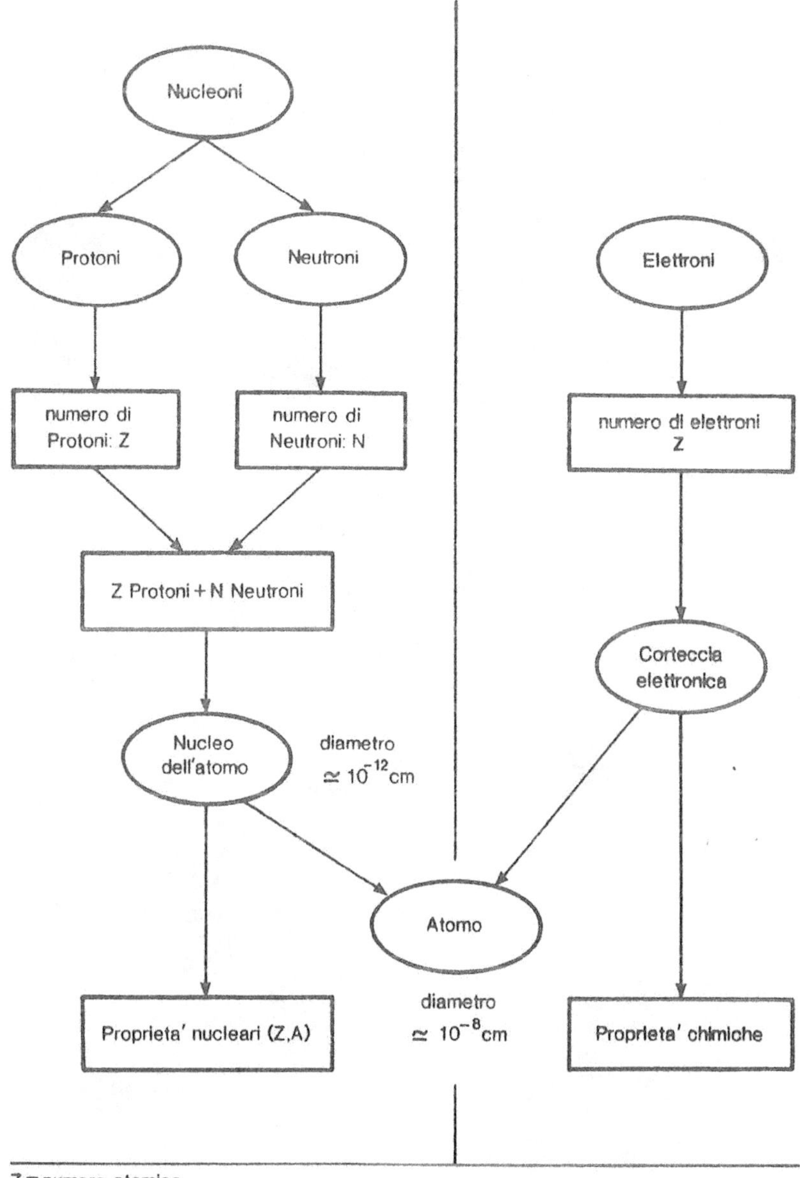

Z ≡ numero atomico

Z + N = A massa atomica

Fig. 1.2.1 *Schema di costituzione della materia*

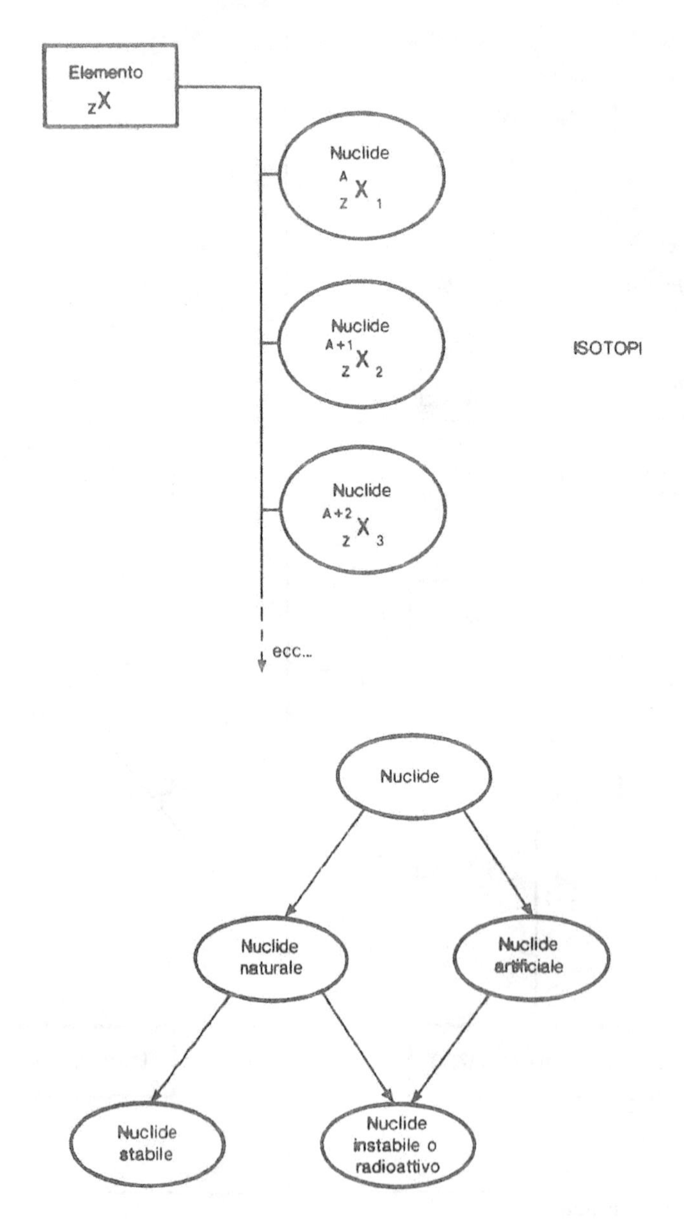

Fig. 1.2.2 *Esempio generale di possibili isotopi di un elemento e caratteristiche dei nuclidi naturali ed artificiali*

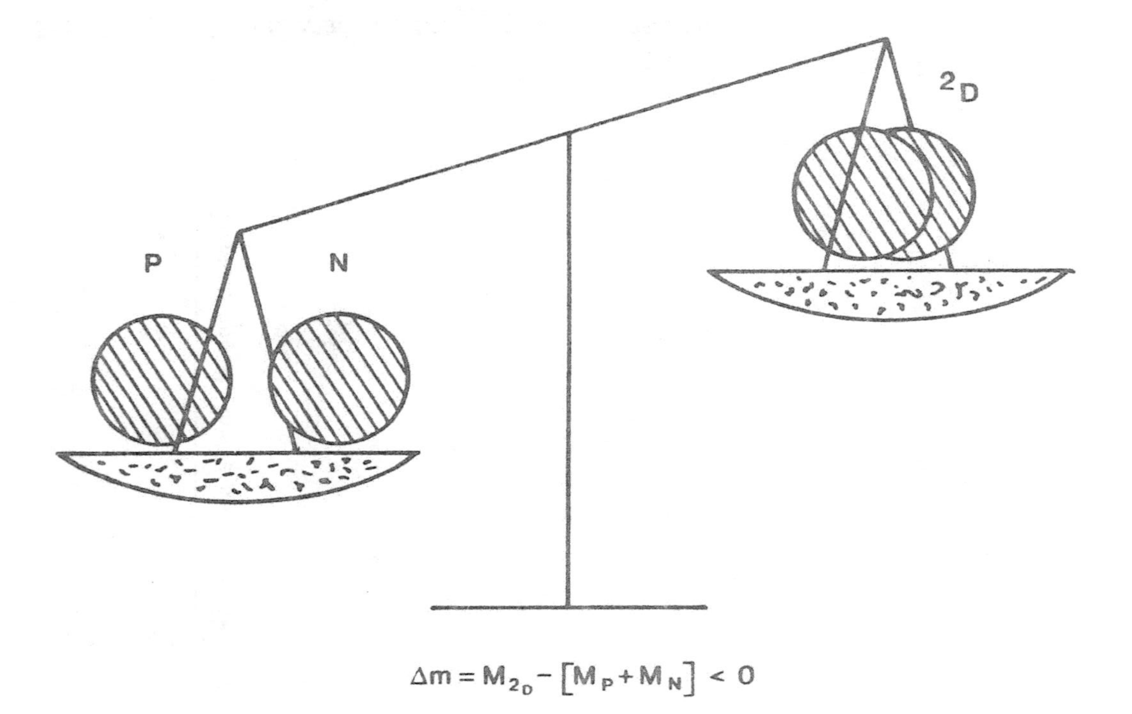

$$\Delta m = M_{^2D} - [M_P + M_N] < 0$$

Fig. 1.3.1 *Esempio di difetto di massa Δm nel caso della formazione di un nucleo di deuterio ^2D*

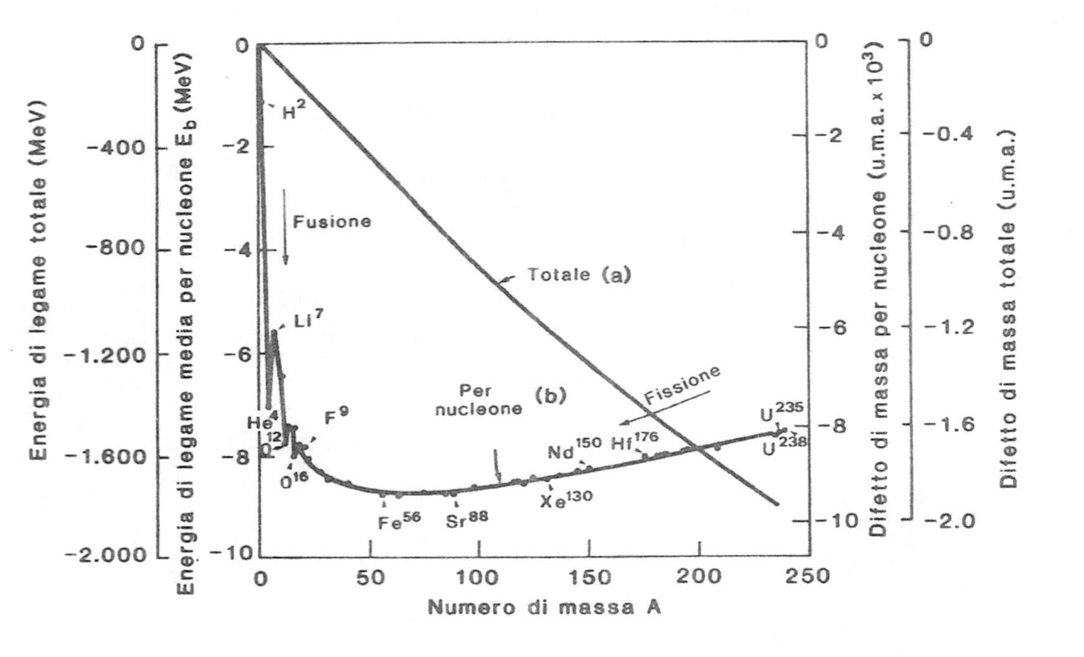

Fig. 1.3.2 *Difetto di massa ed energia di legame dei nuclei*

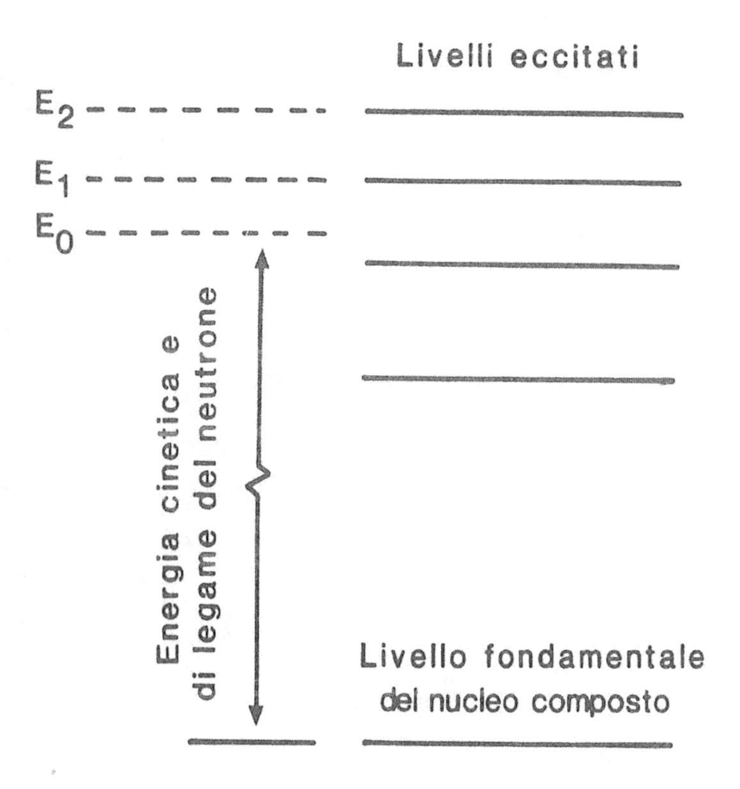

Fig. 1.4.1 *Formazione del nucleo composto eccitato e livelli quantici*

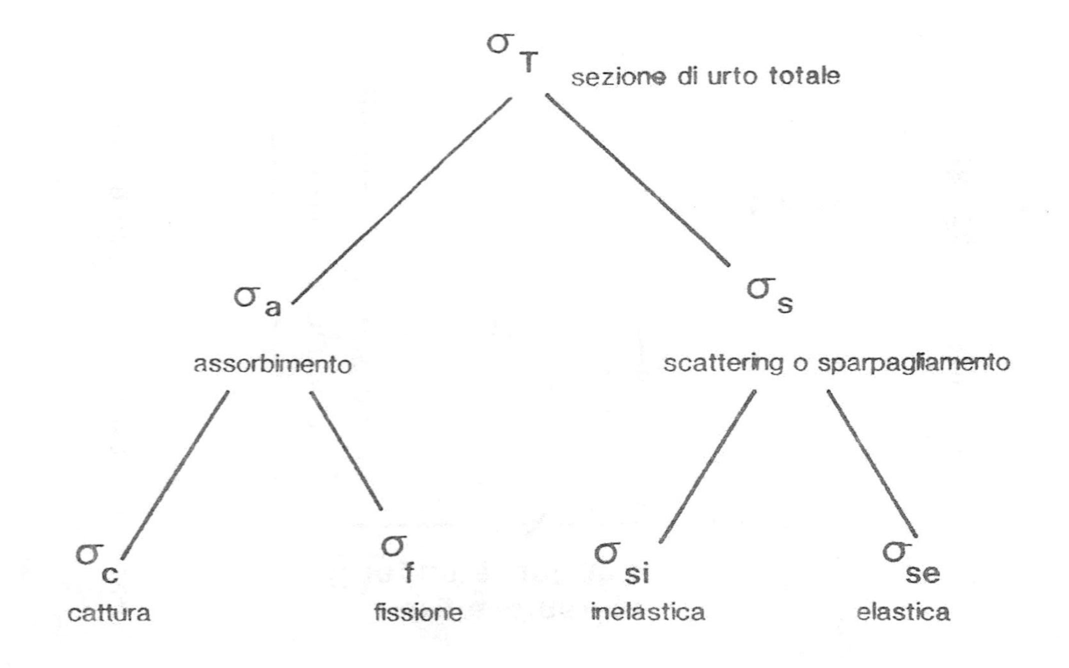

Fig. 1.7.1 *Sezione d'urto microscopica totale* σ_T *e sue componenti*

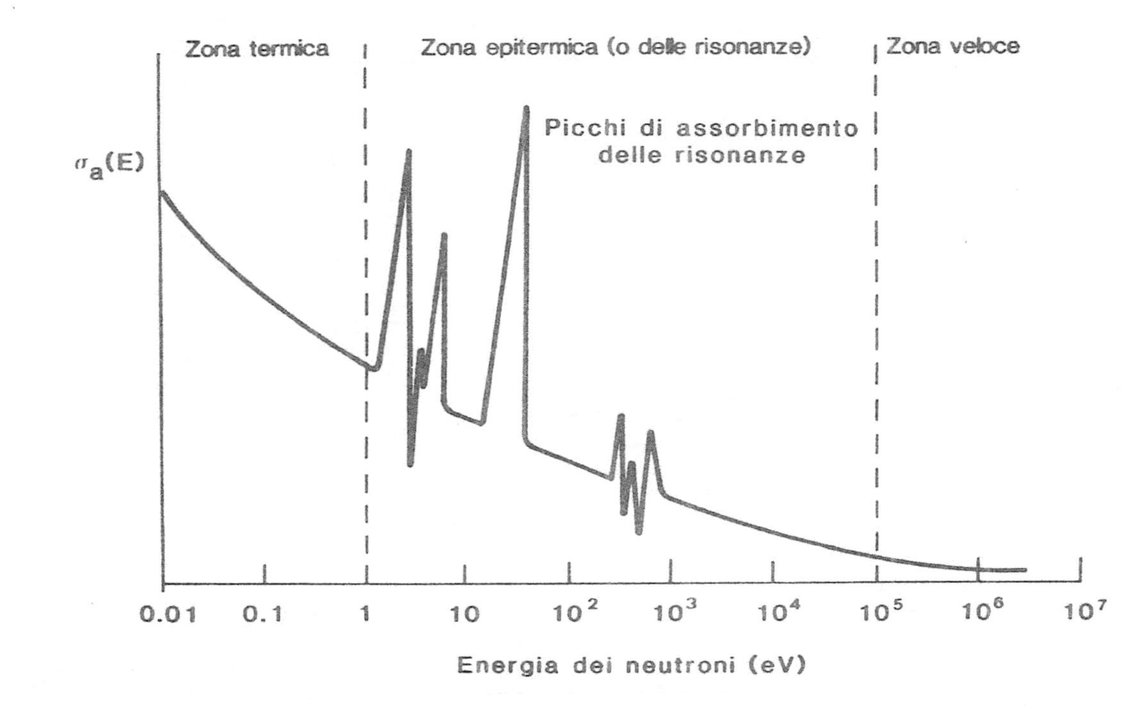

Fig. 1.7.2 *Andamento generale delle sezioni d'urto microscopiche d'assorbimento neutronico $\sigma_a(E)$ in funzione dell'energia E dei neutroni*

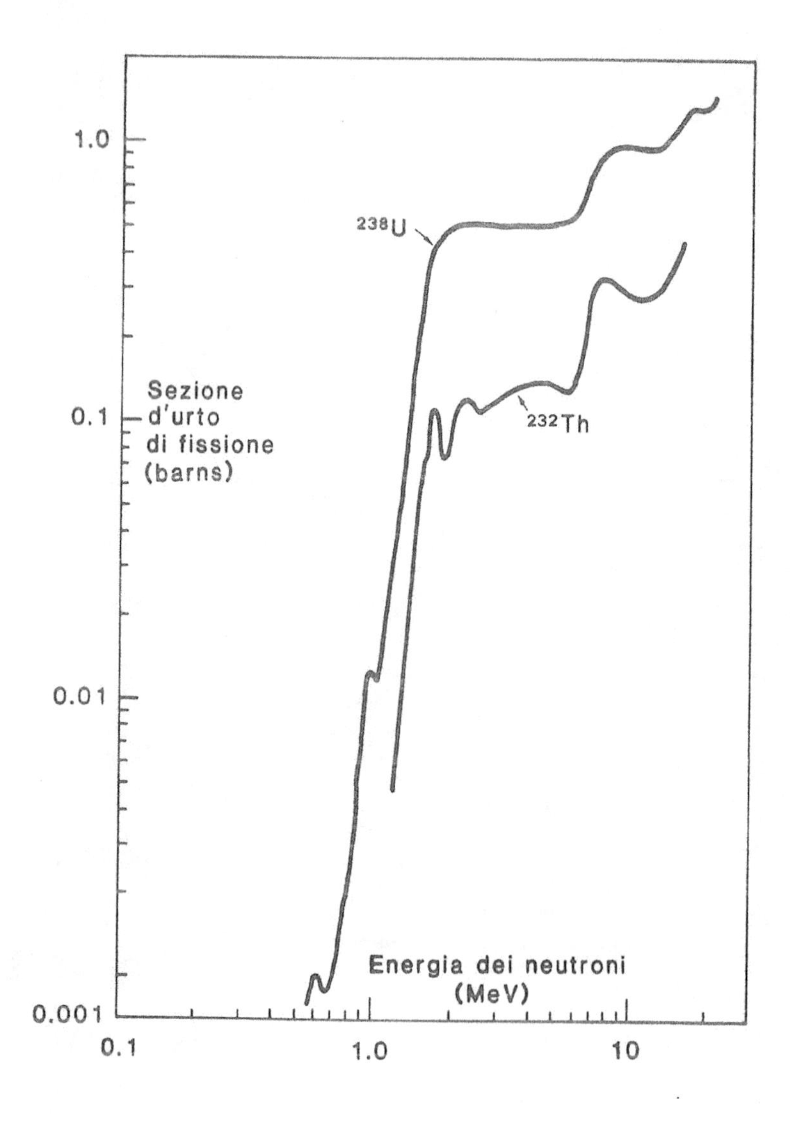

Fig. 1.7.3 *Sezione d'urto microscopica di fissione a soglia degli isotopi* ^{238}U *e* ^{232}Th

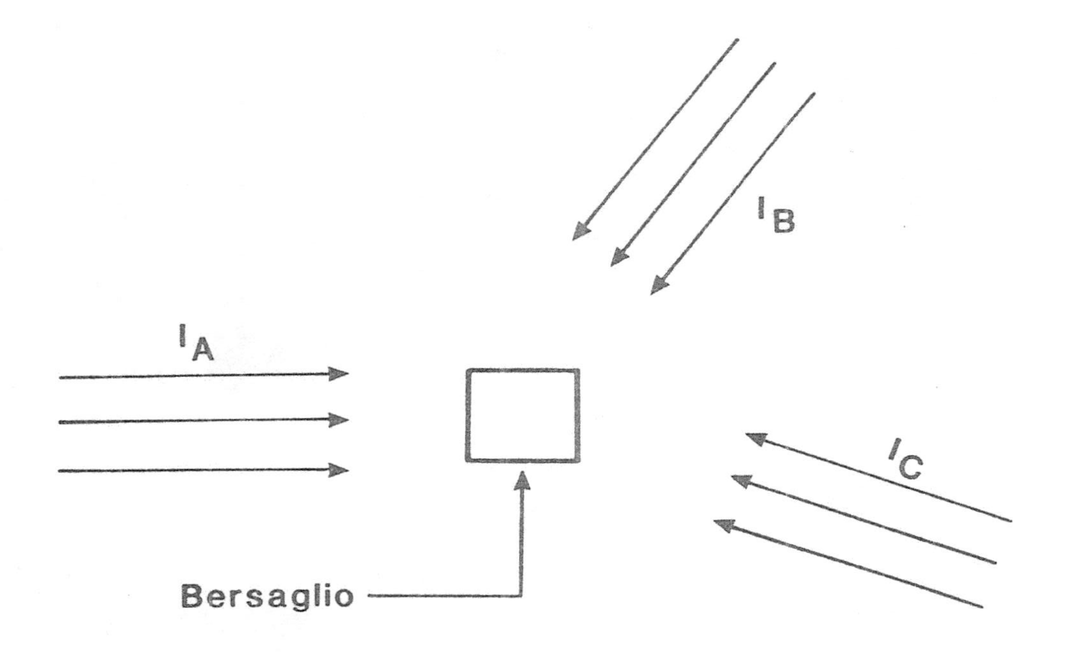

Fig. 1.10.1 *Rappresentazione schematica di fasci di neutroni incidenti su un bersaglio*

CAPITOLO 2

LA FISSIONE DEL NUCLEO ATOMICO

Questo capitolo tratta in maniera esaustiva la fissione del nucleo dell'atomo che è il fenomeno basilare del funzionamento dei reattori nucleari a fissione.

La conoscenza di questo fenomeno e la comprensione delle modalità del suo verificarsi è quindi essenziale per affrontare lo studio della Fisica del Reattore.

2.1. La fissione nucleare

Le reazioni di fissione nucleare sono all'origine della potenza prodotta dai reattori nucleari come sarà evidente più avanti.

Il processo di fissione o divisione del nucleo si verifica quando l'assorbimento di un neutrone da parte di un nucleo bersaglio produce un nucleo composto altamente instabile che dopo brevissimo tempo dalla sua formazione circa $t \approx 10^{-14}$ secondi, si divide, fissiona, generalmente in due frammenti, molto raramente in tre frammenti.

La rottura del nucleo produce frammenti con masse differenti tra di loro; con questo si vuole dire che le coppie di frammenti che escono da un evento di fissione possono avere numero di massa A_1 ed A_2 differenti tra di loro e differente per ogni evento di fissione.

Su un grande numero di eventi di fissione si osserva comunque statisticamente che la distribuzione del numero di frammenti in funzione del loro numero di massa **A** è caratteristica del nuclide fissionato e della energia del neutrone che ha prodotto la fissione.

In Fig. 2.1.1 (a) e (b) sono riportati alcuni esempi caratteristici di distribuzione del numero di frammenti in funzione del numero di massa **A** relativi rispettivamente alla fissione provocata da neutroni termici in ^{235}U, ^{235}U e ^{239}Pu e da neutroni veloci in ^{235}U.

In ordinate è riportata la resa ossia il numero di frammenti di fissione con una certa massa **A**, numero espresso in (%) del numero complessivo di fissioni, in ascisse è riportato il numero di massa **A**.

La fissione nucleare è un fenomeno che può verificarsi sia spontaneamente sia per interazione del nucleo con particelle nucleari, in particolare neutroni.

La fissione nucleare spontanea è un fenomeno che interessa i nuclei degli elementi più pesanti esistenti in natura.

Ad esempio l'^{238}U fissiona spontaneamente con un tempo di dimezzamento $T_{\frac{1}{2}} = 8{,}04 \cdot 10^{15}$ anni; in pratica per ogni grammo di ^{238}U si hanno 10^{-2} fissioni al secondo.

L'^{235}U fissiona anche esso **spontaneamente** con un tempo di dimezzamento $T_{\frac{1}{2}} = 1{,}8 \cdot 10^{17}$ anni ossia per ogni grammo di ^{235}U si hanno $3 \cdot 10^{-4}$ fissioni al secondo.

A differenza dei fenomeni di emissione di energia dai nuclei atomici classificati come "radioattività" per i quali non si conoscono mezzi atti ad accelerarne o ridurne il tasso di disintegrazione per unità di tempo, per quanto riguarda il fenomeno della fissione si sono invece scoperti modi per introdurre energia nei nuclei in quantità sufficiente affinchè si possano provocare eventi di fissione al tasso voluto.

La fissione nucleare prodotta dall'attività dell'uomo si manifestò incidentalmente e con modalità di difficile interpretazione nel 1934 ad Enrico Fermi che lavorava all'Università di Roma.

Stava eseguendo i primi esperimenti di produzione con neutroni di radioelementi e quindi di radioattività artificiale indotta per bombardamento neutronico.

Bombardando campioni di uranio, il più pesante degli elementi della tabella del Mendeleev, notò che da essi non otteneva radioattività facilmente attribuibile ad un eventuale radioisotopo dell'uranio ma una intensa emanazione di radiazione beta (elettroni negativi) di difficile classificazione.

Poichè l'esperienza acquisita fino a quel momento bombardando con neutroni i nuclei degli elementi naturali, dai più leggeri a quelli pesanti, gli aveva permesso di stabilire che l'unica reazione possibile tra neutroni e nuclei pesanti era quella (n, γ), interpretò l'attività dei campioni di uranio come dovuta ad elementi **transuranici** formatisi per assorbimento di neutroni da parte dell'^{238}U.

Passarono diversi anni durante i quali vennero fatte verifiche nei più qualificati laboratori europei e venne data conferma dell'interpretazione fornita da E. Fermi sull'origine della radioattività dei campioni di uranio bombardati con neutroni. Nel 1938 Otto Hahnn e F. Strassmass a Berlino ripeterono l'analisi dei campioni di uranio irraggiati con neutroni usando le tecniche più avanzate e dovettero concludere che tra i prodotti radioattivi generati per bombardamento neutronico dell'uranio si trovavano elementi leggeri come il radioiodio ed il radiobario.

Pochi giorni dopo Lise Meitner che a quel tempo lavorava a Stoccolma, informata da O. Hahnn delle sue scoperte sviluppò un'interpretazione teorica del fenomeno che giustificava l'esistenza di elementi leggeri come il bario nei campioni di uranio e stimò l'energia liberata dalla reazione in circa 200 **MeV**.

Scrisse immediatamante un articolo per la rivista Nature dove comunicava l'**interpretazione teorica** del **nuovo fenomeno**, cioè la **divisione del nucleo atomico in due parti** per interazione con un neutrone, fenomeno che nello stesso articolo il nipote della Meitner, Otto Frisch, chiamò di **fissione nucleare**.

Otto Frisch portò anche la prova sperimentale della esistenza del fenomeno della fissione nucleare rivelando l'intensa azione ionizzante prodotta dai frammenti del nucleo fissionato, elettricamente carichi, durante il loro reciproco allontanamento.

Da quel momento il fenomeno della fissione o rottura del nucleo atomico venne accettato dalla comunità scientifica.

Dopo la scoperta della fissione nuclere di cui in Fig. 2.1.2 è riportata una rappresentazione descrittiva di massima, Neils Bohr e John Wheeler cercarono di dare una più completa sistemazione teorica al fenomeno stesso e dopo alcuni mesi di lavoro, verso la fine dell'anno 1939, presentarono le loro conclusioni basate su un modello fisico semplice ma soddisfacente.

La meccanica della fissione nucleare venne da loro spiegata in analogia al comportamento di una goccia di un liquido nella quale vengano indotte delle oscillazioni interne, modello che già aveva proposto Lise Meitner.

Se si applica ad una goccia una forza capace di indurvi delle oscillazioni interne, si osserva che il sistema goccia passa attraverso una serie di deformazioni caratteristiche come quelle riportate in Fig. 2.1.3.

Inizialmente, dopo applicata la forza, la goccia da sferica diviene ellissoidale, Fig. 2.1.3.a.

Se la forza applicata è insufficiente per superare le forze di tensione superficiale, si osserva che la goccia dopo alcune oscillazioni torna alla forma iniziale.

Se al contrario la forza applicata è sufficientemente elevata, la goccia si deforma fino ad assumere la forma a "manubrio" riportata in Fig. 2.1.3.b.

La goccia così deformata è molto probabile che si divida in due parti come indicato in Fig. 2.1.3.c. Dopo alcune oscillazioni i due frammenti assumono la forma sferica della goccia originaria come riportato in Fig. 2.1.3.d.

La fissione nucleare interpretata in analogia al comportamento della goccia liquida, richiese di assumere come modello descrittivo del nucleo una struttura che ne ricalcasse le caratteristiche ed alla quale venne dato il nome di modello del nucleo a goccia.

Le fasi del fenomeno, rappresentate in modo schematico in Fig. 2.1.4, vennero descritte ed interpretate come segue:

- l'associazione del neutrone al nucleo bersaglio produce un nucleo composto e la contemporanea liberazione della energia di legame E_S equivalente al difetto di massa caratteristico della reazione;
- l'energia E_S sommata alla eventuale energia cinetica E_n posseduta dal neutrone, viene ceduta al nucleo composto e quindi ai suoi costituenti, neutroni e protoni, che assumono movimenti equivalenti ad oscillazioni per quanto attiene alla deformazione del nucleo;
- l'energia di eccitazione $E_e = E_S + E_n$ del nucleo composto induce delle deformazioni che possono portare il nucleo ad assumere la forma a manubrio come in Fig. 2.1.4.c già ricordata per la goccia liquida.

Se la energia E_e è insufficiente per allontanare le due masse del manubrio ancora collegate fino ad una distanza r_c oltre la quale prevalgono le forze repulsive coulombiane tra protoni rispetto alle forze attrattive nucleari, il nucleo composto dopo alcune oscillazioni torna alla forma sferica originaria emettendo l'eccesso di energia sotto forma di radiazione gamma; si ha cioè una reazione di cattura radiativa.

- Se l'energia di eccitazione E_e resasi disponibile è invece sufficiente per allontanare le due masse del manubrio di Fig. 2.1.4.c ad una distanza $d \geq r_c$, la reazione evolve verso la separazione effettiva delle due parti del nucleo iniziale; si ha cioè la fissione o divisione del nucleo come schematizzato in Fig. 2.1.4.d.

  La distanza r_c è detta distanza critica.

2.2. I neutroni pronti di fissione

In Fig. 2.2.1 è data una rappresentazione schematica grafica del processo di fissione.

Dopo circa 10^{-14} secondi dall'eccitazione del nucleo originario se si verificano le condizioni descritte al paragrafo precedente si ha la rottura o fissione del nucleo.

I due o più frammenti di esso sono fortemente ionizzati, hanno grande eccesso di energia interna o di eccitazione ed elevata energia cinetica. Muovenendosi, in forza della loro energia cinetica, all'interno della massa di uranio di cui faceva parte il nucleo originario, catturano elettroni trasformandosi in atomi neutri o debolmente ionizzati.

La struttura atomica così acquisita la si sottointende indicandoli come prodotti di fissione e non più come frammenti.

L'energia cinetica dei frammenti di fissione viene degradata ad energia termica durante il loro moto entro il materiale uranio con la formazione di microscopiche macchie calde come schematizzato in Fig. 2.2.2.

L'energia termica (o il calore) contenuta in ogni singola macchia calda diffonde poi nel materiale circostante, il combustibile, contribuendo a scaldarlo e quindi a produrre potenza.

I frammenti o prodotti della fissione hanno come già detto un notevole eccesso di energia interna che viene ceduta all'esterno con due meccanismi principali schematizzati in Fig. 2.2.3.

Uno è costituito dall'emissione di neutroni in numero variabile, prevalentemente da due a tre, detti **neutroni pronti** di fissione indicato in Fig. 2.2.3.b, l'altro costituito dall'emissione di radiazione elettromagnetica gamma nota come emissione di **fotoni pronti** di fissione e schematizzata in Fig. 2.2.3.c.

Il tempo medio di emissione dei neutroni pronti è di circa 10^{-17} secondi dall'istante dell'evento di fissione come schematizzato nella precedente Fig. 2.2.1.

La loro espulsione dai frammenti nucleari è possibile per l'elevato valore dell'energia di eccitazione interna di questi ultimi che è maggiore dell'energia di legame E_S.

Il numero medio ν di neutroni ammesso per evento di fissione dipende dall'energia del neutrone incidente e dal nucleo fissionato. In Tab. 2.2.1 sono riportati i valori del numero medio di neutroni emessi per fissione con neutroni termici e neutroni veloci dall'^{235}U, dal ^{239}Pu, dall'^{233}U dal ^{232}Th e dall'^{238}U.

In Fig. 2.2.4 è riportato l'andamento del numero medio ν di neutroni di fissione in funzione dell'energia del neutrone che provoca la fissione dell'^{235}U, ^{233}U, ^{238}U, ^{239}Pu e ^{232}Th.

Infine in Tab. 2.2.2 è riportata per ulteriore esemplificazione la probabilità di emissione di n neutroni per ogni evento di fissione ed il valore medio totale ν degli stessi nel caso di fissione dell'^{235}U bombardato con neutroni di energia rispettivamente 80 **keV** ed 1,25 **MeV**.

2.3. I neutroni ritardati

I prodotti della fissione del nucleo originario contengono un numero di neutroni in eccesso rispetto ai nuclei stabili che si trovano in natura appartenenti alla stessa regione di valori Z intermedia.

I prodotti di fissione sono di conseguenza nuclei inizialmente fortemente instabili cioè radioattivi che si trasformano in nuclei stabili tramite due processi:

a) un processo che conduce alla trasformazione entro i nuclei stessi di neutroni in protoni e che si manifesta tramite la radiazione β^- emessa; questo processo è noto come decadimento beta, ed è schematizzato in di Fig. 2.3.1.a;

b) un processo che oltre alla emissione β^- conduce in qualche caso all'evaporazione o emissione di un neutrone dal nucleo dei prodotti di fissione; questo processo è noto come emissione di neutroni ritardati ed è schematizzato in di Fig. 2.3.1.b.

Un esempio di reazione di decadimento beta con trasformazione di neutroni in protoni all'interno del nucleo di un prodotto di fissione è il seguente:

$$^{115}_{46}Pd \xrightarrow[\beta^-]{T\frac{1}{2}\ 45\ sec.} {}^{115}_{47}Ag \xrightarrow[\beta^-]{T\frac{1}{2}\ 20'} {}^{115}_{48}Cd$$

$$^{115}_{48}Cd \xrightarrow[\beta^-]{T\frac{1}{2}\ 53^h\ 28'} {}^{115}_{49}In$$

Il prodotto di fissione primario, cioè generato direttamente dall'evento di fissione è il ^{115}Pd.

I **neutroni** emessi per decadimento β^- sono detti **ritardati** in quanto vengono emessi con notevole ritardo rispetto al momento della fissione e quindi anche rispetto al tempo di liberazione dei neutroni pronti.

I prodotti di fissione che decadono secondo questo schema sono noti come **precursori** dei neutroni ritardati.

In Fig. 2.3.2, è riportato uno schema tipico di decadimento beta per due prodotti di fissione (o precursori) con emissione di un neutrone ritardato. (I precursori indicati in figura sono il ^{87}Br e lo ^{137}I).

Sia Q_β l'energia di eccitazione del nucleo precursore, quindi l'energia massima con la quale può essere espulso un elettrone.

Se l'energia E_β dell'elettrone emesso è minore di $(Q_\beta - E_s)$, dove E_s è l'energia di legame del neutrone nel nucleo precursore, allora c'è la possibilità che venga emesso un neutrone con energia cinetica $E_n = Q_\beta - E_s - E_\beta$.

Le grandezze che caratterizzano i neutroni ritardati sono tre e precisamente:

- la frazione di neutroni ritardati che si usa indicare con la lettera β (beta) ed è data dal rapporto tra il numero di neutroni ritardati ed il numero totale di neutroni complessivamente liberati in un evento di fissione;
- il tempo medio di ritardo con il quale vengono emessi;
- lo spettro energetico di emissione.

I neutroni ritardati sono prodotti dal decadimento β^- di circa 65 precursori e si usa riunirli in sei gruppi distinti tra di loro per:

- il tempo medio di ritardo τ_i (vita media dei precursori del gruppo di appartenenza);
- la resa o frazione relativa β_i del gruppo.

Nella Tab. 2.3.1 sono riportate le caratteristiche principali dei sei gruppi di neutroni ritardati collegati ad eventi di fissione termica in ^{235}U e ^{239}Pu.

La fissione termica dell'^{235}U produce in media ν = 2,418 neutroni per evento. Di questi il 99,35% è formato da neutroni pronti, emessi cioè entro 10^{-17} secondi dal momento della fissione, mentre lo 0,65% è emesso con differenti tempi di ritardo corrispondenti alla vita media caratteristica del decadimento β^- dei precursori.

La frazione di neutroni ritardati per la fissione termica dell'^{235}U vale quindi $\beta = \Sigma_i \beta_i = 0{,}0065$.

La fissione termica del ^{239}Pu produce in media $\nu = 2{,}871$ neutroni per evento. Di questi il 99,79% è formato da neutroni pronti mentre lo 0,21% è costituito da neutroni ritardati.

La frazione di neutroni ritardati per la fissione termica del ^{239}Pu vale quindi $\beta = \Sigma\beta_1 = 0{,}0021$

Il tempo medio di ritardo l_r di tutti i neutroni ritardati è dato dalla media pesata sulla frazione β_i dei tempi medi di decadimento τ_i dei sei gruppi di precursori.

Si ha cioè:

$$l_r = \frac{\Sigma_i \ \beta_i \cdot \tau_i}{\Sigma_i \ \beta_i}$$

Dai dati della Tab. 2.4.1 si ottiene per la fissione termica dell'^{235}U un tempo medio di ritardo nella emissione dei neutroni ritardati dato da l_r = 13 secondi circa.

2.4. Nuclei fissili e nuclei fissionabili

L'energia di eccitazione del nucleo composto necessaria perchè il nucleo si deformi fino a fissionare è detta **energia critica** E_{CR} per la fissione.

Si osserva che per nuclei dispari/pari, per nuclei cioè con numero dispari di neutroni e numero pari di protoni come lo sono ad esempio l'^{233}U, l'^{235}U il ^{239}Pu ed il ^{241}Pu, l'energia di legame E_S del neutrone associatosi ad essi, è superiore alla rispettiva energia critica E_{CR} per la fissione e quindi per questi nuclidi l'energia di eccitazione $E_e = E_s + E_n$ è superiore alla E_{CR} anche per neutroni incidenti con energia cinetica E_n praticamente nulla.

I nuclidi che presentano questa caratteristica sono detti nuclei fissili.

Al contrario, per nuclei pari/pari come lo sono ad esempio il ^{232}Th, l'^{238}U ed il ^{240}Pu, la energia di legame E_s è minore dell'energia critica E_{CR} di fissione dei rispettivi nuclei composti e quindi perchè si verifichi la fissione cioè perchè sia $E_e = E_s + E_n > E_{CR}$ è necessario che i neutroni siano dotati di energia cinetica $E_n > E_{CR} - E_s$.

In conclusione la fissione può essere indotta in questi ultimi nuclei solamente da neutroni con energia cinetica eguale o superiore ad un valore E^*_n detto di soglia.

I nuclidi che presentano questa caratteristica sono detti nuclei fissionabili.

I valori calcolati della energia critica E_{CR} per alcuni nuclidi importanti in Fisica ed Ingegneria del reattore sono riportati in Tab. 2.4.1 assieme ai rispettivi valori della energia di legame E_s dell'ultimo neutrone aggiunto e dell'energia cinetica di soglia E^*_n necessaria per produrre la fissione.

Nella colonna Nucleo fissionato si sono riportati i nuclei composti che effettivamente fissionano cioè i nuclei ^{A+1}X ottenuti per bombardamento neutronico dei rispettivi nuclei ^{A}X originari.

Si vede chiaramente che l'^{233}U, l'^{235}U ed il ^{239}Pu sono materiali fissili in quanto possono fissionare per interazione con neutroni animati da qualsivoglia valore della energia cinetica E_n, anche $E_n = 0$, mentre il ^{232}Th e l'^{238}U sono materiali fissionabili in quanto possono fissionare solamente per interazione con neutroni animati da energia cinetica eguale o superiore alla energia di soglia E^*_n che per essi vale rispettivamente $E^*_n = 1,7$ **MeV** ed $E^*_n = 0,7$ **MeV** come riportato anche nella Fig. 1.7.3.

2.5. Il combustibile nucleare

L'energia resa disponibile dalla reazione di fissione può essere prodotta in maniera continua, cioè tramite serie concatenate di reazioni come quelle riportate schematicamente in Fig. 2.5.1, purchè vengano soddisfatte opportune condizioni.

Tra queste quella sicuramente necessaria è che la reazione una volta innescata possa propagarsi ed autosostenersi.

Nonostante la sostanziale differenza esistente tra le reazioni nucleari di fissione e le reazioni atomiche di combustione, tuttavia può essere utile l'analisi delle analogie per evidenziare gli elementi che rendono possibile il propagarsi e l'autosostenersi della reazione di fissione.

La combustione degli atomi di carbonio in atmosfera di ossigeno può rappresentarsi simbolicamente come segue:

$$C + O_2 \longrightarrow CO_2 + E \qquad (2.5.1)$$

Il combustibile, il carbonio C, ed il comburente, l'ossigeno O_2, se portati a contatto reciproco come si ottiene riscaldandoli, possono reagire liberando energia nella quantità E.

La reazione si propaga nel combustibile se è disponibile il comburente cioè l'ossigeno e si automantiene in quanto una volta avviata è sufficiente una parte della energia liberata E per portare a contatto altri atomi di carbonio con molecole di ossigeno e produrre altre reazioni come quella dell'eq. 2.5.1.

La reazione di fissione indotta da neutroni può essere rappresentata simbolicamente come segue:

$$^{A}X + {}^{1}n \longrightarrow {}^{A+1}X \longrightarrow \text{fissione} \quad \begin{matrix} 2\ P.F. \\ \nu \text{ neutroni} \\ (\beta^{-},\ \gamma\ , \text{neutrini},\ E) \end{matrix} \qquad (2.5.2)$$

dove P.F. significa prodotti di fissione, E significa energia.

I neutroni compaiono sia a sinistra che a destra della reazione di fissione 2.5.2 sono quindi causa ed effetto della reazione stessa; la reazione 2.5.2 può propagarsi in quanto autoproduce il comburente cioè i neutroni e può potenzialmente autosostenersi in quanto è sufficiente per provocare un altro evento di fissione che sia disponibile uno solo dei $\nu > 2$ neutroni prodotti per ogni evento di fissione.

Si vedrà più avanti che nonostante sia $\nu > 2$, lo stato di autosostenimento della reazione di fissione potenzialmente possibile può essere praticamente realizzato in un mezzo moltiplicante reale solamente combinando opportunamente le proprietà materiali del mezzo con la sua forma e dimensioni.

L'elemento ^{A}X che subisce fissione nella rel. 2.5.2, per analogia con il ruolo del carbonio nella rel. 2.5.1 viene comunemente detto combustibile nucleare.

Un elemento può essere classificato come combustibile nucleare se oltre a subire fissione per interazione con neutroni, soddisfa anche alla condizione di liberare a sua volta neutroni con energia cinetica E_n tale che sommata alla energia di legame E_S produca nel nucleo bersaglio una quantità di energia di eccitazione $E_e = E_S + E_n$ eguale o maggiore al valore della sua propria energia critica di fissione E_{CR}.

Gli elementi che in maniera diversa soddisfano a queste condizioni e quindi vengono considerati combustibili nucleari sono l'uranio ed il torio.

L'uranio si trova in natura nei tre isotopi ^{234}U, ^{235}U ed ^{238}U rispettivamente nelle percentuali dello 0,0054%, dello 0,72% e del 99,2746%.

Ai fini pratici data la scarsa importanza ponderale dell'^{234}U si considerano i soli isotopi ^{235}U ed ^{238}U.

Il torio si trova in natura praticamente nel solo isotopo ^{232}Th.

Il combustibile uranio, per quanto detto in precedenza è formato da materiale fissile l'^{235}U e da materiale fissionabile l'^{238}U. Il combustibile torio è formato da solo materiale fissionabile.

Il materiale fissionabile quando assorbe neutroni termici ed epitermici che hanno energia cinetica E_n insufficiente a rendere l'energia di eccitazione E_e maggiore od eguale alla energia critica di fissione E_{CR}, subisce reazioni di cattura radiativa cioè del tipo: $^{A}X\ (n, \gamma)\ ^{A+1}X$.

I nuclei ^{A+1}X del materiale fissionabile dopo alcuni decadimenti β^- si convertono in materiale fissile.

Per questa ragione i nuclei dei materiali fissionabili ^{238}U e ^{232}Th sono detti anche nuclei di materiale fertile in quanto per bombardamento neutronico possono subire conversione o fertilizzazione in nuclei fissili.

Le reazioni di fertilizzazione sono riportate in Tab. 2.5.1.

Dalle Tab. 2.5.1 e dalla Tab. 2.4.1 si vede che l'unico isotopo fissile esistente in natura è l'^{235}U; gli altri isotopi fissili, l'^{233}U, il ^{239}Pu ed il ^{241}Pu sono artificiali; sono prodotti cioè con reazioni di conversione di materiale fertile.

Osserviamo per concludere che le reazioni riportate in Tab. 2.5.1 in particolare quelle prodotte dai neutroni per interazione con l'^{238}U sono reazioni del tipo ipotizzato da E. Fermi nel 1934 per l'interpretazione della radiazione β^- rivelata su campioni di uranio irraggiati con neutroni.

2.6. Energia liberata dal processo di fissione

I fenomeni che accompagnano l'evento di fissione comportano la scomparsa di una certa quantità di massa nucleare ed il conseguente rilascio o produzione di energia.

L'energia complessivamente ricavabile da un evento di fissione è in media di circa 200 **MeV**.

La maggior parte di questa energia, circa l'80%, si manifesta come energia cinetica dei prodotti di fissione.

I frammenti o prodotti di fissione (**P.F.**) muovendosi entro il materiale combustibile trasferiscono la loro energia cinetica agli atomi circostanti con il risultato complessivo di degradare la loro energia di movimento in energia termica cioè di produrre calore come già accennato al par. 2.2.

La rimanente quantità di energia resa disponibile dall'evento di fissione si manifesta in parte come radiazione gamma pronta, in parte come energia cinetica dei neutroni liberi emessi ed in parte infine come radiazione β^-, gamma e di neutrini in conseguenza dei decadimenti radioattivi dei vari prodotti di fissione formatisi.

Tutte queste forme di energia vengono degradate ad energia termica per interazione con i materiali circostanti in zone più o meno lontane dal punto dove si è verificato l'evento di fissione.

L'energia associata ai neutrini, circa 12 **MeV**, deve però considerarsi perduta in quanto tutti i materiali esistenti in natura presentano sezione d'urto di cattura per i neutrini nulla o quasi nulla.

A compensare la perdita di energia per "trasparenza" dei materiali ai neutrini, interviene l'apporto di calore prodotto dalla "radiazione gamma di cattura".

Questa ultima radiazione origina dalle interazioni dei neutroni di fissione con i materiali strutturali dell'impianto. Le reazioni di cattura radiativa e di attivazione neutronica che ne derivano, seguite da emissione gamma, costituiscono le sorgenti della radiazione gamma di cattura.

In Tab. 2.6.1 è riportato il bilancio energetico tipo relativo alla fissione termica dell'^{235}U disaggregato nelle varie componenti.

La quantità di materiale fissile o combustibile nucleare necessario per produrre l'energia sviluppata dalla potenza di un megawatt (MW) = 10^6 watt per un'intera giornata, cioè per produrre un megawatt giorno di energia indicata comunemente con la scrittura MWD, acronimo della parola inglese Megawattday, la si ricava facilmente come segue.

Dall'equivalenza:

$$1 \text{ MeV} = 1{,}602 \cdot 10^{-13} \text{ joule}$$

e dall'assunzione che l'energia liberata da un evento di fissione valga in media E = 200 **MeV** *si ottiene che lo sviluppo di potenza pari ad 1 MW termico = 10^6 joule s^{-1} richiede un numero di fissioni s^{-1} dato dalla:*

$$\frac{10^6}{200 \times 1{,}602 \cdot 10^{-13}} = 3{,}1211 \cdot 10^{16} \text{ fissioni } s^{-1}$$

La quantità di combustibile necessario per produrre **la potenza** *di un megawatt corrisponde quindi alla fissione di $3{,}1211 \cdot 10^{16}$ nuclei s^{-1}. Poichè in un grammo di ^{235}**U** sono contenuti $N = N_0/A$ nuclei con N_0 numero di Avogadro = $6{,}02 \cdot 10^{23}$,* *cioè* $N = 6{,}02 \cdot 10^{23}/235 = 2{,}56 \cdot 10^{21}$ *atomi/grammo, si ha immediatamente che la quantità di combustibile necessaria per produrre la potenza di un megawatt è data dal rapporto:*

$$\frac{3{,}1211 \cdot 10^{16}}{2{,}56 \cdot 10^{21}} = 1{,}22 \cdot 10^{-5} \text{ grammi s}^{-1}$$

La quantità di combustibile necessario per sviluppare un megawatt giorno di energia è immediatamente ottenibile ricordando che 1 giorno corrisponde a 86400 secondi.

Si ha:

$$1{,}22 \cdot 10^{-5} \times 86400 = 1{,}053 \text{ grammi/giorno}$$

In realtà bombardando con un flusso di neutroni ϕ *degli atomi di* ^{235}U *si ottengono sia reazioni di fissione nella quantità* $\Sigma_f\phi$ *che reazioni di cattura radiativa nella quantità* $\Sigma_c\phi$.

La quantità di combustibile che viene "bruciata" per produrre 1 MWD di energia sarà quindi proporzionale al numero di reazioni complessive $(\Sigma_f + \Sigma_c)\phi$ *e non solo alle reazioni di fissione* $\Sigma_f\phi$ *come calcolato in precedenza.*

La quantità di combustibile che occorre impegnare per produrre l'energia richiesta sarà quindi maggiore di quanto sopra stimato per un ammontare dato dalla:

$$\frac{(\Sigma_f + \Sigma_c)\phi}{\Sigma_f\phi} = \frac{\Sigma_f + \Sigma_c}{\Sigma_f} = (1+\alpha) \qquad \text{con} \qquad \alpha = \frac{\Sigma_c}{\Sigma_f}$$

Per l'^{235}U *in zona termica è* $\alpha = 0{,}175$.

In conclusione la produzione di 1 MWD di energia richiede di impegnare la quantità ^{35}M *di materiale fissile* ^{235}U *data dalla:*

$$^{35}M\ (1\ MWD) = 1,053\ (1+0,175) = 1,24\ grammi/giorno$$

2.7. Lo spettro energetico dei neutroni di fissione

I neutroni pronti di fissione "nascono" con energia cinetica E_n che può assumere un valore qualunque compreso tra 0 e 18 **MeV** circa.

La distribuzione in energia dei neutroni pronti di fissione, cioè la funzione che rappresenta l'abbondanza relativa dei neutroni di fissione per ogni valore E della loro energia compreso nell'intervallo 0÷18 **MeV**, è riportata in grafico in Fig. 2.7.1.

La sua espressione analitica è la seguente:

$$N(E) = 0,453\ e^{-1,036E}\ \mathrm{senh}\ (2,29\ E)^{1/2} \quad (2.7.1)$$

la funzione $N(E)$ così come è data in eq. 2.7.1 è tale che integrata su tutto lo spettro energetico, da zero all'infinito, fornisce un valore unitario.

Dall'eq. 2.7.1 si ricava facilmente che l'energia media dei neutroni pronti di fissione è $<E> = 2$ **MeV** mentre l'energia più probabile, quella cioè in corrispondenza del picco della curva dell'abbondanza relativa è $E = 0,72$ **MeV.**

L'energia cinetica dei **neutroni ritardati** dipende a sua volta dalle modalità di decadimento beta del nuclide precursore.

Nelle Figg. 2.7.2.a, b e c sono riportate le distribuzioni in energia dei neutroni ritardati rispettivamente dei gruppi 1-2; 3-4 e 5-6.

Nella Tab. 2.7.1 sono riportati i valori delle costanti caratteristiche per ogni gruppo di neutroni ritardati relativi alla fissione dell'^{235}U unitamente al valore medio della loro energia cinetica alla nascita.

La notevole differenza tra il valore medio dell'energia cinetica alla nascita dei ritardati che oscilla tra 250 **KeV** e 620 **KeV** e quella dei neutroni pronti che è di circa 2000 **KeV** = 2 **MeV**, ha notevoli ripercussioni come si vedrà più avanti sulle modalità di partecipazione al processo di moltiplicazione neutronica dei due gruppi quello pronto e quello dei ritardati.

2.8. Le condizioni per lo sviluppo della reazione a catena

Il funzionamento di un reattore nucleare è possibile se si realizzano le condizioni che permettano il mantenimento di una reazione a catena autosostenentesi.

Una reazione a catena autosostenentesi è possibile quando almeno uno dei ν neutroni liberati da un evento di fissione produce un altro evento di fissione ed a sua volta uno dei ν neutroni generati da questa reazione produce una ulteriore fissione e così via.

I rimanenti (ν-1) neutroni per evento di fissione debbono essere in numero tale da compensare le perdite (di neutroni) che possono avvenire o per cattura non seguita da fissione o per fuga dalla superficie esterna del reattore.

In altre parole la condizione necessaria perchè una reazione nucleare a catena si autosostenga è soddisfatta quando il rapporto tra i neutroni prodotti dalle fissioni ($\nu \cdot R_f$) ed i neutroni catturati in maniera parassita (R_c) e/o sfuggiti dal reattore (F) è eguale o maggiore all'unità, quando cioè è:

$$\frac{\nu \cdot R_f}{R_c + F} \geq 1 \qquad (2.8.1)$$

R_f ed R_c rappresentano rispettivamente il numero di reazioni di fissione e di cattura che si verificano per centimetro cubo e per secondo.

Scrivendo i tassi di reazione nella forma presentata nella rel. 1.7.6 si può riscrivere la rel. 2.8.1 nella forma:

$$\frac{N_f \int \nu(E) \cdot \sigma_f(E) \cdot \phi(E)\, dE}{N \int \sigma_c(E) \cdot \phi(E)\, dE + F} \geq 1 \qquad (2.8.2)$$

dove N_f è il numero di nuclei che possono subire fissione mentre N è il numero di nuclei complessivamente responsabili di cattura neutronica.

La probabilità che si verifichi o l'una o l'altra delle due reazioni nucleari in competizione tra di loro, la fissione o la cattura, quando un neutrone con energia cinetica E_n colpisce un nucleo di uranio, è sintetizzata come noto dal valore delle sezioni d'urto microscopiche $\sigma_f(E)$ e $\sigma_c(E)$.

La dipendenza del valore numerico delle sezioni d'urto σ_f e σ_c dall'energia E_n dal neutrone può dare luogo a condizioni per le quali la disponibilità di uno dei ν neutroni prodotti da un evento di fissione per generare un successivo evento di fissione non sia condizione sufficiente oltre che necessaria per realizzare una reazione a catena autosostenentesi.

Ad esempio se i neutroni di fissione si muovono entro un mezzo formato da ^{238}U puro, si dimostra che quelli di loro disponibili per proseguire le reazioni di fissione in generale non hanno e-nergia cinetica sufficiente per innescare e mantenere il processo desiderato, in pratica sono neutroni con energia cinetica inferiore all'energia di soglia per la fissione dell'isotopo ^{238}U.

Nello spettro di fissione in realtà una grande parte dei neutroni ha inizialmente energia cinetica in eccesso al valore di soglia per la fissione dell'^{238}U però a causa delle inevitabili collisioni (anelastiche) con i nuclei di ^{238}U la loro energia viene rapidamente degradata sotto a quel valore e quindi essi sono incapaci, pur essendo disponibili, di indurre nuovi eventi di fissione e mantetenere la catena di reazioni.

L'andamento delle sezioni d'urto microscopiche di cattura $\sigma_c(E)$ e di fissione $\sigma_f(E)$ per gli isotopi ^{235}U ed ^{238}U in funzione dell'energia E dei neutroni sono riportate rispettivamente in Fig. 2.8.1 e 2.8.2.

Osservandole è immediato concludere che per neutroni con energia cinetica distribuita inizialmente secondo lo spettro di fissione e che si muovano **entro un blocco di uranio naturale**, il fenomeno dominante, data la composizione isotopica di quest'ultimo, è l'assorbimento dei neutroni per cattura in ^{238}U.

Calcoli accurati permettono di escludere che in un blocco di uranio naturale sia possibile che i neutroni di fissione inneschino una reazione a catena autosostenentesi e questo anche eliminando tutte le impurezze che potrebbero assorbire altri neutroni e dando inoltre al blocco di uranio naturale dimensioni infinite per impedire fughe di neutroni dalla sua superficie.

Questo risultato conferma e giustifica l'esperienza comune della inesistenza di reazioni di fissione autosostenentesi nei giacimenti naturali del minerale uranio o anche nei depositi di questo materiale purificato da altri elementi, ma d'altra parte sembra escludere anche la possibilità di ottenere energia in maniera continua utilizzando il processo di fissione dei nuclei dell'uranio.

In realtà si è arrivati a questa conclusione supponendo di utilizzare:

- neutroni di fissione con spettro energetico relativamente poco degradato in energia;
- uranio nella composizione isotopica naturale.

E' immediato quindi pensare di modificare uno o entrambi questi vincoli per tentare di realizzare condizioni che consentano nella pratica lo sviluppo di reazioni nucleari a catena.

Se si sovrappone lo spettro dei neutroni di fissione all'andamento delle sezioni d'urto dell'^{235}U e dell'^{238}U, in particolare a quello della sezione d'urto di fissione dell'^{235}U si può dedurre immediatamente che un grosso vantaggio ai fini della probabilità di avere eventi di fissione può essere ottenuto se si forzano i neutroni a spostarsi dall'intervallo energetico proprio dello spettro di fissione all'intervallo energetico termico, quello delle basse energie.

Un secondo vantaggio è intuibile osservando la rel. 2.8.2; il valore numerico del numeratore può essere aumentato anche variando la composizione isotopica dell'uranio, da quella naturale ad una che preveda una maggiore concentrazione dell'U^{235} cioè un valore maggiore di N_f.

Le soluzioni tecniche che consentono di realizzare questi utili artifici sono note rispettivamente come:

- moderazione neutronica;
- arricchimento isotopico del combustibile.

Entrambe queste soluzioni sono adottate negli attuali reattori termici commerciali, i LWR.

Tabella 2.2.1

Nuclide	Numero medio di neutroni emessi per fissione	
	Fissione provocata da neutroni termici	Fissione provocata da neutroni veloci
^{235}U	2,42	2,46
^{239}Pu	2,87	2,94
^{233}U	2,48	2,51
^{232}Th		2,12
^{238}U		2,76

Numero medio ν di neutroni prodotti da fissioni termiche e fissioni veloci

Tabella 2.2.2

n E	0	1	2	3	4	5	ν
80 KeV	0,02	0,17	0,36	0,31	0,12	0,03	2,45
1,25 KeV	0,02	0,11	0,30	0,41	0,10	0,06	2,65

Probabilità di emissione di n neutroni per fissione dell'U235 in funzione dell'energia E dei neutroni e numero totale ν di neutroni emessi per fissione

Tabella 2.3.1

Nucleo fissile	Indice di gruppo	$t_{i(1/2)}$ (s)	λ_i (s^{-1})	β_i	β_i/λ_i (s)
^{233}U	1	55,00	0,0126	0,000227	0,01801
	2	20,57	0,0337	0,000790	0,02344
	3	5,00	0,1385	0,000665	0,00480
	4	2,13	0,3253	0,000734	0,002256
	5	0,615	1,127	0,0001346	0,0001194
	6	0,277	2,50	0,0000898	0,0000359
	Totali ^{233}U			0,00264	0,0487
^{235}U	1	55,72	0,01244	0,0002144	0,01724
	2	22,72	0,0305	0,001424	0,0467
	3	6,22	0,1114	0,001274	0,01143
	4	2,30	0,3013	0,002568	0,00852
	5	0,61	1,136	0,000748	0,000658
	6	0,23	3,013	0,000276	0,0000916
	Totali ^{235}U			0,00650	0,0846
^{239}Pu	1	54,28	0,01277	0,0000735	0,00576
	2	23,04	0,0247	0,000628	0,02542
	3	5,60	0,1237	0,000443	0,00358
	4	2,13	0,3253	0,000684	0,00210
	5	0,618	1,121	0,0001806	0,000161
	6	0,257	2,696	0,0000924	0,0000343
	Totali ^{239}Pu			0,00210	0,0370

Dati sui neutroni ritardati emessi in seguito a fissione termica

Tabella 2.4.1

Nucleo fissionato	Energia critica E_{CR} (MeV)	Energia di legame dell'ultimo neutrone E_s (MeV)	Energia cinetica di soglia E^*_n (MeV)
$^{233}_{90}Th$	6,5	4,8	1,7
$^{234}_{92}U$	4,6	6,8	0,0
$^{236}_{92}U$	5,3	6,6	0,0
$^{239}_{92}U$	5,5	4,8	0,7
$^{240}_{94}Pu$	4,0	6,5	0,0

Energia critica (E_{CR}) per la fissione e valori dell'energia di legame (E_s) e cinetica (E^*_n) di soglia dei neutroni

Tabella 2.5.1

$$^{232}_{90}Th + ^{1}_{0}n \longrightarrow ^{233}_{90}Th \xrightarrow{\beta^-} ^{233}_{91}Pu \xrightarrow{\beta^-} ^{233}_{92}U$$

$$^{238}_{92}U + ^{1}_{0}n \longrightarrow ^{239}_{92}U \xrightarrow{\beta^-} ^{239}_{93}Np \xrightarrow{\beta^-} ^{239}_{94}Pu$$

$$^{240}_{94}Pu + ^{1}_{0}n \longrightarrow ^{241}_{94}Pu$$

Fertilizzazione per bombardamento neutronico del ^{232}Th, dell'^{238}U e del ^{240}Pu

Tabella 2.6.1

Forma	Energia emessa MeV	Energia recuperabile MeV
Frammenti di fissione	168	168
Neutroni di fissione (energia cinetica)	5	5
Gamma pronti	7	7
Decadimento dei frammenti di fissione		
radiazione β^-	8	8
radiazione γ	7	7
neutrini	12	—
Gamma di cattura	—	3-12
Totale	207	198-207

Bilancio energetico tipo per la fissione termica dell'^{235}U

Tabella 2.7.1

Indice di gruppo	Tempo di dimezzamento $T'_{½}$ (s)	Costante di decadimento λ_i (s^{-1})	Resa Y_i (n/fissione)	Frazione β_i
1	56,1	0,0124	0,00052	0,000215
2	22,72	0,0305	0,00346	0,001424
3	6,22	0,111	0,00310	0,001274
4	2,30	0,301	0,00624	0,002568
5	0,610	1,14	0,00182	0,000748
6	0,230	3,01	0,00066	0,000273
		0,0767	0,0158	0,0065
		$\lambda=\beta/\Sigma\beta_i/\lambda_i$	$y=\Sigma y_i$	$\beta=\Sigma\ \beta_i$

Vita media τ_i (s)	$\beta_i\tau_i$	Energia (keV)
80,65	0,017340	250
32,79	0,046693	560
9,01	0,011479	430
3,32	0,008526	620
0,887	0,000656	420
0,322	0,000091	430
13,04	0,084784	
$\tau=\Sigma\beta_i\tau_i/\beta$	$\beta\tau=\Sigma\beta_i\tau_i$	

Costanti caratteristiche dei neutroni ritardati da fissione dell'U235

a) Fissione termica

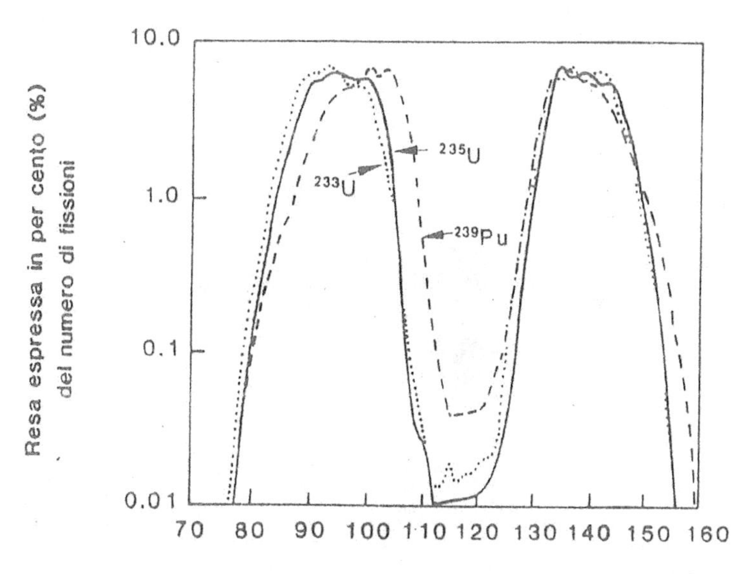

b) Fissione veloce

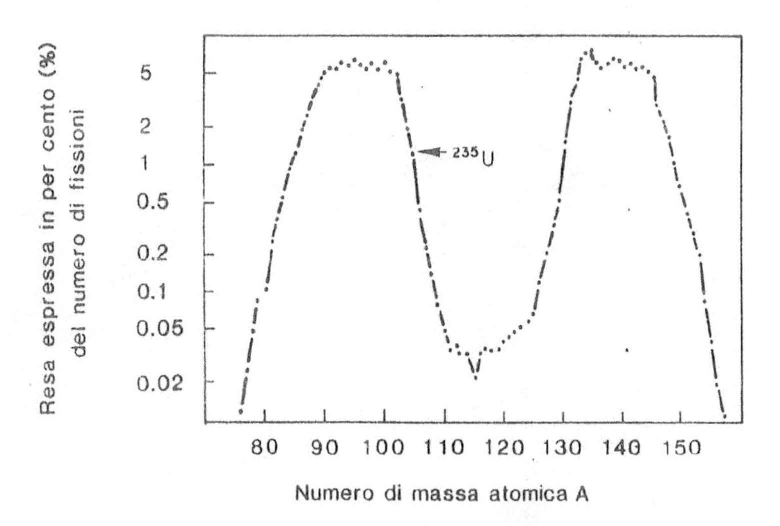

Fig. 2.1.1. *Distribuzione caratteristica dei prodotti di fissione nel caso termico e nel caso veloce, in funzione del loro numero di massa A*

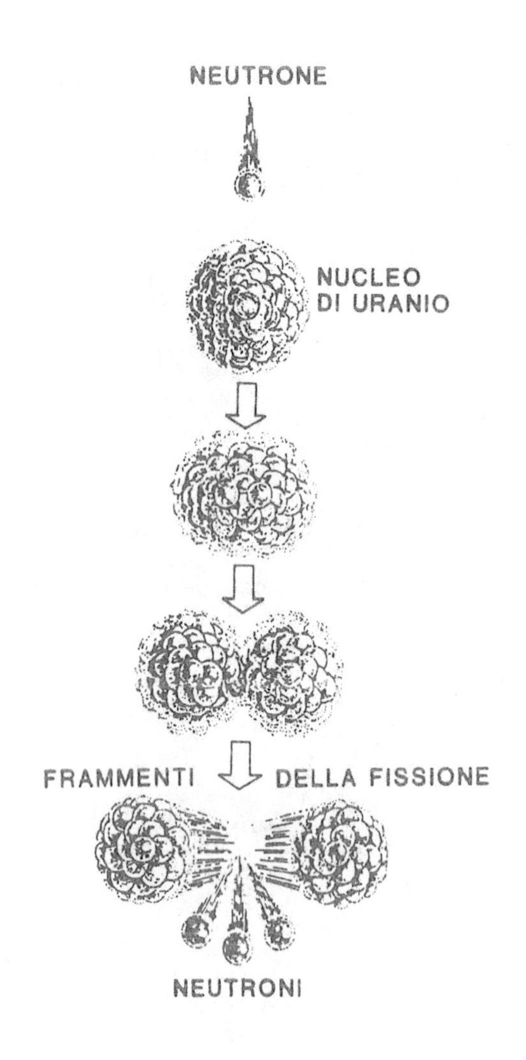

Fig. 2.1.2 *Rappresentazione di un evento di fissione secondo il modello a goccia*

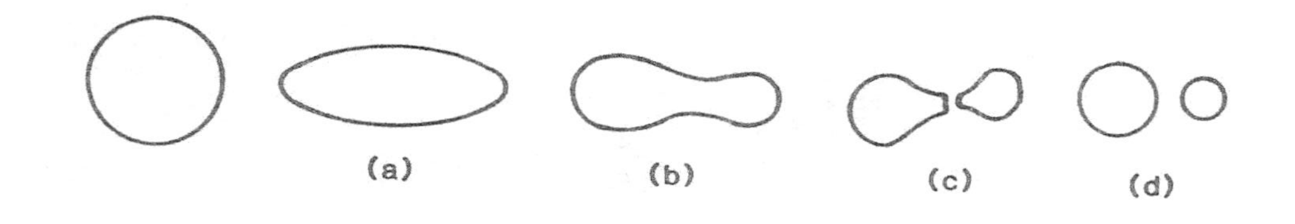

Fig. 2.1.3 *Deformazioni e rottura o divisione di una goccia liquida per effetto di oscillazioni interne*

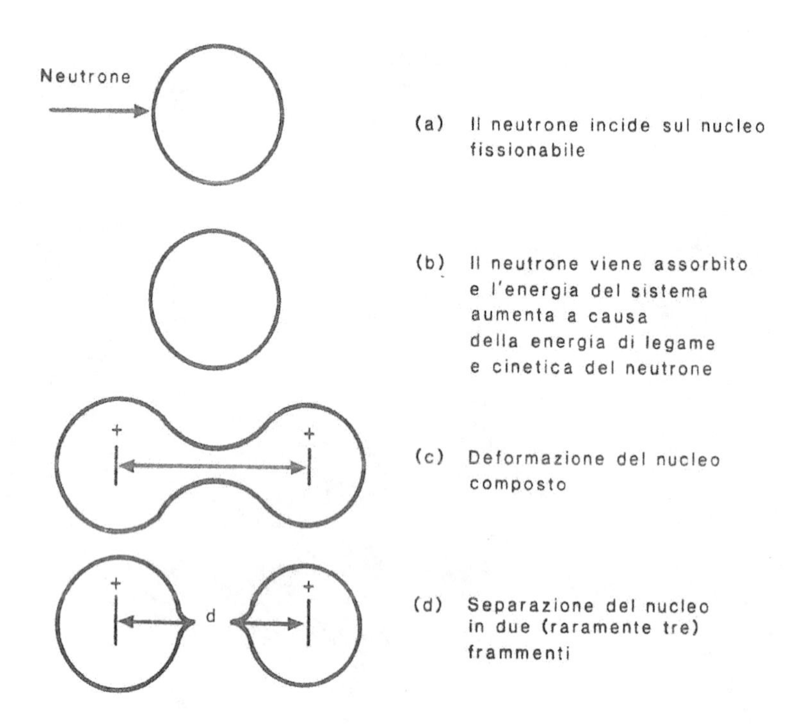

Fig. 2.1.4 *Rappresentazione schematica delle fasi che conducono alla divisione o fissione del nucleo*

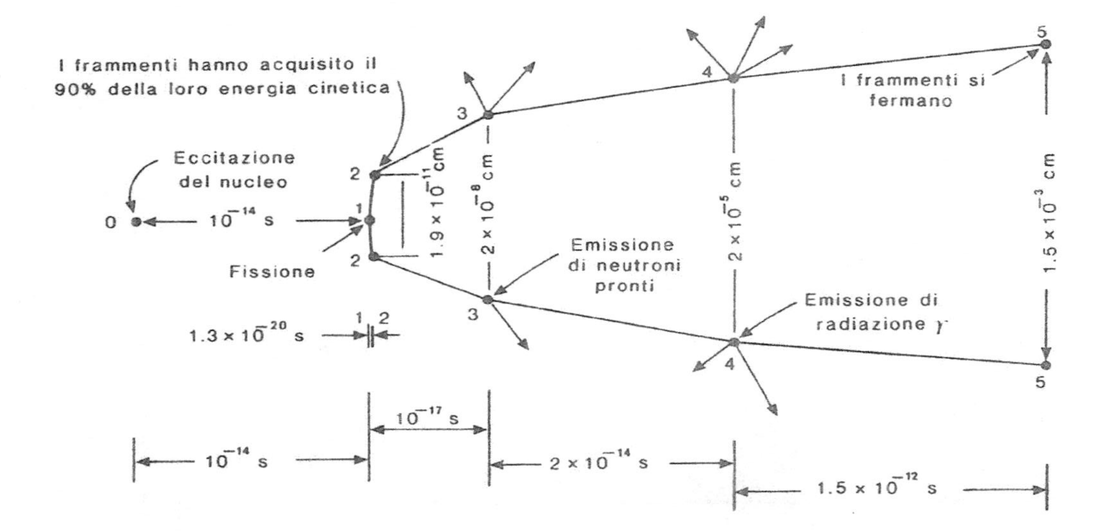

Fig. 2.2.1 *Rappresentazione grafica del processo di fissione.*
La scala orizzontale indica la durata del processo, quella verticale indica la distanza reciproca raggiunta dai frammenti del nucleo; durata del processo e distanza dipendono dalla densità del materiale attraversato dai frammenti.
I valori in figura si riferiscono a densità unitaria del materiale

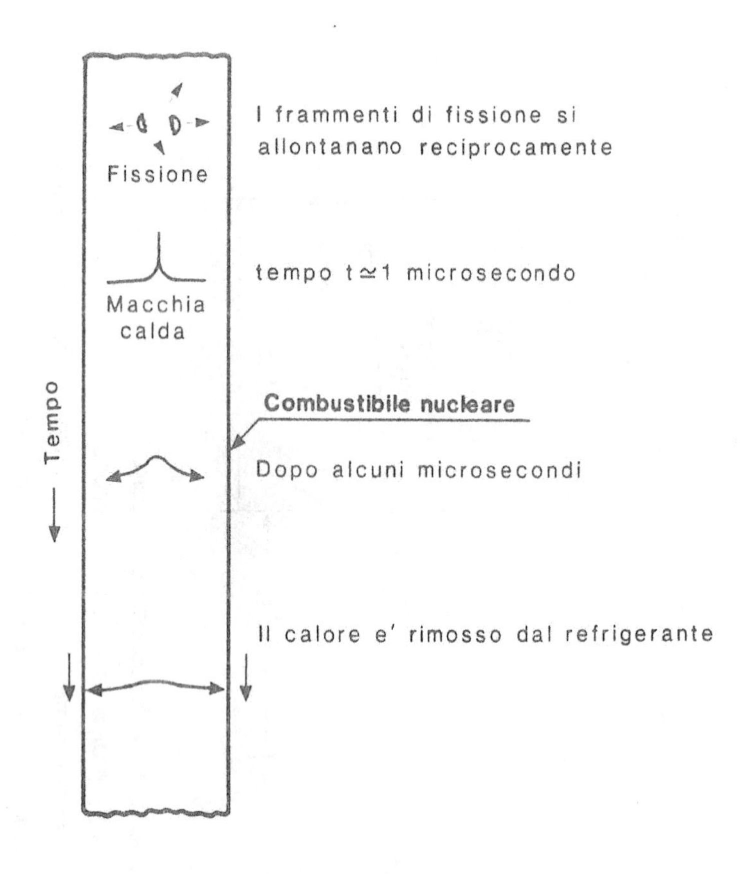

Fig. 2.2.2 *Dissipazione dell'energia cinetica dei frammenti di fissione e sua trasformazione in energia termica o calore*

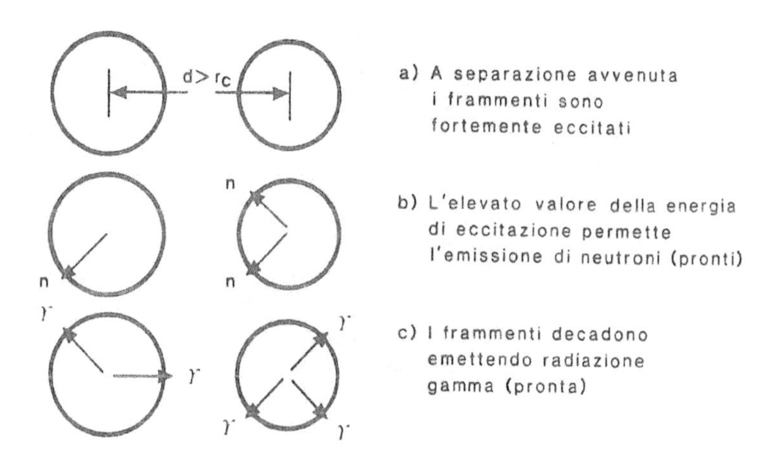

Fig. 2.2.3 *Processo di decadimento dei prodotti di fissione con emissione pronta di neutroni ed energia elettromagnetica*

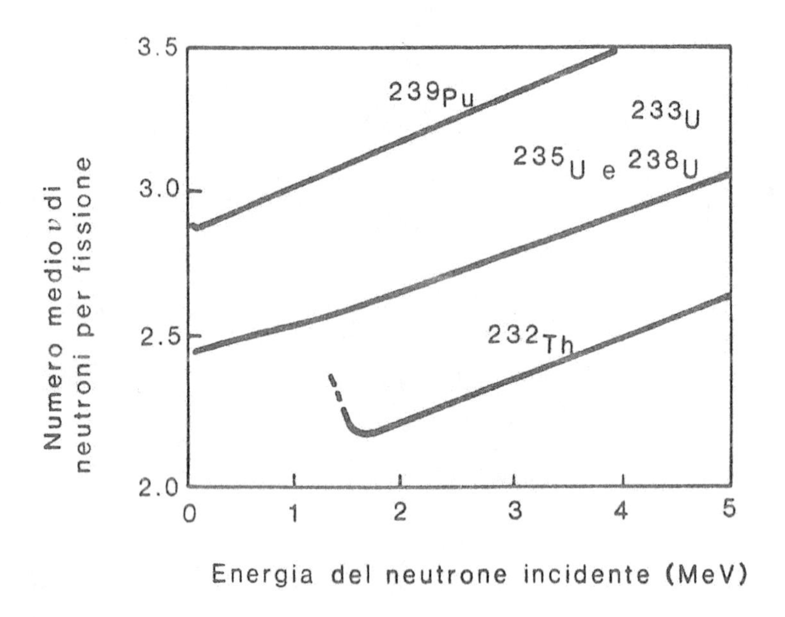

Fig. 2.2.4 *Numero medio ν di neutroni emessi per eventi di fissione in differenti nuclidi in funzione dell'energia del neutrone incidente*

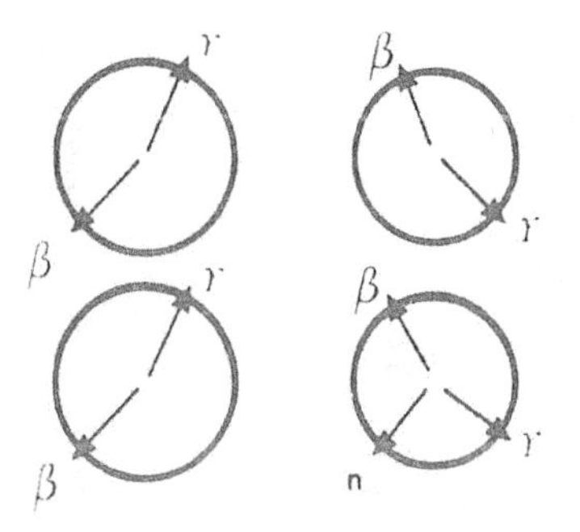

Fig. 2.3.1 *Modalità di decadimento dei prodotti di fissione per tempi superiori all'emissione pronta di neutroni e raggi gamma. In (b) è riportato l'esempio del decadimento con emissione di neutroni ritardati*

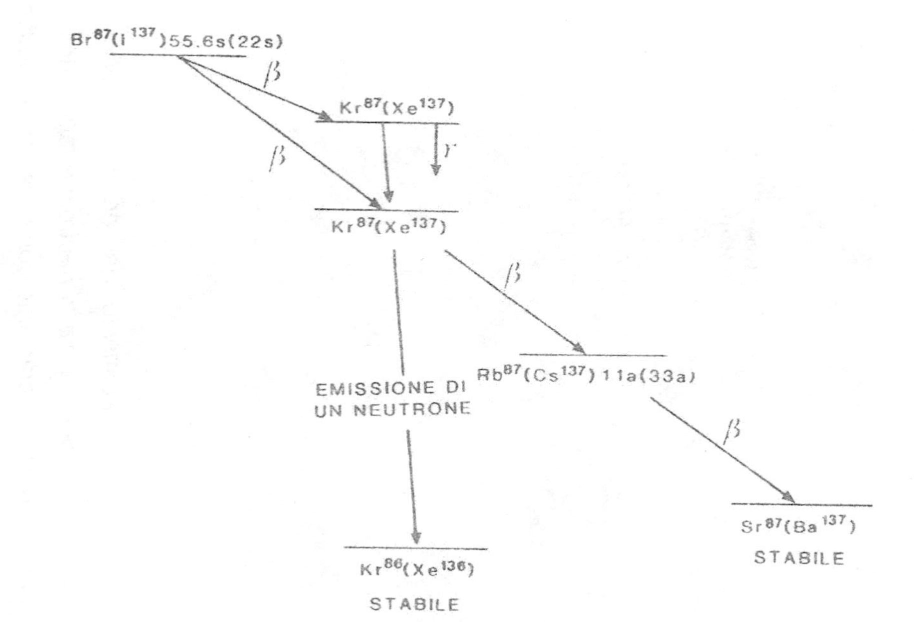

Fig. 2.3.2 *Esempi di decadimento con emissione di neutroni ritardati. I nuclei precursori nel-l'esempio sono il ^{87}Br e lo ^{137}I*

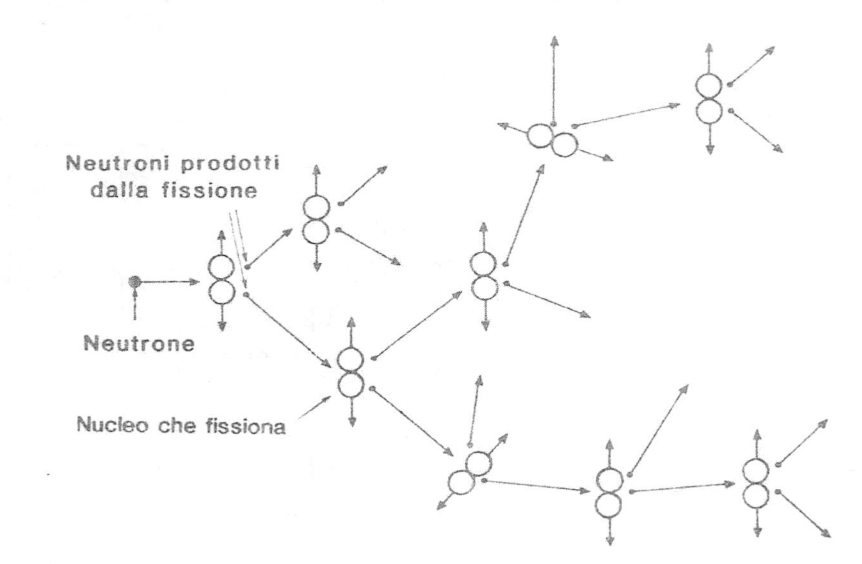

Fig. 2.5.1 *Rappresentazione schematica di reazioni di fissione concatenate*

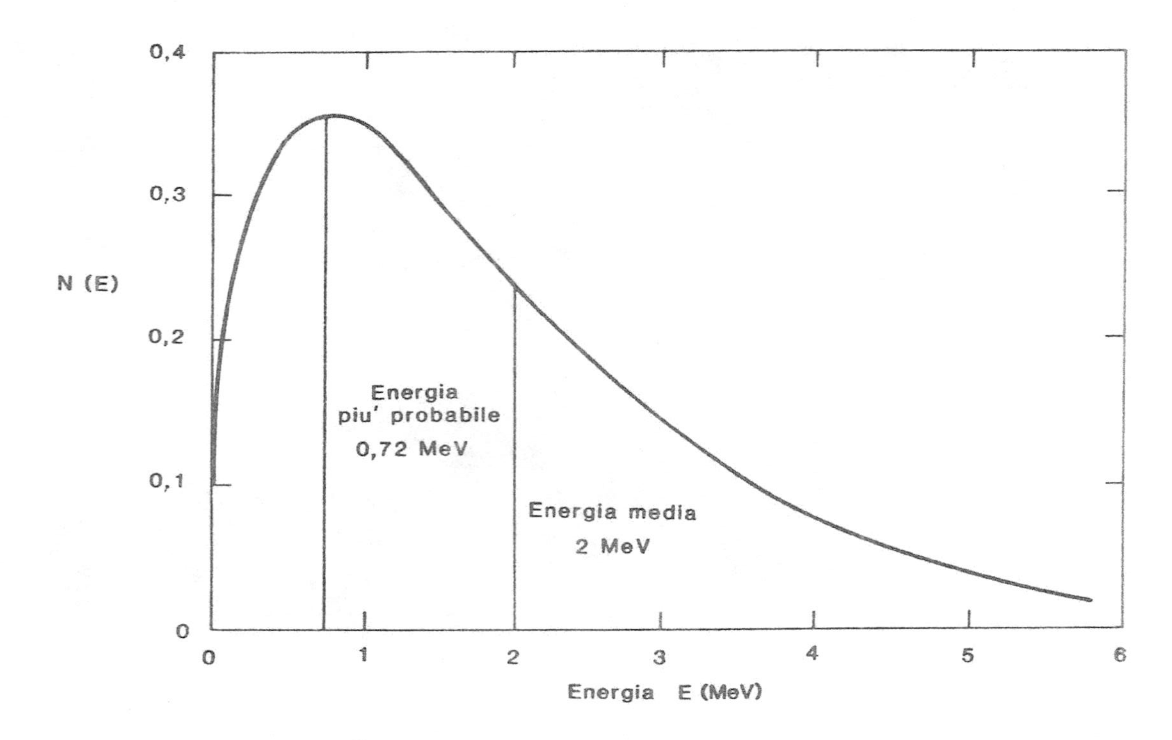

Fig. 2.7.1 *Distribuzione in energia dei neutroni pronti di fissione*

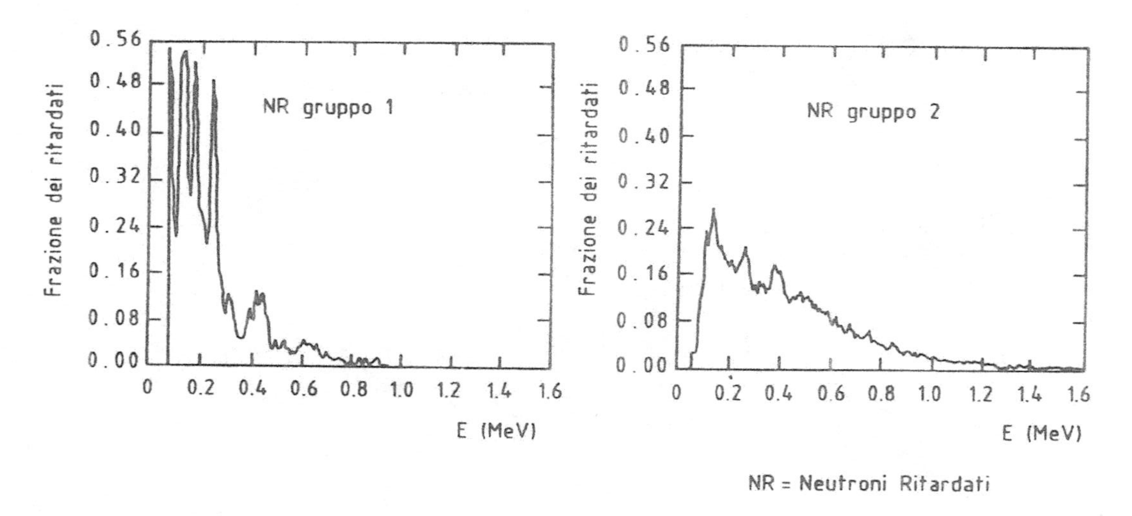

Fig. 2.7.2.a *Distribuzione in energia all'origine dei neutroni ritardati dei gruppi 1 e 2*

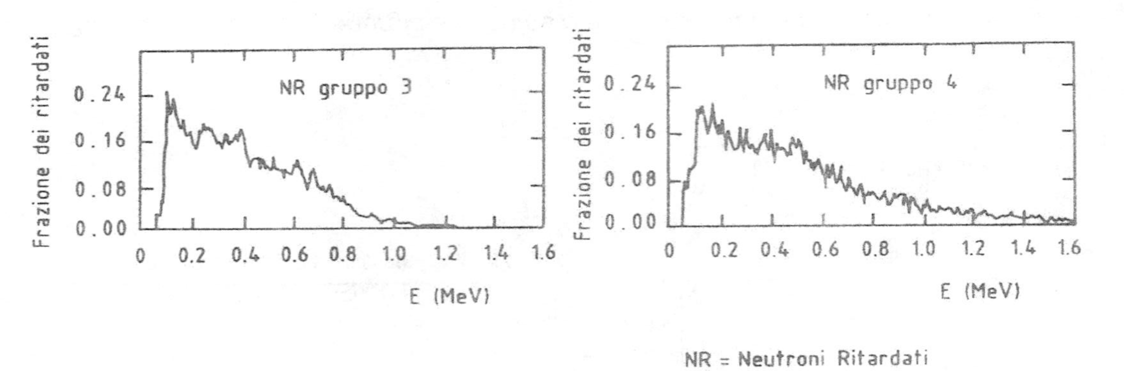

Fig. 2.7.2.b *Distribuzione in energia all'origine dei neutroni ritardati dei gruppi 3 e 4*

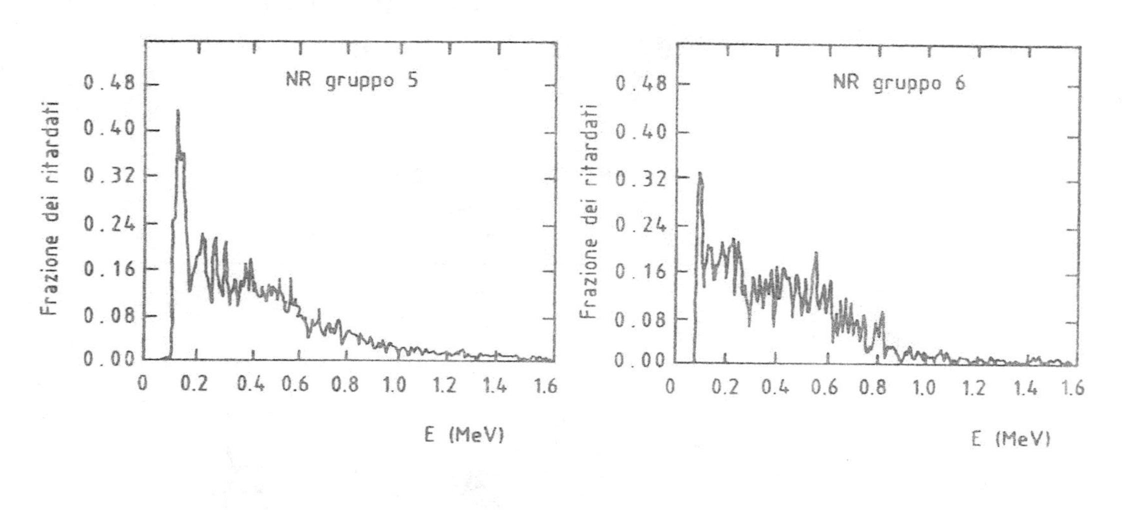

Fig. 2.7.2.c *Distribuzione in energia all'origine dei neutroni ritardati dei gruppi 5 e 6*

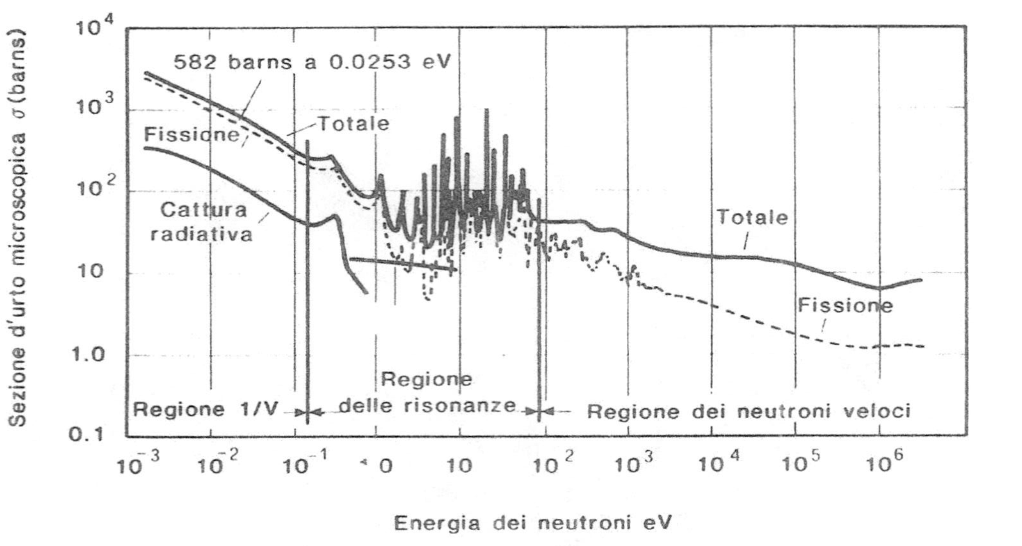

Fig. 2.8.1 *Sezioni d'urto microscopiche di cattura radiativa, di fissione e totale dell'^{235}U in funzione dell'energia E dei neutroni*

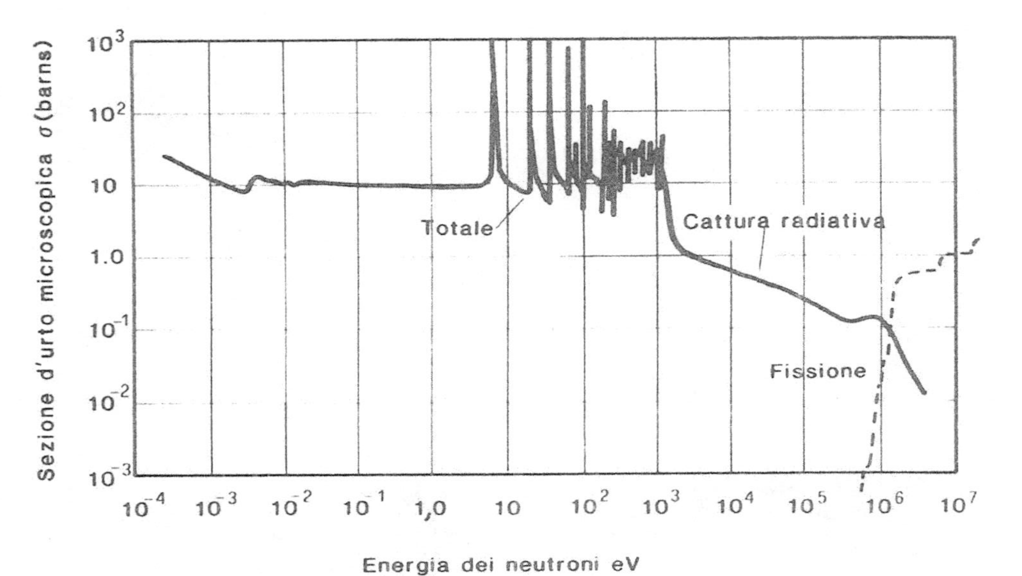

Fig. 2.8.2 *Sezioni d'urto microscopiche di cattura radiativa, di fissione e totale dell'^{238}U in funzione dell'energia E dei neutroni*

CAPITOLO 3

IL RALLENTAMENTO E LA TERMALIZZAZIONE DEI NEUTRONI

Il fenomeno del rallentamento neutronico è fondamentale per il funzionamento dei reattori nucleari **termici** che sono oggi l'unica filiera di reattori che ha raggiunto la maturità per la diffusione commerciale.

Comprendere gli elementi di base del fenomeno del rallentamento neutronico è quindi un passo obbligato nello studio della Fisica del Reattore.

3.1. Il rallentamento neutronico

I neutroni prodotti dagli eventi di fissione sono dotati inizialmente di notevole energia cinetica E_n e quindi si muovono con grande velocità entro il mezzo moltiplicante.

Neutroni veloci in movimento entro un mezzo materiale subiscono inevitabilmente una serie di collisioni contro i nuclei degli atomi del materiale stesso. In ogni evento di collisione una parte più o meno grande della energia cinetica dei neutroni viene trasferita ai nuclei urtati.

In definitiva l'energia cinetica e quindi anche la velocità dei neutroni viene continuamente ridotta dagli eventi di collisione.

Questo processo viene generalmente distinto in due fasi:

- **la fase** detta **di rallentamento** durante la quale i neutroni cedono energia ai nuclei urtati. Durante questa fase non si ha trasferimento di energia dai nuclei ai neutroni in quanto l'energia di agitazione termica dei nuclei è trascurabile perchè piccola in valore se confrontata con quella dei neutroni;
- **la fase** detta **di termalizzazione** durante la quale si hanno scambi di energia cinetica dai neutroni ai nuclei urtati e viceversa. Durante questa fase si ha anche la cessione di energia dai nuclei ai neutroni in quanto l'energia di agitazione termica dei nuclei bersaglio ha valori confrontabili con quella dei neutroni.

Il rallentamento neutronico è prodotto principalmente da due differenti tipi di eventi di collisione e precisamente:

a) urti o collisioni anelastiche neutrone-nucleo;

b) urti o collisioni elastiche neutrone-nucleo.

La differenza che permette di distinguere tra l'uno e l'altro tipo di collissione consiste nelle caratteristiche del bilancio energetico dell'interazione.

Nelle **collisioni anelastiche l'energia interna del nucleo** coinvolto **subisce una variazione** mentre nelle **collisioni elastiche l'energia interna del nucleo rimane invariata**.

Le collisioni anelastiche vengano interpretate come una delle possibili reazioni che accompagnano la formazione del nucleo composto.

Infatti come già visto al Cap. I, nella prima fase della reazione il nucleo di numero atomico Z e numero di massa A, $^{A}_{Z}X$, assorbe il neutrone e si forma il "nucleo composto" $^{A+1}_{Z}X$ ad un livello eccitato cioè ad un livello energetico interno più alto di quello fondamentale.

Nella seconda fase il nucleo composto eccitato "decade" secondo differenti modalità. Nel caso il decadimento sia caratterizzato dall'emissione dal nucleo composto di un **neutrone** con energia cinetica inferiore a quella del neutrone iniziale e **di energia gamma**, si dice che si è verificata una **collisione anelastica**.

Le collisioni anelastiche sono quindi caratterizzate dalla **non conservazione** dell'energia cinetica delle particelle inizialmente coinvolte, bensì solo dalla conservazione dell'energia totale del sistema neutrone-nucleo.

Le collisioni elastiche sono invece caratterizzate dalla conservazione dell'energia cinetica e della quantità di moto delle particelle che vi partecipano.

L'urto o la collisione elastica comporta solamente una differente ripartizione tra le due particelle interagenti dell'energia cinetica e della quantità di moto complessive prima e dopo l'urto.

La meccanica dell'urto elastico può essere descritta in analogia agli urti delle palle elastiche, tipiche quelle da biliardo, con le leggi della meccanica classica.

In Fig. 3.1.1 sono schematizzati i due tipi di collisione neutrone-nucleo.

Gli **urti anelastici** possono verificarsi su **nuclei pesanti** con neutroni di energia cinetica $E_n > 40$ **keV** mentre su **nuclei leggeri** gli urti anelastici sono possibili per neutroni con energia superiore ad 1 **MeV** circa.

Questo differente comportamento trova spiegazione nel modello del nucleo a livelli energetici.

I livelli energetici eccitati dei nuclei pesanti sono, come si ricorderà, più prossimi al livello fondamentale di quanto non avvenga per i nuclei leggeri; di più i livelli energetici eccitati differiscono tra di loro in energia per qualche **keV** per i nuclei pesanti mentre per i nuclei leggeri differiscono per quantità superiori ai 100 **keV** come riportato schematicamente in Fig. 3.1.2.

A titolo di esempio ricordiamo che l'energia di soglia per urti anelastici su ^{12}C è di 4,8 **MeV** mentre è di soli 44 **keV** su ^{238}U.

Gli urti anelastici interessano quindi la fascia energetica alta dell'intero processo di rallentamento e prevalentemente i nuclei pesanti.

Gli urti elastici **non** sono invece caratterizzati da una energia minima di soglia.

Gli urti elastici dei neutroni contro i nuclei pesanti, come lo sono quelli del combustibile nucleare, comportano comunque una perdita media di energia per urto relativamente modesta come sarà mostrato nel paragrafo seguente.

Si dimostra che il numero di urti elastici su materiali pesanti, necessari per ridurre l'energia dei neutroni di fissione a valori minori all'**eV**, cioè a valori paragonabili a quelli di agitazione termica dei nuclei, richiederebbe tempi superiori a quelli medi di permanenza dei neutroni nel mezzo moltiplicante.

Lo spettro di equilibrio dei neutroni di fissione in un mezzo costituito da soli nuclei di elementi pesanti risulta quindi centrato su energie elevate, qualche centinaio di **keV** come mostrato in Fig. 3.1.3.

Per portare lo spettro neutronico di equilibrio ad avere una sua importante componente nella zona energetica termica, inferiore all'eV, dove le sezioni d'urto di fissione assumono valori numerici elevati, anche centinaia di barn, si introduce nel sistema un materiale con basso numero di massa atomica **A** che, al contrario dei nuclei pesanti, provoca per ogni collisione elastica un'elevata perdita media dell'energia cinetica dei neutroni.

I materiali che godono di questa proprietà sono noti come **materiali moderatori**, dove l'attributo moderatori evidenzia la loro capacità a ridurre, moderare, l'energia cinetica dei neutroni.

3.2. La termalizzazione neutronica

Dopo la fase di rallentamento per urti anelastici ed elastici, principalmente per questi ultimi, i neutroni attraverso una serie di soli urti elastici si mettono in equilibrio energetico con i nuclei del mezzo entro cui si muovono.

Questa fase è detta di termalizzazione. La denominazione deriva dal fatto che la distribuzione energetica assunta dai neutroni dipende dalla temperatura del mezzo entro al quale si muovono. La condizione di equilibrio energetico tra neutroni e nuclei è caratterizzata da continui scambi reciproci di energia tra nuclei e neutroni attorno ad un valore medio come schematizzato in Fig. 3.2.1.

La distribuzione in energia dei neutroni in equilibrio termico è bene rappresentata come già ricordato al Cap. 1° da una funzione detta Maxwelliana.

L'energia media di un neutrone termico è data dalla relazione:

$$E = 8,6 \cdot 10^{-5}\ T\ (^{o}K) \qquad (eV)$$

o alternativamente, la velocità media di un neutrone termico è data dalla:

$$V = 1,3 \cdot 10^{4}\ T^{1/2} (^{o}K) \qquad (cm \cdot s^{-1})$$

Si deve comunque osservare che:

- nella zona delle alte energie della Maxwelliana i neutroni sono più numerosi di quanto prevede la pura Maxwelliana in quanto nel reattore sono presenti e si sommano i neutroni di fissione ancora in fase di rallentamento;
- nella zona delle basse energie della Maxwelliana i neutroni sono meno numerosi di quanto prevede la pura Maxwelliana a causa dei forti assorbimenti neutronici che i materiali presentano in questa zona energetica.

In conclusione in un reattore termico i neutroni nati dalle fissioni cambiano la loro distribuzione in energia o più brevemente il loro spettro energetico secondo le tre tappe seguenti:

- alla nascita hanno la distribuzione caratteristica dello spettro di fissione con energia media $E = 2$ **MeV** circa ed energia più probabile $E = 0,73$ **MeV**;
- durante la fase di rallentamento in un mezzo dove prevalgono le collisioni elastiche e dove sono scarsi gli assorbimenti neutro-

nici, si dimostra che i neutroni si distribuiscono con intensità inversamente proporzionale alla loro energia; la distribuzione energetica è cioè del tipo: $f(E)dE = dE/E$;

- raggiunta la termalizzazione i neutroni, in numero di circa uno ogni 10^{12} nuclei del mezzo entro cui si muovono, sono in equilibrio energetico con il mezzo stesso, assumono cioè come già detto, una distribuzione in energia data da una Maxwelliana caratterizzata dalla temperatura $T(^{o}K)$ del mezzo, riportata indicativamente in Fig. 3.2.2.

Nei casi pratici questo comporta che l'energia neutronica più probabile in zona termica sia dell'ordine di una frazione di elettronvolt.

Ad esempio per un mezzo a temperatura $T = 293\ ^{o}K$ (20 ^{o}C) l'energia neutronica più probabile è $E = 0{,}025$ **eV** come già visto al Cap. 1°.

In un reattore termico queste tre distribuzioni in energia coesistono continuamente in quanto mentre vengono prodotti neutroni da nuove fissioni, altri neutroni provenienti da fissioni precedenti sono in fase di rallentamento o di termalizzazione.

In Fig. 3.2.3 è riportata a titolo indicativo la distribuzione tipo in energia dei neutroni nel moderatore e nel combustibile di un reattore LWR e per confronto la distribuzione Maxwelliana corrispondente alla temperatura del moderatore.

3.3. La meccanica dell'urto elastico

L'urto elastico come già detto è caratterizzato dalla conservazione dell'energia cinetica e della quantità di moto delle due particelle interessate che sono nel caso specifico il neutrone ed il nucleo atomico urtato.

In altre parole la somma delle energie cinetiche e la somma delle quantità di moto delle due particelle prima dell'urto sono eguali alle rispettive quantità dopo l'urto.

Quando un neutrone collide elasticamente contro un nucleo fermo questo ultimo viene smosso o rimbalza dal punto di collisione.

L'energia cinetica del neutrone dopo l'urto sarà quindi minore di quella posseduta prima dell'urto per un ammontare eguale alla energia acquistata dal nucleo urtato che si traduce o in un suo spostamento rispetto alla precedente posizione occupata nel reticolo cristallino o nella maggiore ampiezza delle oscillazioni attorno alla sua posizione di equilibrio.

Le variazioni dell'energia cinetica e della quantità di moto del neutrone e del nucleo indotte da un loro urto elastico possono essere valutate con le leggi della meccanica classica di conservazione dell'energia e della quantità di moto.

Siano E, p, E', p' l'energia cinetica e la quantità di moto del neutrone rispettivamente prima e dopo l'urto elastico contro un nucleo inizialmente fermo e siano E_0 e P l'energia cinetica e la quantità di moto del nucleo dopo l'urto.

Per le leggi di conservazione dell'energia cinetica e della quantità di moto si ha che dopo l'urto deve essere:

$$E - E' = E_0 \qquad E - E_0 = E'$$
$$p - p' = P \qquad p - P = p'$$

La collisione elastica produce la deviazione o sparpagliamento (scattering) della direzione di movimento del neutrone rispetto a quella iniziale secondo un angolo θ ed il rimbalzo del nucleo secondo un angolo φ rispetto allo stesso riferimento come schematizzato in Fig. 3.3.1.

Si dimostra che l'energia cinetica E' del neutrone dopo l'urto elastico è correlata alla energia E prima dell'urto dalla relazione:

$$E' = \frac{E}{(A+1)^2} [\cos\theta + (A^2 - \text{sen}^2\,\theta)^{1/2}]^2 \qquad (3.3.1)$$

dove A è il numero di massa atomico del nucleo urtato.

Dalla rel. 3.3.1 si ricava immediatamente che l'energia cinetica del neutrone dopo l'urto dipende e dalla massa del nucleo urtato tramite A e dall'angolo di sparpagliamento o scattering θ oltre che dall'energia iniziale E posseduto dal neutrone.

Il neutrone non perde energia cinetica solamente nel caso di collisioni che sfiorino il nucleo bersaglio per le quali risulta $\theta = 0^o$ ($\cos 0^o = 1$), mentre l'energia cinetica dopo l'urto E' sarà minima per $\theta = 180^o$ ($\cos 180 = -1$) cioè per urti frontali con rinculo del neutrone.

In questo ultimo caso la rel. 3.3.1 diviene:

$$E'_{min} = \left(\frac{A-1}{A+1}\right)^2 E \qquad (3.3.2)$$

La quantità $(A-1/A+1)^2$ è nota come "**parametro di collisione**" e la si usa indicare con la lettera α; è cioè:

$$\alpha = \left(\frac{A-1}{A+1}\right)^2 \qquad (3.3.3)$$

Dalle rel. 3.3.2 e 3.3.3 si ha immediatamente che nel caso di **urto frontale** tra un neutrone ed un protone, $A=1$, è sufficiente questa sola collisione per fermare cioè annullare l'energia cinetica **iniziale** del neutrone.

Se si assume equiprobabile il valore dell'angolo θ formato dalla direzione di movimento del neutrone prima e dopo l'urto, risulta egualmente equiprobabile per l'energia del neutrone dopo l'urto un valore qualunque compreso tra gli estremi (inclusi) cioè tra $E' = E$ per perdita nulla di energia cinetica ed $E' = \alpha \cdot E$ per perdita massima.

L'energia media $\langle E \rangle$ del neutrone dopo un urto elastico può essere ottenuta dalla media aritmetica del valore degli estremi:

$$\langle E \rangle = \frac{E + \alpha \cdot E}{2}$$

$$\langle E \rangle = E \left(\frac{1 + \alpha}{2}\right) \qquad (3.3.4)$$

La perdita media di energia $\langle \Delta E \rangle$ per ogni collisione risulta quindi data dalla seguente relazione:

$$\langle \Delta E \rangle = E - \langle E \rangle$$

$$\langle \Delta E \rangle = E \left(\frac{1 - \alpha}{2}\right) \qquad (3.3.5)$$

La perdita media relativa di energia per collisione risulta di conseguenza data dalla relazione:

$$\frac{\langle \Delta E \rangle}{E} = \left(\frac{1-\alpha}{2}\right) \qquad (3.3.6)$$

Dalla rel. 3.3.5 è immediato dedurre che la perdita media di energia $<\Delta E>$ per ogni urto dipende dall'energia E posseduta dal neutrone prima della collisione e quindi diminuisce al diminuire dell'energia E posseduta dal neutrone prima di ogni urto.

Si consideri ad esempio un neutrone con energia cinetica iniziale $E=1$ **MeV** che si muove entro un blocco di berillio (**A**=9).

Dopo la prima collisione con un nucleo di berillio la sua energia cinetica avrà un valore compreso tra 1 **MeV** ($E' = E$) e 0,64 **MeV** ($E' = \alpha \cdot E$); in media per la rel. 3.3.4 avrà energia $E_1 = 0{,}82$ **MeV** e quindi sarà: $<\Delta E>_1 = 1 \cdot 0{,}18 = 0{,}18$ **MeV**. Dopo una seconda collisione l'energia neutronica sarà compresa tra 1 **MeV** e 0,41 **MeV**, in media avrà energia cinetica $E_2 = 0{,}67$ e quindi sarà $<\Delta E>_2 = 0.81 \cdot 0{,}18 = 0{,}15$ **MeV** e così via.

Dalla definizione data del parametro di collisione α discende immediatamente che il suo valore numerico può variare da $\alpha = 0$ per $A = 1$ ad $\alpha \approx 1$ per A grande cioè molto maggiore dell'unità in quanto in questo caso è $(A\text{-}1/A+1) \approx 1$.

In conclusione fatta salva l'ipotesi precedente sull'angolo di sparpagliamento θ si può dire che:

- per urti elastici contro atomi leggeri l'energia del neutrone dopo l'urto è sensibilmente ridotta rispetto al valore iniziale; la perdita media di energia $<\Delta E>$ per collisioni elastiche è infatti tanto maggiore quanto minore è il valore numerico di A come risulta dalla rel. 3.3.5.

  L'energia del neutrone dopo l'urto può essere anche nulla se l'interazione si verifica con un nucleo di idrogeno di massa atomica $A=1$ e se l'urto è frontale come già messo in evidenza;
- per urti contro atomi pesanti quindi $\alpha \approx 1$, l'energia del neutrone dopo l'urto è in generale poco differente da quella posseduta prima dell'urto come è evidente dalle rel. 3.3.4 e 3.3.5;

- per urti elastici è costante la frazione media dell'energia perduta per ogni collisione come risulta dalla rel. 3.3.6.

L'esempio che segue sintetizza numericamente quanto ora detto.

Si abbiano neutroni veloci con energia iniziale $E=2$ **MeV** *che si muovono entro un mezzo costituito alternativamente da deuterio,* $A=2$*, oppure da grafite,* $A=12$ *oppure da* ^{238}U*,* $A=238$*. Nel primo caso è* $\alpha=0{,}111$*, nel secondo è* $\alpha=0{,}716$ *nel terzo è* $\alpha=0{,}983$*.*

I valori dell'energia media $<E>$ *dei neutroni dopo un urto, della perdita media di energia* $<\Delta E>$ *per ogni urto, della perdita media relativa per urto* $<\Delta E/E>$ *e del valore del rapporto* E_1/E_2 *per ogni urto, con* E_1 *=energia prima dell'urto ed* E_2 *energia dopo l'urto calcolati con la rel. 3.3.5 e la 3.3.4 sono riportati in funzione del numero n di collisioni nella Tab. 3.3.1.*

Si vede chiaramente che le collisioni elastiche tra un neutrone ad un nucleo leggero come quello del deuterio $A=2$ *sono molto efficaci per il rallentamento neutronico, (dopo cinque collisioni l'energia del neutrone è in media ridotta al 5% del suo valore iniziale), mentre sono quasi del tutto inefficaci con nuclei pesanti come quelli del combustibile nucleare* $A=238$*, (dopo cinque collisioni l'energia del neutrone vale ancora circa il 95% del suo valore iniziale).*

Tra una collisione e l'altra il neutrone si muove in linea retta spostandosi, in generale allontanandosi, dalla posizione dove è stato generato per fissione.

Il rallentamento neutronico è quindi un processo che coinvolge sia la variabile energia che la variabile spazio. La "storia" energetica e spaziale dei neutroni in movimento entro un mezzo materiale può essere rappresentata con un diagramma del tipo riportato in Fig. 3.3.2.

Il neutrone in rallentamento perde energia mentre migra all'interno del mezzo attraversato percorrendo una traiettoria a zig zag; il rallentamento avviene a gradini cioè con perdita di energia in quantità finita come schematizzato nella Fig. 3.3.2 precedente.

Il numero medio m di collisioni neutrone-nucleo che debbono verificarsi perchè l'energia del neutrone si riduca di una quantità $\Delta E = E_1 - E_2$ definita, lo si ottiene con estrema facilità usando la scala logaritmica delle energie.

A questo scopo si introduce il concetto di **letargia** dei neutroni. La letargia u di un neutrone di energia E è data dalla relazione:

$$u = \ln \frac{E_0}{E} \qquad (3.3.7)$$

dove E_0 è un valore dell'energia preso come riferimento e che funge da zero per la scala della grandezza letargia.

In Fisica del Reattore è consuetudine assumere per E_0 il valore 10 **MeV**.

Per la rel. 3.3.7 un neutrone con energia $E = E_0$ ha quindi letargia nulla; dalla stessa relazione si può osservare che al diminuire dell'energia cinetica dei neutroni corrisponde un aumento di letargia degli stessi.

Il guadagno medio di letargia Δu per collisione che si usa indicare con la lettera ξ, si dimostra che è dato dalla seguente relazione:

$$\Delta u = \xi = 1 + \frac{\alpha \ln \alpha}{1 - \alpha} \qquad (3.3.8)$$

Sostituendo al parametro di collisione α il suo valore in funzione del numero di massa atomica A dato dalla rel. 3.3.3, la rel. 3.3.8 si scrive:

$$\xi = 1 + \frac{(A+1)^2}{2A} \ln \frac{A-1}{A+1} \qquad (3.3.9)$$

che per A non molto piccolo, $A > 10$, è ben approssimato dalla relazione seguente:

$$\xi = \frac{2}{A+2/3} \qquad (3.3.10)$$

Il decremento logaritmico medio di energia per collisione risulta, come evidente dalla rel. 3.3.7, 3.3.9 e 3.3.10, indipendente dall'energia iniziale del neutrone.

Il numero medio m di collisioni necessarie per ridurre l'energia dei neutroni da un valore iniziale E_1 ad un valore finale E_2, cioè per ottenere una variazione di letargia dei neutroni $\Delta u = \ln E_0/E_2 - \ln E_0/E_1 = \ln E_1/E_2$, è quindi dato dalla relazione seguente:

$$m \equiv \frac{\text{variazione complessiva di letargia } \Delta u}{\text{variazione media di letargia per collisione } \xi} = \frac{\ln (E_1/E_2)}{\xi} \qquad (3.3.11)$$

Ad esempio si voglia determinare il numero di urti mediamente necessari per ridurre l'energia dei neutroni del valore iniziale $E_1 = 2$ **MeV** al valore finale $E_2 = 0{,}025$ **eV**.

Dalla rel. 3.3.11 si ha immediatamente che è:

$$m = \frac{\ln 2 \cdot 10^6/0{,}025}{\xi} = \frac{18{,}2}{\xi} \qquad (3.3.12)$$

In Tab. 3.3.2 sono riportati a titolo indicativo per diverse sostanze di uso comune nei reattori nucleari i rispettivi valori dei parametri α e ξ e del numero medio m di collisioni necessarie per rallentare i neutroni dall'energia E_1=2 **MeV** all'energia "termica" E_2=0,025 **eV**.

Per composti o miscugli di due elementi, se si indicano con gli indici 1 e 2 le grandezze caratteristiche relative rispettivamente al primo ed al secondo di essi si può calcolare il valore corrispondente di ξ con l'espressione:

$$\xi = \frac{\xi_1 \Sigma_{S1} + \xi_2 \Sigma_{S2}}{\Sigma_{S1}+\Sigma_{S2}} \qquad (3.3.13)$$

Formule analoghe si possono costruire per un mezzo costituito da un numero di elementi maggiori di due.

3.4. Proprietà dei materiali moderanti

Per caratterizzare completamente un materiale in base alle sue proprietà moderanti non è sufficiente considerare il valore del parametro ξ ma occorre anche determinare la maggiore o minore propensione del materiale al rallentamento cioè la maggiore o minore rapidità con la quale viene degradata l'energia dei neutroni.

Per esprimere questa caratteristica si è introdotto un parametro noto come **potere di rallentamento** definito dalla relazione seguente:

$$\text{Potere di rallentamento} = \xi \cdot \Sigma_S \qquad (3.4.1)$$

Nella letteratura il potere di rallentamento è spesso indicato con l'acronimo **SDP** (**S**lowing **D**own **P**ower).

Il potere di rallentamento è quindi dato dal prodotto del decremento logaritmico medio di energia per collisione ξ per la sezione d'urto macroscopica di collisione Σ_S cioè per una grandezza proporzionale alla probabilità che si verifichi un evento di collisione per unità di percorso del neutrone; questa ultima grandezza traduce la maggiore o minore propensione del materiale al rallentamento.

L'eq. 3.4.1 può anche essere scritta:

$$\textbf{Potere di rallentamento} = \frac{\xi}{\lambda_S} \tag{3.4.2}$$

dove λ_S è il libero camino medio di scattering (collisione) cioè la distanza che in media un neutrone percorre tra una collisione e quella successiva.

Una ulteriore proprietà importante dei materiali moderanti è la loro propensione all'assorbimento dei neutroni che deve essere molto bassa in quanto l'assorbimento di neutroni nel moderatore si traduce in una loro perdita ai fini del mantenimento del processo di fissione.

Un indice significativo di questa proprietà è la sezione d'urto macroscopica di assorbimento Σ_a o del suo inverso, il libero cammino medio di assorbimento neutronico $\lambda_a = 1/\Sigma_a$ cioè la distanza media percorsa da un neutrone prima di essere assorbito.

Una grandezza che riassume le proprietà precedentemente evidenziate dei materiali moderanti è il **rapporto di moderazione MR** (**M**oderating **R**atio) definito dalla relazione seguente:

$$MR = \frac{\xi \, \Sigma_S}{\Sigma_a} = \xi \, \frac{\lambda_a}{\lambda_S} \qquad (3.4.3)$$

Questa grandezza permette di fare un rapido e completo confronto fra differenti materiali moderatori. Tanto maggiore è il valore del rapporto λ_a/λ_S tanto migliore come moderatore sarà il materiale corrispondente. Nella Tab. 3.4.1 sono riportati i valori di ξ, m, **SDP** e **MR** per alcuni materiali moderatori usati in ingegneria nucleare.

In conclusione un buon moderatore deve possedere le seguenti caratteristiche:

a) elevata perdita logaritmica media di energia per collisione ξ;

b) elevata sezione d'urto macroscopica di scattering Σ_S;

c) sezione d'urto macroscopica di assorbimento neutronico Σ_a di valore molto basso in zona termica.

Dai valori riportati in Tab. 3.4.1 sembrerebbe che l'acqua leggera, l'H_2O, fosse il materiale meno soddisfacente come moderatore neutronico se paragonato agli altri, in particolare l'acqua pesante D_2O, il berillio Be e la grafite di purezza nucleare C.

Tuttavia la maggioranza dei reattori di potenza realizzati fino ad oggi usa come materiale moderatore l'acqua leggera, l'H_2O, per la sua grande disponibilità, il suo basso costo, la possibilità di realizzare con essa noccioli di reattore relativamente compatti e di usarla oltre che come moderatore anche come vettore termico cioè come mezzo per trasferire alla turbina il calore prodotto dal reattore.

Gli elementi che giocano a sfavore degli altri materiali moderatori sono d'altra parte numerosi; ad esempio l'acqua pesante è molto costosa, il berillio presenta difficoltà di lavorazione, è costoso ed è tossico. La grafite infine è un materiale molto usato in ingegneria nucleare, molti reattori sono stati realizzati specie in Inghilterra utilizzando come moderatore la grafite per le buone proprietà moderanti, la facilità di lavorazione, la disponibilità ed il basso costo, però usando la grafite (come pure l'acqua pesante D_2O) come moderatore neutronico è necessario costruire noccioli di reattore di grandi dimensioni e quindi di costo elevato per ottenere una buona termalizzazione e per ridurre le fughe neutroniche come sarà evidente al paragrafo successivo dove si presenterà l'aspetto spaziale del fenomeno di rallentamento e termalizzazione dei neutroni.

3.5. L'aspetto spaziale del rallentamento e della termalizzazione neutronica

Durante le fasi di rallentamento e termalizzazione neutronica è di grande importanza ottenere condizioni che rendano minima la riduzione della densità neutronica $N(E)$ (neutroni cm^{-3}) per catture o per fughe dal sistema.

Questo risultato può essere ottenuto con una scelta opportuna del materiale moderatore.

Per quanto riguarda la perdita di neutroni per assorbimento la scelta è orientata ovviamente tra quelli con sezione d'urto di assorbimento Σ_a molto piccola.

Per quanto riguarda la perdita di neutroni per fuga dal sistema occorre fare riferimento alle quantità precedentemente definite ξ e Σ_S e quindi alla grandezza potere di rallentamento $SDP = \xi \, \Sigma_S$ ed alla lunghezza di migrazione **M** che verrà definita in questo paragrafo. Tutte queste grandezze hanno notevole influenza sull'aspetto spaziale del fenomeno di rallentamento cioè sulla distanza media percorsa dai neutroni dal punto dove nascono come veloci al punto dove si possono considerare rallentati.

In Fig. 3.5.1 è riportata una rappresentazione schematica del processo di rallentamento dei neutroni entro il materiale moderante.

Il neutrone nato veloce in A, dopo una serie di collisioni elastiche contro i nuclei del moderatore che ne determinano la traiettoria a zig zag, viene finalmente termalizzato nel punto B.

Il valore medio della distanza in linea retta dal punto A al punto B, <AB>, calcolato per tutti i neutroni in rallentamento, permette di definire un parametro noto come **lunghezza di diffusione veloce o di rallentamento** L_f dato dalla relazione seguente:

$$L_f = \left(\frac{1}{6}\right)^{1/2} \langle AB \rangle \qquad (3.5.1)$$

Si riconosce facilmente anche solo intuitivamente che quanto maggiore è il valore numerico del "potere di rallentamento" **SDP** di un certo materiale, tanto minore risulterà il valore numerico della corrispondente lunghezza di rallentamento L_f.

Infatti il numero minore di collisioni necessarie per ottenere la termalizzazione oppure il numero maggiore di collisioni che si verificano in media per unità di percorso o entrambe le cause assieme, tutte concorrono a fare sì che la distanza percorsa in media del neutrone entro quel materiale per termalizzare sia relativamente piccola.

I neutroni di fissione che hanno raggiunto valori energetici termici hanno concluso il ciclo per quello che riguarda l'aspetto energetico.

Così non è per l'aspetto spaziale del fenomeno. I neutroni termici infatti posseggono ancora una elevata velocità, quella più probabile è $v = 2200$ m s^{-1} per un mezzo a temperatura $T = 20$ °C, e continuano quindi a migrare, a diffondere termicamente nel mezzo, in dipendenza delle proprietà di scattering e di assorbimento dello stesso.

In Fig. 3.5.2 è riportata una traiettoria tipo percorsa da un neutrone dal punto di termalizzazione B al punto di assorbimento nel mezzo C.

Il valore medio della distanza in linea retta tra il punto B e quello C, <BC>, valutata su un grande numero di processi di diffusione termica permette di definire una grandezza nota come **lunghezza di diffusione termica** che si dimostra essere data dalla relazione seguente:

$$L_t = \left(\frac{1}{6} \right)^{1/2} <BC> \tag{3.5.2}$$

La distanza totale in linea retta percorsa in media dai neutroni dal punto di origine A come veloci al punto di assorbimento C come neutroni termici, si dimostra che è data dalla radice quadrata della somma dell'area di rallentamento L_f^2 e dell'area di diffusione termica L_t^2.

Essa è nota come **lunghezza di migrazione** ed è indicata generalmente con la lettera M. E' quindi:

$$M = (L_f^2 + L_t^2)^{1/2} \tag{3.5.3}$$

In Fig. 3.5.3 è riportato un tracciato tipo per neutroni in rallentamento e diffusione termica.

E' di uso frequente in Fisica del reattore il quadrato della lunghezza di migrazione noto come **area di migrazione** M^2.

Il valore della lunghezza di migrazione è importante ai fini delle fughe dei neutroni dalla superficie esterna del nocciolo dei reattori; infatti dalla definizione data di M è immediato dedurre che maggiore è il suo valore, maggiore è per i neutroni la probabilità di fuga dal sistema prima di esser assorbiti.

Un mezzo caratterizzato da un valore elevato della lunghezza di migrazione M deve quindi avere dimensioni notevoli per ridurre le fughe neutroniche.

In Tab. 3.5.1 sono riportati i valori di L_f, L_t ed M per diversi moderatori alla temperatura $T = 20\ ^oC$.

Come avevamo anticipato al paragrafo precedente, si vede chiaramente che dato l'elevato valore della lunghezza di migrazione M dei neutroni nella grafite e nell'acqua pesante, i sistemi moltiplicanti realizzati con questi materiali come moderatori neutronici devono avere dimensioni molto elevate (e quindi risultano di costo notevole) per ottenere una buona "economia neutronica" cioè per mantenere al loro interno la maggioranza dei neutroni prodotti dalle fissioni.

Tabella 3.3.1

N° collisione	0	1	2	3	4	5
A = 2						
α = 0,11						
<E> (MeV)	2	1,111	0,6172	0,343	0,190	0,106
<ΔE> (MeV)	0	0,889	0,494	0,274	0,153	0,084
<ΔE/E>	0	0,444	0,444	0,444	0,444	0,444
E_1/E_2	1	1,80	1,80	1,80	1,80	1,80
A = 12						
α = 0,716						
<E> (MeV)	2	1,716	1,472	1,263	1,084	0,930
<ΔE> (MeV)	0	0,284	0,244	0,209	0,179	0,154
<ΔE/E>	0	0,142	0,142	0,142	0,142	0,142
E_1/E_2	1	1,165	1,165	1,165	1,165	1,165
A = 238						
α = 0,983						
<E> (MeV)	2	1,983	1,966	1,949	1,933	1,916
<ΔE> (MeV)	0	0,017	0,017	0,017	0,016	0,017
<ΔE/E>	0	0,0085	0,0085	0,0085	0,0085	0,0085
E_1/E_2	0	1,0085	1,0085	1,0085	1,0085	1,0085

Valori caratteristici per urti elastici tra neutroni e nuclei di peso atomico A differente

Tabella 3.3.2

Nucleo	Numero di massa	α	ξ	m
Idrogeno	1	0	1,000	18
H_2O		*	0,920+	19
Deuterio	2	0,111	0,725	25
D_2O		*	0,509+	35
Berillio	9	0,640	0,209	86
Carbonio	12	0,716	0,158	114
Ossigeno	16	0,779	0,120	152
Sodio	23	0,840	0,0825	220
Ferro	56	0,931	0,0357	510
Uranio	238	0,983	0,00838	2172

* Non definito

\+ Valore medio appropriato

Parametri caratteristici di collisione per neutroni con energia iniziale $E=2$ MeV ed energia finale $E=0.025$ eV

Tabella 3.4.1

Elemento	ξ	Numero m di collisioni per ridurre l'energia dei neutroni da: $E_1 = 2$ MeV ad: $E_2 = 0{,}025$ eV	SDP Potere di rallentamento	MR rapporto di moderazione
H_2O	0,927	19	1,425	62
D_2O	0,510	35	0,177	4030
He	0,427	42	$8{,}87 \cdot 10^{-6}$(*)	51
Be	0,207	86	0,724	126
C	0,178	114	0,083	216

(*) 1 Atm e T = 20 °C

Valori caratteristici dei parametri che caratterizzano i materiali moderatori di neutroni

Tabella 3.5.1

Moderatore	L_t (cm)	L_f (cm)	M (cm)
Acqua	2,85	5,2	5,9
Acqua Pesante	170	11,4	173
Berillio	21	10,1	24,1
Grafite	59	19,2	62,2

Lunghezza di rallentamento, di diffusione termica e di migrazione dei neutroni in materiali alla temperatura $T = 20\ ^{o}C$

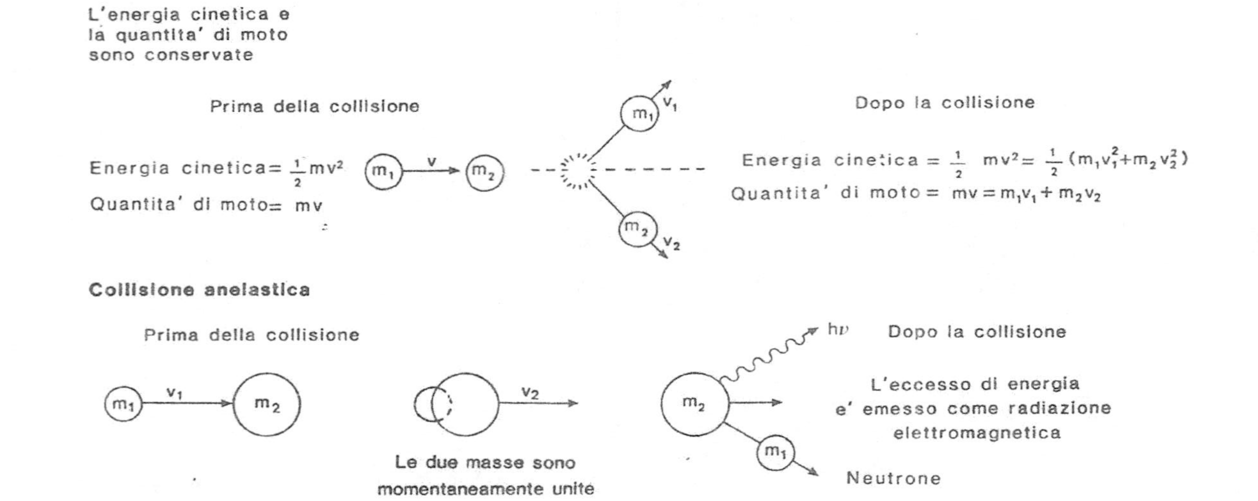

Fig. 3.1.1 *Schema di urto elastico ed urto anelastico neutrone-nucleo*

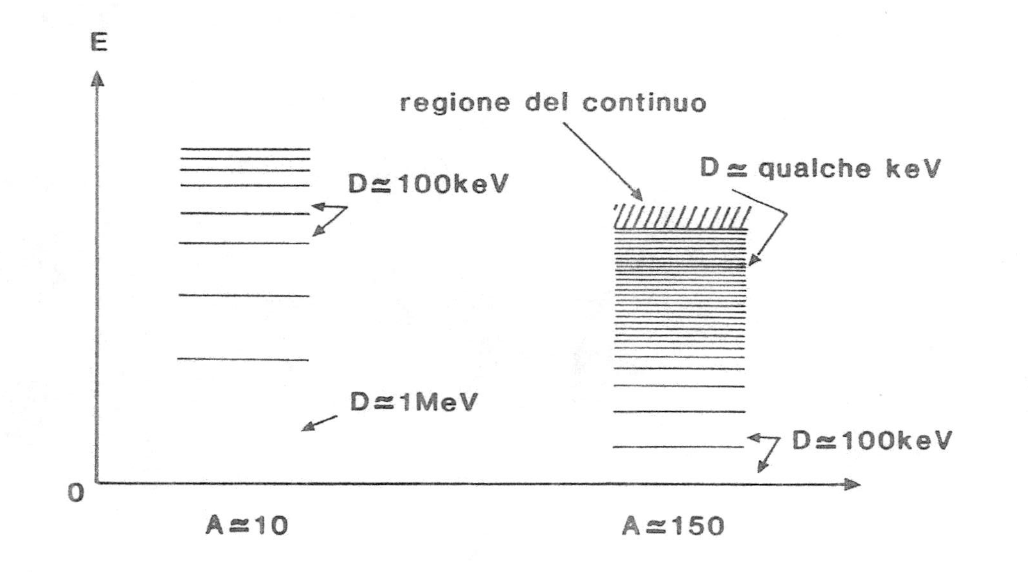

Fig. 3.1.2 *Livelli energetici nel nucleo di elementi leggeri a sinistra e pesanti a destra. D è la differenza o separazione in termini di energia tra livelli contigui*

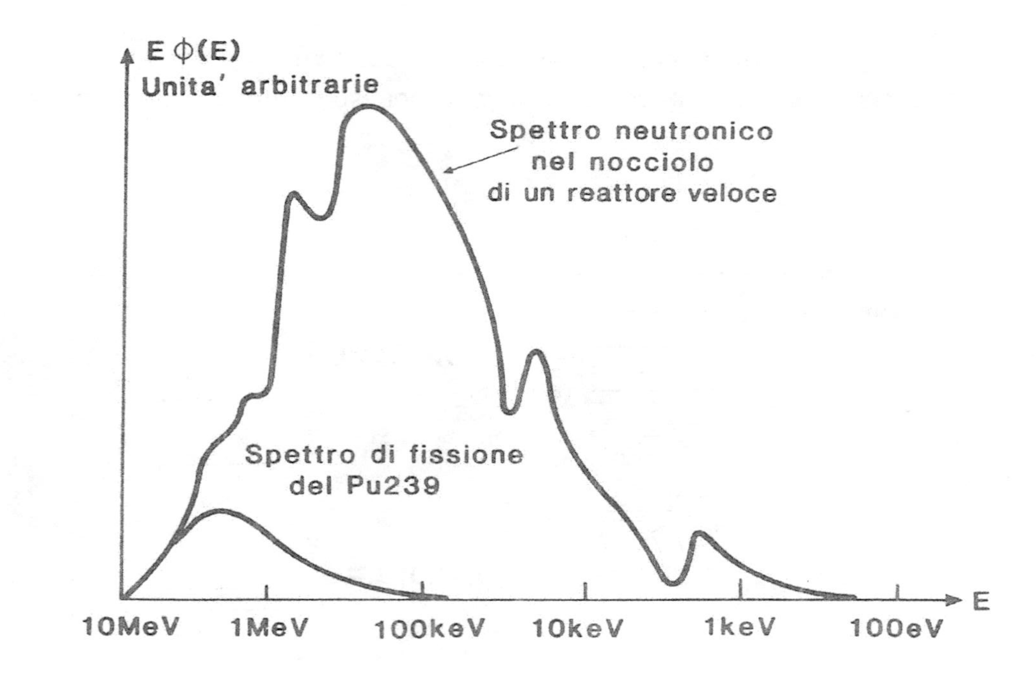

Fig. 3.1.3 *Spettro neutronico tipo in un reattore veloce*

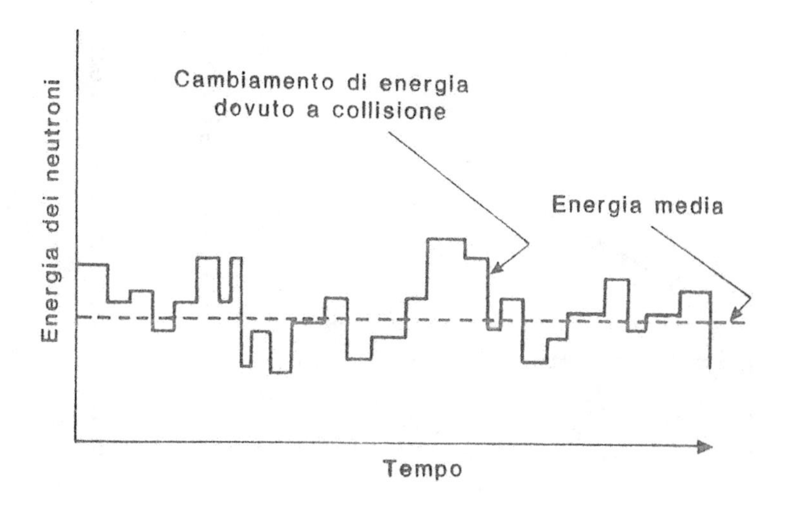

Fig. 3.2.1 *Energia cinetica di un neutrone termico in funzione del tempo e suo valore medio*

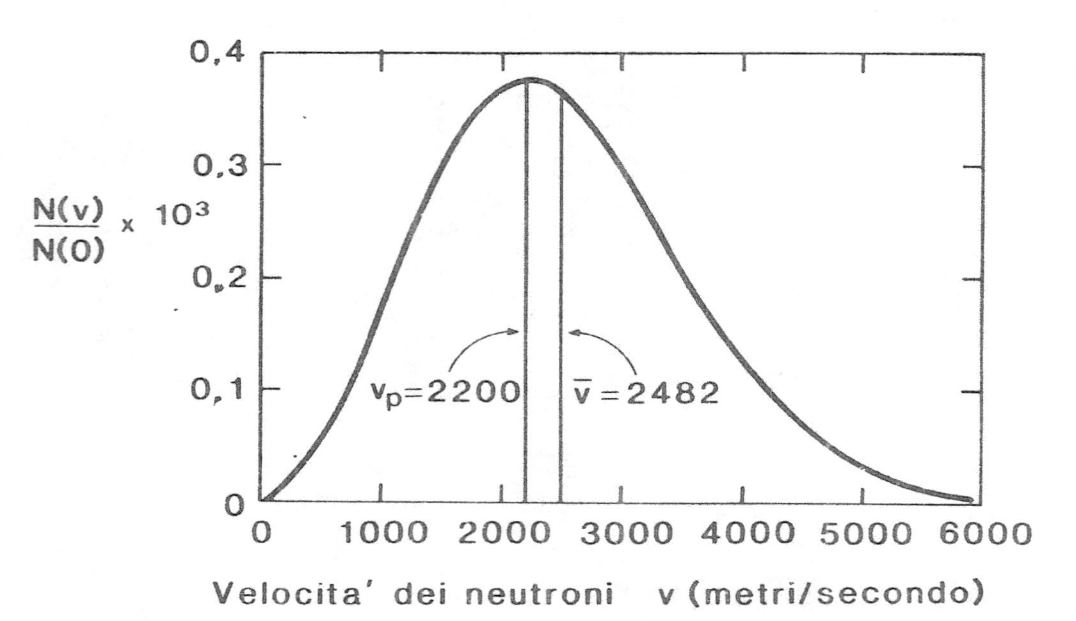

Fig. 3.2.2 *Distribuzione maxwelliana dei neutroni termici in un mezzo alla temperatura di 20 °C*

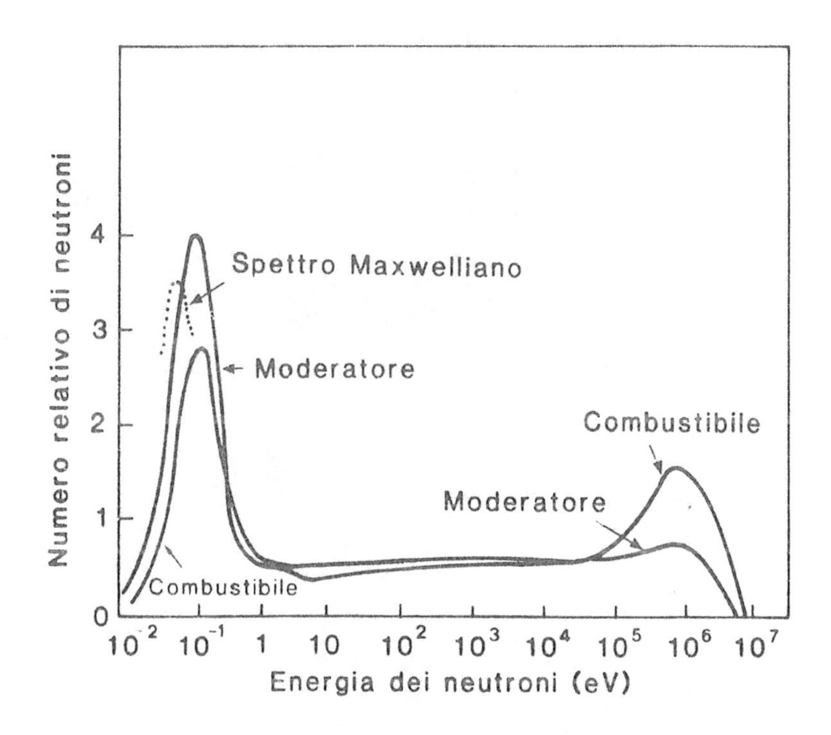

Fig. 3.2.3 *Spettro neutronico tipo in un reattore termico*

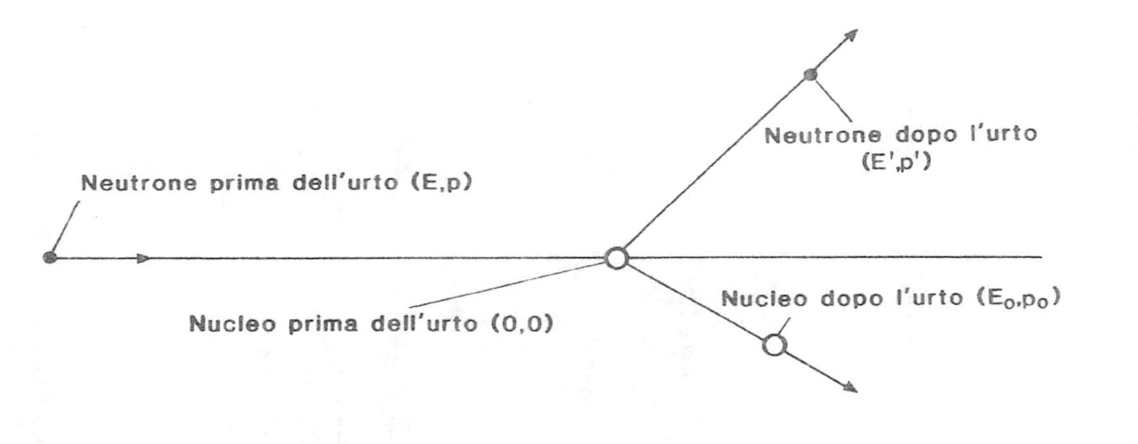

Fig. 3.3.1 *Schema di un evento di collisione elastica neutrone-nucleo*

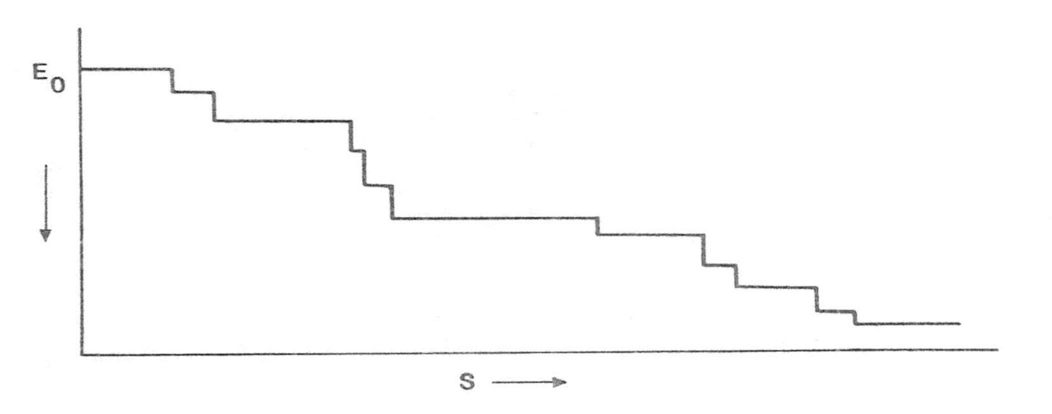

Fig. 3.3.2 *Rappresentazione schematica del rallentamento e della diffusione o migrazione S di un neutrone entro un mezzo materiale*

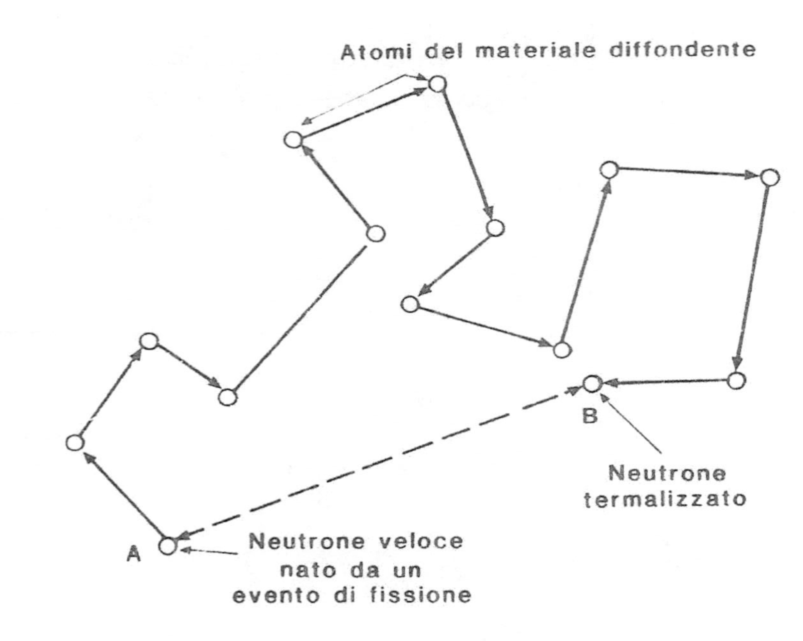

Fig. 3.5.1 *Percorso tipico di un neutrone in fase di rallentamento*

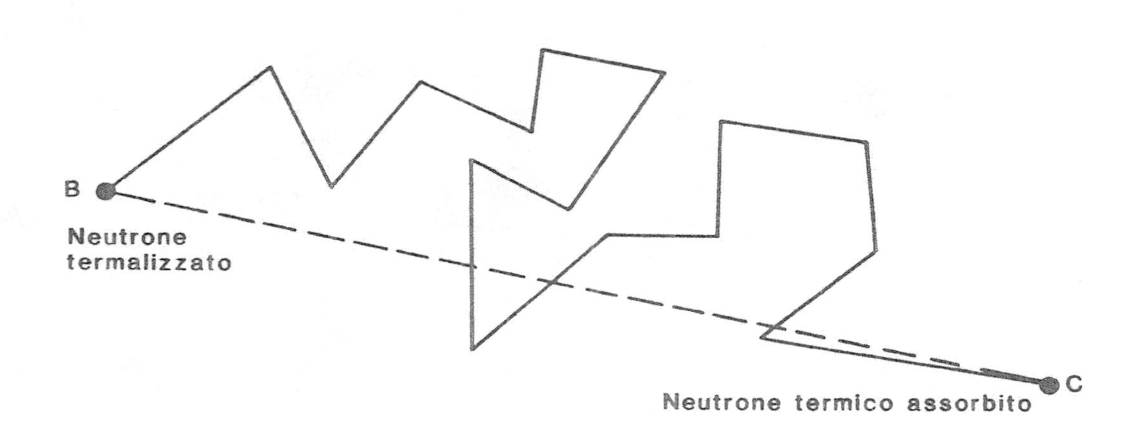
B
Neutrone
termalizzato
C
Neutrone termico assorbito

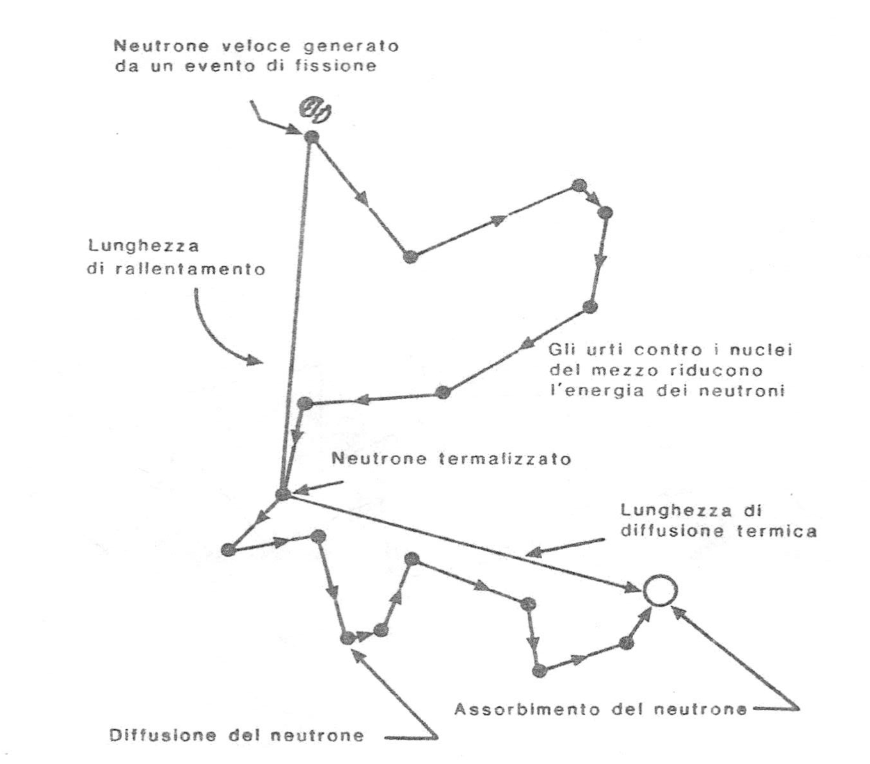

Fig. 3.5.3 *Schema tipo di rappresentazione del rallentamento e della diffusione dei neutroni in un mezzo materiale*

CAPITOLO 4

IL CICLO DEI NEUTRONI NEL REATTORE

Nei capitoli precedenti si sono ricordati e descritti i fenomeni di base che permettono il funzionamento dei reattori nucleari termici.

In questo capitolo vengono descritte le vicende tipo di un generico neutrone e definiti i parametri nucleari che le quantificano allo scopo di introdurre lo studente alla comprensione dell'insieme di fenomeni che caratterizzano la vita dei neutroni nel nocciolo del reattore.

Viene infine definito il parametro nucleare che sintetizza e quantifica l'insieme delle vicende tipo dei neutroni in reattore noto come coefficiente di moltiplicazione infinito o effettivo a seconda che il mezzo moltiplicante abbia dimensioni rispettivamente infinite o finite.

La conoscenza del valore numerico di questo parametro è essenziale per molte valutazioni anche operative correlate alla sicurezza dell'impianto.

4.1. Il ciclo neutronico

La reazione nucleare a catena presenta a livello elementare un andamento o carattere ciclico.

Il neutrone viene generato per fissione, vive una certa durata di tempo durante la quale subisce collisioni o interazioni con i nuclei del mezzo entro cui si muove ed infine o viene catturato da un nucleo fissile per dare luogo con la fissione di questo ultimo alla generazione di altri neutroni oppure viene catturato da nuclei che non subiscono fissione o ancora si perde cioè esce dal sistema senza farvi più ritorno.

L'insieme degli eventi ora ricordati che caratterizzano la vita dei neutroni nel nocciolo di un reattore dalla nascita per fissione alla loro scomparsa costituisce quello che si usa chiamare **ciclo neutronico**.

In Fig. 4.1.1 sono rappresentati i differenti "modi" di vita dei neutroni nel reattore, dalla nascita alla loro scomparsa per assorbimento o fuga dal sistema che ora verranno descritti.

I neutroni veloci possono essere prodotti per fissioni termiche e fissioni veloci; le fissioni veloci sono possibili come già visto nei capitoli precedenti per interazione dei neutroni veloci con nuclidi fissili e fissionabili; nel caso della Fig. 4.1.1 questi sono l'^{238}U, l'^{235}U ed il ^{239}Pu.

Le fissioni termiche possono al contrario verificarsi solamente per collisione dei neutroni termici con i nuclidi fissili ^{235}U e ^{239}Pu.

Durante il rallentamento alcuni neutroni veloci possono andare perduti perchè o sfuggono dal sistema o vengono catturati; la cattura durante il rallentamento è particolarmente elevata quando i neutroni acquistano valori in energia corrispondenti alle risonanze delle sezioni d'urto dei materiali.

Tutti i neutroni che con il rallentamento giungono fino alle energie termiche possono subire le medesime vicende tipo anche in questo ultimo intervallo energetico e cioè o sfuggire dal sistema o essere catturati.

Le catture o gli assorbimenti neutronici possono avvenire nei materiali strutturali e nel moderatore e in questi casi si dice che si ha una perdita di neutroni, oppure in alternativa, gli assorbimenti dei neutroni termici possono avvenire nel combustibile del reattore.

Anche in questo ultimo caso però non tutti gli assorbimenti dei neutroni sono produttivi nel senso di generare nuovi neutroni per fissione.

Infatti una parte di essi verrà assorbita dai nuclei dell'isotopo ^{235}U ed una parte dai nuclei dell'isotopo ^{238}U.

La sezione d'urto σ_a^{35} di assorbimento dell'isotopo ^{235}U è a sua volta data dalla somma della sezione d'urto di cattura σ_c^{35} e della sezione d'urto di fissione σ_f^{35}.

$$\sigma_a^{35} = \sigma_c^{35} + \sigma_f^{35} \tag{4.1.1}$$

Ponendo $\alpha = (\sigma_c/\sigma_f)^{35}$ si ha:

$$\sigma_a^{35} = (1 + \alpha)\sigma_f^{35} \tag{4.1.2}$$

E' immediato riconoscere, dall'eq. 4.1.2 che per $(1+\alpha)$ neutroni assorbiti nell'^{235}U, solamente uno produce fissione.

Nel caso dell'^{235}U i valori convenzionali termici a 2200 m/s^{-1} delle sezioni d'urto sono: $\sigma_c^{35} = 100$ barns e $\sigma_f^{35} = 570$ barns. Ogni 100 neutroni assorbiti dall'^{235}U solamente $(\sigma_f/\sigma_a)^{35} \cdot 100 = 85$ neutroni circa danno luogo a fissione e quindi alla generazione di $85 \cdot \nu \simeq 85x2{,}43 = 206$ nuovi neutroni.

I neutroni termici assorbiti nell'^{238}U sono anche essi da considerare perduti cioè non produttivi per la generazione di nuovi neutroni. L'unica reazione significativa a questo livello energetico è infatti quella di fertilizzazione.

4.2. Il fattore di moltiplicazione infinito K_∞ e la formula dei quattro fattori

Per quantificare la descrizione precedente è conveniente riferirsi ai singoli eventi che caratterizzano il ciclo neutronico in Fig. 4.1.1.

A questo scopo supponiamo che N_0 **neutroni termici** interagiscano con il materiale che costituisce il nocciolo del reattore. Per semplicità supponiamo in un primo momento che il reattore sia omogeneo ed abbia dimensioni infinite cioè sia privo di fughe neutroniche.

Gli N_0 neutroni potranno quindi solamente essere assorbiti in parte dai materiali strutturali ed in parte dal combustibile nucleare.

Si definisce come **fattore di utilizzazione termica** il rapporto tra i neutroni termici assorbiti dal combustibile ed i neutroni termici assorbiti da tutti i materiali presenti, combustibile e strutture. Il fattore di utilizzazione termica si usa indicarlo con la lettera f. E' quindi:

$$f = \frac{\text{neutroni termici assorbiti dal combustibile}}{\text{neutroni termici assorbiti da tutti i materiali}} \quad (4.2.1)$$

Nel nostro caso i neutroni termici assorbiti da tutti i materiali sono N_0.

I neutroni termici assorbiti dal combustibile nella quantità $N_0 \cdot f$ in parte producono fissioni in parte altre reazioni.

Si definisce come **fattore di riproduzione termica** il rapporto tra il numero di neutroni veloci prodotti da fissioni termiche ed il numero di neutroni termici assorbiti dal combustibile.

Questo fattore lo si indica con la lettera η:

$$\eta = \frac{\text{neutroni veloci prodotti da fissioni termiche}}{\text{neutroni termici assorbiti dal combustibile}} \quad (4.2.2)$$

I neutroni veloci generati dalle fissioni termiche sono quindi dati dal prodotto $\eta \cdot f \cdot N_0$.

I neutroni veloci nella quantità $\eta \cdot f \cdot N_0$ possono produrre fissione veloce sia in ^{235}U che in ^{238}U. L'aumento conseguente nel numero di neutroni veloci presenti viene tenuto in conto introducendo **il fattore di fissione veloce** definito come rapporto tra il numero complessivo di neutroni veloci generati dalle fissioni sia termiche che veloci ed il numero di neutroni veloci prodotti dalle sole fissioni termiche.

Il fattore di fissione veloce lo si indica con la lettera ϵ. E' quindi:

$$\epsilon = \frac{\text{neutroni veloci prodotti da fissioni termiche e veloci}}{\text{neutroni veloci prodotti da fissioni termiche}}$$

(4.2.3)

Il numero di neutroni veloci che complessivamente iniziano il processo di rallentamento nel caso in esame è quindi dato da $\eta \cdot f \cdot \epsilon \cdot N_0$.

Durante la fase di rallentamento una parte dei neutroni viene assorbita dalle risonanze dei differenti materiali presenti, in particolare dalle ampie risonanze dell'^{238}U.

Per tener conto di questi eventi si introduce un ulteriore fattore noto come trasparenza alle risonanze definito come rapporto tra i neutroni che giungono al livello termico ed i neutroni che iniziano il processo di rallentamento.

Questo fattore viene indicato con la lettera p:

$$p = \frac{\text{numero di neutroni che diventano termici}}{\text{numero di neutroni che iniziano il processo di rallentamento}}$$

(4.2.4)

Nel caso preso a riferimento, il numero di neutroni che divengono termici e che chiudono quindi il ciclo iniziato dagli N_0 neutroni termici è dato da $N_1 = \eta \cdot f \cdot \epsilon \cdot p \cdot N_0$.

In conclusione in un mezzo omogeneo ed infinito la proprietà complessiva dei materiali costituenti il nocciolo del reattore di moltiplicare con eventi di fissione gli N_0 neutroni termici iniziali in N_1 nuovi neutroni termici, si usa sintetizzarla in un unico coefficiente noto come **coefficiente di moltiplicazione infinito**. Il coefficiente di moltiplicazione infinito lo si indica generalmente con la scrittura K_∞ ed è definito come il numero di neutroni generati per fissione che giungono a livello termico per ogni neutrone termico assorbito dai materiali che costituiscono il nocciolo del reattore.

Nel caso preso a riferimento è quindi:

$$K_\infty = \frac{N_1}{N_0}$$

Essendo $N_1 = \epsilon \cdot p \cdot f \cdot \eta \cdot N_0$, la relazione precedente diventa:

$$K_\infty = \frac{N_0 \cdot \epsilon \cdot p \cdot f \cdot \eta}{N_0}$$

ed infine:

$$K_\infty = \epsilon \cdot p \cdot f \cdot \eta \qquad (4.2.5)$$

La rel. 4.2.5 è nota come **formula dei quattro fattori**.

Questa formula è quella usata fino dagli inizi dell'Ingegneria Nucleare per il calcolo delle proprietà moltiplicanti delle varie combinazioni di materiale fissile e materiali strutturali con le quali realizzare il nocciolo dei futuri reattori.

La reazione a catena in un certo mezzo è quindi resa possibile dal fatto che un neutrone veloce (o termico) nel compiere un ciclo, così come l'abbiamo definito, genera K_∞ neutroni veloci (o termici) e questi iniziano un secondo ciclo che termina con la produzione di K_∞^2 neutroni che a loro volta compiendo il terzo ciclo generano K_∞^3 neutroni e così via.

Questa osservazione che deriva dalla definizione data del coefficiente K_∞, permette di calcolare la densità neutronica corrispondente ad un ciclo qualunque che indicheremo con n (dove n=0,1,2, 3...) noti il valore del coefficiente K_∞ e la densità neutronica relativa ad un ciclo di riferimento, ad esempio al ciclo zero.

Se per $n=0$ la densità neutronica è N(0), si ha immediatamente dalla definizione di K_∞ che è:

$$N(1) = N(0) \cdot K_\infty$$

$$N(2) = N(1) \cdot K_\infty = N(0) \cdot K_\infty^2$$

$$N(3) = N(2) \cdot K_\infty = N(0) \cdot K_\infty^3$$

Generalizzando si ottiene quindi la relazione ricorrente:

$$N(n) = N(0) \cdot K_\infty^n \qquad (4.2.6)$$

4.3. Il fattore di moltiplicazione effettivo K_{eff} e la formula a sei fattori

Se il reattore anzichè di dimensioni infinite è, come avviene nella realtà, finito ed ha quindi una forma che può essere una sfera, un cilindro, un cubo, un parallelepipedo etc.., il ciclo neutronico descritto in precedenza deve essere modificato per tener conto della probabilità $(1 - P_v)$ che i neutroni possano sfuggire dal contorno del reattore quando sono ancora in zona veloce e durante la fase di rallentamento e della probabilità $(1 - P_t)$ che i neutroni possano sfuggire dal reattore quando sono diventati termici e prima di essere assorbiti o dal combustibile o dai materiali strutturali.

La quantità $P = P_v \cdot P_t$ è quindi **la probabilità complessiva di non fuga** dei neutroni dal nocciolo del reattore dove ovviamente P_v è la probabilità di non fuga per neutroni veloci e P_t è la probabilità di non fuga per neutroni termici.

In un reattore di **dimensioni finite** un neutrone veloce genera in media $\epsilon \cdot p \cdot P_v$ neutroni termici e questi generano $\epsilon \cdot p \cdot P_v \cdot f \cdot \eta \cdot P_t = K_\infty \cdot P_v \cdot P_t$ neutroni veloci.

Il fattore di moltiplicazione di un reattore finito è quindi definito in modo del tutto analogo al caso del reattore infinito o come numero di neutroni veloci generati in media da ogni neutrone veloce iniziale o alternativamente come numero di neutroni termici generati in media da un neutrone termico iniziale.

Il fattore di moltiplicazione di un reattore finito è noto come **fattore di moltiplicazione effettivo** e lo si usa indicare con la scrittura K_{eff}.

Da quanto fino ad ora detto risulta immediato scrivere la seguente relazione:

$$K_{eff} = K_\infty \cdot P$$

o anche:

$$K_{eff} = \epsilon \cdot p \cdot f \cdot \eta \cdot P_v \cdot P_t \qquad (4.3.1)$$

La rel. 4.3.1 è nota anche come **formula dei sei fattori.** Si può osservare che il valore del fattore di moltiplicazione infinito K_∞ dipende unicamente dalla composizione del materiale del nocciolo del reattore mentre il valore del fattore di molticazione effettivo K_{eff} dipende oltre che dalla composizione del materiale del nocciolo anche dalla sua forma e dimensioni in quanto la probabilità complessiva di fuga dei neutroni dal nocciolo del reattore data da (1 - P) è, come intuitivo, funzione delle caratteristiche geometriche del nocciolo stesso tramite l'estensione complessiva della sua superficie di limitazione S e del suo volume V.

In analogia con la rel. 4.2.6, la densità neutronica al ciclo ennesimo $N(n)$ in un reattore finito è data dalla relazione seguente:

$$N(n) = N(0) \cdot K_{eff}^{n} \qquad (4.3.2)$$

In Fig. 4.3.1 è riportato uno schema di sintesi del ciclo neutronico in un sistema finito.

4.4. La cella elementare

I sistemi moltiplicanti reali sono raramente costituiti da una miscela omogenea di materiale combustibile e moderatore, in particolare i reattori commerciali sono realizzati con sistemi eterogeni, sistemi cioè dove il combustibile è nettamente separato dagli altri materiali come già visto al Cap. 1°.

Il combustibile è formato generalmente da barrette cilindriche disposte secondo un reticolo geometrico regolare a formare un elemento di combustibile.

Una barretta di combustibile con associata una certa quantità di moderatore viene denominata "cella elementare". La quantità di moderatore associata ad ogni barretta viene definita equipartendo quest'ultimo tra le barrette dell'elemento combustibile come schematizzato in Fig. 4.4.1.

Il contorno di una cella elementare è generalmente poligonale. Per semplificare la trattazione matematica si usa schematizzare la cella con un contorno circolare come in Fig. 4.4.2, il cui raggio R conserva l'area effettiva della cella elementare.

Per un reticolo quadrato di passo (distanza tra i centri di barrette contigue) t, si ha quindi:

$$\pi \cdot R^2 = t^2$$

da cui:

$$R = \frac{1}{\sqrt{\pi}} = 0,56419 \cdot t \qquad (4.4.1)$$

La sostituzione delle celle a forma cilindrica con base circolare a quelle a base quadrata o poligonale costituisce l'approssimazione di Wigner-Seitz.

Questa approssimazione si è dimostrata nella pratica del tutto soddisfacente.

Le proprietà moltiplicanti di un sistema eterogeneo sono determinate dalle proprietà moltiplicanti delle singole celle elementari.

Un reattore formato da un insieme di N celle elementari **tutte eguali** tra di loro cioè con eguale fattore K_∞, ha come valore del fattore di moltiplicazione infinito la quantità:

$$(K_\infty)_R = \frac{\sum_{i=1}^{N} (K_\infty)_i}{N} = K_\infty$$

cioè ha nel suo complesso le stesse proprietà moltiplicanti della singola cella elementare.

E' quindi possibile calcolare le proprietà moltiplicanti dell'intero reattore riferendosi alla singola cella elementare.

Il fattore di moltiplicazione effettivo di reattore $(K_{eff})_R$ è a sua volta dato dalla:

$$(K_{eff})_R = K_\infty \cdot P_V \cdot P_t$$

dove le probabilità di non fuga veloce P_V e non fuga termica P_t sono riferite all'intero reattore.

La natura eterogenea della cella elementare e quindi di tutto il nocciolo del reattore determina una distribuzione fine del flusso neutronico nelle sue componenti energetiche come quella riportata in Fig. 4.4.3 e Fig. 4.4.4.

Per i valori dell'energia E cui corrispondono valori elevati delle sezioni d'urto locali si hanno intensità del flusso neutronico corrispondentemente ridotte.

Nella Fig. 4.4.5 è indicato l'andamento della sezione d'urto di assorbimento neutronico del combustibile in funzione dell'energia dei neutroni e sono indicati anche gli andamenti del flusso neutronico nel combustibile e nelle sue immediate vicinanze per alcuni valori dell'energia E.

La distribuzione fine del flusso neutronico che non ha corrispondenza nei sistemi omogenei ha come conseguenza che i quattro fattori ϵ, p, f ed η assumono valori diversi per un reticolo eterogeno rispetto ad un sistema omogeneo equivalente cioè costituito dagli stessi materiali e nelle stesse quantità relative ma mescolati omogeneamente, per le seguenti ragioni.

Il fattore di fissione veloce ϵ di un sistema eterogeneo è maggiore rispetto all'omogeneo equivalente a causa della maggiore probabilità che ha un neutrone veloce di produrre fissione per interazione con un nucleo di ^{238}U prima di avere subito rallentamento al di sotto della energia di soglia.

Il fattore di trasparenza alle risonanze p cresce drasticamente in un sistema eterogeneo rispetto all'equivalente omogeneo principalmente per due motivi. Il primo è costituito dalla termalizzazione dei neutroni che si verifica prevalentemente nel solo moderatore con questo evitando o riducendo le catture per assorbimento nelle risonanze dell'^{238}U durante la fase di rallentamento.

Il secondo è prodotto dall'autoschermo ai neutroni che gli strati più esterni della barretta provocano sugli strati più interni. E' come se questi ultimi non esistessero in quanto non vengono "visti" dal flusso neutronico, in particolare dai neutroni con energia corrispondente ai valori per i quali si hanno assorbimenti per risonanza.

Il fattore di utilizzazione termica f in un sistema eterogeneo è minore rispetto al valore che assumerebbe in un sistema omogeneo equivalente in quanto come mostrato in Fig. 4.4.6 il flusso neutronico termico è mediamente più alto nelle zone occupate dal moderatore ed altri materiali rispetto ai valori che assume nella zona occupata dal combustibile. Si hanno di conseguenza minori assorbimenti neutronici nel combustibile e maggiori assorbimenti parassiti negli altri materiali della cella.

Il fattore di utilizzazione termica in un sistema eterogeneo assume la forma simbolica seguente:

$$f = \frac{(\Sigma a)_c}{(\Sigma a)_c + (Vg/Vc)(\Phi g/\Phi c)(\Sigma a)_g + (V_M/V_c)(\Phi_M/\Phi_c)(\Sigma a)_M + ..} \qquad (4.4.2)$$

dove:

$(\Sigma a)_c$ = sezione d'urto macroscopica di assorbimento neutronico del combustibile

$(\Sigma a)_g$ = sezione d'urto macroscopica di assorbimento neutronico delle guaine

$(\Sigma a)_M$ = sezione d'urto macroscopica di assorbimento neutronico del moderatore

(Vg/Vc) = rapporto volume guaine-volume combustibile

(V_M/V_c) = rapporto volume moderatore-volume combustibile

$(\Phi g/\Phi c)$ = rapporto flusso neutronico medio nella guaina-flusso neutronico medio nel combustibile

(Φ_M/Φ_c) = rapporto flusso neutronico medio nel moderatore-flusso neutronico medio nel combustibile.

Il fattore η infine assume valori praticamente indifferenti alla natura omogenea o eterogenea del sistema in quanto esso dipende principalmente dalle caratteristiche del combustibile, in particolare dalla composizione isotopica del combustibile.

Infatti supponiamo di avere combustibile formato dai soli isotopi ^{238}U ad ^{235}U.

Il fattore di riproduzione termica η come è stato definito al par. 4.2 è dato in simboli dalla relazione:

$$\eta = \frac{\Sigma_f^{35}}{\Sigma_a^{35} + \Sigma_a^{38}}$$

dalla quale, ricordando che è $\Sigma_i^K = \sigma_i N^K$ con N^K = numero di nuclei del tipo K per cm^3 si ha:

$$\eta = \frac{\sigma_f^{35} \cdot N^{35}}{\sigma_a^{35} N^{35} + \sigma_a^{38} N^{38}} = \frac{\sigma_f^{35} \cdot N^{35}}{\sigma_a^{35} N^{35}} \frac{\sigma_a^{35} N^{35}}{\sigma_a^{35} N^{35} + \sigma_a^{38} N^{38}}$$

$$\eta = \eta^{35} \frac{\sigma_a^{35} N^{35}}{\sigma_a^{35} N^{35} + \sigma_a^{38} N^{38}} \qquad (4.4.3)$$

dove η^{35} è il valore del fattore di moltiplicazione termica per combustibile formato da ^{235}U puro.

Dividendo numeratore e denominatore della rel. 4.4.3 per $(\sigma_a \cdot N)^{35}$ e ponendo $N^{35}/N^{35}+N^{38} = R$ dove R è l'arricchimento nell'isotopo fissile ^{235}U, si ha:

$$\eta = \eta^{35} \frac{1}{1+\sigma_a^{38}/\sigma_a^{35}\ (1/R-1)} \qquad (4.4.4)$$

Dalla rel. 4.4.4 si ricava immediatamente la conferma della dipendenza del valore del parametro η delle sole caratteristiche del combustibile.

*Il valore numerico del parametro η è infatti solamente funzione dell'isotopo fissile tramite η^{35}, della sua concentrazione nel combustibile tramite il fattore **R** e della sua sezione d'urto $^{35}\sigma_a$.*

*Assumendo che sia: ν^{235} = 2,43, σ_a^{35} = 680 barns, σ_a^{38} = 2,71 barns ed η^{35} = 2,072 si ottiene facilmente dalla rel. 4.5.4 che per combustibile formato da uranio naturale per il quale è **R**=0,0071 risulta:*

$$\eta = 2,072 \frac{1}{1+2,71/680\ (1/0,0071-1)}$$

$$\eta = 1,3305$$

In Tab. 4.4.1 sono riportati i valori di η in funzione di R. E' immediato riconoscere la rapida crescita del valore di η al crescere dell'arricchimento isotopico in ^{235}U oltre il valore naturale. Questo rende ragione del perchè in pratica sia sufficiente un arricchimento isotopico attorno al 3÷4% per ottenere valori del parametro η prossimi al valore massimo corrispondente a combustibile formato dal solo isotopo ^{235}U.

4.5. Dipendenza del fattore di moltiplicazione dal rapporto R_M

Dopo aver definito la natura e la composizione isotopica dei materiali che costituiscono la cella elementare di un sistema eterogeneo, il valore numerico che assumono i quattro fattori ϵ, p, f ed η e quindi il coefficiente K_∞ dipende principalmente dalla quantità e disposizione geometrica relativa dei vari materiali nella cella in particolare dal raggio della barretta combustibile e dal raggio della cella elementare.

Questa doppia dipendenza può essere sintetizzata facendo riferimento al valore del rapporto:

$$R = \frac{\text{passo della cella}}{\text{diametro della barretta}}$$

o parametri equivalenti in particolare al valore del **rapporto** R_M tra il numero dei nuclei di moderatore N_M e nuclei di combustibile N_C contenuti nella cella elementare, cioè $R_M = N_M/N_C$.

Poichè i reattori commerciali più diffusi, i LWR, usano come moderatore l'acqua naturale H_2O e come combustibile l'ossido di uranio UO_2, verrà commentato l'andamento dei quattro fattori ϵ, p, f ed η e quindi di K_{eff} in funzione del rapporto $R_M = N_{H_2O}/N_{UO_2}$.

Il fattore di fissione veloce ϵ tende al valore asintotico unitario al crescere del rapporto R_M come è ovvio attendersi dalla definizione di ϵ data al par. 4.2.

Comunque la variazione, la diminuzione, nel valore numerico di ϵ al crescere del valore di R_M è sicuramente modesta come evidenziato anche dalla Fig. 4.5.1.

Il fattore di trasparenza alle risonanze p ha un andamento crescente con il crescere del rapporto R_M in quanto aumenti relativi nel contenuto di H_2O favoriscono la moderazione neutronica e rendono meno facile l'interazione di neutroni non ancora termalizzati con nuclei di uranio, in particolare l'^{238}U.

L'andamento del fattore p in funzione di R_M è riportato in Fig. 4.5.2.

La definizione del fattore p come "probabilità", comporta che il suo valore asintotico sia l'unità; l'asintoto cioè $p=1$ rappresenta la certezza di sfuggire alle risonanze come riportato in Fig. 4.5.2.

Il fattore di utilizzazione termica f ha andamento decrescente con il crescere del rapporto R_M come riportato in Fig. 4.5.3 a causa degli accresciuti assorbimenti neutronici relativi nel moderatore per le ragioni combinate già ricordate in precedenza cioè aumento della quantità di assorbitore parassita (H_2O) ed aumento del flusso neutronico medio nella zona da esso occupata.

Il fattore di riproduzione termica η è poco influenzato dal rapporto di moderazione come abbiamo già avuto occasione di ricordare.

Il fattore di moltiplicazione infinito K_∞ varierà quindi in funzione del rapporto R_M come risultato della dipendenza da quest'ultimo del valore dei quattro fattori ϵ, p, f ed η.

In generale si osserva un andamento come quello riportato in Fig. 4.5.4.

Il fattore di moltiplicazione effettiva K_{eff} assumerà a sua volta valori differenti al variare del valore del rapporto R_M come conseguenza della dipendenza da questa ultima grandezza sia del fattore K_∞ che del valore della probabilità di non fuga per neutroni veloci e termici. In Fig.4.5.5 è riportato l'andamento in funzione del rapporto R_M del parametro probabilità di non fuga $P = P_v \cdot P_t$.

In Fig. 4.5.6 è riportato infine l'andamento caratteristico di K_{eff} in funzione del rapporto R_M.

Nella figura sono riportati anche gli intervalli di valori del rapporto R_M tipici per i modi di operare dei reattori PWR e BWR rispettivamente.

Da ultimo si può osservare che il valore di K_{eff} in funzione del rapporto R_M decresce a sinistra del suo massimo principalmente per la riduzione di valore che subisce il fattore p in quella zona ed è descrescente a destra del suo massimo principalmente per la riduzione di valore che subisce il fattore f in quella zona come evidenziato in Fig. 4.5.7.

Esiste quindi un valore del rapporto R_M e di conseguenza della coppia di valori R_0 ed R_1 rispettivamente raggio R_0 della barretta di combustibile e raggio R_1 della cella equivalente per i quali il prodotto pf è massimo.

Per questa coppia di valori risulterà generalmente massimo anche il valore del fattore di moltiplicazione infinito $K_\infty = \epsilon \cdot p \cdot f \cdot \eta$ poichè sia il fattore ϵ che η come già visto in precedenza sono poco o niente dipendenti dal valore di R_M.

Si può quindi concludere che una scelta opportuna dei due parametri reticolari R_0 ed R_1 permette di ottenere il valore massimo del fattore di moltiplicazione K_∞ relativo ai materiali contenuti nella cella elementare, in particolare il combustibile ed il moderatore.

Tabella 4.4.1

R	η
0,0071	1,3305
0,01	1,4858
0,02	1,7335
0,03	1,8355
0,05	1,9262
0,07	1,9678
0,09	1,9917
0,10	2,0002
0,20	2,039
0,30	2,053
0,50	2,063
1,00	2,072

Valori del fattore η in funzione dell'arricchimento R in ^{235}U del combustibile uranio per neutroni termici alla temperatura $T=20\ ^{o}C$

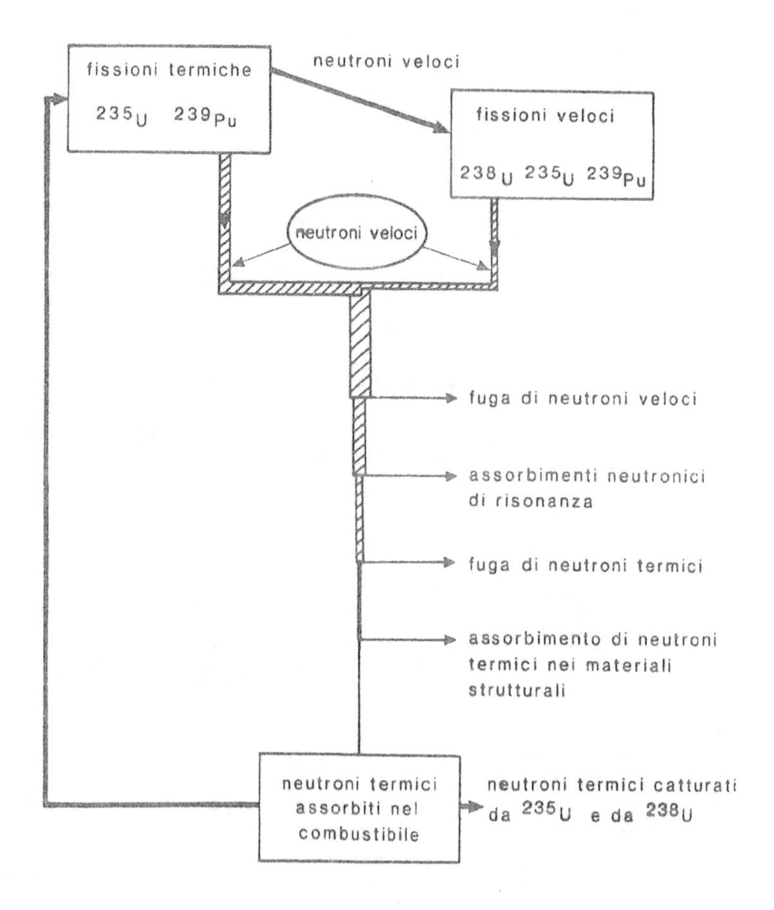

Fig. 4.1.1 *Eventi tipo che caratterizzano il ciclo di vita dei neutroni in un mezzo moltiplicante finito*

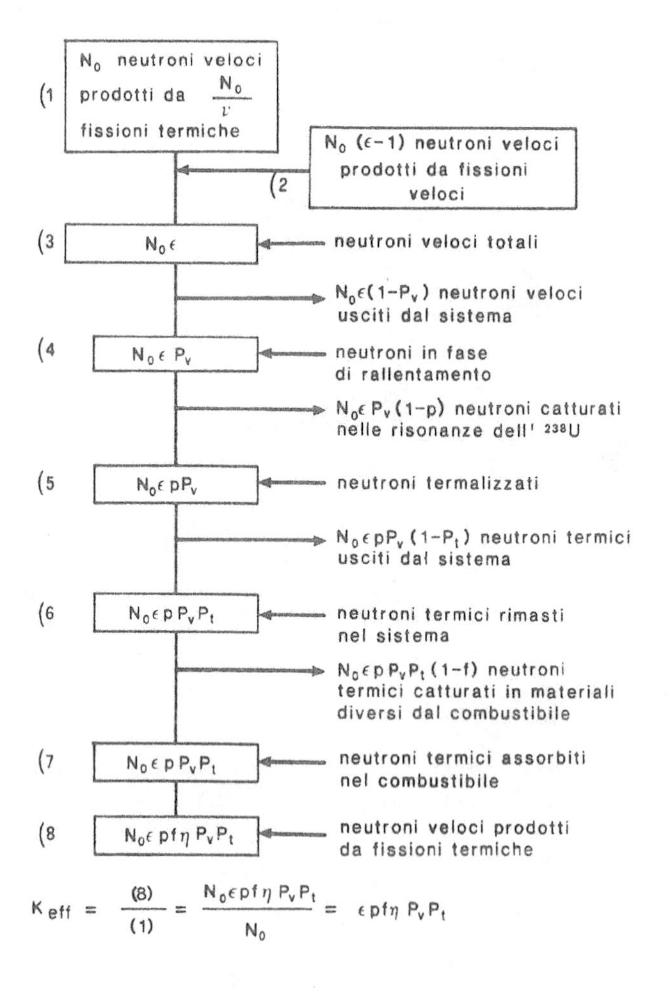

Fig. 4.3.1 *Schema generale di moltiplicazione neutronica tra due cicli successivi in un mezzo moltiplicante finito*

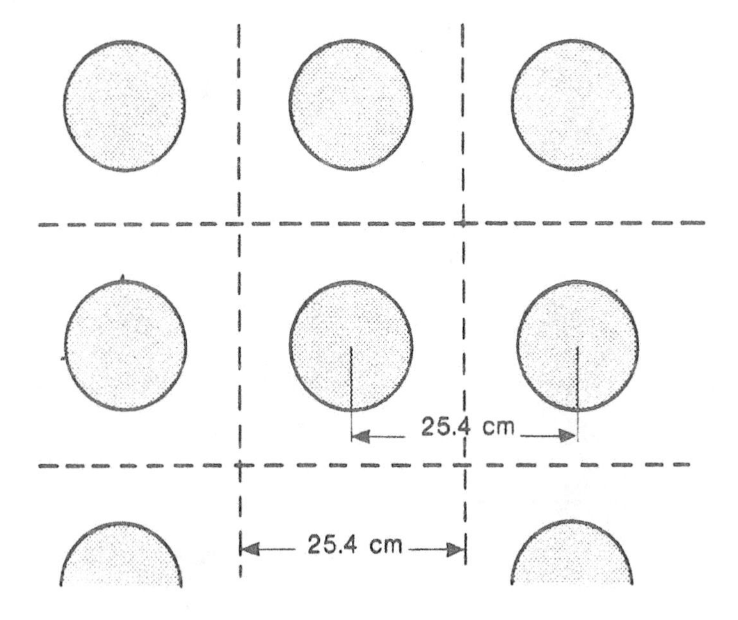

Fig. 4.4.1 *Esempio di reticolo a passo quadrato con passo t=25,4 cm*

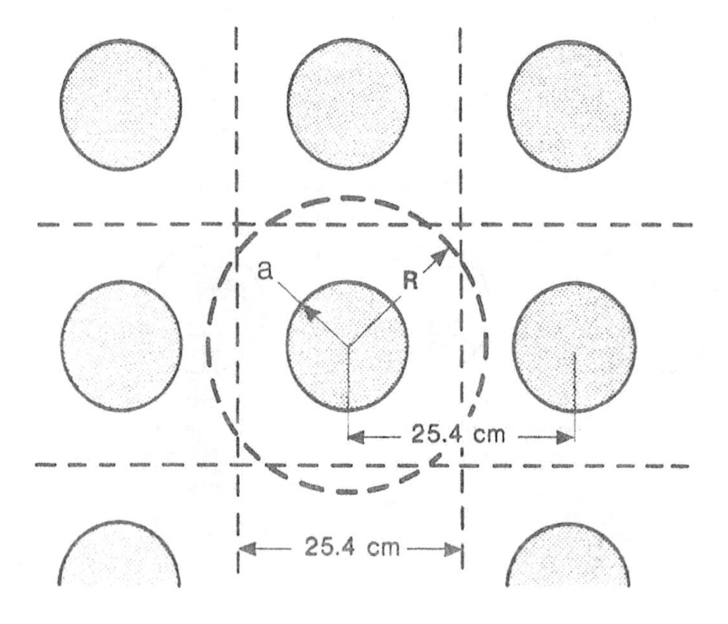

Fig. 4.4.2 *Reticolo a passo quadrato e cella equivalente di raggio* $R = t(\pi)^{-1/2}$

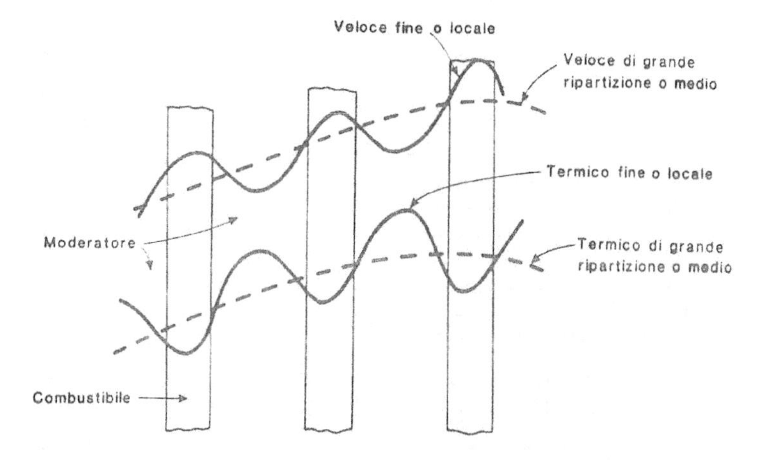

Fig. 4.4.3 *Andamento del flusso neutronico nelle due componenti veloce e termica in un reticolo eterogeneo. Sono indicati gli andamenti della struttura fine o locale del flusso e gli andamenti medi o di grande ripartizione*

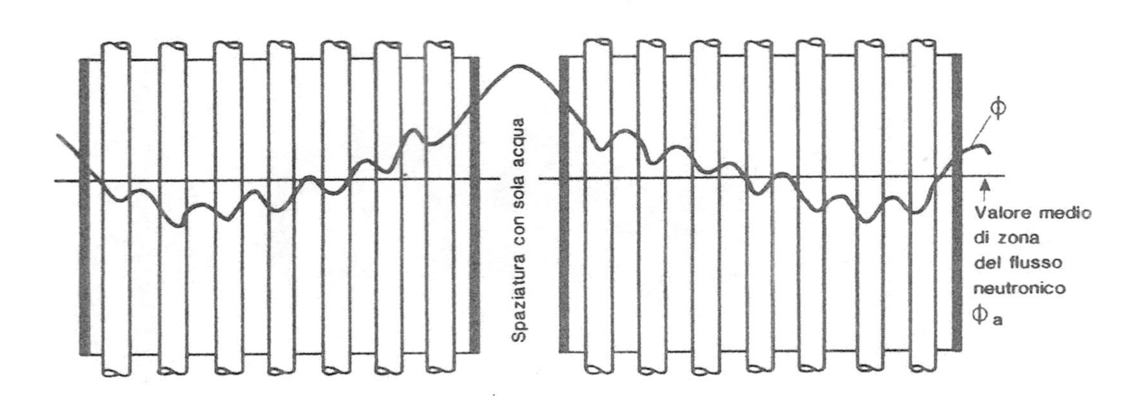

Fig. 4.4.4 *Andamento tipo del flusso neutronico termico fine ϕ e del corrispondente flusso ϕ_a medio o di grande ripartizione in elementi di combustibile adiacenti appartenenti al nocciolo di un BWR*

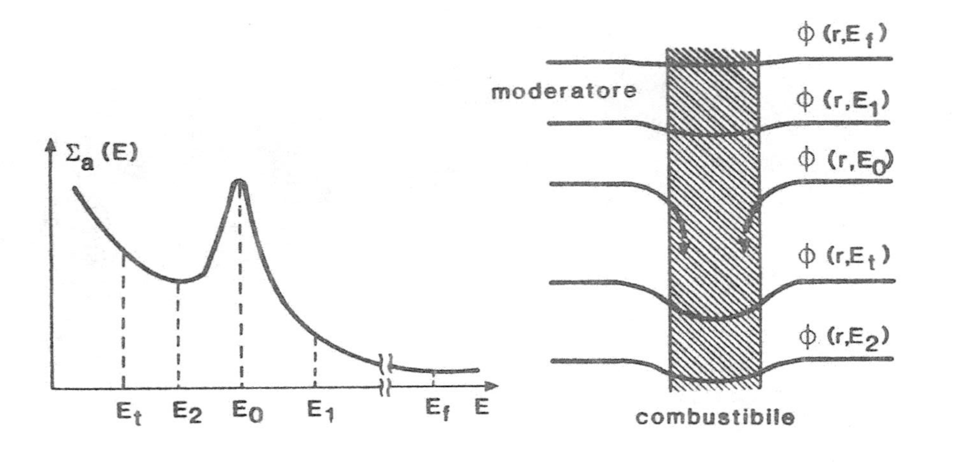

Fig. 4.4.5 *Andamento della sezione d'urto macroscopica di assorbimento neutronico $\Sigma_a(E)$ in funzione dell'energia E dei neutroni ed andamento delle differenti componenti energetiche $\phi_i(r, E_i)$ del flusso neutronico all'interno del combustibile e nelle sue immediate vicinanze*

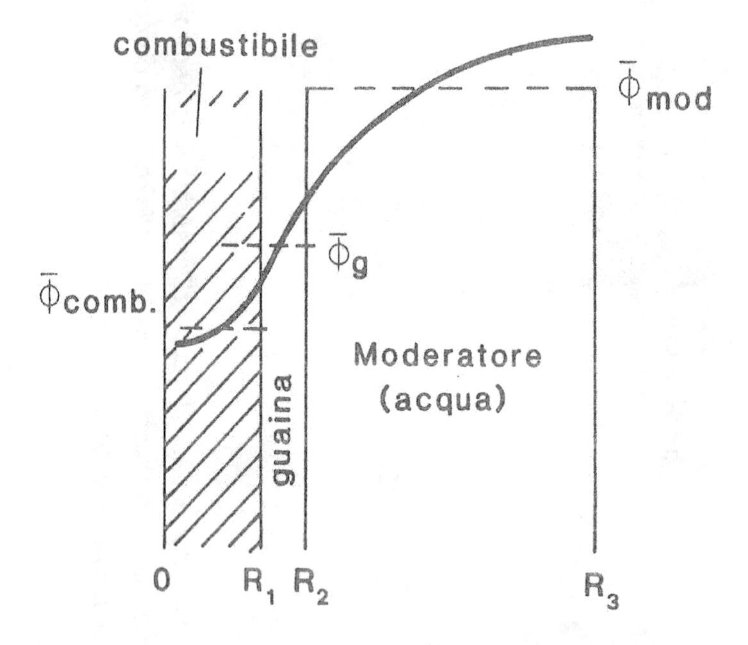

Fig. 4.4.6 *Distribuzione spaziale del flusso neutronico termico in una cella elementare eterogenea contenente il combustibile, la guaina ed il moderatore*

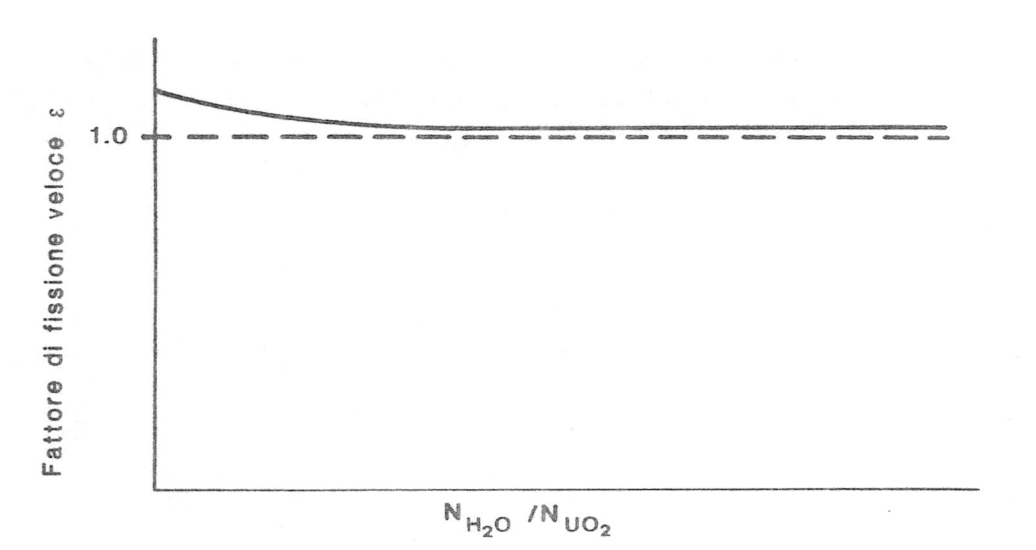

Fig. 4.5.1 *Valore del fattore di fissione veloce ϵ in funzione del rapporto nuclei moderatore/nuclei di combustibile nella cella equivalente*

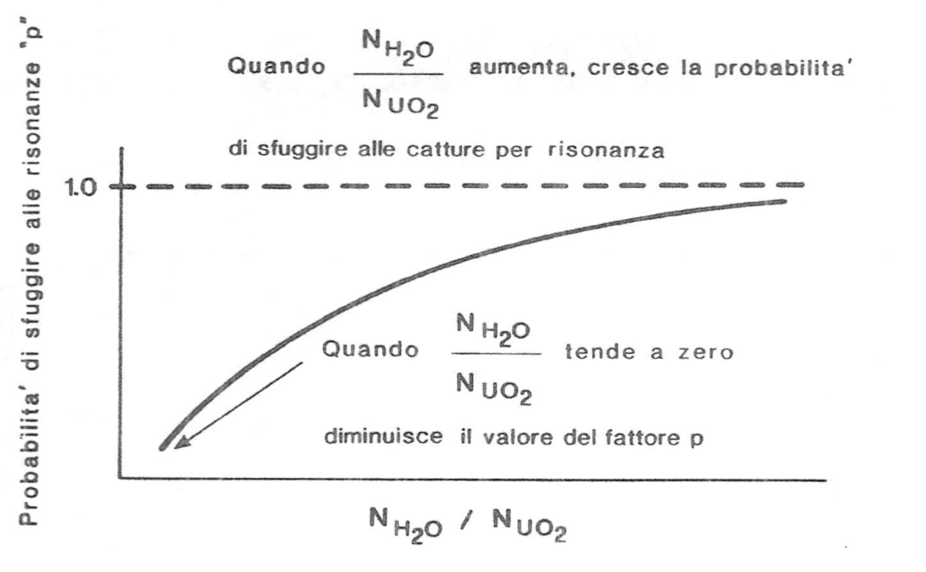

Fig. 4.5.2 *Valore del fattore di trasparenza alla risonanza p in funzione del rapporto nuclei di moderatore/nuclei di combustibile nella cella equivalente*

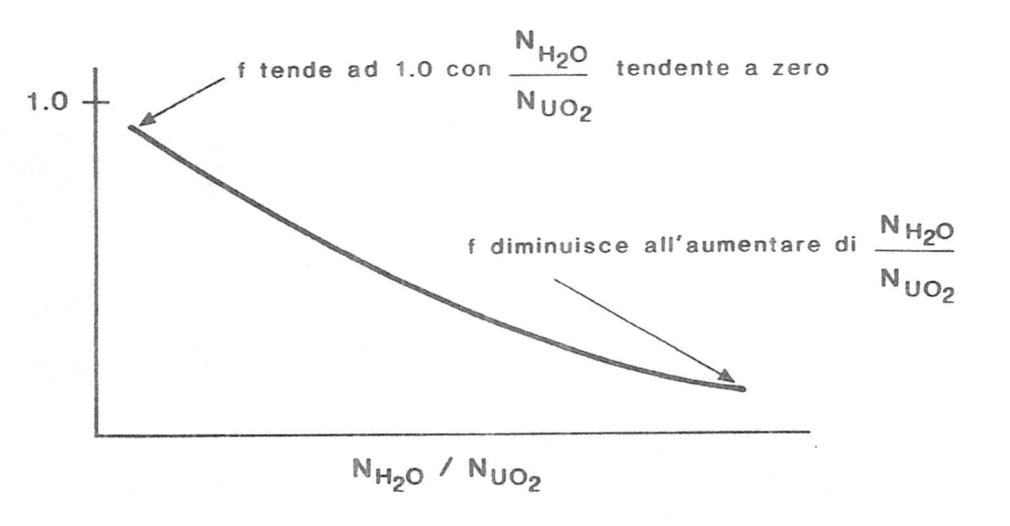

Fig. 4.5.3 *Valore del fattore di utilizzazione termica f in funzione del rapporto nuclei di moderatore/nuclei di combustibile nella cella equivalente*

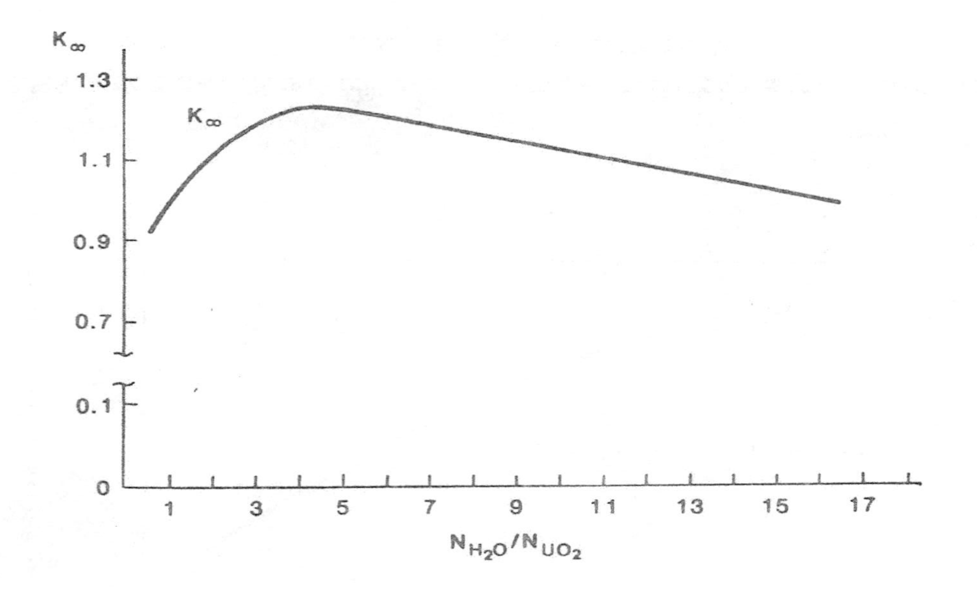

Fig. 4.5.4 *Valore del coefficiente di moltiplicazione K_∞ in funzione del rapporto nuclei di moderatore/nuclei di combustibile nella cella equivalente*

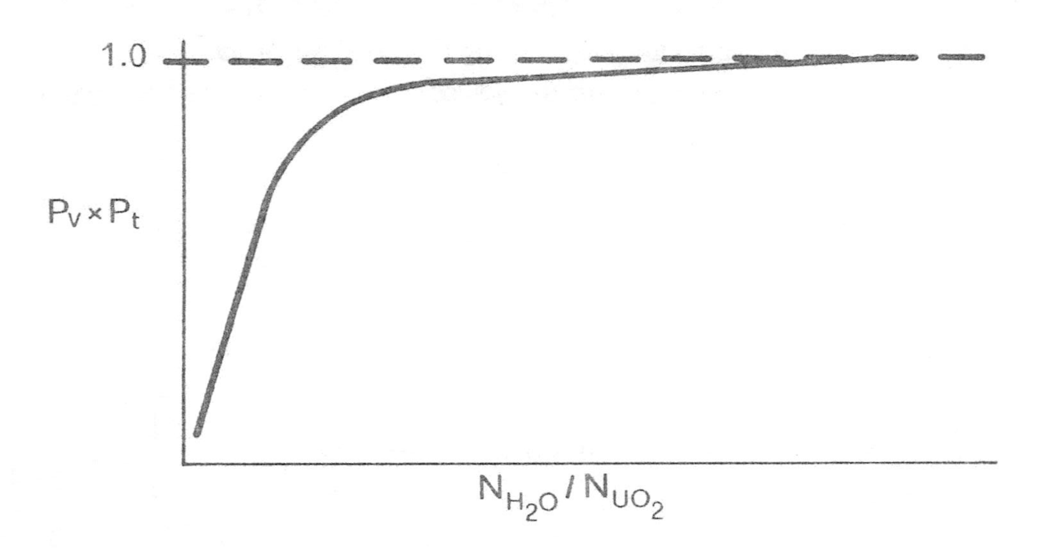

Fig. 4.5.5 *Valore del fattore di non fuga totale dei neutroni in funzione del rapporto nuclei di moderatore/nuclei di combustibile nella cella elementare*

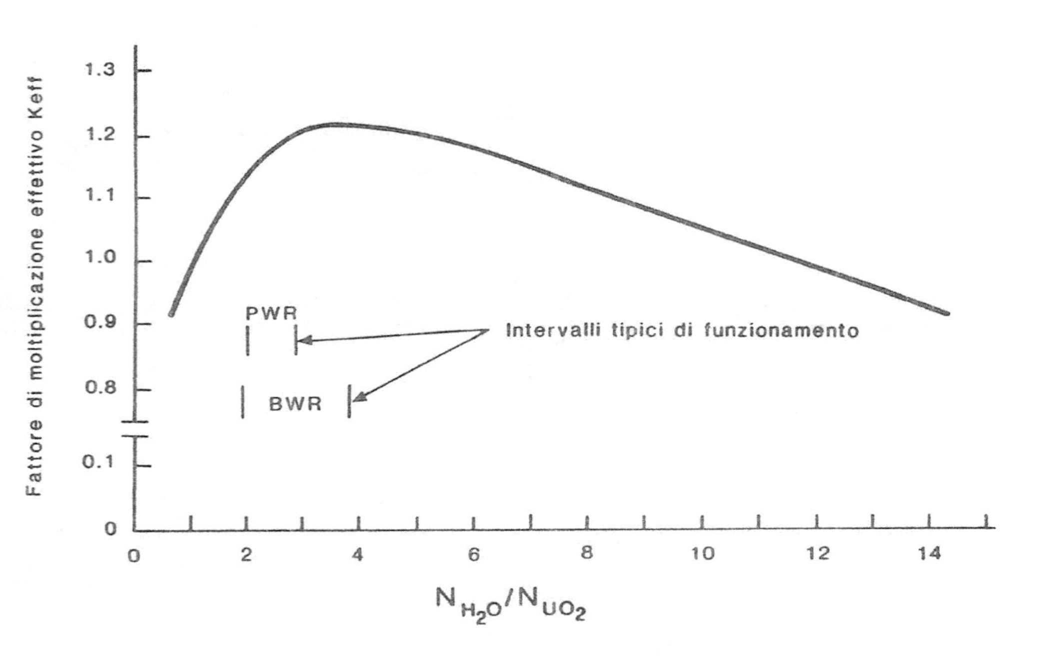

Fig. 4.5.6 *Andamento tipico del coefficiente di moltiplicazione effettivo K_{eff} in funzione del rapporto N_{H_2O}/N_{UO_2}. Sono indicati anche gli intervalli tipici del valore del rapporto N_{H_2O}/N_{UO_2} per differenti condizioni operative dei PWR e dei BWR*

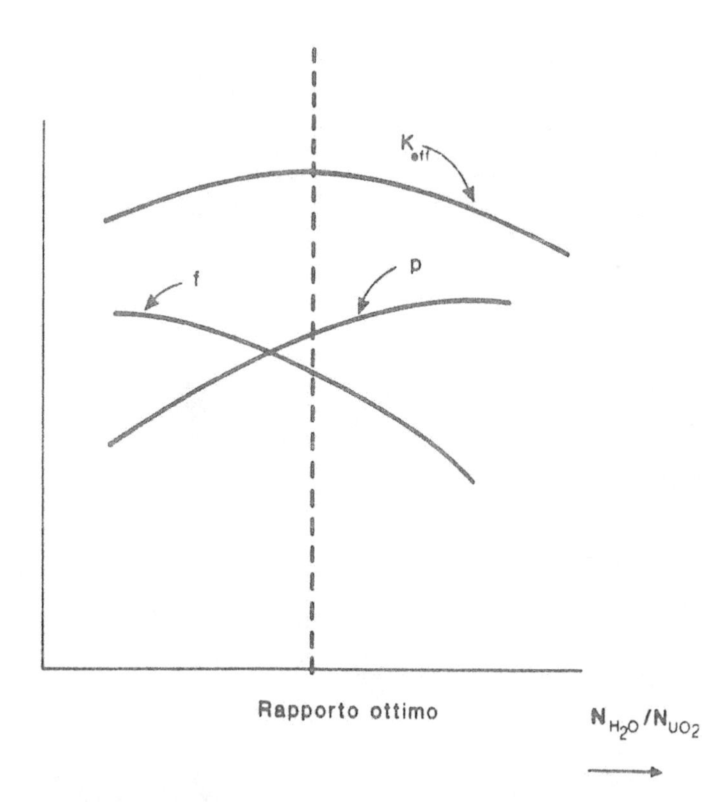

Fig. 4.5.7 *Andamento tipico dei coefficienti p, probabilità di sfuggire alle catture per risonanza, f o fattore di utilizzazione termica e del coefficiente* K_{eff} *di moltiplicazione neutronica in funzione del rapporto* $R_M = N_{H_2O}/N_{UO_2}$

CAPITOLO 5

ELEMENTI DI NEUTRONICA DEL REATTORE

Gli argomenti presentati in questo capitolo hanno come scopo principale quello di introdurre alla comprensione del significato e della importanza del concetto di bilancio neutronico.

Le vicende neutroniche presentate al Cap. 4 vengono ora razionalizzate al fine di definire e costituire gli elementi o termini del bilancio neutronico.

Il valore che assumono singolarmente questi termini determina l'equilibrio o il mancato equilibrio del bilancio neutronico, in ultima analisi lo stato di funzionamento del reattore. Più precisamente se il numero complessivo dei neutroni presenti in reattore resta costante nel tempo si ottiene la condizione di criticità o stato stazionario del reattore, oppure se il numero complessivo dei neutroni aumenta o diminuisce nel tempo si ottiene lo stato dinamico rispettivamente di divergenza o aumento della potenza (potenzialmente pericoloso), e di convergenza o spegnimento del reattore.

Vengono quindi ricavate le rappresentazioni simboliche dei termini del bilancio neutronico usando l'approccio teorico semplificato della diffusione al fine di rendere esplicita la dipendenza di questi termini della struttura e natura del nocciolo del reattore, cioè dalla sua forma e dimensioni e dai materiali che lo costituiscono.

Viene infine riproposto in modo intuitivo il concetto di criticità del reattore.

La conoscenza di questi argomenti, pure nella semplicità dell'approccio teorico e formale adottato, è essenziale anche nella pratica operativa per una corretta e cosciente capacità di intervento degli operatori sugli organi di controllo e regolazione del reattore.

5.1. Generalità

In questo capitolo vengono presentati gli elementi di base della teoria dei reattori nucleari.

Gli obiettivi principali della teoria del reattore sono:

- la determinazione delle dimensioni critiche del nocciolo del reattore;
- la determinazione della distribuzione spaziale dei neutroni nel nocciolo del reattore critico.

Per dimensioni critiche del nocciolo si intendono quelle che in assenza di organi o dispositivi di controllo del reattore determinano lo stato stazionario del reattore, o in altre parole la invarianza nel tempo del valore del flusso neutronico o della potenza.

Per distribuzione spaziale dei neutroni si intende la funzione che descrive la concentrazione dei neutroni o in termini di densità N (neutroni cm^{-3}) o di flusso neutronico ϕ (neutroni cm^{-2} s^{-1}) in ogni punto dello spazio occupato dal nocciolo del reattore.

Lo stato stazionario o criticità del reattore è realizzato quando statisticamente il numero di neutroni prodotti $\mathbf{P}$ nell'unità di tempo dagli eventi di fissione eguaglia il numero di neutroni perduti nell'unità di tempo o per assorbimento $\mathbf{A}$ nei materiali del nocciolo o per fuga $\mathbf{F}$ dallo stesso, cioè quando è:

$$\mathbf{P} = \mathbf{A} + \mathbf{F} \qquad (5.1.1)$$

Lo stato stazionario del reattore è ottenibile con un'opportuna combinazione delle proprietà materiali del nocciolo del reattore con le caratteristiche geometriche dello stesso.

La dipendenza dalle caratteristiche geometriche del nocciolo, fissate le proprietà materiali dello stesso, può essere compresa intuitivamente osservando che:

- la produzione P e l'assorbimento A dei neutroni sono fenomeni correlati alla quantità di materiale presente e quindi al **volume** del nocciolo mentre le fughe F dei neutroni sono correlate all'estensione della sua **superficie esterna**;
- l'aumento delle dimensioni di un solido, nel caso specifico il nocciolo del reattore, provoca un aumento relativo del suo volume maggiore di quello della sua superficie esterna.

Per queste ragioni aumenteranno più rapidamente con il volume del nocciolo i termini di produzione P ed assorbimento A dei neutroni rispetto al termine di fuga F degli stessi dal nocciolo. In generale esisteranno quindi delle dimensioni del nocciolo per le quali risulta soddisfatto il bilancio tra neutroni prodotti e neutroni comunque perduti.

Quelle dimensioni sono dette **dimensioni critiche**.

Lo schema logico per lo studio della distribuzione spaziale dei neutroni all'interno del nocciolo del reattore è rappresentato da una equazione detta di continuità o di bilancio neutronico di cui la rel. 5.1.1 precedente è l'espressione generica.

La semplicità dello schema logico non è però sufficiente per una agevole soluzione dell'equazione in quanto l'esplicitazione matematica che traduce i termini del bilancio espresso dalla rel. 5.1.1 è molto complessa a causa del notevole numero di variabili dalle quali dipendono le funzioni P, A ed F che vi compaiono.

Più precisamente per descrivere il comportamento della popolazione neutronica nel reattore occorre definire le sezioni d'urto Σ ed il flusso neutronico ϕ come funzioni dell'energia E dei neutroni, della posizione puntuale $P(x, y, z)$ considerata nel volume del reattore e del tempo t, cioè con funzioni del tipo:

$$\Sigma_i \equiv \Sigma_i(E, x, y, z, t); \quad \phi = \phi(E, x, y, z, t)$$

L'equazione integro-differenziale a cui si perviene, nota come equazione del trasporto dei neutroni o di Boltzmann, nei casi pratici è di grande difficoltà di soluzione.

Per questa ragione il problema viene generalmente affrontato con ipotesi semplificative. La più generale è quella che assume l'indipendenza reciproca delle variabili energia, spazio e tempo. Si scrive di conseguenza una funzione flusso neutronico come prodotto di tre funzioni una nella variabile energia E, una nelle variabili spaziali x, y, z ed una nella variabile tempo t e cioè:

$$\phi = \phi_0(E) \cdot \phi_1(x, y, z) \cdot \phi_2(t)$$

e si cercano alternativamente le soluzioni del problema nel caso stazionario eliminando in questo modo la dipendenza dalla variabile tempo oppure cercando le soluzioni nel caso non stazionario eliminando la dipendenza spaziale con la riduzione del volume del reattore ad un solo punto come verrà meglio precisato nei capitoli dedicati alla cinetica del reattore.

Per conoscere con precisione i fenomeni neutronici che avvengono nel nocciolo del reattore e quindi il comportamento di questo ultimo, è necessario impostare calcoli di grande complessità. Oggi questi sono codificati in numerosi programmi di calcolo per elaboratore elettronico e sono di uso corrente nelle attività di progetto e di verifica della sicurezza dell'impianto.

Per comprendere la fenomenologia del reattore nucleare è sufficiente ricorrere a teorie ulteriormente semplificate principalmente al fine di ridurre le difficoltà dovute sia alla natura eterogenea del nocciolo del reattore sia alla possibilità che gli urti dei neutroni con i nuclei degli atomi del mezzo non siano isotropi, cioè che la loro riflessione dopo gli urti non sia equiprobabile in tutte le direzioni.

In questo capitolo viene affrontato gradualmente l'aspetto spaziale del problema con brevi cenni all'aspetto energetico dei neutroni.

Per la descrizione della distribuzione spaziale dei neutroni nel reattore e per ricavare l'equazione di criticità si utilizza la teoria di più frequente uso in Ingegneria del Reattore nota come **teoria della diffusione neutronica** applicata alla condizione stazionaria, cioè di criticità, del reattore.

La teoria della diffusione neutronica è tra le varie teorie che approssimano quella del trasporto dei neutroni quella più intuitiva. Si ricorda che le teorie approssimate sviluppate per descrivere il comportamento dei neutroni nel reattore permettono da una parte di scrivere equazioni di più semplice soluzione (di quella della teoria del trasporto) e di sufficiente accuratezza nei risultati ma dall'altra sono penalizzate da condizioni restrittive della loro validità.

La teoria della diffusione neutronica viene presentata per semplicità nell'ipotesi monoenergetica cioè nell'ipotesi che tutti i neutroni abbiamo energia cinetica $\mathtt{E}$ di un unico valore, riservando gli ultimi due paragrafi del capitolo ad accenni all'estensione della teoria a due o più gruppi energetici.

Lo sviluppo della teoria della diffusione è dovuto all'osservazione che l'effetto complessivo delle interazioni tra i neutroni ed i nuclei dei materiali del nocciolo del reattore può essere descritto in maniera soddisfacente come un fenomeno di diffusione di un gas, i neutroni, entro un altro gas, i nuclei degli atomi dei materiali incontrati, oppure come un fenomeno di diffusione di un soluto in un soluzione.

Nella teoria della diffusione neutronica per esplicitare il termine di fuga dei neutroni dal nocciolo del reattore si applica la legge di Fick derivata a suo tempo dagli studi sulla diffusione dei gas e dei soluti.

I limiti di validità della teoria della diffusione derivano dai limiti di validità della legge di Fick.

La legge di Fick applicata alla neutronica del reattore non è valida nei seguenti casi:

a) quando il mezzo è fortemente assorbente i neutroni

b) entro uno spazio di circa tre liberi cammini medi dalla superficie di separazione di due mezzi con caratteristiche nucleari fortemente differenti tra di loro o nello spazio immediatamente prossimo a quello occupato da una sorgente neutronica

c) quando il mezzo ha caratteristiche di diffusione o meglio di sparpagliamento (scattering) neutronico fortemente anisotrope.

Nonostante queste limitazioni la teoria della diffusione neutronica permette di ottenere descrizioni sufficientemente accurate delle proprietà complessive del reattore, in particolare di ottenere:

- la descrizione della distribuzione neutronica di grande ripartizione, cioè quella sull'intero nocciolo del reattore, e quindi conoscendo il valore locale della sezione d'urto macroscopica di fissione $\Sigma(x, y, z)$, la descrizione della distribuzione spaziale della potenza prodotta nel nocciolo del reattore;
- le condizioni che realizzano lo stato di criticità del reattore.

5.2. Bilancio neutronico

Si consideri un reattore di dimensioni finite, omogeneo ed isotropo cioè caratterizzato dalle stesse proprietà fisiche in ogni suo punto e direzione.

Il nocciolo del reattore sia "nudo", confini cioè tutto attorno con un mezzo non diffondente, il "vuoto" e quindi privo della proprietà di sparpagliamento o scatterring dei neutroni.

Questa ultima caratteristica ha come conseguenza che i neutroni sfuggiti dalla superficie esterna del nocciolo non hanno alcuna probabilità di rientrarvi.

Il numero N_T dei neutroni complessivamente presenti nel reattore in ogni istante è dato dal bilancio determinato dalla somma algebrica del contributo dovuto rispettivamente agli eventi di produzione di neutroni per fissione, agli eventi di assorbimento ed agli eventi di fuga neutronica.

La relazione che permette di stabilire se il numero N_T dei neutroni aumenta, diminuisce o resta costante nel tempo, è nota come equazione di bilancio neutronico o di continuità.

Indicando con la lettera P la produzione nella unità di tempo di nuovi neutroni per eventi di fissione, con la lettera A gli assorbimenti neutronici che si verificano nell'unità di tempo nei materiali che costituiscono il mezzo moltiplicante e con la lettera F le fughe neutroniche dal sistema nell'unità di tempo, si ottiene per l'equazione di continuità o di bilancio neutronico la seguente espressione generale di cui l'eq. 5.1.1 già vista rappresenta un caso particolare:

$$\frac{dN_T}{dt} = P - A - F \qquad (5.2.1)$$

Variazione della quantità di neutroni nel tempo	=	Neutroni prodotti nell'unità di tempo	-	Neutroni assorbiti nell'unità di tempo	-	Neutroni sfuggiti dal sistema nell'unità di tempo

Quando la quantità N_T cresce nel tempo, quindi quando è $dN_T/dt>0$ si deve concludere che il numero dei neutroni P prodotti da eventi di fissione nell'unità di tempo è maggiore del numero di neutroni complessivamente assorbiti A e sfuggiti F dal nocciolo del reattore nell'unità di tempo. Quando si verifica questa condizione l'eq. 5.2.1 si riduce alla seguente disuguaglianza:

$$P > A + F$$

o anche:

$$\frac{P}{A + F} > 1 \qquad (5.2.2)$$

ed il reattore è detto **sopracritico.**

Quando la quantità N_T diminuisce nel tempo quindi quando è $dN_T/dt < 0$ si deve concludere che il numero di neutroni P prodotto dalle fissioni nell'unità di tempo è insufficiente a compensare gli assorbimenti A e le fughe neutroniche F nell'unità di tempo.

Quando si verifica questa condizione l'eq. 5.2.1 si riduce alla seguente disuguaglianza:

$$P < A + F$$

o anche:

$$\frac{P}{A + F} < 1 \qquad (5.2.3)$$

ed il reattore è detto **sottocritico**.

Quando infine la quantità N_T resta costante nel tempo, quindi quando è $dN_T/dt=0$, si deve concludere che il numero P di neutroni prodotti nel reattore dalle fissioni nell'unità di tempo compensa esattamente in termini statistici il numero di neutroni che scompaiono dal reattore per assorbimento A e per fuga F nell'unità di tempo.

Quando si verifica questa condizione l'eq. 5.2.1 si riduce all'eguaglianza seguente:

$$P = A + F$$

o anche:

$$\frac{P}{A + F} = 1 \qquad (5.2.4)$$

ed il reattore è detto **critico**.

Per ottenere risposte quantitative dalla teoria del reattore, cioè per determinare sia la condizione per la criticità sia la distribuzione spaziale del flusso neutronico nel nocciolo del reattore, è necessario risolvere l'equazione di bilancio 5.2.1.

Per semplicità e gradualità di presentazione supponiamo in un primo momento che il reattore sia omogeneo, sia formato ad esempio da una soluzione in acqua di un sale di uranio arricchito nell'isotopo ^{235}U, che i neutroni abbiano tutti un unico valore in energia e che le dimensioni del reattore siano infinite.

Con questa ultima ipotesi si evitano le difficoltà connesse con la rappresentazione matematica delle fughe neutroniche dal nocciolo del reattore.

Osserviamo anzitutto che in un reattore omogeneo infinito l'intensità del flusso neutronico risulta eguale in ogni suo punto in quanto le costanti nucleari sono ovunque le stesse, sono cioè indipendenti dalle coordinate spaziali sia il termine di produzione P che il termine di assorbimento A dei neutroni. La funzione flusso neutronico risulta di conseguenza costante o piatta su tutto il nocciolo.

In un riferimento di coordinate cartesiane ortogonali si ha quindi che è:

$$\phi\ (x,\ y,\ z) \equiv \text{costante} \tag{5.2.5}$$

Il valore della costante dipende dal livello di potenza del reattore come è immediato dedurre delle seguenti considerazioni.

In un sistema omogeneo il legame tra il flusso neutronico ϕ e la potenza W del reattore è di proporzionalità diretta. Una relazione analiticamente semplice che esprime questo legame nel caso monoenergetico in un reattore il cui nocciolo sia formato da N volumi elementari singolarmente omogenei è ad esempio la seguente:

$$W = \sum_{i=1}^{N} (\gamma \Sigma_f \phi V)_i \tag{5.2.6}$$

La somma è estesa agli N volumi elementari V_i in cui si usa suddividere idealmente il nocciolo del reattore al fine di potere assumere che al loro interno sia costante il valore delle grandezze sezione d'urto macroscopia di fissione Σ_f e flusso neutronico ϕ.

La costante γ nell'eq. 5.2.6 permette di trasformare le fissioni che si verificano nell'unità di tempo e di volume $\Sigma_f\phi$ in potenza per unità di volume, ad esempio watt cm^{-3}.

La condizione per la criticità permette di definire, come già accennato, i valori che debbono assumere:

- le dimensioni geometriche del nocciolo del reattore di assegnata forma;
- le caratteristiche neutroniche dei materiali che costituiscono il nocciolo del reattore;

perchè il valore del flusso neutronico ϕ rimanga costante nel tempo, in altre parole perchè il reattore sia critico.

Nell'ipotesi fatta di reattore di dimensioni infinite le caratteristiche geometriche del nocciolo, forma e dimensioni, sono già date nell'ipotesi stessa. Restano quindi da definire le caratteristiche nucleari dei materiali che soddisfano alla condizione di criticità.

Per questo osserviamo che in un reattore infinito l'unica possibilità di scomparsa dei neutroni è data dal loro assorbimento nei materiali del nocciolo.

L'equazione di bilancio, eq. 5.2.1, relativa all'unità di volume del nocciolo reattore si riduce quindi alla relazione seguente:

$$\frac{dN}{dt} = P - A \qquad (5.2.7)$$

Variazione della densità neutronica N nell'unità di tempo e di volume	=	Neutroni prodotti per fissione nella unità di tempo e di volume	-	Neutroni assorbiti nei materiali nell'unità di tempo e di volume

Il flusso neutronico in ogni punto del reattore sia $\phi = Nv$; il tasso di assorbimento A dei neutroni per cm^3 e per secondo è dato dal prodotto $\phi\ \Sigma_a$ quindi è:

$$A = \phi\ \Sigma_a \qquad (5.2.8)$$

dove Σ_a è la sezione d'urto d'assorbimento neutronico totale dei materiali del nocciolo.

Il tasso di produzione P dei neutroni per cm^3 e per secondo è dato a sua volta dal numero di neutroni generati per fissione dalla frazione di neutroni assorbiti dal combustibile.

Degli A neutroni complessivamente assorbiti, solamente la frazione $f \cdot A$ è assorbita dal combustibile dove f è il fattore di utilizzazione già presentato al Cap. 4 e definito come rapporto tra i neutroni assorbiti dal combustibile ed i neutroni comunque assorbiti in totale dai materiali del nocciolo del reattore:
$f = \Sigma_{ac}/\Sigma_a$ con Σ_{ac} sezione d'urto di assorbimento neutronico del combustibile.

Da ogni neutrone assorbito nel combustibile si generano η neutroni veloci dove η è il fattore di riproduzione termica definito al Cap. 4 come rapporto tra il numero $\nu \cdot \Sigma_f$ di neutroni prodotti per fissione da ogni neutrone assorbito dal combustibile.

Il tasso di produzione P di nuovi neutroni nell'unità di tempo e di volume è quindi dato dalla relazione:

$$P = \eta \cdot f \cdot A \tag{5.2.9}$$

o dalla:

$$P = \nu \cdot \Sigma_f \phi \tag{5.2.10}$$

che si ottiene immediatamente sostituendo a η, f, ed A le rispettive espressioni precedenti.

L'eq. 5.2.7 ricordando che è $N = \phi / v$ scritta in termini simbolici diviene quindi:

$$\frac{1}{v} \frac{d\phi}{dt} = \nu \cdot \Sigma_f \phi - \Sigma_a \phi \tag{5.2.11}$$

La soluzione, per integrazione, dell'eq. 5.2.11 è immediata ed è data dalla relazione:

$$\phi(t) = \phi(0) \cdot e^{(\nu \Sigma_f - \Sigma_a) v \cdot t} \tag{5.2.12}$$

dove $\phi(0)$ è il flusso neutronico per $t=0$.

Nell'eq. 5.2.12 se $\nu \cdot \Sigma_f > \Sigma_a$ l'esponenziale è positivo, il flusso neutronico cresce nel tempo ed il reattore è detto **sopracritico**.

Se è $\nu \cdot \Sigma_f < \Sigma_a$ il flusso neutronico diminuisce e tende a zero con il crescere del tempo ed il reattore è detto **sottocritico**.

Se infine è $\nu \cdot \Sigma_f = \Sigma_a$ il flusso neutronico resta costante nel tempo $\phi(t) = \phi(0)$ ed il reattore è detto **critico**.

Queste tre possibili soluzioni sono schematizzate in Fig. 5.2.1.

La condizione di criticità per il reattore ipotizzato è quindi espressa dalla relazione tra le costanti nucleari che caratterizzano il nocciolo cioè dalla relazione $\nu \cdot \Sigma_f = \Sigma_a$ o anche dalla relazione equivalente:

$$\frac{\nu \cdot \Sigma_f}{\Sigma_a} = 1 \qquad (5.2.13)$$

con la condizione ovvia che sia $\phi \neq 0$.

L'eq. 5.2.13 è l'equazione per la criticità del sistema studiato e può essere considerata un caso particolare della più generale classe delle condizioni o equazioni di criticità.

In generale per condizione di criticità si intende un'equazione che deve essere soddisfatta perchè il reattore sia critico e nella quale come già detto compaiono sia le caratteristiche neutroniche dei materiali, ad esempio le sezioni d'urto dei materiali che compongono il nocciolo del reattore, sia dei parametri che sono rappresentativi della geometria dello stesso.

L'eq. 5.2.13 non contiene esplicitamente questi ultimi parametri in quanto si riferisce ad un reattore di dimensioni infinite; per questa ragione essa rappresenta un caso particolare delle più generali condizioni di criticità.

Moltiplicando numeratore e denominatore dell'eq. 5.2.13 per Σ_{ac} sezione d'urto di assorbimento neutronico del combustibile, si ottiene:

$$\frac{\nu \Sigma_f}{\Sigma_{ac}} \; \frac{\Sigma_{ac}}{\Sigma_a} = \eta \cdot f = 1 \qquad (5.2.14)$$

In un reattore omogeneo ad un solo gruppo energetico è per definizione $p = \epsilon = 1$ quindi la rel. 5.2.14 può essere scritta nella forma seguente:

$$\eta f = K_\infty = 1 \qquad (5.2.15)$$

La condizione espressa dalla eq. 5.2.15 ricavata per la criticità di un reattore omogeneo infinito è del tutto generale; con questo si vuole dire che un reattore qualunque di dimensione infinite per essere critico deve avere il coefficiente di moltiplicazione K_∞ di valore eguale all'unità come era evidente già dalla definizione data di K_∞ al Cap. 4, par. 4.2.

5.3. L'equazione della diffusione

Si vogliano ora determinare la condizione di criticità e la distribuzione spaziale del flusso neutronico per un reattore di dimensioni finite.

Se si pone una soluzione omogenea di un sale di uranio arricchito in ^{235}U disciolto in acqua in un recipiente di dimensioni finite, ad esempio un cilindro, si osserva che il flusso neutronico diminuisce gradualmente di valore allontanandosi dall'asse centrale del cilindro verso la sua superficie esterna.

E' intuitivo comprendere che questo andamento è dovuto alla grande probabilità di sfuggire dal sistema che hanno i neutroni nati in prossimità del contorno del recipiente, probabilità che diminuisce gradualmente con il procedere verso il centro del recipiente.

La distribuzione del flusso neutronico ϕ che si osserva entro il recipiente è riportata indicativamente in Fig. 5.3.1.

In questa ultima è tracciato l'andamento qualitativo del flusso neutronico nelle due componenti $\phi(R)$ e $\phi(Z)$ rispettivamente nel senso della direzione radiale R e di quella assiale Z con riferimento ad un sistema di assi cartesiani con centro nel punto O dell'asse del cilindro.

La rappresentazione del flusso neutronico per componenti che ne descrivono l'andamento lungo le direzioni degli assi di riferimento è una approssimazione che semplifica la soluzione delle equazioni del reattore ed è sufficiente per molti problemi di ingegneria del reattore; essa è nota come approssimazione a variabili separabili.

Il valore del flusso neutronico in un punto generico P_1 del reattore è ottenuto come prodotto del valore delle componenti in quel punto.

Se le coordinate del punto P_1 sono rispettivamente R_1 e Z_1 le componenti del flusso neutronico in quel punto sono $\phi(R_1)$ e $\phi(Z_1)$ ed il valore del flusso nel punto P_1 è dato dalla:

$$\phi(P_1) = \phi(R_1) \cdot \phi(Z_1)$$

Analogamente se il recipiente che contiene la soluzione ha la forma di un parallelepipedo retto per la cui descrizione è necessario un riferimento tridimensionale secondo le direzioni x, y, e z come mostrato in Fig. 5.3.2, il flusso neutronico in un punto qualunque P_0 di questo volume sarà dato dalla:

$$\phi(P_0) = \phi(x_0) \cdot \phi(y_0) \cdot \phi(z_0)$$

dove x_0, y_0 e z_0 sono le coordinate del punto P_0.

Si vogliono ora presentare seppure in forma semplificata i metodi per la determinazione e descrizione quantitativa rispettivamente della condizione di criticità e della distribuzione spaziale del flusso neutronico per un reattore di dimensioni finite.

Per semplicità di esposizione si ipotizzi che il nocciolo del reattore sia omogeneo e nudo e che i neutroni abbiano tutti un unico valore E dell'energia cinetica.

L'equazione di bilancio, rel. 5.2.1, in questo caso assume la forma seguente:

$$\frac{1}{v} \frac{d\phi}{dt} = \nu \cdot \Sigma_f \phi - \Sigma_a \phi - F \qquad (5.3.1)$$

L'espressione analitica del termine F che rappresenta il numero di neutroni che sfuggono nell'unità di tempo dall'unità di volume del nocciolo del reattore è ottenuta, in teoria della diffusione, applicando al volume considerato la legge di Fick come già anticipato al par. 5.1.

5.3.1. La legge di Fick

Quando la concentrazione di un soluto è maggiore in una regione occupata da una soluzione rispetto a quella esistente in un'altra, si verifica la migrazione o diffusione del soluto dalla regione a maggiore concentrazione verso quella a minore concentrazione.

La legge di Fick quantifica le osservazioni precedenti affermando che il tasso o rateo di diffusione del soluto in una certa direzione risulta proporzionale alla variazione della sua concentrazione in quella direzione presa con il segno negativo.

Analogamente se la densità neutronica N è maggiore in una parte del nocciolo del reattore rispetto ad un'altra, si osserva il fluire dei neutroni verso la regione a minore densità.

Per esempio si supponga che il flusso neutronico entro un mezzo materiale sia funzione della sola variabile x come indicato in Fig. 5.3.3, sia quindi $\phi(x) = N(x) v_x$.

La legge di Fick applicata a questa configurazione permette di scrivere la seguente relazione:

$$J_x = - D \frac{d\phi(x)}{dx} \tag{5.3.2}$$

dove J_x il **tasso** o **rateo di diffusione** dei neutroni nella direzione x è noto come corrente netta dei neutroni che passano nell'unità di tempo attraverso un'area unitaria perpendicolare alla direzione x, $d\phi(x)/dx$ è la **variazione** del flusso neutronico nella direzione x e la **costante di proporzionalità** D è nota come coefficiente di diffusione.

Dimensionalmente la corrente J_x si misura come il flusso neutronico in neutroni $cm^{-2} \cdot s^{-1}$ ed il coefficiente D risulta di conseguenza espresso in unità di lunghezza.

Se come nell'esempio di Fig. 5.3.3, la variazione del flusso neutronico ϕ nella direzione x, $d\phi(x)/dx$, è negativa, risulta dalla rel. 5.3.2 che la corrente J_x è positiva cioè si ha un fluire netto di neutroni nella direzione positiva dell'asse x.

Per comprendere l'origine del fluire dei neutroni da sinistra a destra nell'esempio di Fig. 5.3.3, si osservi che i neutroni che attraversano il piano perpendicolare ad x in x_0 da sinistra a destra lo fanno perchè hanno subito delle collisioni con i nuclei dei materiali che stanno a sinistra del piano e rimbalzano verso destra. Analogamente i neutroni che attraversano il piano da destra a sinistra lo fanno perchè hanno subito collisioni alla destra del piano stesso e rimbalzano verso sinistra.

La corrente netta J_x è il risultato della somma algebrica delle due correnti parziali; quella dei neutroni che si muovono da sinistra a destra J_{+x} e quelli che si muovono da destra a sinistra J_{-x}. Si ha quindi:

$$J_x = J_{+x} + J_{-x} \tag{5.3.3}$$

Poichè il flusso neutronico $\phi(x)$ è maggiore a sinistra del piano di quanto non sia a destra, il numero di collisioni per unità di volume e di tempo che si verificano a sinistra è maggiore di quelle che si verificano a destra dello stesso e quindi è maggiore il numero dei neutroni diffusi da sinistra a destra rispetto a quelli diffusi da destra a sinistra.

La componente J_{+x} risulta maggiore della componente J_{-x} e di conseguenza risulta positiva la corrente somma J_x.

In parole questo significa che si verifica un fluire netto di neutroni nella direzione positiva dell'asse x.

L'unica ragione fisica che giustifica l'esistenza di una corrente di neutroni nel verso positivo dell'asse x è quindi data dal maggiore numero di neutroni e quindi di collisioni di sparpagliamento (o scattering) che si hanno a sinistra del piano rispetto a quelle che si hanno a destra.

Si consideri ora nel mezzo rappresentato in Fig. 5.3.4 un volume elementare unitario, ad esempio un cubo, con le facce perpendicolari agli assi x, y, e z del sistema di riferimento.

La fuga netta di neutroni nell'unità di tempo da quel volume unitario è data dalla variazione della corrente J_x nella sola direzione x in quanto il flusso neutronico dipende per ipotesi dalla sola variabile x.

$$\text{Fuga netta di neutroni dall'unità di volume nell'unità di tempo} = \frac{dJ_x(x)}{dx} \tag{5.3.4}$$

Dall'eq. 5.3.2 e dall'eq. 5.3.3 si ha immediatamente che la fuga netta dei neutroni espressa in termini di flusso neutronico è data dalla:

$$\text{Fuga netta di neutroni dall'unità di volume nell'unità di tempo} = -D \frac{d^2\phi(x)}{dx^2} \tag{5.3.5}$$

Tornando al caso più generale di dipendenza della funzione flusso neutronico da tutte le variabili spaziali che caratterizzano un mezzo materiale tridimensionale, si dimostra che in un sistema di riferimento cartesiano come indicato in Fig. 5.3.5, la variazione delle componenti J_x, J_y e J_z della corrente neutronica che attraversa un volume elementare $dV=dx \cdot dy \cdot dz$ è data dalle seguenti espressioni:

$$J_{x+dx} - J_x = -D \frac{\partial^2\phi}{\partial x^2} dx$$

$$J_{y+dy} - J_y = -D \frac{\partial^2\phi}{\partial y^2} dy \tag{5.3.6}$$

$$J_{z+dz} - J_z = -D \frac{\partial^2\phi}{\partial z^2} dz$$

La fuga dei neutroni dal volume **dV** sarà quindi data dalla relazione:

$$\begin{array}{l}\text{Fuga netta}\\ \text{di neutroni}\\ \text{dal volume}\\ \text{dV nell'unità di tempo}\end{array} \equiv -D \frac{\partial^2 \phi}{\partial x^2} dx \cdot (dy \cdot dz) - D \frac{\partial^2 \phi}{\partial y^2} dy \cdot (dx \cdot dz) - D \frac{\partial^2 \phi}{\partial z^2} dz \cdot (dx \cdot dy)$$

$$\equiv -D \left(\frac{\partial^2 \phi}{\partial x^2} + \frac{\partial^2 \phi}{\partial y^2} + \frac{\partial^2 \phi}{\partial z^2} \right) dV \qquad (5.3.7)$$

o anche:

$$\begin{array}{l}\text{Fuga netta}\\ \text{di neutroni}\\ \text{dal volume}\\ \text{dV nell'unità di tempo}\end{array} \equiv -D\nabla^2 \cdot \phi \cdot dV \qquad (5.3.8)$$

dove il simbolo

$$\nabla^2 = \left(\frac{\partial^2}{\partial x^2} + \frac{\partial^2}{\partial y^2} + \frac{\partial^2}{\partial z^2} \right)$$

è noto come laplaciano od operatore di Laplace.

Per l'eq. 5.3.8 si ha una corrente netta di neutroni che escono, quindi sfuggono, dal volume **dV** se è $\nabla^2\phi < 0$ mentre si ha una corrente netta entrante nel volume **dV** se è $\nabla^2\phi > 0$.

Sostituendo nell'eq. 5.3.1 l'espressione trovata per il termine **F** di fuga neutronica dell'eq. 5.3.8 e supponendo che il volume **dV** sia unitario per omogeneità con gli altri termini dell'equazione, si ottiene infine la seguente relazione:

$$\frac{1}{v}\frac{\partial\phi}{\partial t} = \nu\cdot\Sigma_f\phi - \Sigma_a\phi + D\cdot\nabla^2\cdot\phi \qquad (5.3.9)$$

nota come **equazione della diffusione** per un reattore nudo, omogeneo e ad un solo gruppo energetico di neutroni.

5.3.2. Distanza di estrapolazione

Lo studio della distribuzione neutronica entro un reattore di dimensioni finite avente la forma di un cubo, una sfera, un cilindro retto o *altra* geometria, si sviluppa risolvendo l'equazione della diffusione eq. 5.3.9 applicata al caso specifico.

La distribuzione dei neutroni entro il reattore è determinata come già detto, dalle caratteristiche neutroniche e geometriche dei materiali che costituiscono il nocciolo e dalle condizioni che debbono essere soddisfatte dalla funzione flusso neutronico sul contorno del nocciolo stesso.

Come già anticipato al par. 5.1 l'equazione della diffusione non fornisce soluzioni soddisfacenti nelle zone prossime al contorno esterno del nocciolo del reattore e quindi a maggiore ragione saranno insoddisfacenti sul contorno stesso. Questo significa che non è corretto "saldare" la funzione flusso neutronico esistente al contorno con la funzione flusso neutronico esistente nei punti più interni dove invece la teoria della diffusione è valida.

Non tenere conto di questa limitazione ed imporre indiscriminatamente alla funzione flusso ϕ la condizione di annullarsi sul contorno del nocciolo produce nella generalità dei casi una descrizione della distribuzione del flusso neutronico errata non solo nelle vicinanze del contorno ma su tutto il nocciolo del reattore.

Supponiamo infatti di risolvere l'equazione della diffusione imponendo che sia $\phi(0)=0$ sul confine cioè sulla superficie di separazione tra nocciolo del reattore e vuoto.

Si dimostra che la distribuzione del flusso ϕ che ne risulta, quella (1) a tratti lunghi nella Fig. 5.3.6, nella zona prossima al contorno si scosta sensibilmente della distribuzione "vera", curva (2) a tratto continuo, ottenuta ad esempio con misurazioni. A sufficiente distanza dal contorno esterno, verso l'interno, la funzione flusso ϕ assume un andamento sensibilmente uguale a quello della distribuzione vera mantenendo però entro tutto il nocciolo per la necessaria continuità della funzione ϕ lo scostamento iniziale e quindi risultando ovunque errata.

Per ottenere dall'equazione della diffusione una descrizione della distribuzione del flusso neutronico valida nella maggior parte del volume interno al nocciolo del reattore, si è dimostrato che occorre imporre sul contorno una condizione fittizia che consiste nell'assumere che il flusso neutronico non si annulli sul contorno reale del nocciolo ma ad una opportuna distanza d dallo stesso.

La distanza d è detta **distanza di estrapolazione** ed il contorno fittizio parallelo esternamente al contorno reale e posto a distanza d da questo ultimo è noto come contorno estrapolato.

Se il reattore ha ad esempio forma sferica di raggio fisico R_0 la condizione al contorno fittizia cui deve soddisfare la funzione flusso neutronico è $\phi\cdot(R_0+d)=0$.

Per superfici del nocciolo del reattore piane o a piccola curvatura, la teoria del trasporto permette di definire la distanza d nella direzione generica x_i con la relazione:

$$d = -\frac{\phi}{d\phi/dx_i} = 0{,}71 \cdot \lambda_{tr} \qquad (5.3.10)$$

dove λ_{tr} è il libero cammino medio di trasporto dei neutroni nel mezzo considerato.

Applicando quindi la condizione di flusso neutronico nullo al contorno fittizio, l'equazione della diffusione fornisce come soluzione una distribuzione del flusso neutronico del tutto soddisfacente all'interno del nocciolo del reattore come schematizzato dalla curva (3) di Fig. 5.3.6.

Si ricorda infine che se le dimensioni reali del nocciolo del reattore sono grandi rispetto alla lunghezza di estrapolazione quest'ultima può essere trascurata e senza errore apprezzabile nei risultati si può assegnare la condizione al contorno di flusso neutronico nullo sulla superficie reale.

5.4. Equazione del reattore ad un solo gruppo energetico

Come già ricordato al par. 5.2, in un reattore critico il bilancio neutronico è caratterizzato dall'eguaglianza statistica nell'unità di tempo tra il numero di neutroni P prodotti dalle fissioni ed il numero di neutroni comunque perduti.

Un'opportuna combinazione, definita dalla condizione o equazione di criticità, della forma e dimensioni del nocciolo del reattore con la composizione dei materiali che lo costituiscono permette di soddisfare all'eguaglianza di cui sopra.

La combinazione opportuna viene determinata risolvendo l'equazione di criticità che come già detto permette di ottenere alternativamente:

a) le dimensioni che deve avere il nocciolo del reattore per essere critico quando sono note la sua forma e le costanti nucleari dei materiali che lo compongono;

b) le costanti nucleari dei materiali che rendono critico il reattore quando sono note la sua forma e le sue dimensioni.

Per ricavare e risolvere a scopo esemplificativo l'equazione di criticità occorre sviluppare le considerazioni che seguono.

La ricerca della distribuzione spaziale dei neutroni nel reattore o che è lo stesso la ricerca della funzione flusso neutronico che ne descrive l'andamento entro il nocciolo del reattore, viene fatta per condizioni stazionarie del reattore cioè per reattore critico. Nell'eq. 5.3.9 si pone quindi che sia $d\phi/dt=0$ e si scrive la relazione:

$$D \cdot \nabla^2 \cdot \phi - \Sigma_a \phi + \nu \cdot \Sigma_f \phi = 0 \tag{5.4.1}$$

Questa equazione è nota come **equazione della diffusione ad un gruppo per un reattore omogeneo critico**.

Ricordando che per un reattore omogeneo ad un solo gruppo neutronico il fattore di moltiplicazione infinito è dato dalla relazione:
$k_\infty = \nu \cdot \Sigma_f / \Sigma_a$ e quindi $\nu \cdot \Sigma_f = \Sigma_a \ k_\infty$, sostituendo questa ultima eguaglianza nell'eq. 5.4.1 si ottiene la relazione:

$$D \cdot \nabla^2 \cdot \phi + \Sigma_a \phi \cdot (k_\infty - 1) = 0 \tag{5.4.2}$$

Dividendo tutti i termini della rel. 5.4.2 per il coefficiente di diffusione D che è una quantità diversa da zero si ha:

$$\nabla^2 \cdot \phi + \frac{k_\infty - 1}{L^2} \phi = 0 \tag{5.4.3}$$

dove $L^2 = D / \Sigma_a$ è l'area di diffusione nell'ipotesi fatta di neutroni tutti appartenenti allo stesso gruppo energetico.

Le costanti che compaiono nella rel. 5.4.3 e che dipendono delle caratteristiche neutroniche dei materiali del nocciolo si usa raggrupparle in una sola costante chiamata "bucking" ed indicata generalmente con la lettera B^2.

E' quindi:

$$B^2 = \frac{k_\infty - 1}{L^2} \qquad (5.4.4)$$

Sostituendo questa eguaglianza nella rel. 5.4.3 si ottiene:

$$\nabla^2\phi + B^2 \cdot \phi = 0 \qquad (5.4.5)$$

La rel. 5.4.5 è nota come **equazione del reattore critico ad un solo gruppo energetico**.

La soluzione dell'equazione del reattore permette di determinare non solo la funzione flusso neutronico ϕ cioè la distribuzione spaziale del flusso neutronico nel reattore ma conduce anche, come anticipato e come sarà evidente ai paragrafi successivi, a determinare una condizione che deve essere soddisfatta perchè il reattore risulti critico. Detta condizione è quella nota come **condizione o equazione di criticità**.

La rel. 5.4.4 esprime B^2 *come funzione delle caratteristiche dei materiali del reattore; per questa ragione al parametro* B^2 *viene dato il nome di buckling materiale.*

Nel caso dei reattori omogenei la struttura materiale dipende dalla natura del sale di uranio che si usa, dal suo arricchimento negli isotopi fissili, dalla natura del moderatore e dalla concentrazione della soluzione.

Nel caso di reattori eterogenei la struttura materiale del reattore dipende principalmente dalla natura del combustibile nucleare, dalla natura del moderatore e dal valore dei due parametri reticolari R_0 *ed* R_1 *rispettivamente raggio delle barrette di combustibile e raggio della cella elementare equivalente.*

Per un reattore omogeneo si ha quindi che il buckling materiale è funzione del rapporto tra il numero di molecole di moderatore e numero di molecole del sale di uranio contenute nell'unità di volume mentre per reattori eterogenei di assegnata qualità del combustibile e del moderatore, il buckling materiale risulta funzione dei due parametri R_0 *ed* R_1.

Le dimensioni della grandezza buckling come è immediato dedurre dalla rel. 5.4.4 sono quelle dell'inverso di una lunghezza al quadrato $(l^2)^{-1}$.

5.5. Esempio di soluzione dell'equazione del reattore

Per gradualità di esposizione la ricerca della distribuzione spaziale del flusso neutronico verrà dapprima presentata riferendoci ad una configurazione molto semplificata.

Il nocciolo del reattore sia formato da una miscela omogenea di un sale di uranio in acqua ed abbia la forma di una lastra piana a facce parallele; in un riferimento cartesiano tridimensionale la lastra sia infinita nelle due coordinate y e z e sia di spessore complessivo a, compresa la distanza di estrapolazione su entrambe le facce, nella coordinata x come illustrato in Fig. 5.5.1.

Tutti i neutroni sono supposti avere un solo valore in energia, nascono cioè con velocità v_1, subiscono collisioni che ne cambiano solo la direzione di movimento ma non il valore della velocità, vengono assorbiti o sfuggono dal reattore alla medesima velocità v_1.

L'equazione del reattore 5.4.5 nel caso monodimensionale che si considera, assume la forma seguente:

$$\frac{d^2\phi}{dx^2} + B^2\phi = 0 \qquad (5.5.1)$$

La distribuzione del flusso neutronico all'interno del nocciolo del reattore, cioè entro lo spessore della lastra, è ottenibile risolvendo l'eq. 5.5.1 con la condizione che il flusso neutronico sia nullo al contorno estrapolato, cioè con la condizione:

$$\phi\left(\frac{a}{2}\right) = \phi\left(-\frac{a}{2}\right) = 0$$

La soluzione generale dell'eq. 5.5.1 è data dalla seguente relazione:

$$\phi(x) = A \cos Bx + C \operatorname{sen} Bx \qquad (5.5.2)$$

Il nocciolo ipotizzato presenta simmetria sia geometrica che materiale rispetto ad un piano parallelo alle facce della lastra e passante per il punto $x=0$. Questo comporta che la corrente netta dei neutroni attraverso questo piano sia nulla.

Perchè la corrente neutronica in $x=0$ sia nulla deve essere nulla per l'eq. 5.3.2 la derivata in $x=0$ del flusso neutronico ϕ, deve cioè essere: $(d\phi/dx)_{x=0}=0$.

Questa ultima condizione comporta necessariamente che nell'eq. 5.5.2 sia $C=0$. Infatti è:

$$\left(\frac{d\phi}{dx}\right)_{x=0} = -A \cdot B \text{ sen } Bx + B \cdot C \cos Bx = 0$$

e questa eguaglianza è soddisfatta in $x=0$ solamente se $C=0$.

La funzione flusso neutronico si riduce quindi alla relazione seguente:

$$\phi(x) = A \cdot \cos Bx \tag{5.5.3}$$

La condizione di flusso neutronico nullo sul contorno estrapolato $\phi(a/2)=A \cos B \cdot a/2=0$ impone a sua volta che sia $\cos B \cdot a/2=0$ in quanto la posizione $A=0$ significherebbe flusso neutronico nullo ovunque.

La condizione $\cos B \cdot a/2=0$ è soddisfatta se B assume uno qualunque dei valori:

$$B_n = \frac{n \cdot \pi}{a} \tag{5.5.4}$$

con n intero dispari. La funzione coseno come si ricorderà è nulla quando ha per argomento il valore $\pi/2$ e suoi multipli dispari. La soluzione dell'eq. 5.5.1 del reattore è data quindi dalla funzione:

$$\phi(x) = A \cdot \cos \frac{n \cdot \pi}{a} x \tag{5.5.5}$$

Si osservi che perchè il flusso neutronico $\phi(x)$ sia dovunque **non negativo** entro il nocciolo del reattore, come fisicamente deve essere, nell'eq. 5.5.5 può essere accettato il solo valore $n=1$.

E' infatti immediato verificare che ponendo nell'eq. 5.5.5 successivamente $n=1$, 3, 5, ecc.. e considerando l'intervallo sull'asse x compreso tra $-a/2$ e $+a/2$ si ottengono i risultati riportati in Fig. 5.5.2. Solamente per $n=1$ la funzione flusso neutronico ϕ è, come richiesto, sempre positiva nell'intervallo considerato.

La posizione $n=1$ permette anche di individuare il valore più piccolo delle dimensioni del nocciolo che lo rendono critico, nel caso in esame lo spessore della lastra, che per l'eq. 5.5.4 risulta: $a = \pi/B$.

Alla criticità è quindi in definitiva:

$$B^2 = \left(\frac{\pi}{a}\right)^2 \qquad (5.5.6)$$

La funzione che descrive la distribuzione spaziale del flusso neutronico all'interno di un reattore costituito da una miscela omogenea di combustibile e moderatore a forma di lastra a facce piane e parallele, di spessore a, nudo e critico è data quindi per l'eq. 5.5.5 dalla relazione:

$$\phi(x) = A \cdot \cos \frac{\pi \cdot x}{a} \qquad (5.5.7)$$

o anche per l'eq. 5.5.6 dalla:

$$\phi(x) = A \cdot \cos Bx \qquad (5.5.8)$$

La costante A che determina l'intensità del flusso ϕ non viene qui quantificata perchè inessenziale in quanto come risulta da quanto detto in precedenza ed in particolare dalla rel. 5.2.4 lo stato di criticità del reattore è una condizione indipendente dal livello di potenza, in altre parole un reattore critico può funzionare a qualunque livello di potenza o flusso neutronico fatte salve limitazioni tecnologiche derivanti dalla resistenza dei materiali alla temperatura ed all'irraggiamento.

5.6. Condizione per la criticità

Osserviamo che il valore del parametro B^2 dell'eq. 5.5.1 del reattore soddisfa alla rel. 5.4.4 e dipende quindi come evidenziato al par. 5.4 dai parametri k_∞ ed L^2 che descrivono le caratteristiche neutroniche dei materiali del nocciolo critico. D'altra parte lo stesso parametro B^2 alla criticità soddisfa alla rel. 5.5.6 che dipende dalle sole caratteristiche geometriche del nocciolo, nel caso in esame lo spessore a della lastra.

Il parametro B^2 quando è riferito alla rel. 5.4.4 è noto come buckling materiale e si usa indicarlo con la scrittura B^2_m mentre quando è riferito all'eq. 5.5.6 è noto come buckling geometrico e si usa indicarlo con la scrittura B^2_g.

Il buckling geometrico sintetizza la combinazione di forma e dimensioni del nocciolo che si cercava per la possibile criticità del reattore.

Da quanto precede è immediato concludere che alla criticità deve essere:

$$B^2_m = B^2_g \tag{5.6.1}$$

in quanto entrambe le quantità B^2_m e B^2_g soddisfano singolarmente alla condizione di criticità.

Mentre B^2_m date certe caratteristiche geometriche del nocciolo definisce le caratteristiche neutroniche dei materiali alla criticità, inversamente B^2_g date certe caratteristiche dei materiali definisce le caratteristiche geometriche del nocciolo alla criticità. La dipendenza incrociata dalle caratteristiche geometriche e dalle caratteristiche materiali viene risolta come è intuitivo dall'eq. 5.6.1. L'eq. 5.6.1 è la cercata **condizione per la criticità**. Nel caso dell'esempio considerato la condizione imposta dall'eq. 5.6.1 si esprime esplicitamente con la seguente equazione:

$$\frac{k_\infty - 1}{L^2} = \left(\frac{\pi}{a}\right)^2 \qquad (5.6.2)$$

Se sono note le caratteristiche dei materiali k_∞ ed L^2 che rendono critico il reattore, la soluzione della rel. 5.6.2 permette di ottenere le dimensioni geometriche del nocciolo del reattore perchè sia critico. Nel caso esemplificato si ha:

$$a = \frac{\pi L}{(k_\infty - 1)^{1/2}} \qquad (5.6.3)$$

Alternativamente se sono note le dimensioni geometriche che rendono critico un reattore di assegnata forma, è possibile intervenire sulla composizione materiale del nocciolo perchè k_∞ ed L^2 assumano i valori che soddisfano alla rel. 5.6.2.

La rel. 5.6.2 può essere scritta con ovvia elaborazione matematica nella forma seguente:

$$k_\infty = 1 + B^2 \cdot L^2$$

o anche:

$$\frac{k_\infty}{1+B^2 \cdot L^2} = 1 \qquad (5.6.4)$$

nota come **equazione di criticità**.

La distribuzione spaziale del flusso neutronico relativa a geometrie del nocciolo del reattore tridimensionali la si ottiene con una procedura del tutto analoga a quella dell'esempio monodimensionale precedente.

Ad esempio per nocciolo con la forma di un parallelepipedo trirettangolo di dimensioni estrapolate a, b e c come schematizzato in Fig. 5.6.1.a, l'eq. 5.5.1 del reattore in coordinate cartesiane ortogonali si scrive:

$$\frac{\partial^2 \phi}{\partial x^2} + \frac{\partial^2 \phi}{\partial y^2} + \frac{\partial^2 \phi}{\partial z^2} + B^2_g \cdot \phi = 0 \qquad (5.6.5)$$

Per un reattore con nocciolo a forma cilindrica con raggio ed altezza estrapolati rispettivamente **R** ed **H** come schematizzato in Fig. 5.6.1.b, l'eq. 5.5.1 in coordinate cilindriche si scrive:

$$\frac{\partial^2 \phi}{\partial r^2} + \frac{1}{r} \frac{\partial \phi}{\partial r} + \frac{\partial^2 \phi}{\partial z^2} + B^2_g \phi = 0 \qquad (5.6.6)$$

e per un nocciolo di forma sferica con raggio estrapolato **R** come schematizzato in Fig. 5.6.1.c l'eq. 5.5.1 del reattore in coordinate sferiche si scrive:

$$\frac{d^2\phi}{dr^2} + \frac{2}{r}\frac{d\phi}{dr} + B^2_g\phi = 0 \qquad (5.6.7)$$

Le eqq. 5.6.5, 5.6.6 e 5.6.7 risolte con la condizione di flusso neutronico nullo, $\phi=0$, in corrispondenza dei rispettivi valori estrapolati delle dimensioni del nocciolo, forniscono le relative distribuzioni spaziali del flusso neutronico e le espressioni del buckling geometrico B^2_g riportate in Fig. 5.6.1.

La condizione di criticità per tutte le geometrie di nocciolo considerate è quindi determinata per ognuna di esse dall'uguaglianza 5.6.1 e dove l'appropriata espressione del buckling geometrico B^2_g è quella riportata in Fig. 5.6.1. In sintesi il reattore funziona in condizioni stazionarie quando è soddisfatta l'equazione:

$$\frac{k_\infty - 1}{L^2} = \frac{\nu\Sigma_f - \Sigma_a}{D} = B^2_{g_i} \qquad (5.6.8)$$

dove:

$(B^2_g)_i \equiv$ (espressione del buckling geometrico relativa alla geometria i con i ≡ lastra piana infinita oppure parallelepipedo, cilindro, sfera ecc.)

5.7. Equazione generale del reattore ad un solo gruppo energetico

Osserviamo infine che l'eq. 5.4.1 del reattore è stata ottenuta imponendo all'eq. 5.3.9 la condizione di stazionarietà del reattore, cioè imponendo che fosse verificata la condizione $d\phi/dt=0$.

In generale dato un reattore con assegnata composizione dei materiali e di forma e dimensioni definite non è assolutamente detto aprioristicamente che esso sia critico.

Di conseguenza per determinarne e la distribuzione del flusso neutronico alla criticità e l'espressione dell'eq. 5.6.8 per la criticità stessa si usa introdurre un parametro correttivo **k** minore o maggiore dell'unità, che applicato ad uno dei tre termini della equazione di bilancio, generalmente il termine di sorgente, permette che sia verificata la condizione di stato stazionario del reattore cioè che sia $d\phi/dt=0$.

L'equazione del reattore diviene quindi:

$$D \cdot \nabla^2\phi - \Sigma_2\phi + \frac{\nu \cdot \Sigma_f}{k}\phi = 0 \tag{5.7.1}$$

Il valore che assume il parametro **k** perchè sia soddisfatta l'eq. 5.7.1 è noto come autovalore dell'equazione stessa.

Osserviamo anzitutto che se il termine di sorgente $P = \nu \cdot \Sigma_f\phi$ è maggiore della quantità $(D \cdot \nabla^2\phi - \Sigma_a\phi)$ deve essere $k > 1$ mentre se $P = \nu \cdot \Sigma_f\phi$ è minore di $(D \cdot \nabla^2\phi - \Sigma_a\phi)$ deve essere $k < 1$.

Con ovvie sostituzioni che qui non vengono riportate, la condizione di criticità espressa dalla eq. 5.6.2 assume la forma seguente:

$$\frac{k_\infty/k - 1}{L^2} = \left(\frac{\pi}{a}\right)^2 \tag{5.7.2}$$

L'eq. 5.6.4 per la criticità diviene quindi:

$$\frac{k_\infty}{1+B^2L^2} = k = 1 \tag{5.7.3}$$

Il valore unitario che assume il parametro o autovalore **k** alla criticità conferma quindi che l'equazione generale del reattore, l'eq. 5.7.1, per un reattore che per forma, dimensioni e composizione dei materiali è critico, si riduce all'eq. 5.4.1.

Il significato fisico del parametro k è ricavabile dalle seguenti considerazioni.

Si osservi che il tasso di fuga dei neutroni dal reattore in teoria della diffusione è dato, come visto in precedenza, dall'espressione $-D\nabla^2\phi$ che per l'eq. 5.4.5 del reattore può essere anche scritta nella forma $D \cdot B^2 \cdot \phi$.

Il rapporto tra i neutroni che sfuggono dal nocciolo del reattore ed i neutroni che vi vengono assorbiti è quindi esprimibile con la relazione seguente:

$$\frac{\text{neutroni sfuggiti}}{\text{neutroni assorbiti}} = \frac{D \cdot B^2}{\Sigma_a} = L^2 \cdot B^2$$

La frazione di neutroni assorbiti nel nocciolo del reattore, quindi la probabilità di non fuga P dei neutroni dal reattore è data di conseguenza dalla relazione:

$$P = \frac{\text{neutroni assorbiti}}{\text{neutroni assorbiti} + \text{neutroni sfuggiti}}$$

$$P = \frac{1}{1 + \dfrac{\text{neutroni sfuggiti}}{\text{neutroni assorbiti}}} = \frac{1}{1+L^2B^2} \qquad (5.7.4)$$

Sostituendo l'eq. 5.7.4 nell'eq. 5.7.3 si ottiene:

$$k = k_\infty P \qquad (5.7.5)$$

La coincidenza formale dell'eq. 5.7.5 con l'eq. 4.3.1 resa sostanziale delle peculiarità del parametro k messe in evidenza in precedenza, e cioè che k deve essere maggiore, minore o eguale all'unità per reattore rispettivamente sopracritico, sottocritico o critico, conduce ad attribuire anche intuitivamente all'**autovalore** dell'eq. 5.7.1 il significato fisico proprio del **coefficiente di moltiplicazione effettivo** del reattore studiato.

5.8. Equazione del reattore a due gruppi energetici

Il modello ad un solo gruppo energetico di neutroni applicato ai reattori termici fornisce in generale solamente stime di prima approssimazione delle dimensioni o della composizione materiale del nocciolo alla criticità.

L'inadeguatezza del modello deriva principalmente dal fatto che sebbene la maggioranza dei neutroni di fissione venga assorbita alle energie termiche, tuttavia durante la fase di rallentamento essi diffondono su distanze non trascurabili. Per valutazioni corrette è quindi necessario tenere conto esplicitamente della diffusione neutronica veloce.

A questo fine si usa descrivere il reattore nucleare termico con modelli a molti gruppi energetici. Il modello a due gruppi è quello formalmente più semplice; un gruppo comprende i neutroni veloci, quelli con energia al di sopra di un valore che in generale viene assunto dato da E=0,0624 eV ed un gruppo che comprende tutti i neutroni con energia inferiore a questo valore e che sono detti neutroni termici.

Nel modello a due gruppi si assume che nel gruppo veloce **non** ci sia **assorbimento** di neutroni.

I neutroni del gruppo veloce vengono perduti solamente o per fuga dal sistema o per trasferimento per rallentamento al gruppo termico.

Gli assorbimenti per risonanza sono tenuti in conto introducendo il fattore p di trasparenza alle risonanze.

Se ϕ_1 è il flusso neutronico veloce, il numero di neutroni veloci trasferiti per rallentamento al gruppo termico per cm^3 e per secondo è dato da $\Sigma_1\ \phi_1$ dove Σ_1 è la sezione d'urto macroscopica di scattering che in questo caso assume il ruolo di sezione d'urto di trasferimento dal gruppo veloce al gruppo termico. Il termine di sorgente dei neutroni veloci è dato dal numero di fissioni veloci e termiche che avvengono per cm^3 e per secondo.

La maggior parte delle fissioni si verificano a livello termico mentre le fissioni veloci vengono tenute in conto introducendo il fattore ϵ di fissione veloce.

I neutroni veloci generati per cm^3 e per secondo dalle fissioni termiche e veloci sono quindi dati dalla espressione:

$$s_1 = \eta \cdot f \cdot \epsilon \Sigma_a \phi_2 = \frac{k_\infty}{p} \Sigma_a\ \phi_2$$

dove ϕ_2 è il flusso neutronico termico.

Sostituendo i valori precedenti nell'eq. 5.4.1 di bilancio si ottiene per il gruppo veloce la seguente relazione:

$$D_1 \cdot \nabla^2 \phi_1 - \Sigma_1 \phi_1 + \frac{k_\infty}{p} \Sigma_a \phi_2 = 0 \qquad (5.8.1)$$

con D_1 coefficiente di diffusione per neutroni veloci.

Il termine di sorgente per i neutroni termici in assenza di assorbimenti per risonanza è dato ovviamente dal numero di neutroni veloci $\Sigma_1 \phi_1$ che vengono trasferiti al gruppo termico.

Gli assorbimenti di risonanza riducono il termine di sorgente dei neutroni termici al valore seguente:

$$S_2 = p \cdot \Sigma_1 \phi_1$$

L'equazione di bilancio per il gruppo termico diviene quindi:

$$D_2 \cdot \nabla^2 \phi_2 - \Sigma_a \phi_2 + p \cdot \Sigma_1 \phi_1 = 0 \qquad (5.8.2)$$

con D_2 coefficiente di diffusione per neutronici termici.

Le due equazioni di bilancio, rel. 5.8.1 e rel. 5.8.2, descrivono nell'approssimazione a due gruppi un **reattore termico nudo**.

E' immediato riconoscere che in un reattore nudo la distribuzione spaziale dei neutroni del gruppo veloce e del gruppo termico è la stessa in quanto entrambe hanno il medesimo vincolo di annullamento al confine del nocciolo.

Per un reattore termico nudo, i flussi neutronici nell'approssimazione a due gruppi possono essere scritti nel modo seguente:

$$\begin{aligned} \phi_1 &= A_1 \cdot \phi \\ \phi_2 &= A_2 \cdot \phi \end{aligned} \qquad (5.8.3)$$

dove A_1 ed A_2 sono costanti e ϕ soddisfa all'equazione del reattore:

$$\nabla^2\phi + B^2\phi = 0 \tag{5.8.4}$$

Sostituendo le eqq. 5.8.3 e 5.8.4 nelle eqq. 5.8.1 e 5.8.2 si ottiene il seguente sistema di equazioni algebriche lineari nelle incognite A_1 ed A_2:

$$- (D_1 B^2 + \Sigma_1)\ A_1 + \frac{k_\infty}{p}\ \Sigma_a\ A_2 = 0$$

(5.8.5)

$$p \cdot \Sigma_1 A_1 - (D_2 \cdot B^2 + \Sigma_a) \cdot A_2 = 0$$

La risoluzione del sistema di eq. 5.8.5 applicando la regola di Cramer e con semplici passaggi algebrici conduce alla relazione:

$$\frac{k_\infty \cdot \Sigma_1 \cdot \Sigma_a}{(D_1 \cdot B^2 + \Sigma_1) \cdot (D_{21} \cdot B^2 + \Sigma_{a1})} = 1$$

Dividendo numeratore e denominatore dalla relazione precedente per $\Sigma_1 \Sigma_a$ si ottiene infine la relazione:

$$\frac{k_\infty}{(1 + B^2 \cdot L^2{}_2)\ (1 + B^2 \cdot L_1)} = 1 \tag{5.8.6}$$

dove: $L^2{}_2 = D_2/\Sigma_a$ è l'area di diffusione termica definita al par. 3.5 e $L^2{}_1 = D_1/\Sigma_1$ è l'area di diffusione o di rallentamento del gruppo veloce definita anch'essa al par. 3.5.

L'eq. 5.8.6 è **l'equazione critica a due gruppi** per un reattore termico nudo.

Osservando che nell'eq. 5.8.6 il fattore:

$$\frac{1}{(1 + B^2 \cdot L^2_t)}$$

rappresenta la probabilità P_T di non fuga dal reattore dei neutroni termici e che il fattore:

$$\frac{1}{(1 + B^2 \cdot L^2_f)}$$

rappresenta la probabilità P_f di non fuga dal reattore dei neutroni del gruppo veloce, si può scrivere la rel. 5.8.6 nella già nota espressione:

$$k_\infty \cdot P_T \cdot P_f = 1 \qquad (5.8.7)$$

In generale è quindi:

$$k_\infty \cdot P_T \cdot P_f = k$$

con k coefficiente di moltiplicazione effettivo.

La condizione di criticità è data ovviamente ponendo $k = 1$.

Nei reattori commerciali di grandi dimensioni i fattori P_T e P_f sono molto prossimi in valore all'unità. Eseguendo i prodotti a denominatore dell'eq. 5.8.6 si può trascurare il termine $B^4 \cdot L^2_1 \cdot L^2_2$ perchè di valore relativo modesto e si ottiene quindi la relazione:

$$\frac{k_\infty}{1 + B^2 \cdot (L^2_t + L^2_f)} = 1$$

o anche:

$$\frac{k_\infty}{1 + B^2 \cdot M^2} = 1 \qquad (5.8.8)$$

dove $M^2 = L^2_t + L^2_f$ è l'area di migrazione già definita al par. 3.5.

L'eq. 5.8.8 è nota come **equazione per la criticità modificata**.

Per un reattore termico nudo si ha in definitiva che l'unica differenza tra il modello ad un gruppo e quello a due gruppi è data dalla sostituzione nell'equazione della criticità dell'area di migrazione M^2 all'area di diffusione L^2 mentre la distribuzione del flusso neutronico ϕ ed il buckling B^2 restano immutati.

Dalle conclusioni precedenti si può osservare che per i reattori termici **nudi** dove L^2_f è molto minore di L^2_t è sufficiente la descrizione ed un solo gruppo energetico.

Questo è particolarmente vero per i reattori termici **nudi** moderati a D_2O o a grafite mentre non lo è affatto per i reattori moderati ad H_2O come è evidente dai valori riportati in Tab. 5.8.1.

5.9. Reattori omogenei con riflettore dei neutroni

Fino ad ora si sono considerati noccioli di reattore nudi cioè privi di un materiale diffondente i neutroni che avvolga il nocciolo ed a contatto con la sua superficie esterna.

La configurazione di nocciolo nudo favorisce la fuga dei neutroni e conduce ad una forte diminuzione del valore del flusso neutronico e quindi della potenza prodotta nelle zone del nocciolo più prossime al suo confine esterno.

Se si circonda il nocciolo di un reattore omogeneo con un materiale ad alto potere riflettente per i neutroni che si usa indicare brevemente con la dizione "riflettore", la dispersione dei neutroni verso l'esterno viene fortemente attenuata ed a parità di altre condizioni si ottengono valori del flusso neutronico meno depressi nelle zone periferiche come riportato indicativamente in Fig. 5.9.1.

Per il mantenimento della condizione di criticità è necessario che alla riduzione che subisce il termine di fuga neutronica nell'equazione di bilancio corrisponda:

- o la riduzione delle dimensioni che rendono critico il reattore;
- o la riduzione del termine di produzione $P = \nu \cdot \Sigma_f \phi$.

In questo ultimo caso il risultato in pratica lo si ottiene con la riduzione dell'arricchimento isotopico in fissile del materiale combustibile.

Ad esempio si abbia un reattore con nocciolo costituito da materiale combustibile di composizione non variabile. La forma sia quella di una lastra piana infinita in due dimensioni e di spessore complessivo **H** nella terza dimensione munita di riflettore di spessore **T** come rappresentato in Fig. 5.9.2.

In questo caso si dimostra che le dimensioni critiche variano in funzione dello spessore T come riportato in Fig. 5.9.3.

E' importante notare che **un reattore nudo critico se viene circondato da materiale riflettente i neutroni diviene sicuramente sopracritico** in quanto le sue dimensioni sono superiori a quelle necessarie per la criticità e che un **reattore sottocritico** se viene circondato da materiale riflettente i neutroni **può divenire sopracritico**.

L'aumento nel numero delle fissioni che si verificano nell'unità di tempo per l'accresciuto valore del flusso neutronico nelle zone periferiche del nocciolo comporta un aumento della potenza complessiva prodotta dal reattore riflesso rispetto alla potenza prodotta dallo stesso reattore ma con nocciolo nudo.

Come è intuibile confrontando l'andamento del flusso neutronico in un reattore nudo con quello di un reattore riflesso riportato nella precedente Fig. 5.9.1, la maggiore potenza prodotta dal reattore riflesso si può ottenere nel secondo caso con lo stesso valore della potenza massima locale al centro del reattore. Il riflettore provoca quindi un "appiattimento" nella distribuzione spaziale della potenza prodotta.

La trattazione analitica dei reattori con riflettore è molto più complessa di quella precedentemente accennata per noccioli nudi.

Si usano generalmente metodi approssimati consistenti nel dividere lo spettro energetico dei neutroni in tanti gruppi, nell'ammettere che i neutroni di un gruppo conservino la stessa energia per un certo numero di collisioni e quindi improvvisamente con un salto discontinuo di energia passino al gruppo di energia inferiore e nello scrivere tante equazioni di bilancio neutronico quanti sono i gruppi energetici considerati. Questa approssimazione risulta tanto meno imprecisa rispetto al processo reale quanto maggiore è il numero di gruppi energetici considerati.

L'approssimazione ad un solo gruppo energetico anche nel caso dei reattori con riflettore può essere accettata per valutazioni di prima approssimazione solamente per reattori veloci cioè per reattori con neutroni ad elevata energia media oppure per reattori termici moderati ad acqua pesante D_2O e grafite per i quali l'area di rallentamento L^2_f risulta molto più piccola dell'area di diffusione termica L^2_t.

Per i reattori termici risulta frequentemente accettabile l'approssimazione a due gruppi energetici, quello veloce e quello termico.

Un'importante conseguenza dell'aumento di valore del flusso neutronico termico nella zona occupata dal riflettore è l'appiattimento del flusso neutronico nella zona nocciolo. L'approssimazione a due gruppi è sufficiente per descrivere l'andamento del flusso neutronico veloce e termico per un nocciolo riflesso come riportato nella già ricordata Fig. 5.9.1.

Un aspetto notevole dei risultati di calcolo del modello è dato dall'andamento della componente termica del flusso neutronico. Essa mostra un aumento verso la zona periferica del nocciolo rispetto al caso di reattore nudo ed un picco pronunciato nella zona riflettore.

L'andamento è dovuto ai seguenti meccanismi.

I neutroni veloci che penetrano nel riflettore dopo poche collisioni passano al gruppo termico, il rallentamento nella zona riflettore dove non si verificano le catture di risonanza dell'U238 permette ad un elevato numero di neutroni veloci di raggiungere il livello termico. I neutroni termici nella zona riflettore vengono assorbiti meno facilmente che nella zona nocciolo per il ridotto valore della sezione di assorbimento Σ_a nella zona riflettore. L'insieme di questi fenomeni giustifica sia il maggiore livello complessivo del flusso neutronico termico nella zona periferica del nocciolo sia il picco del flusso stesso nella zona del riflettore più prossima al nocciolo.

La derivazione dell'equazione critica del reattore con riflettore secondo l'approssimazione a due gruppi ed ancora più nel caso multigruppi come pure la sua soluzione richiede procedure matematiche piuttosto laboriose. Essa esula dallo scopo e dagli obiettivi del presente volume e quindi si rimanda il lettore interessato ai testi specializzati.

5.10. La massa critica M_c

La massa critica M_c è la quantità **minima** di materiale combustibile necessaria perchè la reazione nucleare di fissione si autosostenga cioè perchè si abbia quella che si usa dire una rèazione *nucleare a catena*.

Poichè i ν neutroni prodotti per ogni evento di fissione debbono percorrere una certa distanza all'interno del mezzo moltiplicante (nocciolo del reattore) prima di dare luogo ad un nuovo evento di fissione concatenato con il precedente, si dirà massa critica M_c la quantità di combustibile nucleare sufficiente perchè almeno uno dei ν neutroni/fissione subisca con i nuclei del mezzo una interazione utile per un nuovo evento di fissione.

La massa critica M_c dipende quindi oltre che dalle caratteristiche del materiale combustibile che determinano i cammini λ_i di interazione, anche dalle sue caratteristiche geometriche, forma e dimensioni.

La forma più favorevole ai fini della riduzione della probabilità di fuga **(1-P)** dei neutroni dalla superficie esterna del nocciolo del reattore è quella sferica in quanto per questa geometria è minimo il rapporto superficie esterna **S** della sfera e suo volume **V**.

I reattori commerciali non hanno il nocciolo a forma sferica in quanto per realizzare questa geometria sarebbe necessario progettare e realizzare elementi di combustibile di forma differente tra di loro per uno stesso nocciolo ed assegnare ad ognuno di essi un vincolo preciso per le rispettive posizioni reciproche occupate nel nocciolo.

La forma geometrica che segue immediatamente la sfera per quanto riguarda il valore favorevole del rapporto tra l'estensione della superficie esterna **S** ed il volume **V** ai fini dell'economia neutronica e che contemporaneamente consente la standardizzazione della geometria degli elementi di combustibile, è il cilindro retto a base circolare.

Per questa ragione si tende ad approssimare il più possibile la geometria del nocciolo dei reattori nucleari commerciali alla forma di un cilindro retto con la base all'incirca circolare come mostrato in Fig. 5.10.1.

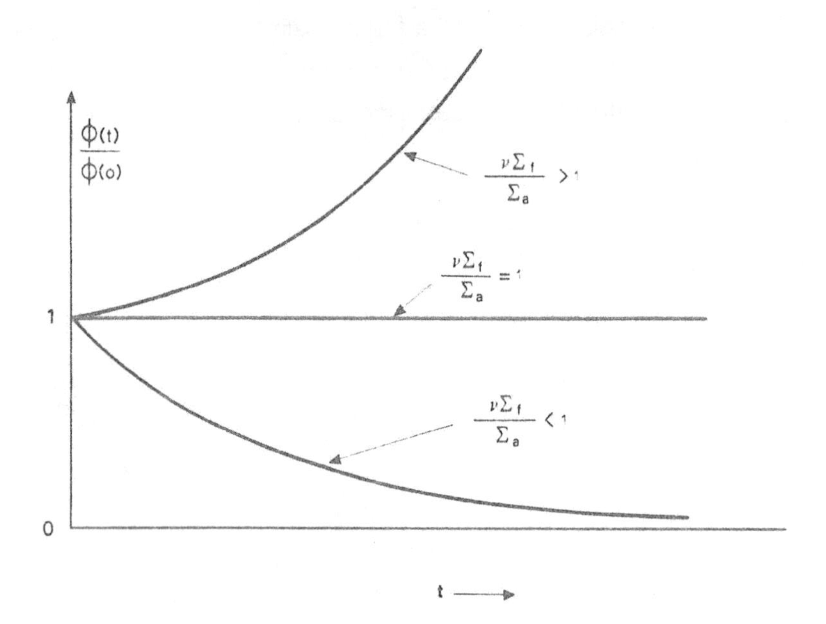

Fig. 5.2.1 *Andamento della funzione flusso neutronico $\phi(t)$ in funzione del tempo t in un reattore infinito rispettivamente per* $\nu\, \Sigma_f \gtrless \Sigma_a$

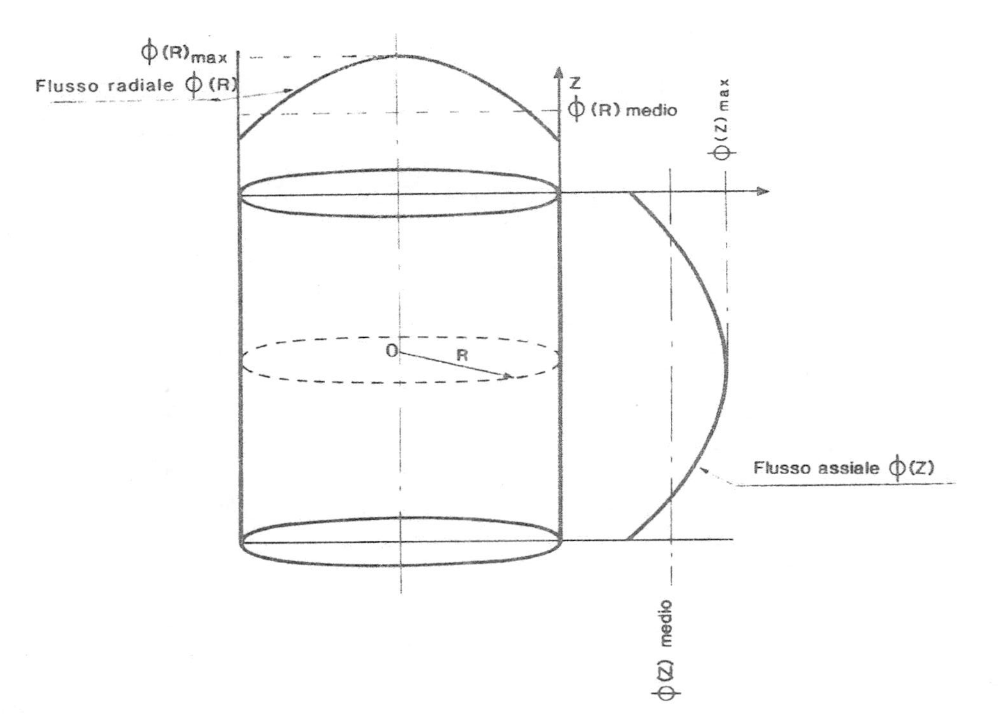

Fig. 5.3.1 *Distribuzione radiale ed assiale del flusso neutronico in un reattore cilindrico omogeneo*

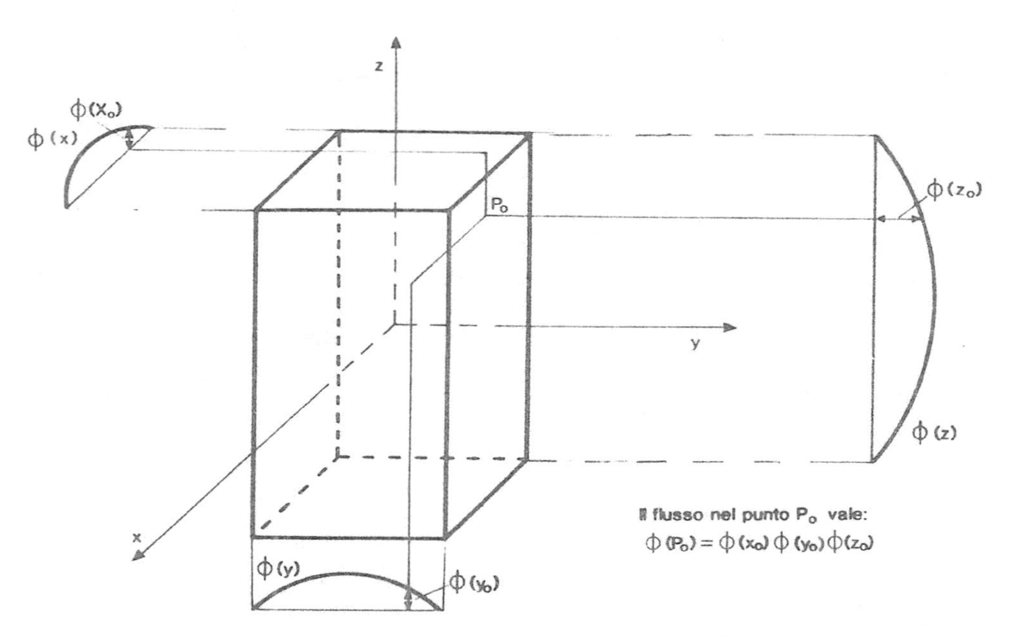

Fig. 5.3.2 *Distribuzione spaziale del flusso neutronico in un reattore a forma di parallelepipedo rettangolo e componenti del flusso neutronico in un punto* $P_o (x_o, y_o, z_o)$ *interno al parallelepipedo*

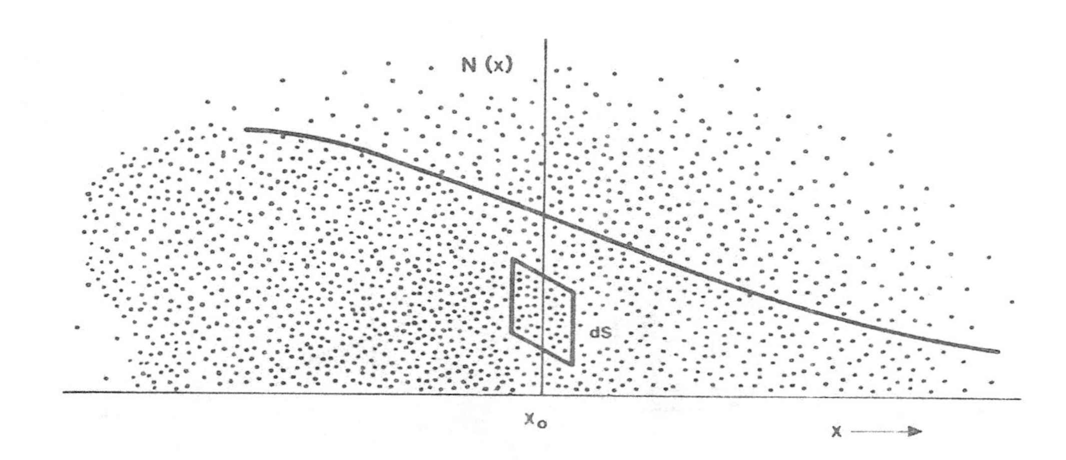

Fig. 5.3.3 *Densità neutronica N (neutroni cm^{-3}) in funzione della coordinata x*

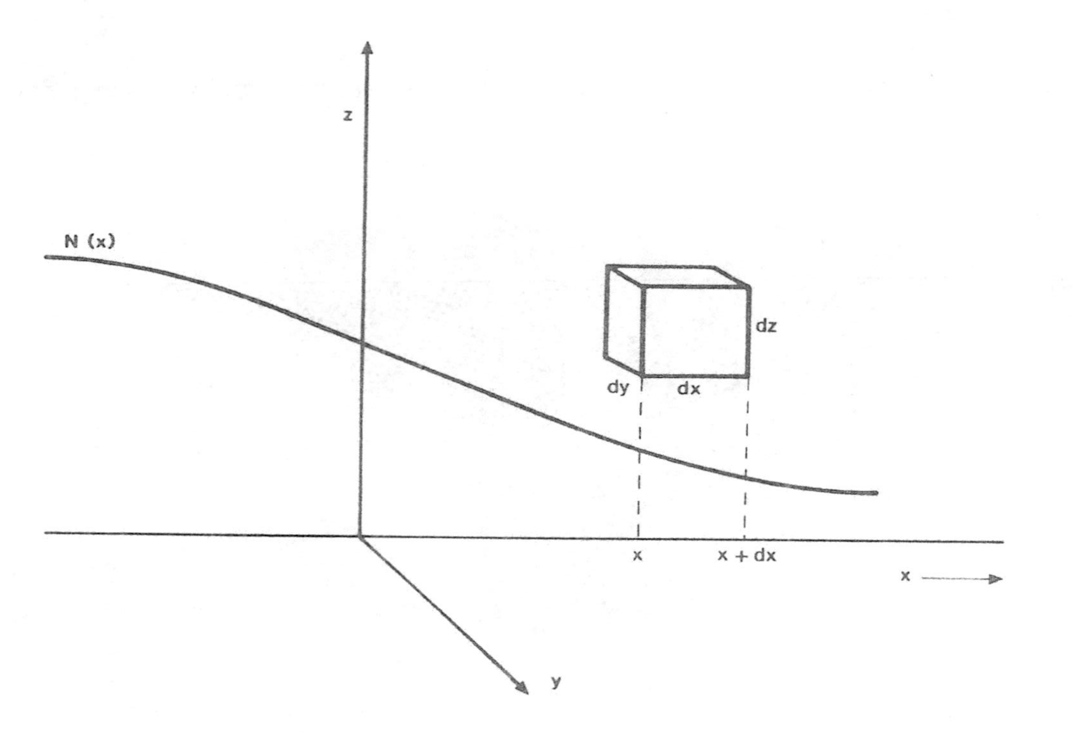

Fig. 5.3.4 *Densità neutronica N (neutroni cm^{-3}) variabile nella sola direzione x entro un volume elementare $dV = dx \cdot dy \cdot dz$*

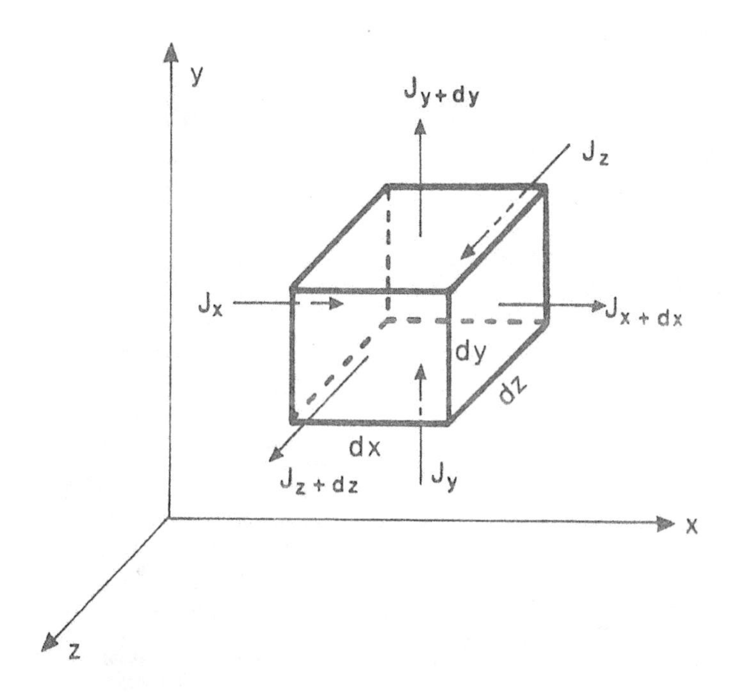

Fig. 5.3.5 *Correnti neutroniche entranti ed uscenti per diffusione in e da un mezzo materiale tridimensionale*

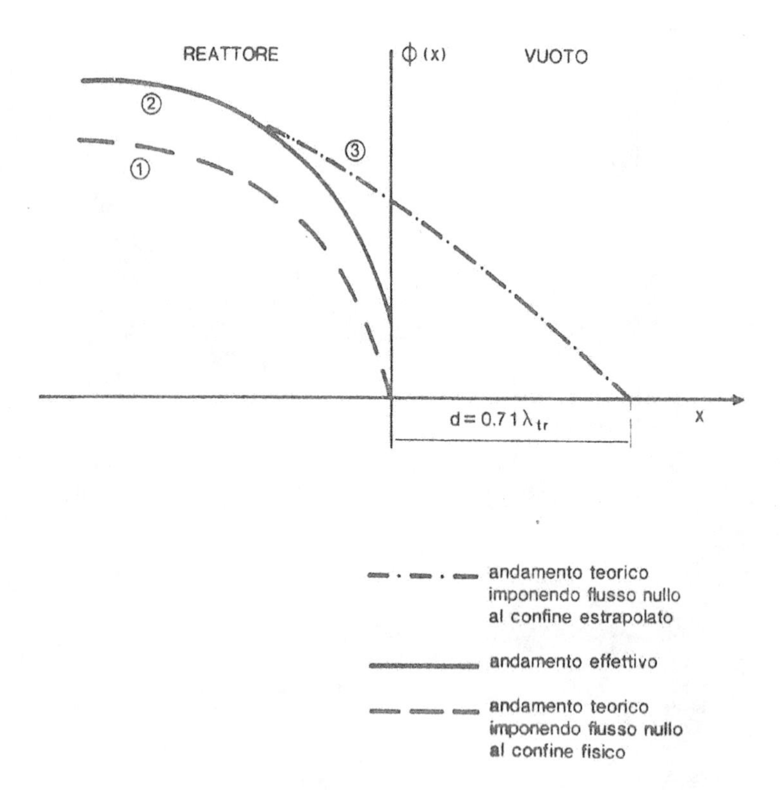

Fig. 5.3.6 *Rappresentazione grafica della distanza di estrapolazione d*

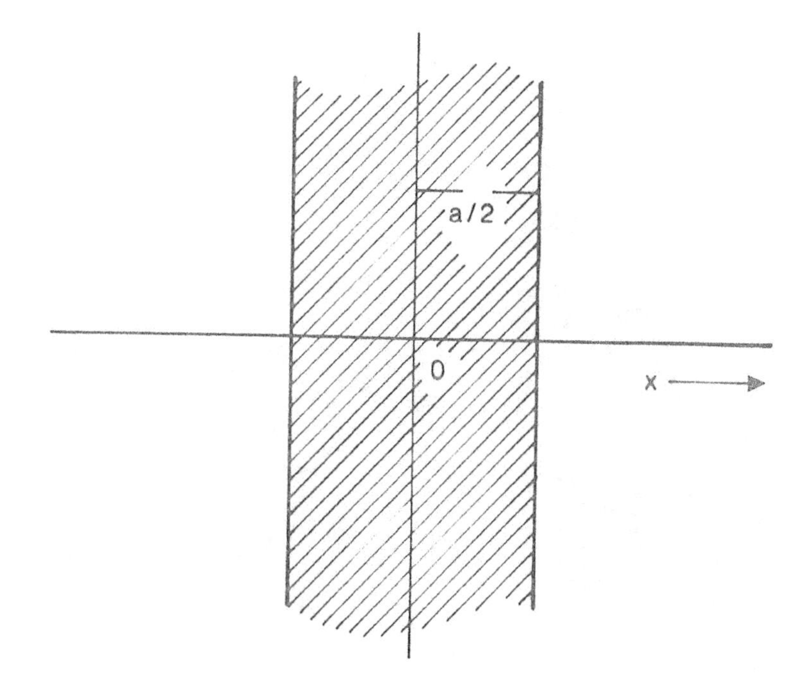

Fig. 5.5.1 *Nocciolo di reattore omogeneo a forma di lastra a facce piane e parallele, di spessore a nella direzione x*

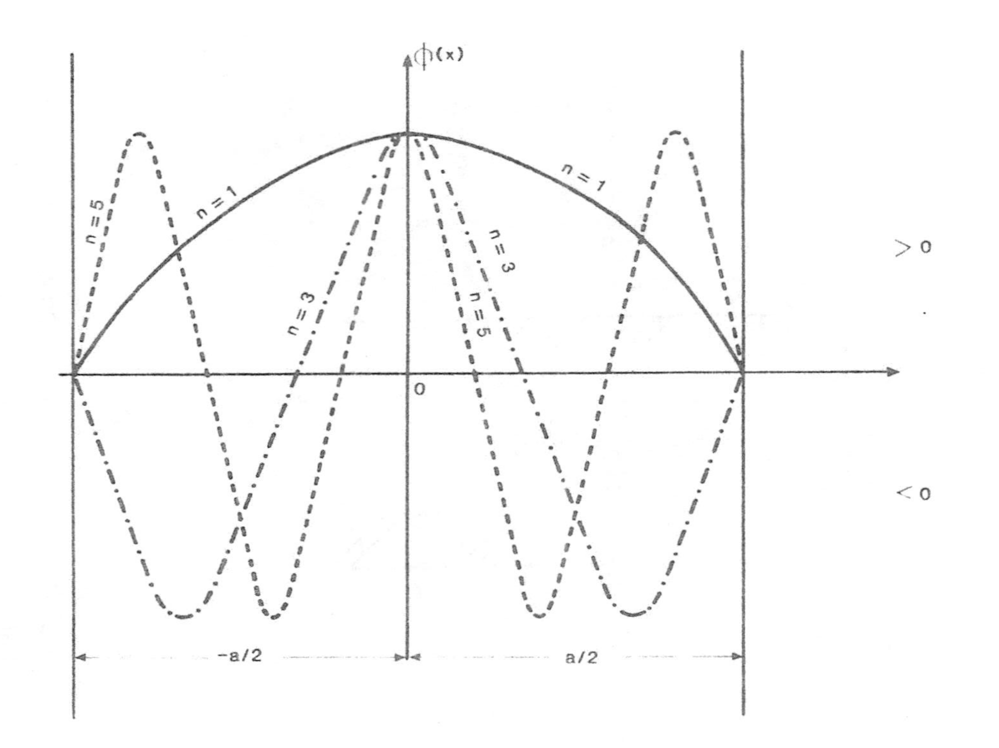

Fig. 5.5.2 *Distribuzione spaziale delle componenti o armoniche dispari, $n = 1, 3, 5$, del flusso neutronico in un mezzo moltiplicante come quello di Fig. 5.5.1*

	Forma	Dimensioni	Buckling	Flusso
(a)	Parallelepipedo	a x b x c	$\left(\frac{\pi}{a}\right)^2+\left(\frac{\pi}{b}\right)^2+\left(\frac{\pi}{c}\right)^2$	$A\cos\left(\frac{\pi x}{a}\right)\cos\left(\frac{\pi y}{b}\right)\cos\left(\frac{\pi z}{c}\right)$
(b)	Cilindro	Raggio R Altezza H	$\left(\frac{2.405}{R}\right)^2+\left(\frac{\pi}{H}\right)^2$	$AJ_o\left(\frac{2.405r}{R}\right)\cos\left(\frac{\pi z}{H}\right)$
(c)	Sfera	Raggio R	$\left(\frac{\pi}{R}\right)^2$	$A\frac{1}{r}\sin\left(\frac{\pi r}{R}\right)$

Fig. 5.6.1 *Espressioni analitiche delle funzioni di distribuzione spaziale del flusso neutronico ϕ e del buckling geometrico per alcune forme tipo del nocciolo del reattore*

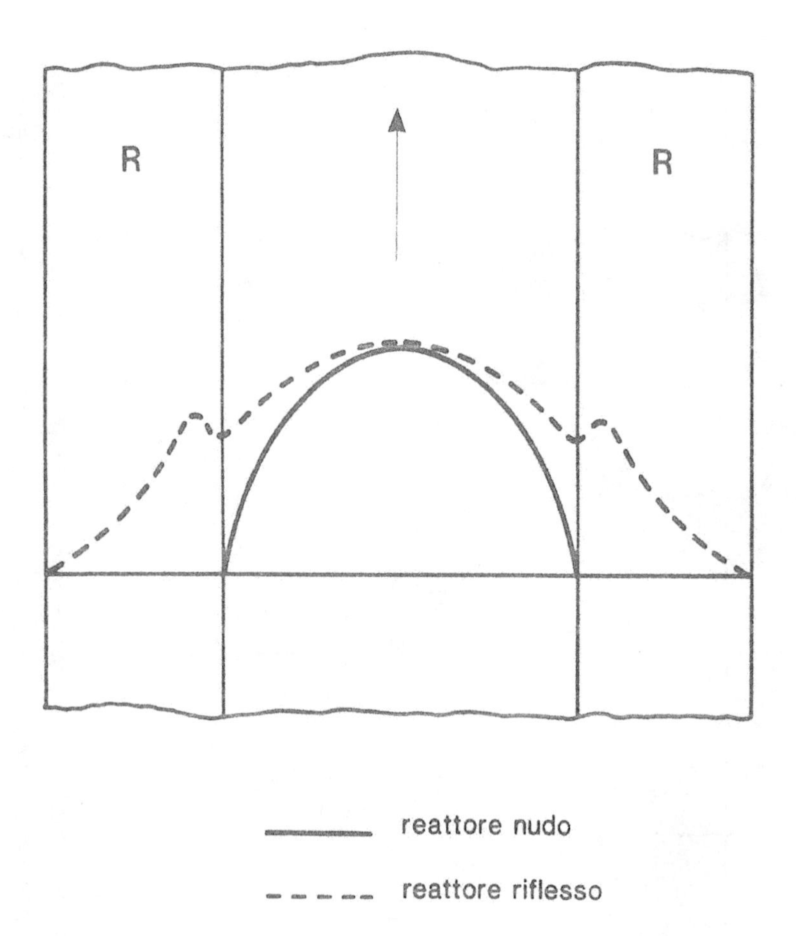

Fig. 5.9.1 *Andamento della distribuzione spaziale del flusso neutronico in un reattore nudo e nello stesso reattore quando è munito del riflettore di neutroni R*

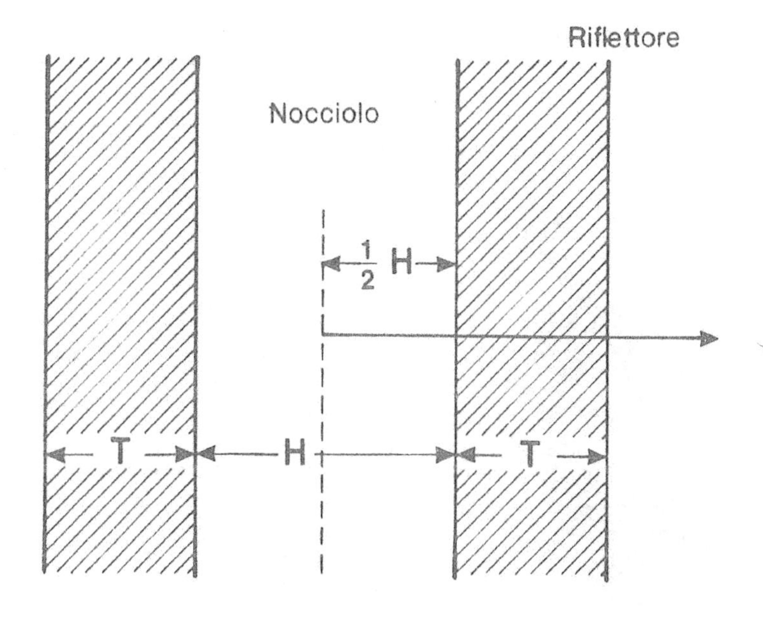

Fig. 5.9.2 *Nocciolo a forma di lastra con facce piane e parallele munito di riflettore neutronico di spessore T su entrambe le facce*

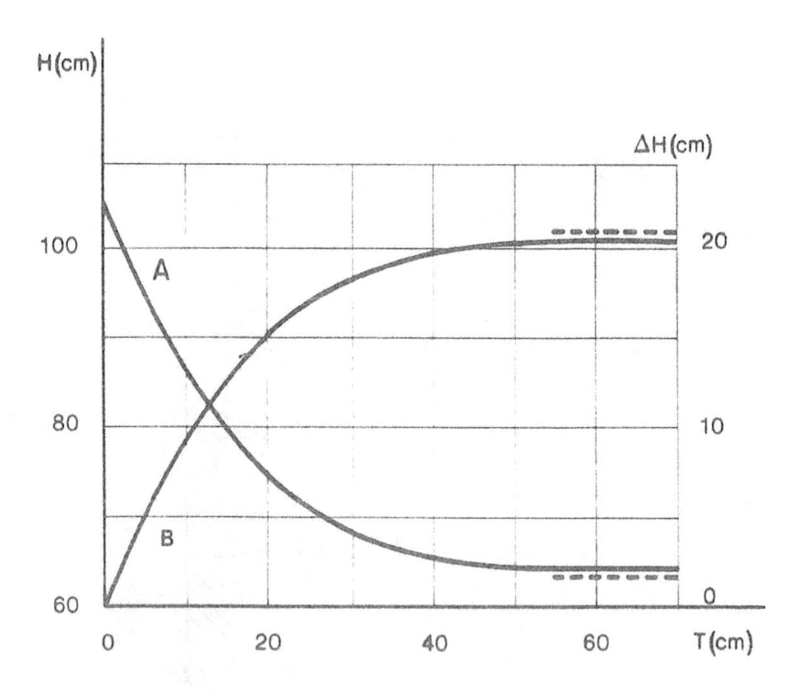

Fig. 5.9.3 *Variazione dello spessore H che rende critico il reattore di Fig. 5.9.2 in funzione dello spessore T del riflettore di neutroni - curva A - valore dello spessore H che rende critico il reattore in funzione dello spessore T del riflettore - curva B - Riduzione dello spessore H del nocciolo necessaria per mantenere la criticità in funzione dello spessore T del riflettore quando si passa da reattore nudo e reattore riflesso*

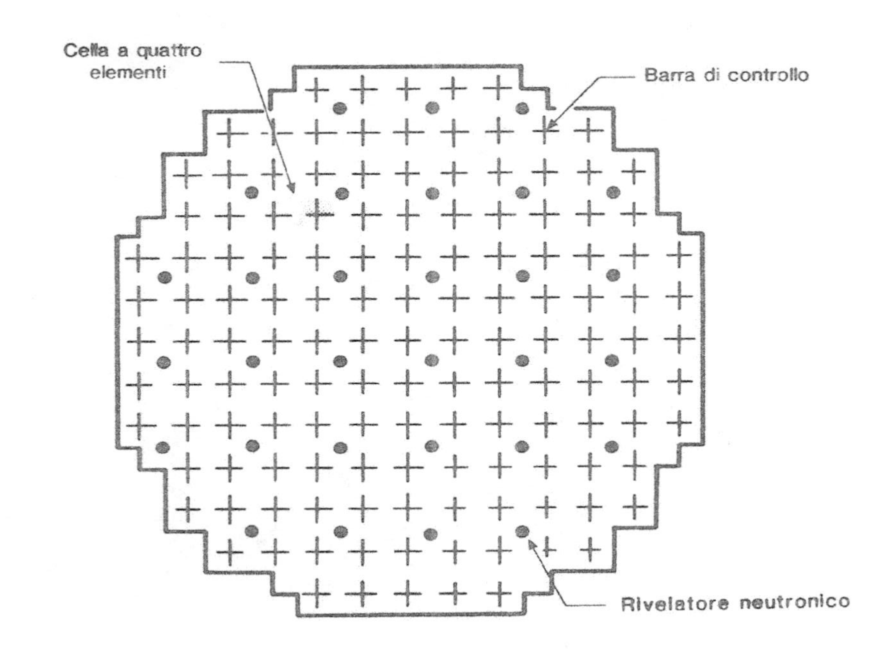

Fig. 5.10.1 *Vista in pianta di una configurazione tipica del nocciolo del reattore con base approssimativamente circolare*

CAPITOLO 6

LA CINETICA DEI REATTORI NUCLEARI-1

La cinetica del reattore studia lo stato "transitorio" di un reattore nucleare.

In questo Capitolo vengono quindi introdotti i concetti delle grandezze fondamentali **reattività** ρ e **periodo del reattore** T che intervengono nella cinetica del reattore e viene data la loro rappresentazione simbolica.

Per il periodo T vengono presentate le "unità di misura" più comunamente usate e le loro correlazioni.

Vengono quindi descritte le caratteristiche in termini di reattività delle barre per il controllo della moltiplicazione neutronica.

Viene infine introdotto il concetto di **Margine di Spegnimento** e spiegato il suo significato.

Il capitolo si chiude con una rassegna delle sorgenti neutroniche più comunemente usate per l'avvio al funzionamento dei reattori nucleari.

La conoscenza di questi argomenti è particolarmente significativa nella pratica operativa quotidiana.

6.1. Generalità

Fino ad ora si sono considerati reattori nucleari in regime stazionario, cioè reattori nei quali il flusso neutronico è costante nel tempo in ogni punto del nocciolo come conseguenza della sostanziale eguaglianza tra neutroni prodotti e neutroni comunque perduti nell'unità di tempo.

Se ora supponiamo di sbilanciare l'equilibrio tra produzione e "consumo" di neutroni si osserverà che il flusso neutronico non rimane più costante nel tempo ma aumenterà se la produzione è maggiore del consumo di neutroni e viceversa diminuirà nel tempo se la produzione è minore del consumo di neutroni.

In queste condizioni si dice che il reattore funziona in **regime transitorio**.

Lo studio del regime transitorio del reattore o in breve lo **studio della cinetica del reattore** ha come scopo l'indagine del comportamento temporale del flusso neutronico e quindi della potenza in funzione dell'entità dello sbilanciamento verificatosi tra produzione e scomparsa o consumo di neutroni nell'unità di tempo.

Lo studio della cinetica del reattore ha importanza fondamentale per l'operazione del reattore.

Quando ad esempio si mette in marcia un reattore per portarlo prima alla criticità e poi in potenza, quando si vuole variare il livello di potenza e quando si vuole arrestare la marcia del reattore, occorre compiere delle manovre operative che portino il reattore d'apprima in regime transitorio per poi raggiungere il risultato voluto in tempi ragionevolmente brevi ed in assoluta sicurezza.

La conoscenza del comportamento del reattore in regime transitorio è quindi fondamentale per compiere in maniera corretta le manovre necessarie intervenendo sui dispositivi di comando, controllo e sicurezza di cui è dotato l'impianto.

Il regime transitorio del reattore è influenzato sia dall'entità dello scostamento dalle condizioni di equilibrio o criticità, in ultima analisi dallo scostamento del valore del coefficiente di moltiplicazione k dall'unità, sia dal tempo che intercorre in media tra due successivi fenomeni concatenati di fissione cioè il tempo che un neutrone di fissione impiega in media per generare un'altra fissione.

Se questo ultimo intervallo di tempo che definiremo **tempo medio di vita dei neutroni** è breve, è intuitivo comprendere che gli eventi concatenati di fissione si susseguono rapidamente e se il reattore è ad esempio sopracritico esso diverge velocemente mentre se questo tempo è relativamente lungo il reattore diverge con lentezza.

6.2. Tempo medio di vita dei neutroni

Il tempo medio di vita dei neutroni nel reattore nell'approssimazione monoenergetica lo si definisce come il rapporto tra lo spazio in media percorso da un neutrone dalla nascita alla "morte" o scomparsa dal sistema e la sua velocità, cioè:

$$\text{tempo medio di vita del neutrone} \equiv \frac{\text{spazio percorso in media dalla nascita alla morte}}{\text{velocità}} \qquad (6.2.1)$$

In un mezzo infinito si ha che è:

$$\text{tempo medio di vita del neutrone} = l_0 = \frac{\lambda_a}{v} = \frac{1}{v \cdot \Sigma_a} \qquad (6.2.2)$$

con λ_a = libero cammino medio di assorbimento.

In un sistema finito occorre ovviamente tenere conto delle fughe neutroniche.

Dalla condizione di equilibrio scritta in teoria della diffusione ad un gruppo:

$D \cdot B^2$	+	Σ_a	=	$\nu \cdot \Sigma_f$
numero medio di neutroni perduti per fuga per distanza unitaria percorsa in reattore	+	numero medio di neutroni assorbiti per distanza unitaria percorsa in reattore	=	numero medio di neutroni prodotti per distanza unitaria percorsa in reattore

ed interpretando $D \cdot B^2$ come l'equivalente di una sezione d'urto di fuga neutronica si ottiene che la quantità $(\Sigma_a + D \cdot B^2)$ rappresenta il numero dei neutroni comunque perduti per unità di percorso del neutrone nel nocciolo del reattore.

Il libero cammino medio λ del neutrone entro il nocciolo è quindi dato dalla relazione seguente:

$$\lambda = \frac{1}{D \cdot B^2 + \Sigma_a} \tag{6.2.3}$$

Il tempo medio di vita l del neutrone nel reattore diviene:

$$l = \frac{\lambda}{v} = \frac{1}{v\,(D \cdot B^2 + \Sigma_a)} \tag{6.2.4}$$

$$l = \frac{1}{\Sigma_a \, v \cdot (L^2 \cdot B^2 + 1)}$$

con: $$L^2 = \frac{D}{\Sigma_a}$$

Tenendo conto dell'eq. 6.2.2 si ha infine:

$$l = \frac{l_o}{1+L^2 \cdot B^2} \tag{6.2.5}$$

Fisicamente il tempo medio di vita di un neutrone nel reattore è dato dal tempo che trascorre tra il momento della sua comparsa come particella libera ed il momento del suo assorbimento in un nucleo del nocciolo o di fuga dallo stesso.

Per neutroni pronti il tempo di vita media l_p è dato in generale dalla relazione:

$$l_p = \Lambda \cdot k \tag{6.2.6}$$

dove Λ è il tempo di generazione dei neutroni pronti. Nelle condizioni operative standard di un reattore nucleare, dato il valore del fattore k poco differente dall'unità, si può assumere senza apprezzabile errore che sia:

$$l_p \cong \Lambda \tag{6.2.7}$$

E' uso suddividere il tempo di vita medio dei neutroni in un reattore termico in tre tempi caratteristici e precisamente:

a) **il tempo di rilascio** o di gestazione del neutrone dato dal tempo necessario perchè il neutrone compaia come particella libera dopo l'evento di fissione;

b) **il tempo di rallentamento** dato dal tempo che trascorre dall'istante di espulsione dal frammento di fissione all'istante della sua termalizzazione;

c) **il tempo di diffusione** dato dal tempo che intercorre tra la termalizzazione del neutrone ed il suo assorbimento o fuga dal sistema.

E' immediato riconoscere che il tempo di rallentamento ed il tempo di diffusione sono principalmente funzione delle caratteristiche neutroniche dei materiali che costituiscono il mezzo entro il quale si muovono i neutroni, il nocciolo del reattore, mentre il tempo di rilascio è caratteristico del fenomeno della fissione.

Poichè non tutti i ν neutroni prodotti da un evento di fissione vengono rilasciati allo stesso istante, è necessario distinguere tra tempo di rilascio per la frazione $(1-\beta)$ di neutroni pronti e tempo di rilascio per la frazione β di neutroni ritardati.

Il tempo di rilascio per neutroni pronti è di circa 10^{-14} secondi mentre il tempo di rilascio dei neutroni ritardati è dato dalla media pesata sui rispettivi tempi di vita media τ_i delle sei frazioni β_i di ritardati.

Per la fissione termica dell'^{235}U come già visto al Cap. 2 il tempo medio di rilascio $<\tau>$ per i neutroni ritardati è di circa 13 secondi come risulta dalla relazione:

$$<\tau> = \frac{\Sigma_i \beta_i \cdot \tau_i}{\Sigma_i \beta_i} = \frac{0{,}084}{0{,}0065}$$

$$<\tau> = 12{,}9 \text{ secondi}$$

In Fig. 6.2.1 e Fig. 6.2.2 sono riportate le rappresentazioni grafiche dei processi che governano il tempo di generazione, o meglio la vita media, rispettivamente per neutroni pronti e per neutroni ritardati. In Tab. 6.2.1 sono elencati i valori tipici per i tempi di rallentamento e di diffusione dei neutroni in alcuni moderatori comuni in Ingegneria Nucleare.

Si può notare che il tempo di diffusione come neutrone termico è assolutamente dominante rispetto al tempo totale che intercorre **dopo** il rilascio del neutrone come particella libera.

Dagli schemi delle Figg. 6.2.1 e 6.2.2 è immediato riconoscere che la durata di vita media o tempo di generazione l_p per i neutroni pronti è determinata dai tempi medi di rallentamento e di diffusione mentre per i neutroni ritardati la durata di vita media l_r coincide praticamente con il tempo di rilascio o gestazione in quanto gli altri due tempi sono di durata relativa trascurabile.

In conclusione la durata di tempo l in media necessaria perchè **tutti** i neutroni prodotti da un evento di fissione completino un ciclo neutronico, in altre parole la durata media di una generazione neutronica, è data dalla media pesata sulle rispettive frazioni di neutroni del tempo di vita media per neutroni pronti l_p e del tempo di vita media per neutroni ritardati l_r:

$$l = (1 - \beta) \cdot l_p + \beta \cdot l_r \qquad (6.2.8)$$

frazione di neutroni di fissione pronti • tempo di vita medio per neutroni pronti + frazione di neutroni di fissione ritardati • tempo di vita medio per neutroni ritardati

Per reattori del tipo LWR (Light Water Reactor) si hanno i seguenti valori tipici:

$$l_p = 10^{-14} \text{ sec} + 10^{-5} \text{ sec} = 10^{-5} \text{ secondi}$$

$$l_r = 12,9 \text{ sec} + 10^{-5} \text{ sec} = 12,9 \text{ secondi}$$

Se si assume che sia β = 0,00655, si ha per l il valore:

$$\langle l \rangle = (1 - 0{,}00655)\cdot 10^{-5} + 0{,}00655\cdot 12{,}9$$

$$\langle l \rangle = 0{,}99345\cdot 10^{-5} + 0{,}0845$$

$$\langle l \rangle = 0{,}084 \text{ secondi}$$

6.3. La frazione efficace dei neutroni ritardati β_{eff}

Al seguito di un evento di fissione si ha la liberazione di un certo numero ν di neutroni che, come già presentato al Cap. 2, si distinguono in:

- neutroni emessi entro tempi brevissimi, circa 10^{-14} secondi, dall'evento di fissione e perciò detti **neutroni pronti** o istantanei;
- neutroni emessi al seguito del decadimento di alcuni prodotti della fissione, quindi dopo tempi proporzionali alle costanti di decadimento di questi ultimi, e perciò detti **neutroni ritardati**.

Il rapporto tra il numero di neutroni emessi con ritardo ed il numero totale ν di neutroni emessi per evento di fissione è detto **frazione di neutroni ritardati** come già specificato al Cap. 2 ed è indicata generalmente con la lettera β.

In conclusione, dei ν neutroni emessi per fissione, $\nu\cdot(1-\beta)$ sono pronti e $\nu\cdot\beta$ sono ritardati.

Ogni nucleo che subisce fissione ha un suo proprio valore caratteristico della frazione β che dipende dall'energia alla quale avviene la reazione.

Ad esempio nella fissione dell'^{235}U con neutroni termici si producono in totale ν = 2,47 neutroni per evento dei quali il 99,31% è emesso entro 10^{-14} secondi mentre il rimanente 0,69% è emesso con ritardo dal decadimento di alcuni prodotti della fissione.

La frazione di neutroni ritardati in questo caso vale β = 0,0069.

In Tab. 6.3.1 sono riportati i valori della frazione β per alcuni nuclidi fissili e fissionabili con neutroni termici e/o veloci.

I neutroni ritardati possono raggrupparsi come noto in sei gruppi distinti tra loro per tempo medio di ritardo, per importanza o valore della frazione relativa β_i e per l'energia cinetica posseduta al momento del rilascio.

Nelle Tabb. 6.3.2 e 6.3.3 sono riportate le caratteristiche principali dei gruppi di neutroni ritardati collegati ad eventi di fissione in ^{235}U, ^{238}U e ^{239}Pu.

Il tempo medio di ritardo $<\tau>$ nella loro emissione è dato come già ricordato al par. 6.2 ed esplicitato dall'eq. 6.2.7, dalla media pesata sulla frazione β_i dei tempi medi τ_i di decadimento dei sei gruppi.

La differente energia cinetica posseduta alla nascita dai neutroni pronti e dai neutroni ritardati, per questi ultimi in Tab. 6.3.4 sono riportati a titolo esemplificativo i valori medi per gruppo nel caso di fissione termica dell'^{235}U, si riflette sul contributo delle due "famiglie" di neutroni sia sul valore del fattore di moltiplicazione k_∞ sia sulla probabilità di non fuga veloce dal reattore.

Si definisce di conseguenza un fattore importanza I che "pesa" il contributo dei neutroni ritardati e che per reattori del tipo LWR di grandi dimensioni assume un valore tipico I = 0,97 per combustibile fresco cioè poco utilizzato in precedenza.

Il combustibile dei reattori nucleari contiene nella generalità dei casi diversi tipi di elementi o isotopi i cui nuclei partecipano alle fissioni. Ad esempio il combustibile ad ossido di uranio UO_2 contiene inizialmente nuclei di ^{238}U e ^{235}U, ai quali con il funzionamento si aggiungono nuclei di ^{239}Pu, ^{240}Pu e ^{241}Pu tutti suscettibili di partecipare in misura maggiore o minore agli eventi di fissione complessivi.

Poichè come già evidenziato anche dai dati di Tab. 6.3.1 ogni nuclide, isotopo o elemento, ha un suo specifico valore della frazione β di neutroni ritardati, per calcolare la frazione di neutroni ritardati media **di nocciolo** $<\beta>$ occorre pesare il contributo dei vari nuclidi alle fissioni complessive.

Per questo si scrive la relazione:

$$<\beta> = \beta^{35}\cdot\gamma^{35} + \beta^{38}\cdot\gamma^{38} + \beta^{39}\cdot\gamma^{39} + \beta^{40}\cdot\gamma^{40} + \beta^{41}\cdot\gamma^{41} \qquad (6.3.1)$$

dove le funzioni peso sono definite come segue:

$$\gamma^{i} \equiv \frac{\text{numero di fissioni che coinvolgono il nuclide del tipo iesimo}}{\text{numero di fissioni complessive}}$$

Si definisce **frazione efficace** β_{eff} di neutroni ritardati il prodotto della frazione media di neutroni ritardati di nocciolo $<\beta>$ per il fattore di importanza I già ricordato.

E' quindi:

$$\beta_{eff} = <\beta>\ I \qquad (6.3.2)$$

Ad esempio per un tipico reticolo di un reattore LWR si hanno i seguenti valori rispettivamente ad Inizio Ciclo (I.C.) e a Fine Ciclo (F.C.):

$$<\beta>_{I.C} = \beta^{35} \cdot \gamma^{35} + \beta^{38} \cdot \gamma^{38}$$

$$<\beta>_{I.C} = 0,0065 \cdot 0,9348 + 0,0157 \cdot 0,0652 = 0,0071$$

$$<\beta>_{F.C} = \beta^{35} \cdot \gamma^{35} + \beta^{38} \cdot \gamma^{38} + \beta^{39} \cdot \gamma^{39} + \beta^{41} \cdot \gamma^{41}$$

$$<\beta>_{F.C} = 0,0065 \cdot 0,4932 + 0,0157 \cdot 0,069 + \\ + 0,0021 \cdot 0,376 + 0,0049 \cdot 0,0614 = 0,0054$$

Quindi le frazioni efficaci di neutroni ritardati ad inizio e fine ciclo valgono rispettivamente:

$$\beta_{eff\,I.C} = 0,0071 \cdot I_{I.C}$$
$$\beta_{eff\,F.C} = 0,0054 \cdot I_{F.C} \qquad (6.3.3)$$

6.4. La reattività

La criticità del reattore è caratterizzata dal valore unitario del fattore di moltiplicazione **k**, cioè da **k** = 1.

Il fattore di moltiplicazione **k** non è una quantità misurabile direttamente quindi non sono misurabili direttamente in termini di fattore **k** nè la criticità nè gli scostamenti dello stato del reattore da questa condizione di riferimento.

Per questa ragione è stata introdotta una grandezza, **la reattività**, direttamente correlata con il fattore di moltiplicazione **k** che a sua volta determina il valore del periodo T del reattore e questo ultimo può essere misurato direttamente. Il periodo T verrà definito al par. 6.6; esso determina il tasso di cambiamento nel tempo del livello di potenza del reattore.

Come sarà mostrato più avanti la reattività può essere quantificata in un numero misurando ad esempio il tempo necessario perchè la potenza del reattore raddoppi di valore.

La **reattività** di un reattore nucleare è definita come la **variazione relativa della densità neutronica** N (neutroni cm^{-3}) che si verifica **nell'intervallo di tempo** corrispondente alla durata l **di una generazione neutronica.**

Se alla generazione n^{ma} sono presenti in reattore $N(n)$ neutroni cm^{-3}, nella generazione successiva, la $(n+1)^{ma}$ ne saranno presenti $N(n+1) = N(n)k$ per la definizione data al Cap. 4 del fattore di moltiplicazione k.

La variazione assoluta ΔN della densità neutronica tra le due generazioni successive generiche n^{ma} ed $(n+1)^{ma}$ è data dalla relazione:

$$\Delta N = N(n) \cdot k - N(n) = N(n) \cdot (k-1) \qquad (6.4.1)$$

Ai fini della valutazione quantitativa del cambiamento intervenuto tra due generazioni neutroniche successive nel valore della densità neutronica o anche nel valore del livello di potenza, è certamente più significativa la **variazione relativa** $\Delta N/Nk$, cioè per la definizione data **la reattività**, che risulta quindi esprimibile con la relazione seguente:

$$\frac{\Delta N}{N \cdot k} = \frac{N(n+1) - N(n)}{N(n+1)} = \frac{N \cdot (k-1)}{N \cdot k} = \frac{k-1}{k} \qquad (6.4.2)$$

La reattività è indicata generalmente con la lettera ρ.

In conclusione la reattività è data dalla relazione:

$$\rho = \frac{k - 1}{k} \qquad (6.4.3)$$

Dalla definizione di reattività si può affermare che se per esempio è $\rho = 0{,}001 = 0{,}1\%$, il livello di potenza del reattore cresce dello 0,1% per ogni generazione neutronica.

Una seconda notazione molto comune della reattività è la seguente:

$$\rho = \frac{\Delta k}{k}$$

dove Δk è noto come **eccesso del fattore di moltiplicazione**; di frequente, anche se impropriamente, si assume che sia $\rho = \Delta k$ in quanto nella pratica operativa k è sempre prossimo in valore all'unità.

Si può osservare che:

a) in un reattore sottocritico dove la densità neutronica N diminuisce nel tempo e quindi dove è $dN/dt < 0$, si ha sempre:

$$k_{eff} < 1 \qquad \text{e per la rel. 6.4.3} \qquad \rho < 0$$

b) in un reattore sopracritico dove la densità neutronica N cresce nel tempo e quindi dove è $dN/dt > 0$, si ha sempre:

$$k_{eff} > 0 \qquad \text{e per la rel. 6.4.3} \qquad \rho > 0$$

c) in un reattore critico dove la densità neutronica N resta costante nel tempo e quindi dove è $dN/dt = 0$, si ha sempre:

$$k_{eff} = 1 \qquad \text{e per la rel. 6.4.3} \qquad \rho = 0$$

Infatti essendo sempre $dt > 0$ ed $N > 0$ si ha:

a) reattore sottocritico : $dN = N(k-1) < 0$; $(k-1) < 0$ quindi $k < 1$ c.v.d
b) reattore sopracritico: $dN = N(k-1) > 0$; $(k-1) > 0$ quindi $k > 1$ c.v.d
c) reattore critico : $dN = N(k-1) = 0$; $(k-1) = 0$ quindi $k = 1$ c.v.d

6.4.1. Unità di misura della reattività

La reattività così come definita dall'eq. 6.4.3 coinvolge il rapporto tra valori del fattore di moltiplicazione k. La reattività risulta quindi adimensionale.

Ai fini pratici tuttavia per quantificare le variazioni di densità o flusso neutronico nel tempo si sono introdotte delle quantità che svolgono il ruolo di unità di misura e che in quello che segue verranno presentate come tali.

a) L'unità di misura fondamentale della reattività è data dalla definizione stessa di reattività.

   La reattività viene quindi espressa in "unità" $\Delta k/k$.

   Se per esempio è $k = 1{,}002$, la reattività espressa in $\Delta k/k$ vale:

$$\rho = \frac{1{,}002 - 1{,}000}{1{,}002} = 0{,}00199 \; \frac{\Delta k}{k}$$

b) La reattività può essere espressa anche in (%) dell'unità $\Delta k/k$.

   Usando i valori numerici precedenti si ha immediatamente che è:

$$\rho = 0{,}199(\%) \frac{\Delta k}{k}$$

c) Un'unità di misura di grandissimo uso specie in Europa è il **p.c.m** acronimo di un cento millesimo dell'unità fondamentale.
Un **p.c.m** vale quindi 10^{-5} $\Delta k/k$.
La reattività precedentemente calcolata espressa in unità **p.c.m** vale di conseguenza:

$$\rho = 0{,}00199 \cdot 10^5 = 199 \text{ p.c.m}$$

L'unità p.c.m permette di esprimere la reattività con numeri positivi o negativi maggiori o eguali all'unità che sono molto più facili da ricordare dei numeri piccoli formati da molti decimali.

d) Un'unità di misura della reattività di uso abbastanza diffuso specie negli USA è il dollaro ($).
Il valore numerico della reattività espressa in unità $, è dato dal rapporto tra il valore della reattività espressa in unità $\Delta k/k$ ed il valore della frazione efficace di nocciolo β_{eff} di neutroni ritardati.
E' quindi:

$$\rho\ (\$) = \frac{\Delta k/k}{\beta_{eff}}$$

Un dollaro di reattività si ha quindi quando è:

$$\rho = \frac{\Delta k}{k} = \beta_{eff}$$

Se è $\Delta k/k$ = 0,00199 e β_{eff} = 0,0068 si ha:

$$\rho\ (\$) = \frac{0,00199}{0,0068} = 0,293\ (\$)$$

Un sottomultiplo dell'unità di reattività in dollari è il cent (c) che vale 10^{-2} \$.

La reattività espressa in unità dollari è conveniente negli studi di cinetica del reattore in quanto come si vedrà più avanti, esprimendo la reattività in dollari si ottiene un unico valore del periodo stabile T del reattore (vedi par. 6.6) qualunque sia il reattore considerato. In altre parole assegnato un valore di reattività in dollari si ottiene un unico valore corrispondente del periodo del reattore qualunque sia il tipo e la composizione isotopica del combustibile del reattore.

e) Unità inhour

E' l'unità di misura della reattività introdotta per prima quindi più vecchia in ordine di tempo. Essa rappresenta la quantità di reattività che fa cambiare il livello di potenza del reattore di un fattore $e = 2,7182818$ in un'ora.

In altre parole se $P(0)$ è la potenza iniziale, $P(1)$ è la potenza raggiunta dal reattore dopo un'ora dall'inserzione di reattività nella quantità di 1 inhour; si ha:

$$\frac{P(1)}{P(0)} = e = 2,7182818$$

La quantità di reattività corrispondente ad 1 inhour può essere calcolata dalla relazione approssimata seguente:

$$\rho\ (I \cdot h) \equiv \frac{\beta_{eff}}{3600 \cdot \lambda} \quad \left(\frac{\Delta k}{k}\right)$$

con λ ≡ costante di decadimento media dei precursori o generatori di neutroni ritardati espressa in $(\text{secondi})^{-1}$.

Se è $\beta_{eff} = 0{,}0068$ e $\lambda = 0{,}08\ sec^{-1}$ si ha che la quantità di reattività di un "inhour" (inverse hour) è data da:

$$\rho\ (I \cdot h) = \frac{0{,}0068}{3600 \cdot 0{,}08} = 0{,}0000236111\ \frac{\Delta k}{k}$$

quindi un'inserzione di reattività ρ = 0,002361% $(\Delta k/k)$ induce un periodo T del reattore (vedi par. 6.6) di una ora.

Tornando all'esempio precedente dove $k = 1{,}002$ si ottiene come valore della reattività espressa in "unità" inhour:

$$\rho\ (Ih) = \frac{\rho\ \left(\frac{\Delta k}{k}\right)}{\frac{2{,}36 \cdot 10^{-5}\ \frac{\Delta k}{k}}{Inhour}} = \frac{0{,}001996}{2{,}36 \cdot 10^{-5}}\ inhours =$$

$$= 84576\ inhours$$

Questa unità di misura è ora in completo disuso.

6.5. Variazioni di reattività

Per calcolare le variazioni di reattività $\Delta\rho$ intervenute in un reattore che passa da uno stato caratterizzato da reattività $\rho=\rho_1$ ad uno caratterizzato da reattività $\rho = \rho_2$, si usa la relazione $\Delta\rho = (k_2-k_1)/k_2k_1$ derivata dall'espressione simbolica, rel. 6.4.3, della reattività.

Si abbia ad esempio un reattore caratterizzato in un certo istante da un valore di reattività ρ_1 dato dalla:

$$\rho_1 = \frac{k_1 - 1}{k_1}$$

ed in un tempo successivo da un valore di reattività ρ_2 dato dalla:

$$\rho_2 = \frac{k_2 - 1}{k_2}$$

La variazione $\Delta\rho$ di reattività intervenuta tra lo stato finale e lo stato iniziale è data ovviamente da $\Delta\rho = \rho_2-\rho_1$; esplicitando si ha:

$$\Delta\rho = \frac{k_2 - 1}{k_2} - \frac{k_1 - 1}{k_1}$$

$$\Delta\rho = \frac{k_1 \cdot k_2 - k_1 - k_1 \cdot k_2 + k_2}{k_2 \cdot k_1}$$

$$\Delta\rho = \frac{k_2 - k_1}{k_2 \cdot k_1} \qquad (6.5.1)$$

Quando si verifica una variazione di reattività $\Delta\rho$ in un reattore inizialmente critico quindi con reattività iniziale $\rho = 0$, la variazione di reattività viene indicata semplicemente con la lettera ρ.

E' infatti:

$$\Delta\rho = \frac{k_2 - 1}{k_2} = \rho_2$$

Esempio

Un reattore nucleare all'istante $t=t_1$ è caratterizzato da un fattore di moltiplicazione $k_1 = 1{,}005$. Dopo avere funzionato per un tempo Δt alla potenza nominale costante il fattore di moltiplicazione risulta $k_2 = 1{,}00005$.

Si vuole sapere qual'è stata la variazione di reattività $\Delta\rho$ intervenuta tra l'istante $t=t_1$ e $t=t_2=t_1+\Delta t$.

Applicando la rel. 6.5.1 si ha immediatamente:

$$\Delta\rho = \frac{k_2 - k_1}{k_2 \cdot k_1} = \frac{1{,}00005 - 1{,}005}{(1{,}00005)\ (1{,}005)} = -\ 492{,}5 \text{ p.c.m}$$

6.6. Periodo del reattore

In un reattore critico, la densità neutronica N (neutroni cm^{-3}) e le grandezze ad essa correlate flusso neutronico ϕ e potenza P del reattore, sono quantità costanti nel tempo come già visto nei capitoli precedenti.

Per variare il livello di potenza di un reattore è necessario renderlo o sopracritico o sottocritico a seconda che si voglia aumentare o diminuire il livello di potenza stesso.

Se la densità neutronica al tempo $t=0$ è $N(0)$, al tempo $t=0+l$, dove l è il tempo medio di vita dei neutroni in reattore, sarà $N(l) = N(0)\ k$.

Assumendo che la moltiplicazione neutronica sia un fenomeno continuo, la variazione della densità neutronica nell'intervallo di tempo $dt = (0 + l) - (0) = l$, è data dalla relazione seguente:

$$\frac{dN(t)}{dt} = \frac{N(0) \cdot k - N(0)}{l}$$

da cui:

$$\frac{dN(t)}{dt} = N(0) \frac{k - 1}{l} \qquad (6.6.1)$$

Se il coefficiente di moltiplicazione k è costante nel tempo, la soluzione per integrazione dell'equazione precedente è immediata. Si ha che è:

$$N(t) = N(0) \cdot e^{\frac{k-1}{l} t} \qquad (6.6.2)$$

Dall'eq. 6.6.2 si deduce immediatamente che la densità neutronica $N(t)$ (o la potenza o il flusso neutronico del reattore) varia nel tempo secondo una funzione esponenziale caratterizzata dalla costante di tempo ($k-1/l$) il cui valore è determinato:

- dal valore della differenza $\Delta k = (k-1)$ cioè dal valore dello scostamento dalla condizione di criticità;
- dal valore l del tempo di vita medio dei neutroni nel reattore.

Ponendo la seguente eguaglianza:

$$T = \frac{l}{k - 1} \text{ (secondi)} \qquad (6.6.3)$$

la rel. 6.6.2 diviene:

$$N(t) = N(0) \cdot e^{t/T} \qquad (6.6.4)$$

dove T prende il nome di **periodo stabile del reattore** o semplicemente periodo del reattore.

Si può osservare che più piccolo è lo scostamento Δk dalla condizione di criticità, più grande risulta per l'eq. 6.6.3 il periodo T fissato il valore del tempo l e di conseguenza più lenta risulta per l'eq. 6.6.4 la crescita nel tempo della densità neutronica (o della potenza) del reattore.

E' ora immediatamente ricavabile la relazione cercata tra la reattività e la grandezza periodo T del reattore che, come più volte ricordato, può essere direttamente misurata.

Questa relazione permette di **quantificare il valore della reattività con una misura** (di tempo) come anticipato al par. 6.4.

Si supponga in un primo momento che tutti i neutroni di fissione siano pronti.

Ponendo nell'eq. 6.6.3 $l = l_p = \Lambda k$ si ha:

$$T = \frac{\Lambda k}{k-1}$$

$$T = \frac{\Lambda}{\dfrac{k-1}{k}}$$

la relazione cercata è quindi:

$$\rho = \frac{\Lambda}{T} \qquad (6.6.5)$$

L'esistenza dei neutroni ritardati modifica fortemente come già visto al par. 6.2 il tempo di vita medio $<l>$ dei neutroni in reattore che risulta dato dall'eq. 6.2.8 che riportiamo:

$$<l> = (1 - \beta) l_p + \beta l_r$$

dove $l_r = l_p + \Sigma_i \beta_i \cdot \tau_i / \beta$; sostituendo questa relazione nella precedente si ha:

$$<l> = (1 - \beta) l_p + \beta l_p + \Sigma_i \beta_i \cdot \tau_i$$

semplificando si ottiene:

$$<l> = l_p + \Sigma_i \beta_i \cdot \tau_i \qquad (6.6.6)$$

Sostituendo l'eq. 6.6.6 al tempo di generazione Λ per soli neutroni pronti dell'eq. 6.6.5, si ottiene una seconda relazione tra reattività ρ e periodo T:

$$\rho = \frac{1}{T} (l_p + \Sigma_i \beta_i \cdot \tau_i) \qquad (6.6.7)$$

Noti quindi i valori l_p, β_i e τ_i una **misurazione** di periodo T permette di **quantificare la reattività** ρ e quindi di stimare il valore del fattore di moltiplicazione k che dalla $\rho = (1-1/k)$ e dalla rel. 6.6.7 risulta esprimibile in funzione del periodo T con la relazione:

$$k = \frac{T}{T - (l_p + \Sigma_i \beta_i \cdot \tau_i)}$$

6.6.1. Periodo istantaneo del reattore

Il periodo istantaneo T del reattore, è definito come il rapporto tra il valore della densità neutronica $N(t)$ all'istante generico t e quello della sua derivata nello stesso istante t.

E' cioè:

$$T = \frac{N(t)}{dN(t)/dt} \tag{6.6.8}$$

o anche:

$$T = \frac{1}{\frac{1}{N(t)} \cdot \frac{dN(t)}{dt}} \tag{6.6.9}$$

In parole il periodo istantaneo T del reattore è dato dall'inverso della derivata logaritmica della densità neutronica $N(t)$.

Si ricorda infatti che è:

$$\frac{d}{dx} \log f(x) = \frac{1}{f(x)} \cdot \frac{df(x)}{dx}$$

Il reciproco del periodo istantaneo del reattore è noto come **alfa di Rossi** ed è indicata con la lettera α_R:

$$\alpha_R = \frac{1}{N(t)} \cdot \frac{dN(t)}{dt} \tag{6.6.10}$$

Il periodo stabile del reattore ed il periodo istantaneo del reattore coincidono come sarà presentato più avanti, quando il reattore è in equilibrio cioè quando sono scomparse le perturbazioni che si manifestano nei primi istanti dopo avvenuta una variazione nel valore del fattore k e cioè nei primi istanti di variazione del livello di potenza del reattore.

L'eq. 6.6.4 **vale** quindi **esclusivamente** per un **reattore in equilibrio** cioè dopo un certo tempo dall'istante di inizio della variazione del livello di potenza.

6.6.2. Misura del periodo del reattore

Il periodo del reattore è una grandezza importante ai fini del funzionamento del reattore e del suo controllo in quanto permette di quantificare la reattività del nocciolo come già messo in evidenza dalle rel. 6.6.5 e rel. 6.6.7 e di quantificare il tempo necessario per ottenere una certa variazione del livello di potenza.

Osserviamo che dalle rel. 6.6.3 e rel. 6.6.4 si deduce immediatamente che:

- in un **reattore sopracritico**, quindi con fattore di moltiplicazione $k>1$, il **periodo** T del reattore è sempre **positivo** e la potenza del reattore cresce nel tempo con legge esponenziale:

$$N(t) = N(0) \cdot e^{\frac{k-1}{l}t}$$

- in un **reattore critico**, quindi con fattore di moltiplicazione $k=1$, ossia con densità neutronica N costante nel tempo e quindi con derivata nulla, il **periodo** T del reattore assume valore **infinito** come risulta immediatamente ponendo $k=1$ nella rel. 6.6.3 oppure ponendo $dN/dt=0$ nella rel. 6.6.9.

- in un **reattore sottocritico** quindi con fattore di moltiplicazione $k<1$, il **periodo** T del reattore è sempre **negativo** e la potenza del reattore diminuisce nel tempo con legge esponenziale.

$$N(t) = N(0) \cdot e^{-\frac{k-1}{l}t}$$

In Fig. 6.6.1 sono riportati gli andamenti della potenza del reattore $P(t)$ in funzione del tempo t per i tre casi considerati $k \gtrless 1$.

Dall'eq. 6.6.4 il **periodo** T del reattore risulta definito come la **durata di tempo necessaria perchè la potenza del reattore vari di un fattore e = 2,7182818**.

Se nella rel. 6.6.4 poniamo infatti $t=T$ *cioè valutiamo la potenza del reattore dopo trascorso un tempo di durata eguale al periodo* T *misurato da un istante arbitrario* $t=0$, *si ha immediatamente che è:*

$$P(T) = P(0) \cdot e^{T/T}$$

quindi:

$$P(T)/P(0) = e \quad \text{c.v.d}$$

Ai fini pratici però non è particolarmente agevole quantificare una misura che ha come unità di riferimento il numero e = 2,7182818......

Si sono adottate di conseguenza grandezze di più facile uso rispetto al periodo T e ad esso correlate in maniera semplice.

Le più usate sono:

Il tempo di raddoppio T_D

Si definisce tempo di raddoppio T_D il tempo necessario perchè la potenza del reattore (sopracritico) raddoppi; se ad esempio la potenza iniziale è $P(0)=20$ watts dopo un tempo T_D sarà $P(T_D)=40$ watts.

In generale sarà:

$$2\ P(0) = P(0) \cdot e^{T_D/T}$$

$$2 = e^{T_D/T}$$

$$\ln 2 = T_D/T$$

e quindi:

$$T_D = 0,693 \cdot T \qquad (6.6.11)$$

Se il reattore è reso sottocritico, in analogia con il tempo di raddoppio T_D, può definirsi il tempo di dimezzamento T_A dato dal tempo necessario perchè la potenza del reattore si riduca alla metà del valore corrispondente al tempo $t=0$.

Si ha immediatamente che è:

$$T_A = -\ 0,693 \cdot T$$

La decade T_{10}

Per decade o fattore dieci si intende il tempo T_{10} necessario perchè la potenza del reattore vari di un fattore 10.

Occorrerà un tempo $t = T_{10}$ per passare ad esempio dalla potenza di 1 watt a quella di 10 watts.

In generale sarà:

$$10 \cdot P(0) = P(0) \cdot e^{T_{10}/T}$$

$$10 = e^{T_{10}/T}$$

$$\ln 10 = T_{10}/T$$

$$T_{10} = 2,3025\ T \qquad (6.6.12)$$

La decade per minuto DPM e lo Start Up Rate SUR

Le decadi per minuto DPM sono date dal numero di volte per il quale la potenza iniziale $P(0)$ si moltiplica o divide per dieci nell'intervallo di tempo di un minuto.

Dalla definizione data di decade T_{10} si ha immediatamente che è:

$$DPM = \frac{1}{T_{10}} \qquad (6.6.13)$$

dove T_{10} è espresso in minuti primi.

Il **numero di volte** per cui la potenza del reattore **aumenta o diminuisce di un fattore dieci** in un minuto primo **è noto anche come Start Up Rate (SUR)**.

Ad esempio se la potenza del reattore cresce in un minuto primo di un fattore $100 = 10^2$ è $SUR = 2$ ed e $P(1) = 10^2\ P(0)$; se invece la potenza cresce ad esempio di un fattore 10 in quindici secondi, in un minuto primo cresce di 10x10x10x10 = 10^4 volte ed è quindi $SUR = 4$ con $P(1) = 10^4\ P(0)$.

In generale sarà quindi $P(1) = 10^{SUR} P(0)$.

Al tempo generico t la potenza del reattore è quindi data dalla relazione:

$$P(t) = P(0) \cdot 10^{SUR \cdot t} \qquad (6.6.14)$$

con t espresso in **minuti primi**.

La rel. 6.6.14 è ottenuta immediatamente dalle considerazioni precedenti e dalla definizione di Start Up Rate.

Infatti se la potenza del reattore cresce in un tempo $t = 1'$ di un fattore $100 = 10^2$, $SUR = 2$, in un tempo $t = 2'$ crescerà di $10^2 x 10^2 = 10^{2x2} = 10^{SUR \cdot t}$ volte, in un tempo $t = 3'$ crescerà di $10^2 x 10^2 10^2 = 10^{2x3} = 10^{SUR \cdot t}$ volte e così via.

Dalla rel. 6.6.4 o dalla definizione data del periodo T del reattore si ha d'altra parte che è:

$$P(t) = P(0) \cdot e^{t/T}$$

con il periodo T ed il tempo t espressi in secondi.

Per la stessa durata di tempo t espressa in secondi, applicando la proprietà transitiva alle due relazioni precedenti si ha l'eguaglianza seguente:

$$10^{SUR\, t/60} = e^{t/T}$$

da cui:

$$SUR \frac{t}{60} \ln 10 = \frac{t}{T}$$

$$SUR = \frac{60}{T \cdot \ln 10}$$

quindi:

$$SUR = \frac{60}{2{,}30258 \cdot T}$$

ed infine:

$$SUR = \frac{26{,}06}{T} \qquad (6.6.15)$$

dove il periodo T è espresso in **secondi**.

6.7. Il controllo meccanico del reattore

Muovere un assorbitore neutronico inserendolo o estraendolo dal nocciolo di un reattore nucleare provoca delle forti perturbazioni locali nella distribuzione spaziale del flusso neutronico e generali nel bilancio neutronico.

L'aumento o la diminuzione di valore del termine $A = \Sigma_a \phi$ che compare nell'equazione di bilancio presentata al Cap. 5 si riflette infatti sulla soluzione dell'equazione stessa ed in particolare sul valore e sul segno della derivata $dN(t)/dt$ cioè sull'andamento nel tempo della densità neutronica, che può rimanere costante, aumentare o diminuire, in altre parole il reattore può essere reso critico, sopracritico o sottocritico variando il valore del termine $A = \Sigma_a \phi$.

Nei reattori commerciali il controllo della reattività necessaria per l'avviamento, lo spegnimento ed i cambiamenti di livello della potenza è ottenuto principalmente anche se non esclusivamente come si vedrà più avanti, muovendo degli organi meccanici di controllo dette **barre di controllo** costituite da materiale con elevata sezione d'urto di assorbimento neutronico Σ_a.

La funzione delle barre di controllo per quanto riguarda il governo del reattore è quindi quella di modificare le modalità di sviluppo delle reazioni a catena, in breve la reattività del nocciolo o che è lo stesso lo stato di criticità, sottocriticità o sopracriticità del reattore.

Questo risultato è ottenuto modificando localmente il valore del fattore f di utilizzazione termica ed in minore misura il valore del fattore p di trasparenza alle risonanze.

L'influenza sul fattore f è di evidenza immediata e discende dalla sua definizione:

$$f = \frac{\Sigma_a \text{ combustibile}}{\Sigma_a \text{ combustibile} + \Sigma_i \cdot \Sigma_{ai} \text{ materiali nocciolo}}$$

inserendo o estraendo dal nocciolo le barre di controllo si modifica il termine a denominatore $\Sigma_i \cdot \Sigma_{ai}$.

L'influenza del movimento delle barre sul fattore p è dovuta invece a variazioni "spettrali" del flusso neutronico generate dall'assorbimento selettivo nelle barre di controllo di neutroni appartenenti alla regione termica dello spettro.

La penetrazione o l'estrazione delle barre di controllo nel/dal nocciolo del reattore producono anche un cambiamento non trascurabile nel valore del fattore di probabilità di non fuga L_f per neutroni veloci a causa della sostituzione delle barre ad un equivalente volume di moderatore e viceversa.

Nei reattori bollenti i Boiling Water Reactors BWR della General Electric, il materiale assorbitore i neutroni è il carburo di boro, B_4C.

Il carburo di boro in polvere è vibrocompattato entro tubi cilindrici di acciaio con diametro esterno di 4,78 mm lunghi quanto l'altezza complessiva del nocciolo del reattore.

Ogni barra di controllo è formata da 76 di questi tubi distribuiti in numero eguale in quattro lame montate in modo da dare alle barre viste in pianta una forma a croce come riportato in Fig. 6.7.1.

Ogni lama è costituita da una guaina di protezione con forma ad U in acciaio dello spessore di 0,76 mm che tiene assieme i rispettivi 19 tubi contenenti il carburo di boro. Ogni barra di controllo scorre verticalmente negli interspazi compresi tra quattro elementi di combustibile come indicato in Fig. 6.7.2.

Il carburo di boro contiene per circa il 76,5% del suo peso boro naturale. Il boro naturale è formato dai due isotopi ^{10}B e ^{11}B nelle percentuali rispettivamente del 20% e dell'80%.

Le proprietà nucleari e di assorbimento neutronico del carburo di boro sono riportate nella Tab. 6.7.1 e nella Fig. 6.7.3.

I neutroni con energia compresa tra il valore termico, circa 0,04 eV e 10 eV, quando interagiscono con il carburo di boro possono essere assorbiti al 100%.

L'assorbimento o cattura dei neutroni avviene principalmente tramite la reazione $^{10}B\ (n, \alpha)\ ^{7}Li$.

La temperatura di fusione del carburo di boro è di circa 2500 ^{o}C ed è molto superiore a quella che si genera nelle barre di controllo durante il funzionamento a potenza del reattore.

Nei reattori ad acqua in pressione, i Pressurized Water Reactor PWR della Westinghouse, le barre di controllo sono formate da una lega di argento-cadmio-indio (AgCdIn).

I tre materiali sono contenuti nelle seguenti percentuali in peso:

Argento	80%
Cadmio	5%
Indio	15%

Le proprietà di assorbimento neutronico delle barre AgCdIn sono riportate in Tab. 6.7.2 e Fig. 6.7.4.

Le barre di controllo in AgCdIn possono assorbire la quasi totalità dei neutroni che interagiscono con esse ed hanno energia cinetica compresa tra il valore termico 0,04 eV e circa 50 eV.

Le barre di controllo dei reattori PWR sono formate da grappoli di 16 o 24 singole barre di lega AgCdIn con guaina di protezione in acciaio inossidabile e riunite in una configurazione come quella riportata in Fig. 6.7.5.

Le barre di controllo scorrono verticalmente entro speciali elementi di combustibile nel cui reticolo mancano le barre di combustibile in corrispondenza delle singole barre di AgCdIn come riportato nella precedente Fig. 6.7.5. La lega AgCdIn ha temperatura di fusione attorno a 770 °C ÷ 820 °C.

Le condizioni operative mantengono la temperatura di equilibrio delle barre sempre al di sotto del valore di fusione.

Le temperature di fusione dei singoli componenti della lega sono rispettivamente:

Argento 1418 °C

Indio 155 °C

Cadmio 319 °C

6.7.1. La capacità di controllo

La capacità, in inglese "rod worth", delle barre di controllo di modificare il valore del fattore di moltiplicazione di nocciolo k e quindi il valore della reattività dello stesso dipende fortemente dalla posizione occupata dalla barra nel nocciolo del reattore.

La dipendenza dell'efficacia della barra o della sua capacità di controllo dalla posizione occupata nel nocciolo è spiegabile con le seguenti considerazioni:

- se la barra di controllo cattura neutroni che statisticamente contribuiscono prevalentemente alla produzione di nuovi eventi di fissione, sicuramente si produce una perturbazione sul valore del fattore di moltiplicazione di nocciolo k maggiore di quando la stessa barra cattura neutroni il cui destino finale statisticamente prevalente è quello di sfuggire dal nocciolo del reattore.

Una stessa barra quindi sarà più efficace, cioè avrà una valore associato di reattività maggiore, quando viene inserita in (o estratta da) una zona centrale del nocciolo dove i neutroni contribuiscono prevalentemente alle fissioni rispetto a quando viene inserita in (estratta da) una posizione periferica.

In prima approssimazione si può dire che la reattività associata ad una barra di controllo è proporzionale al quadrato del **flusso neutronico relativo** esistente nella posizione che occuperà nel nocciolo.

Per flusso neutronico relativo si intende il rapporto tra il valore del flusso neutronico nella posizione considerata ϕ_0 ed il valore del flusso neutronico medio $<\phi>$ su tutto il nocciolo reattore. Si ha quindi che è:

$$\rho_0 = \alpha \cdot \left(\frac{\phi_0}{<\phi>}\right)^2 \qquad (6.7.1)$$

La rel. 6.7.1 permette di affermare che la reattività associata ad ogni singola barra di controllo non dipende dal valore assoluto del flusso neutronico che la investe e quindi **non varia** con il livello di potenza del reattore (nell'ipotesi generalmente vera che il profilo del flusso neutronico non vari in maniera significativa con il livello di potenza).

La reattività associata ad ogni singola barra di controllo in generale **varia** sensibilmente al seguito di movimenti, inserzioni od estrazioni, delle barre di controllo vicine.

Questi movimenti infatti producono in generale forti perturbazioni nella distribuzione locale del flusso neutronico cioè sul valore del flusso neutronico a numeratore dell'eq. 6.7.1 ma non ovviamente sul valore medio $<\phi>$ del flusso di nocciolo che è proporzionale alla potenza del reattore supposta invariata.

Nel caso delle barre di controllo cruciformi dei BWR General Electric, l'area di influenza per la cattura dei neutroni è approssimativamente quella corrispondente al prodotto tra il perimetro della barra $p_l = 8 \cdot d$ con d braccio di ogni lama di barra vista in pianta e la lunghezza di diffusione termica L_t.

In prima approssimazione si può quindi stimare la reattività associata ad una barra di controllo cruciforme per reattori BWR con la relazione seguente:

$$\rho = \frac{8 \cdot d \cdot L_t}{S} \left(\frac{\phi_0}{<\phi>}\right)^2 \qquad (6.7.2)$$

dove s è l'area totale della sezione retta del nocciolo del reattore.

Esempio

Si valuti la reattività, o "rod worth", di una barra di controllo cruciforme inserita successivamente in due zone di nocciolo dove il flusso neutronico relativo ($\phi/<\phi>$) vale 1,6 ed 1,2 rispettivamente.

Il reattore sia a base circolare di raggio $R=120$ cm; la barra di controllo abbia braccia $d=10$ cm e sia $L_t=1,8$ cm.

Dall'eq. 6.7.2 applicata due volte si ha rispettivamente:

$$\rho_1 = \frac{8 \cdot 10 \cdot 1,8}{\pi \cdot 120^2} (1,6)^2$$

$$\rho_1 = 8,15 \cdot 10^{-3} \frac{\Delta k}{k} = 815 \text{ p.c.m.}$$

$$\rho_2 = \frac{8 \cdot 10 \cdot 1,8}{\pi \cdot 120^2} (1,2)^2$$

$$\rho_2 = 4,58 \cdot 10^{-3} \frac{\Delta k}{k} = 458 \text{ p.c.m.}$$

6.7.2. La capacità differenziale e la capacità integrale delle barre di controllo

Nei reattori ad acqua naturale sia bollenti BWR che pressurizzati PWR, le barre di controllo si muovono nel nocciolo scorrendo verticalmente e parallelamente agli elementi di combustibile.

Nei BWR penetrano il nocciolo entrando dal basso e risalendo per incrementi discreti mentre nei PWR penetrano dall'alto scendendo con moto generalmente continuo.

Queste modalità di penetrazione consentono di fermare le barre in posizioni intermedie tra i due estremi rappresentati dalle due condizioni:

- barra completamente inserita;
- barra completamente estratta;

e quindi di introdurre o estrarre dal nocciolo quantità di reattività conformi alle esigenze di esercizio.

La **reattività differenziale** è definita come la variazione di reattività $\Delta\rho$ del nocciolo intervenuta per una variazione $\Delta L = L_2 - L_1$ della quota occupata da una barra.

Se la reattività è espressa in p.c.m., la reattività differenziale è espressa generalmente in p.c.m./cm.

Se si riporta in un grafico come quello di Fig. 6.7.6 la reattività differenziale in funzione della posizione assiale occupata da una singola barra, in breve si usa dire la reattività differenziale della barra, si nota la analogia tra la curva risultante e quella che descrive l'andamento assiale del flusso neutronico relativo nella posizione occupata dalla barra.

Questo andamento è conseguenza ovvia della proporzionalità diretta espressa dall'eq. 6.7.1 tra reattività della barra e quadrato del flusso neutronico relativo.

A causa del profilo non uniforme del flusso neutronico assiale nei casi reali come riportato indicativamente in Fig. 6.7.7, ogni variazione di quota o posizione verticale occupata da una barra comporta in generale una variazione di reattività del nocciolo differente a parità di "corsa" di barra inserita o estratta con il movimento rispettivamente di penetrazione o rimozione.

In pratica per ottenere la curva della reattività differenziale della barra si procede nel modo seguente.

Si porta il reattore alla criticità tenendo la barra di cui si vuole misurare la reattività completamente inserita. Si estrae quindi la barra per un tratto Δh_0 ed a transitorio esaurito (vedi par. 7.5) si misura il periodo stabile T del reattore.

Dalla relazione tra reattività ρ e periodo T del reattore si ottiene il valore $\Delta\rho_0$ che corrisponde all'estrazione della barra per il tratto Δh_e.

Mantenendo ferma la barra in misura, si riporta il reattore alla criticità inserendo quanto basta le barre di controllo più lontane.

Quando il reattore è di nuovo sicuramente stabile, cioè critico, si estrae la barra per un altro tratto Δh_1, e si procede con le cautele sopra ricordate alla misurazione della relativa reattività $\Delta\rho_1$.

L'operazione va ripetuta per successivi tratti Δh_i fino alla completa estrazione della barra.

Riportando in grafico i valori $(\Delta\rho/\Delta h)_i$ in funzione dei rispettivi passi di misurazione, si ottengono curve del tipo riportato in Fig. 6.7.8.

Esempio di valutazione della reattività differenziale di una barra di controllo

Si abbia un reattore critico caratterizzato dai seguenti valori:

$\Sigma_i\beta_i = \beta = 0{,}0064$; $l_p = 5 \cdot 10^{-5}$ s; $<\tau> = 12{,}34$ s.

Si estrae ora una barra di controllo per un tratto $\Delta h = 10$ cm *e si osserva un periodo stabile* $T = 30$ s.

Si chiede qual'è il valore medio della reattività differenziale $\Delta\rho/\Delta h$ *relativo alla lunghezza* Δh *di barra estratta.*

Soluzione.

Si valuti anzitutto la reattività complessivamente liberata estraendo la barra per la lunghezza Δh. A questo scopo si applichi la rel. 6.6.7 tra reattività e periodo.

Si ha:

$$\rho = \frac{1}{T} (l_p + \beta \langle \tau \rangle)$$

$$\rho = \frac{1}{30} (5 \cdot 10^{-5} + 0{,}0064 \cdot 12{,}34)$$

$$\rho = 0{,}17 \cdot 10^{-5} + 263{,}37 \cdot 10^{-5}$$

$$\rho = 263{,}54 \text{ p.c.m.}$$

Il valore medio della reattività differenziale nel tratto Δh è ora immediatamente ottenuto osservando che, per quanto detto a commento della rel. 6.5.1, il valore della reattività ρ calcolata coincide con la variazione di reattività $\Delta\rho$ del nocciolo tra le due condizioni: prima e dopo l'estrazione Δh della barra.

Si ha quindi:

$$\left\langle \frac{\Delta\rho}{\Delta h} \right\rangle = \frac{263{,}54}{10} = 26{,}35 \text{ (p.c.m/cm)}$$

La **reattività integrale** associata o controllata da una barra è a sua volta ottenuta misurando l'area sottesa dalla curva della reattività differenziale.

Il valore della reattività integrale associata ad ogni coppia di posizioni assiali occupate dalla barra e che distano tra di loro di una quantità Δh_i, è data dal prodotto del valore differenziale $(\Delta\rho/\Delta h)_i$ per il corrispondente spostamento o corsa assiale Δh_i, in breve dall'area $A_i = (\Delta\rho/\Delta h)_i \cdot \Delta h_i$ come schematizzato in Fig. 6.7.9(a).

La reattività totale o **integrale** ρ della barra sarà quindi data dalla somma di tutte le aree A_i sottese dalla curva della reattività differenziale della barra stessa. Sarà cioè:

$$\rho = \Sigma_i A_i \qquad (6.7.3)$$

In Fig. 6.7.9(b) è riportato un esempio di come si ottiene dalla curva sperimentale della reattività differenziale della barra, la curva che ne descrive la reattività integrale.

E' importante notare le differenze esistenti tra i valori delle singole reattività parziali $A_i \equiv (\Delta\rho/\Delta h)_i \Delta h_i$ in corrispondenza delle differenti coppie di posizioni assiali occupate dalla barra.

Questa osservazione permette infatti di valutare quanto **differenti** possano essere tra di loro i valori della reattività liberata (o assorbita) in corrispondenza di **eguali** escursioni Δh della barra.

La forma della curva della reattività integrale controllata o associata ad una barra fornisce delle utili indicazioni all'operatore del reattore.

Una curva del tipo riportata in Fig. 6.7.10(a) indica ad esempio che quando la barra è completamente inserita, estrarla per liberare reattività positiva è quasi senza effetto alcuno fino alla quota corrispondente a circa il 20% della sua corsa; viceversa se la barra è già inserita fino a circa l'80% inserirla ulteriormente per introdurre reattività negativa nel reattore è praticamente inutile perchè senza effetto.

Se all'opposto la curva integrale è del tipo di Fig. 6.7.10(b) estrarre la barra oltre il 75% della sua corsa non produce liberazione di reattività e viceversa quando essa è completamente estratta in caso si abbia necessità di urgente inserzione di reattività negativa agendo su quella barra si fallisce allo scopo in quanto il tempo necessario per passare dallo 0% al 25% della sua corsa è del tutto senza effetto sulla reattività del sistema. Infine si può osservare per entrambe le curve (a) e (b) di Fig. 6.7.10, che nel tratto efficace della loro corsa a piccole variazioni di quota Δh corrispondono valori di reattività piuttosto elevati che possono rendere difficoltose e poco sicure le manovre di controllo e regolazione del reattore.

Nota la capacità di controllo totale, in breve la reattività, di una barra di controllo in una posizione $P_0(x_0, y_0)$ del nocciolo reattore è possibile stimare con sufficiente approssimazione il valore in reattività della stessa barra in una qualunque differente posizione del nocciolo $P(x, y)$ con la seguente relazione ottenuta dall'eq. 6.7.1 applicata alle due posizioni P_0 e P.

$$\left(\frac{\Delta k}{k}\right)_{P(x,y)} = \left(\frac{\Delta k}{k}\right)_{P(x_0,y_0)} \cdot \left(\frac{\phi}{\phi_0}\right)^2 \qquad (6.7.4)$$

dove ϕ e ϕ_0 sono rispettivamente i valori del flusso neutronico medio nelle posizioni $P(x,y)$ e $P_0(x_0,y_0)$.

E' importante osservare quanto segue:

a) quando tutte le barre sono inserite nel nocciolo del reattore il flusso neutronico risulta fortemente depresso dalla loro presenza. L'estrazione in queste condizioni di una singola barra comporta l'inserzione di una quantità di reattività positiva superiore a quella corrispondente alla stessa barra quando venisse estratta dalla stessa posizione nel nocciolo ma con tutte le altre barre estratte o solo parzialmente inserite a causa della maggiore perturbazione che si verifica nella distribuzione del flusso neutronico;

b) la capacità di controllo di un gruppo di barre **non** è in generale eguale alla somma della capacità di controllo delle singole barre a causa dell'influenza reciproca tra una e l'altra barra quando queste sono sufficientemente vicine da risultare neutronicamente accoppiate;

c) la capacità di controllo di un gruppo di barre dipende dalla posizione degli altri gruppi di barre.

   Per costruire la curva integrale della capacità di controllo dei vari gruppi di barre che costituiscono il sistema di controllo del reattore è di conseguenza necessario specificare esattamente la sequenza di movimento rispetto alla quale è valido un certo valore $\Delta\rho$;

d) la curva integrale risultante dall'estrazione in sequenza di gruppi di barre può presentare delle zone piatte cioè poco o nulla efficaci a causa del valore differenziale modesto di ogni singolo gruppo in prossimità dello 0% e del 100% dei rispettivi livelli di estrazione. In Fig. 6.7.11 è mostrato un esempio nel caso di tre gruppi di barre **A**, **B** e **C**.

   Per ottenere un andamento più uniforme della curva integrale della reattività del sistema e quindi una più uniforme efficacia della capacità di controllo, è sufficiente realizzare sequenze di movimento dei gruppi che prevedano il sovrapporsi dell'estrazione di un gruppo alla fase terminale di estrazione del gruppo precedente come schematizzato in Fig. 6.7.12.

Per meglio precisare quanto accennato al punto (c) precedente sugli effetti di reattività che il movimento, penetrazione o estrazione, di una o più barre di controllo possono indurre sulle altre barre, consideriamo la configurazione del nocciolo di un BWR riportata in Fig. 6.7.13 dove sono indicate anche le posizioni **A**, **B**, **C**, **D**, **E**, **F**, **G** occupate dalle barre di controllo.

Come presentato in precedenza la reattività associata ad ogni singola barra è data dal prodotto del quadrato del fattore posizione ($\phi_0/<\phi>$) per l'"area relativa di assorbimento neutronico" che nel caso delle barre cruciformi dei BWR si è visto che vale $s \cdot d \cdot L_t / S$ con S area della sezione retta del nocciolo del reattore.

Il fattore "area relativa di assorbimento neutronico" è eguale per tutte le barre in quanto queste sono tutte geometricamente identiche le une alle altre quindi la differenza nella capacità di controllo delle singole barre nelle differenti posizioni occupate nel nocciolo è funzione del fattore di posizione, in ultima analisi della quantità ($\phi_0/<\phi>)^2$.

Si supponga che per un'assegnata posizione reciproca delle barre che costituiscono il sistema di controllo e sicurezza, il fattore di posizione nelle diverse posizioni del nocciolo sia quello riportato nella tabella allegata alla Fig. 6.7.13.

La capacità di controllo delle barre centrali, quelle nella posizione **A**, rispetto a quella delle barre periferiche situate in **F**, è data dal rapporto tra i quadrati dei due rispettivi fattori di posizione:

$$\left(\frac{\phi_0}{<\phi>}\right)^2_A \Big/ \left(\frac{\phi_0 t}{<\phi>}\right)^2_F = 2,56/0,36 \simeq 7$$

essa risulta circa 7 volte superiore al valore di queste ultime.

Se ora si muove una parte delle barre contenute nel nocciolo mentre le altre restano ferme nelle posizioni precedenti, si possono produrre delle forti variazioni nella distribuzione spaziale del flusso neutronico su alcune parti del nocciolo che a loro volta possono indurre anche altissimi valori di reattività associati ad alcune barre.

Ad esempio supponiamo che la barra in **B** di Fig. 6.7.13 venga completamente estratta dal nocciolo. In questa nuova configurazione il flusso neutronico locale di zona, compresa la posizione **A**, aumenterà notevolmente di valore; il fattore di posizione in **A** supponiamo che passi dal valore precedente 1,6 al valore $(\phi_0/<\phi>)_A = 2{,}7$.

Il valore in reattività della barra in A quando la barra in **B** è completamente estratta diviene $(2{,}7/1{,}6)^2 = 2{,}85$ volte superiore a quello corrispondente alla configurazione con barra **B** inserita.

Questa situazione rende estremamente critico l'uso della barra in **A** in quanto anche piccoli spostamenti, provocano forti variazioni di reattività. Possono anche verificarsi casi in cui l'estrazione della barra in **A** liberi sufficiente reattività da rendere il reattore sopracritico.

Per evitare questa evenienza è pratica corrente programmare attentamente la sequenza di movimentazione delle barre per l'avviamento del reattore in modo da rendere minima l'interazione tra le singole barre di controllo cioè in modo da rendere trascurabili o modeste le variazioni indotte dal movimento di ogni barra sulla reattività associata a tutte le altre.

In pratica le sequenze sono studiate in modo da rimuovere di volta in volta barre situate in aree di nocciolo lontane le une dalle altre ed anche simmetricamente disposte per evitare che il flusso neutronico e quindi la potenza risulti dissimetricamente disposto rispetto a riferimenti naturali come ad esempio un piano orizzontale passante per il centro del reattore od uno verticale che contenga l'asse centrale del nocciolo del reattore.

A titolo di esempio se l'avviamento del reattore inizia con l'estrazione della barra in **A** una sequenza corretta potrebbe essere quella di estrarre la barra in **E** che sicuramente influirà poco sulla barra in **A**. Le barre nelle posizioni **E** degli altri quadranti potrebbero quindi essere estratte una alla volta con effetti reciproci trascurabili e realizzando contemporaneamente configurazioni simmetriche nei vari quadranti.

Le barre contenute nelle posizioni **E** possono essere considerate appartenenti ad un unico gruppo della sequenza. La sequenza potrebbe poi continuare estraendo una alla volta le barre del gruppo nelle posizioni **G** e così proseguire fino al raggiungimento della criticità del reattore.

6.7.3. Controllo chimico della reattività

Nei reattori pressurizzati i PWR, la compensazione di parte dell'eccesso di reattività $k_{ex}=k-1$ contenuta nel nocciolo è ottenuta diluendo nel moderatore un materiale forte assorbitore di neutroni termici indicato spesso come veleno neutronico.

Questa soluzione tecnologica è possibile nei PWR in quanto in questi reattori il moderatore che svolge anche funzioni di refrigerante del nocciolo non subisce cambiamenti di fase, cioè non bolle, ed appartiene ad un circuito o sistema, il primario, che lo mantiene nettamente separato dal fluido di lavoro che si espande in turbina.

La compensazione di buona parte dell'eccesso di reattività del nocciolo con il veleno disciolto nel moderatore permette nei PWR di funzionare a potenza con le barre di controllo quasi completamente estratte dal nocciolo e quindi di ottenere distribuzioni neutroniche spaziali sia in senso assiale che radiale, prive delle forti perturbazioni altrimenti prodotte dalle barre.

In questo modo si hanno minori probabilità di formare nel nocciolo del reattore delle zone circoscritte note come punti caldi, hot spot nella letteratura anglosassone, entro le quali si abbia un eccessivo sviluppo di calore a causa dell'elevato numero di fissioni $cm^3 \cdot s^{-1}$ prodotte da picchi di flusso neutronico.

L'uso del veleno neutronico disciolto nel moderatore o in breve il controllo chimico riduce anche il numero complessivo delle barre di controllo necessarie per annullare per compensazione l'eccesso di reattività contenuto nel nocciolo.

Il controllo chimico si realizza con una soluzione di acido borico H_3BO_3 in acqua.

La concentrazione della soluzione si misura generalmente in parti per milione in peso di boro nell'acqua.

La concentrazione del boro c_B è definita quindi dalla:

$$c_B = \frac{\text{grammi di boro}}{\text{grammi di acqua}} \quad (\text{p.p.m.})$$

Una concentrazione c_B = 1000 p.p.m. significa:

$$c_B = \frac{0{,}001 \text{ grammi di boro}}{1{,}00 \text{ grammi di acqua}}$$

Un altro modo frequente di misurare la concentrazione della soluzione è quello che fa riferimento all'unità di volume dell'acqua.

Se si assume che la densità dell'acqua sia $d=1 g/cm^3$, una concentrazione di 1000 p.p.m significa avere 0,001 grammi di boro/cm^3 oppure 0,001 grammi di boro/ml di H_2O.

Il sistema di controllo della concentrazione dell'H_3BO_3 di cui sono dotati gli impianti PWR, permette di variare la concentrazione della soluzione durante il funzionamento del reattore.

Questo processo avviene lentamente; un valore tipico della variazione massima Δc_B della concentrazione del veleno neutronico che si può ottenere nell'unità di tempo, espresso in termini di reattività, è di circa 3 p.c.m/secondo.

Il sistema di controllo basato sulla variazione della concentrazione di H_3BO_3 permette quindi di compensare effetti di reattività che si sviluppano lentamente nel tempo.

Tali effetti sono principalmente:

- la perdita di reattività per consumo del materiale fissile iniziale;
- la perdita di reattività per l'accumulo nel combustibile di prodotti di fissione ad alta sezione di cottura neutronica (principalmente ^{135}Xe e ^{149}Sm come si dirà al Cap. 9);
- la produzione di reattività per conversione dell'^{238}U nel fissile ^{239}Pu.

6.7.4. Capacità di controllo integrale e differenziale del boro disciolto

La variazione nel valore della sezione macroscopica Σ_a di assorbimento neutronico del moderatore in funzione della concentrazione di H_3BO_3 è riportata in Fig. 6.7.14 ed in Tab. 6.7.3. La variazione della sezione Σ_a è lineare con la concentrazione c_B dell'acido borico espressa in p.p.m.

Si osservi però che la variazione di reattività $\Delta\rho$ conseguente alla variazione di concentrazione Δc_B dell'acido borico disciolto nel moderatore varia con la concentrazione stessa in modo non lineare come mostrato in Fig. 6.7.15.

Si ha cioè anche in questo caso un valore differenziale $\Delta\rho/\Delta c_B$ detto "valore differenziale del boro", espresso in p.c.m./p.p.m., variabile con la concentrazione c_B ed analogo nel suo significato alla reattività differenziale di barra $\Delta\rho/\Delta h$ (p.c.m./cm).

La causa che determina la variazione nel valore di $\Delta\rho/\Delta c_B$ in funzione di c_B è dovuta all'effetto autoschermante reciproco dei nuclei di boro.

Come si vede anche dalla Fig. 6.7.15 il valore $\Delta\rho/\Delta c_B$ è maggiore a basse concentrazioni di boro e diminuisce gradualmente con il crescere di c_B. Infatti maggiore è il numero di nuclei di boro presenti nel moderatore maggiore è la probabilità che ognuno di loro venga schermato o nascosto ai neutroni dagli altri nuclei. In conclusione diminuisce per ogni nucleo la probabilità di assorbire un determinato neutrone. Il valore differenziale del boro $\Delta\rho/\Delta c_B$ varia anche con il variare della temperatura del moderatore come mostrato nella stessa Fig. 6.7.15.

Si vede che $\Delta\rho/\Delta c_B$ diminuisce al crescere della temperatura T_M.

Questo effetto è dovuto alla minore massa di moderatore contenuta nell'unità di volume al crescere della sua temperatura. La minore massa di moderatore comporta una minore quantità di boro a parità di concentrazione in p.p.m e quindi una minore variazione di atomi di boro per unità di volume e quindi una minore variazione di reattività $\Delta\rho$ al crescere della temperatura.

La curva della reattività integrale controllata dal boro si ottiene dalla curva della reattività differenziale $\Delta\rho/\Delta c_B$ allo stesso modo di come si ottiene la curva di reattività integrale della barra di controllo dalla relativa curva di reattività differenziale come mostrato in Fig. 6.7.16.

Come esempio, nella figura è riportata la curva che descrive la reattività integrale controllata dal boro relativa ai valori differenziali di Fig. 6.7.15.

Osserviamo per concludere che il boro viene aggiunto o disciolto nel moderatore del reattore per contribuire a controllare l'eccesso di reattività k_{ex} che deve essere contenuta nel reattore per compensare sia il consumo di combustibile che si verifica con il funzionamento del reattore a potenza, sia l'avvelenamento neutronico del combustibile dovuto alla generazione dei prodotti di fissione ad alta sezione di cattura neutronica come lo sono lo ^{135}Xe ed il ^{149}Sm oltre ad altri effetti di potenza che verranno presentati ai Capp. 8 e 9.

Nei PWR recenti, la reattività controllata dal boro ad inizio vita **BOL** (**B**egining **o**f **L**ife) vale circa 20% $\Delta k/k$ con reattore freddo, cioè a temperatura ambiente. La concentrazione di boro corrispondente è di circa 2000 p.p.m.; da questi valori si può dedurre che in media è $\Delta\rho/\Delta c_B \approx -10$ p.c.m/p.p.m.

Quando il reattore viene portato alla potenza nominale l'aumento di temperatura conseguente introduce reattività negativa come sarà presentato al Cap. 8. Ad inizio vita (**BOL**) per mantenere critico il reattore alla potenza nominale è necessario ridurre la concentrazione del boro a circa 1150 ÷ 1200 p.p.m.

Durante la vita o meglio durante un ciclo di funzionamento la concentrazione del boro nel moderatore dovrà essere ulteriormente ridotta come riportato indicativamente in Fig. 6.7.17.

La forte riduzione iniziale, da circa 1200 p.p.m a circa 800 p.p.m, è dovuta al formarsi, con il funzionamento, dei veleni neutronici Xe e Sm già ricordati; la seguente lenta riduzione nella concentrazione dell'H_3BO_3 è dovuta alla compensazione necessaria per fronteggiare il consumo nel tempo del combustibile fissile.

A fine ciclo, **End of Cycle (EOC)**, la concentrazione di boro nel moderatore è sempre molto bassa; un valore tipico della concentrazione a fine ciclo è $c_B \leq 50$ p.p.m..

6.7.5. Veleni bruciabili

Un'altra tecnica usata per controllare l'eccesso di reattività iniziale k_{ex} del nocciolo consiste nell'introdurre nell'elemento di combustibile piccole quantità di materiali con sezione di assorbimento per neutroni termici superiore a quella dell'^{235}U.

Questi materiali, noti anche come veleni neutronici bruciabili, sono scelti in modo che la reazione di assorbimento neutronico li trasformi in elementi con sezione di cattura neutronica trascurabile e quindi con influenza praticamente nulla sul bilancio neutronico. L'attributo "bruciabili" viene loro dato per ricordare la loro presenza temporanea nel nocciolo reattore.

L'obiettivo di progetto nell'uso dei veleni bruciabili è quello di ottenere un sistema che libera reattività positiva gradualmente durante il funzionamento del reattore a potenza al fine di compensare la perdita di reattività a causa del consumo del combustibile ossia del materiale fissile.

Il progetto deve determinare anche le condizioni perchè la "velocità" di "bruciamento" dei veleni neutronici sia consistente con la perdita di reattività a causa del funzionamento a potenza del reattore.

Infatti se il consumo o bruciamento del veleno neutronico è troppo rapido, può liberarsi reattività positiva in eccesso rispetto a quella necessaria per compensare sia il consumo del combustibile sia l'avvelenamento da prodotti di fissione.

Questa situazione può invalidare il criterio di sicurezza relativo al "margine di spegnimento", criterio che verrà presentato al paragrafo seguente.

Viceversa una velocità di bruciamento troppo lenta può costringere a ridurre la durata del ciclo di funzionamento alla potenza nominale. Infatti se il veleno neutronico brucia troppo lentamente (rispetto alla perdita di reattività per consumo di fissile e produzione di prodotti di fissione ad alta sezione di cattura per i neutroni) il reattore può raggiunge, in anticipo rispetto alla data prevista di fine ciclo, condizioni di insufficiente reattività per proseguire il funzionamento con notevoli conseguenze economiche negative.

I materiali comunemente usati come veleni bruciabili sono il boro ed il gadolinio. La sezione d'urto di assorbimento neutronico in zona termica degli isotopi naturali di questi elementi sono riportate in Tab. 6.7.4.

L'isotopo ^{10}B dà luogo alla reazione (n, α) già vista mentre i due isotopi del gadolinio danno luogo a reazioni del tipo (n, γ).

Nei reattori pressurizzati, i PWR, è comune usare il boro introdotto nel combustibile nella forma vetrosa cioè come silicato di boro con il 12,5% in peso di B_2O_3.

Al silicato è data la forma di barrette che in numero da 16 a 20 vengono sistemate in un elemento di combustibile speciale nelle stesse posizioni che in un elemento di combustibile normale vengono occupate dalle barrette AgCdIn di una barra di controllo.

Il controllo di reattività che si ottiene è generalmente compreso tra 6% ed 8% $\Delta k/k$.

Nei reattori bollenti il veleno bruciabile è l'ossido di gadolinio Gd_2O_3 mescolato direttamente con la polvere di UO_2 nelle barrette combustibile.

Anche nei BWR l'eccesso di reattività controllato dai veleni bruciabili vale circa 8% $\Delta k/k$.

In elementi di combustibile di recente progettazione del tipo 8x8 per reattori BWR, generalmente si sostituiscono alcune barrette di UO_2, da 3 a 5, con altrettante contenenti anche Gd_2O_3 come veleno neutronico.

Questo ultimo in generale è a concentrazione isotopica variabile assialmente come riportato indicativamente in Fig. 6.7.18.

La differente concentrazione del veleno neutronico in senso assiale ha lo scopo di contribuire a controllare la distribuzione neutronica assiale; in questo tipo di reattori infatti a causa dell'ebollizione nella zona alta dei canali la distribuzione della potenza tende ad avere il massimo in prossimità dell'ingresso dei canali cioè verso l'estremità inferiore dell'elemento come mostrato in Fig. 6.7.19.

6.8. Margine di spegnimento

Un reattore nucleare deve potere essere reso sottocritico partendo da una qualunque sua condizione operativa.

Il valore di sottocriticità del reattore che si ottiene con l'inserimento di tutte le barre di controllo è noto come **Margine di Spegnimento MdS**; nella letteratura anglosassone è indicato come Shut Down Margin **SDM**.

Il Margine di Spegnimento espresso in termini di reattività ρ del nocciolo del reattore è dato quindi dalla relazione:

$$MdS = -\rho = \frac{1-k}{k}$$

Se ad esempio è MdS = 7,5% $\Delta k/k$ risulta:

$$\frac{1-k}{k} = 0,075; \qquad 1 = k\ (1+0,075)$$

$$k = \frac{1}{1,075} = 0,93$$

Per ogni impianto esiste un **valore minimo** $(\Delta k/k)_0$ del **Margine di spegnimento** che le Prescrizioni Tecniche richiedono venga rispettato **durante tutto il ciclo** di funzionamento del reattore **anche nel caso** si verifichi che all'atto del suo spegnimento, che può avvenire in un momento qualunque, **la barra più reattiva resti completamente estratta dal nocciolo.**

Questo criterio è detto anche **criterio della barra bloccata** in quanto deriva dall'ipotesi che per una qualunque causa una delle barre di controllo **non** entri nel nocciolo al comando di spegnimento del reattore sia rapido (scram) che guidato.

La sua applicazione ha come conseguenza che è necessario limitare l'eccesso di reattività ρ_{ex} che può essere aggiunta al nocciolo del reattore per tener conto contemporaneamente:

- della capacità di controllo del sistema di barre e dei veleni bruciabili;

- del rispetto del Margine di Spegnimento;
- del valore in reattività della barra più efficace.

L'insieme di questi vincoli schematizzati anche in Fig. 6.8.1 conduce a scrivere la seguente relazione:

$$\rho_o \leq \rho_c - (\rho_{ex} + \mathbf{MdS}) > 0$$

dove ρ_o è il valore della barra più efficace e ρ_c è la reattività complessivamente controllata dal sistema di barre (di sicurezza, controllo e regolazione) e dai veleni bruciabili.

Il valore massimo della reattività ρ_o della barra più efficace è limitato a sua volta da un altro criterio che impone la seguente condizione: **l'estrazione dal nocciolo di una singola barra con tutte le altre inserite non deve essere sufficiente per rendere critico il reattore.**

La condizione imposta di mantenere il margine di spegnimento durante tutto il ciclo di funzionamento del reattore non inferiore al valore minimo prescritto $\mathbf{MdS} = (\Delta \mathbf{k}/\mathbf{k})_o$ richiede che vengano fatte delle verifiche sull'andamento nel tempo del coefficiente di moltiplicazione $\mathbf{k}$ per garantire che anche nelle condizioni di maggiore reattività del nocciolo il reattore possa essere reso sottocritico almeno per la quantità $\rho = \mathbf{MdS} = (\Delta \mathbf{k}/\mathbf{k})_o$ con tutte le barre inserite esclusa la più efficace che è supposta completamente estratta dal nocciolo.

Il massimo di reattività del nocciolo infatti non sempre coincide con l'inizio del ciclo di funzionamento; ad esempio un nocciolo contenente veleno neutronico bruciabile, come è il caso dell'ossido di gadolinio nei moderni BWR, presenta un andamento del coefficiente $\mathbf{k}$ in funzione del bruciamento b (o che è lo stesso del tempo t) come quello riportato indicativamente in Fig. 6.8.2.

Per un certo periodo del ciclo il coefficiente k assume valori superiori a quello iniziale k_1 come riportato nella Fig. 6.8.2 precedente dove Δ è l'incremento massimo sul valore iniziale. Per rispettare la condizione $MdS \geq (\Delta k/k)_0$ su tutto il ciclo è necessario che ad inizio ciclo il Margine di Spegnimento minimo sia:

$$MdS = \left(\frac{\Delta k}{k}\right)_0 + \Delta$$

Infatti questo valore iniziale del Margine di Spegnimento assicura che lo spegnimento del reattore nel momento di massima reattività del nocciolo, il tempo t^* di Fig. 6.8.2, produce un valore di $MdS = (\Delta k/k)_0$ come richiesto dalle Prescrizioni Tecniche.

Una ulteriore limitazione al valore massimo della reattività controllata da una singola barra è imposta da un criterio di sicurezza che qui viene solo enunciato ed è finalizzato al mantenimento dell'integrità strutturale del combustibile.

Detto criterio prescrive che il valore massimo della sollecitazione termica (calorie/grammo) subita dal combustibile a causa dell'escursione di potenza dovuta all'improvvisa ed accidentale fuoriuscita dal nocciolo di una barra di controllo **non** deve superare un valore prestabilito.

Ad esempio per il combustibile dei BWR General Electric 8x8 di recente progettazione il valore limite è 280 calorie/grammo.

Poichè il valore della sollecitazione termica dipende dal valore della reattività controllata dalla barra, limitare la sollecitazione termica significa limitare la reattività controllata dalla barra.

Il criterio interviene anche per limitare la pendenza del profilo della curva che descrive la reattività integrale controllata da una barra di cui si è parlato al par. 6.7.2.

Se il profilo della curva della reattività integrale è del tipo (a) o (b) di Fig. 6.7.10 o presenta pendenza maggiore per un tratto significativo della sua corsa come è riportato ad esempio in Fig. 6.8.3, è intuitivo comprendere che nel tempo brevissimo necessario perchè la barra espulsa dal nocciolo percorra il tratto ab, si inserisce una grande quantità di reattività che può rendere sopracritico il reattore con i soli neutroni pronti, con conseguente forte escursione di potenza.

6.9. Sorgenti neutroniche

In generale in un reattore nucleare oltre ai neutroni prodotti dagli eventi di fissione sono presenti anche neutroni prodotti da altre sorgenti che si possono classificare come:

- sorgenti neutroniche intrinseche;
- sorgenti neutroniche ausiliarie.

Le sorgenti neutroniche intrinseche sono rappresentate dalle reazioni che si verificano nei materiali del nocciolo del reattore.

Poichè la generalità di queste reazioni avvengono naturalmente, le sorgenti neutroniche intrinseche debbono essere considerate come una caratteristica del nocciolo reattore.

Le reazioni tipiche che costituiscono le sorgenti intrinseche di neutroni nei reattori del tipo LWR sono:

- la fissione spontanea;
- la produzione di fotoneutroni;
- le reazioni (α, n).

La fissione spontanea

L'^{238}U ha una mezza vita per la fissione spontanea $T_{1/2} = 8,15 \cdot 10^{15}$ anni come già ricordato al Cap. 1.

La produzione per unità di tempo di neutroni per fissione spontanea dell'^{238}U è data dalla:

$$P = \left(\frac{N_A}{M}\right) \cdot \lambda \cdot \nu \quad (\text{neutroni } g^{-1} \cdot s^{-1})$$

dove:

N_A ≡ numero di Avogadro = $6{,}02 \cdot 10^{23}$ atomi/grammo atomo

M ≡ massa atomica ^{238}U in grammi/grammo atono

λ ≡ costante di decadimento dell'^{238}U per fissione spontanea = $2{,}7 \cdot 10^{-24}$ sec^{-1}.

ν ≡ numero medio di neutroni/fissione; $\nu \simeq 2{,}5$

Si ha quindi:

$$P = \frac{0{,}602 \cdot 10^{24} \cdot 2{,}7 \cdot 10^{-24} \cdot 2{,}5}{238} \quad 3600$$

$$P = 61{,}5 \text{ neutroni/grammo ora}$$

Il numero di fissioni spontanee nell'unità di tempo per grammo di ^{235}U è circa 1/20 di quelle per l'^{238}U: ricordiamo che è $(T_{1/2})^{235} = 1{,}8 \cdot 10^{17}$ anni.

Poichè la concentrazione di atomi di ^{235}U nel combustibile dei LWR è di circa uno su 40 nuclei di ^{238}U, in generale si trascura il contributo delle fissioni spontanee in ^{235}U come sorgente intrinseca di neutroni.

Fotoneutroni

La produzione di fotoneutroni è dovuta alla dissociazione del deuterio indotta da fotoni gamma.

Il deuterio è un isotopo pesante dell'idrogeno che si trova naturalmente nell'acqua.

L'energia di legame del neutrone nel nucleo di deuterio è di 2,23 **MeV**; *è quindi necessario disporre di radiazione gamma con fotoni di energia eguale o superiore a 2,23* **MeV** *per promuovere la reazione.*

Fotoni di questa energia sono comuni nel decadimento dei prodotti di fissione.

La reazione è la seguente:

$$\gamma + {}^{2}_{1}D \longrightarrow {}^{1}_{1}H + {}^{1}_{0}n$$

L'intensità di questa sorgente cambia quindi significativamente durante la vita del nocciolo reattore in quanto l'accumulo di prodotti di fissione cambia la disponibilità di radiazioni γ con energia $E \geq$ 2,23 **MeV**; con nocciolo tutto fresco questa sorgente è praticamente nulla e cresce poi con il funzionamento a potenza sia per la presenza nel combustibile di quantità crescenti di prodotti di fissione che decadono gamma e sia a causa della formazione di deuterio per reazione dei neutroni sull'idrogeno:

$${}^{1}_{0}n + {}^{1}_{1}H \longrightarrow {}^{2}_{1}D$$

Reazioni (α, n)

La sorgente intrinseca dovuta a questo tipo di reazione è la meno importante tra quelle ricordate. Essa è dovuta alla reazione (α, n) sull'isotopo ^{18}O dell'ossigeno.

Le particelle α derivano dal decadimento alfa dell'^{238}U e dell'^{235}U; la mezza vita per questo tipo di decadimento è rispettivamente $T_{½} = 4,47 \cdot 10^9$ anni per l'^{238}U e $T_{½} = 7,04 \cdot 10^8$ anni per l'^{235}U.

Una piccola frazione dell'ossigeno naturale, circa lo 0,2% è formata da ^{18}O.

La reazione si verifica nelle pastiglie di UO_2 dove Uranio ed ossigeno sono intimamente mescolati.

La reazione è la seguente:

$$^{4}_{2}He\ (\alpha) + ^{18}_{8}O \longrightarrow ^{21}_{10}Ne + ^{1}_{0}n$$

6.9.1. Sorgenti neutroniche ausiliarie

In un reattore sottocritico è consigliabile inserire delle sorgenti neutroniche ausiliarie in aggiunta a quelle intrinseche in quanto queste ultime generalmente non sono di intensità sufficiente per garantire indicazioni significative dalla strumentazione di rivelazione neutronica del reattore.

Questa insufficienza è particolarmente vera quando il nocciolo del reattore è formato da combustibile prevalentemente tutto fresco in quanto sono assenti i fotoni emessi dai prodotti di fissione e quindi è assente la relativa sorgente intrinseca di fotoneutroni.

Le sorgenti ausiliarie di neutroni più frequentemente usate per avviare il funzionamento del reattore sono:

- le sorgenti Americio Berillio;
- le sorgenti Americio Berillio Curio;
- le sorgenti Antimonio Berillio;

- le sorgenti di Californio 252 (^{252}Cf);
- le sorgenti di Plutonio Berillio (Pu Be).

a) **Sorgenti Americio Berillio**

Le sorgenti Americio Berillio sono realizzate pressando ossido di ^{241}Am con polvere di Berillio a formare una pastiglia cilindrica.

Una o più pastiglie sono racchiuse in un cilindretto in acciaio inossidabile a tenuta.

Le reazioni per la produzione dei neutroni sono le seguenti:

$$^{241}_{95}Am \xrightarrow[T_{1/2}\ 433a]{} {}^{237}_{93}Np + {}^{4}_{2}\alpha$$

$$^{4}_{2}\alpha + {}^{9}_{4}Be \longrightarrow {}^{12}_{6}C + {}^{1}_{0}n$$

Con cinque curies di ^{241}Am, circa 1,5 grammi, si ottiene una sorgente neutronica di intensità $S = 10^7$ neutroni s^{-1}.

b) **Sorgenti Americio Berillio Curio**

Sono sorgenti neutroniche ausiliarie di uso frequente e presentano la caratteristica di essere progettate come sorgenti rigenerabili cioè suscettibili di mantenere nel tempo l'intensità iniziale.

Questa proprietà consente anche di ridurre notevolmente la quantità di ^{241}Am necessaria per ottenere una sorgente neutronica di intensità pari ad una sorgente Americio Berillio.

La rigenerazione si ottiene per irraggiamento neutronico dell'^{241}Am che si trasforma infine in curio ^{242}Cm il quale a sua volta decade α.

Le reazioni sono le seguenti:

$$^{241}_{95}\mathrm{Am} + ^{1}_{0}\mathrm{n} \longrightarrow ^{242}_{95}\mathrm{Am}$$

$$^{242}_{95}\mathrm{Am} \xrightarrow[T_{1/2}\ 16^{h}]{} ^{242}_{96}\mathrm{Cm} + \beta^{-}$$

$$^{242}_{96}\mathrm{Cm} \xrightarrow[T_{1/2}\ 160\ \text{giorni}]{} ^{238}_{94}\mathrm{Pu} + \alpha$$

$$\alpha + ^{9}_{4}\mathrm{Be} \longrightarrow ^{12}_{6}\mathrm{C} + ^{1}_{0}\mathrm{n}$$

Una sorgente Americio Berillio Curio contenente un grammo di Americio ha un'intensità S = 10^{10} neutroni s^{-1} circa.

c) **Sorgenti Antimonio Berillio**

Le sorgenti **Sb**, **Be** producono fotoneutroni e sono anche esse del tipo rigenerabile.

La sorgente è formata da due pezzi inizialmente separati, una barretta di antimonio ed un cilindretto cavo di berillio che accoglie la barretta di antimonio.

La sorgente viene realizzata nel modo seguente.

Si irraggia in un intenso flusso neutronico la barretta di antimonio ottenendo la seguente reazione:

$$^{123}_{51}\mathrm{Sb} + ^{1}_{0}\mathrm{n} \longrightarrow ^{124}_{51}\mathrm{Sb}$$

L'antimonio ^{124}Sb formatosi decade secondo il seguente schema:

$$^{124}_{51}Sb \xrightarrow[T_{½}\ 60,2\ giorni]{\beta^-} {}^{124}_{52}Te + \gamma\ (1,69\ MeV) + \beta^-$$

Inserendo la barretta di antimonio nel cilindro di berillio si provoca la produzione di fotoneutroni per interazione con il berillio della radiazione γ emessa dal decadimento dell'^{124}Sb.

La reazione è la seguente:

$$\gamma + {}^{9}_{4}Be \longrightarrow 2\,{}^{4}_{2}\alpha + {}^{1}_{0}n$$

La sorgente produce neutroni anche per interazione con berillio delle particelle α emesse dalla reazione precedente. La reazione è quella già ricordata:

$$^{4}_{2}\alpha + {}^{9}_{4}Be \longrightarrow {}^{12}_{6}C + {}^{1}_{0}n$$

L'intensità di questo tipo di sorgente è $S \approx 5 \cdot 10^5$ neutroni/s. Curie.

d) **Sorgenti di ^{252}Cf**

Il californio ^{252}Cf fissiona spontaneamente; in Tab. 6.9.1 sono riportati alcuni dei nuclidi che manifestano questa proprietà con i rispettivi tempi di vita media.

Il ^{252}Cf è un emettitore di neutroni per fissione spontanea sufficientemente intenso per costituire una possibile sorgente ausiliaria per l'avvio di un reattore.

La reazione è la seguente:

$$ {}^{252}_{98}\mathrm{Cf} \xrightarrow[T_{1/2}\ 66a.]{} (PF)_1 + (PF)_2 + \nu\, {}^{1}_{0}n + E $$

L'intensità di una sorgente neutronica formata da ^{252}Cf è circa $S \simeq 2{,}34 \cdot 10^{12}$ neutroni s^{-1}/Curie di ^{252}Cf.

Le sorgenti di ^{252}Cf sono soggette ad esaurimento abbastanza rapido nel tempo per effetto sia del decadimento radioattivo che delle fissioni indottevi dall'irraggiamento in un elevato flusso neutronico.

Il ^{252}Cf infatti oltre a fissionare spontaneamente con un tempo di dimezzamento $T_{1/2}$ = 66 anni, manifesta anche decadimento alfa con $T_{1/2}$ = 2,64 anni ed irraggiato con neutroni dà luogo a molti eventi di fissione.

e) **Sorgenti di plutonio berillio (Pu, Be)**

Queste sorgenti sono realizzate mescolando intimamente polvere di plutonio e berillio.

Le reazioni nucleari che si verificano sono le seguenti:

$$ {}^{238}_{94}\mathrm{Pu} \xrightarrow[T_{1/2}\ 87{,}74\ \text{anni}]{} {}^{234}_{92}\mathrm{U} + {}^{4}_{2}\alpha\ (5{,}5\ \mathrm{MeV}) $$

$$ {}^{239}_{94}\mathrm{Pu} \xrightarrow[T_{1/2}\ 24110\ \text{anni}]{} {}^{235}_{92}\mathrm{U} + {}^{4}_{2}\alpha\ (5{,}16\ \mathrm{MeV}) $$

Gli isotopi del plutonio, il ^{238}Pu ed il ^{239}Pu sono contenuti all'incirca nelle percentuali dell'80% e del 20% rispettivamente.

Le particelle alfa prodotte dal decadimento dei due isotopi del plutonio interagiscono con il berillio e producono neutroni tramite la reazione già vista:

$$^{4}_{2}\alpha + ^{9}_{4}Be \longrightarrow ^{12}_{6}C + ^{1}_{0}n$$

Le sorgenti di plutonio berillio esauriscono la loro intensità principalmente per consumo del plutonio a seguito dell'irraggiamento con neutroni in reattore.
Questi infatti provocano la trasformazione dell'isotopo più abbondante, il ^{238}Pu in ^{239}Pu e la successiva fissione di questo ultimo.

Tabella 6.2.1

Moderatore	Tempo di rallentamento (secondi)	Tempo di diffusione (secondi)	Percentuale della vita totale spesa come tempo di diffusione
Acqua leggera	$7{,}1 \cdot 10^{-6}$	$2{,}4 \cdot 10^{-4}$	97,0%
Acqua pesante	$5 \cdot 10^{-5}$	$6 \cdot 10^{-2}$	99,9%
Berillio	$5{,}7 \cdot 10^{-5}$	$4{,}2 \cdot 10^{-3}$	98,5%
Grafite	$1{,}4 \cdot 10^{-4}$	$1{,}6 \cdot 10^{-2}$	99,0%

Tempi di rallentamento e di diffusione tipici per differenti moderatori

Tabella 6.3.1

Nuclide	β; fissione con neutroni termici	β; fissione con neutroni veloci *
^{232}Th	—	0,0203
^{233}U	0,0026	0,0026
^{235}U	0,0065	0,0064
^{238}U	—	0,0148
^{239}Pu	0,0021	0,0020

* Fissioni indotte da neutroni con spettro energetico tipico della componente pronta

Frazione di neutroni ritardati

Tabella 6.3.2

Gruppo	$T_{1/2}$ (s)	Resa (n ritardati per 10.000 fissioni) ^{235}U	^{239}Pu	Principali prodotti di fissione che contribuiscono alla emissione di neutroni nel rispettivo gruppo
1	55	5	2	^{87}Br
2	22	35	18	^{88}Br; ^{137}I
3	6	31	11	^{89}Br; ^{93}Rb; ^{138}I
4	2,3	62	22	^{85}As; ^{90}Br; ^{94}Rb; ^{139}I
5	0,6	18	6	^{91}Rb; ^{99}Y; ^{140}I; ^{145}Cs
6	0,2	7	1	^{95}Rb; ^{96}Rb; ^{97}Rb
Totale		158	60	

Resa dei neutroni ritardati da fissione termica in ^{235}U e da fissione veloce in ^{239}Pu

Tabella 6.3.3

^{235}U (fissione termica)				
Gruppo	$T_{1/2}$ (s)	Costante di decadimento λ_i (s^{-1})	Resa (n per fissione)	Frazione β_i
1	56,1	0,0124	0,00052	0,000215
2	22,72	0,0305	0,00346	0,001424
3	6,22	0,111	0,00310	0,001274
4	2,30	0,301	0,00624	0,002568
5	0,610	1,14	0,00182	0,000748
6	0,230	3,01	0,00066	0,000273
	Resa totale		0,0158	
	Frazione totale ritardata (β)			0,0065

Valori tipici delle costanti dei neutroni ritardati da fissione in ^{235}U, ^{239}Pu e ^{238}U

segue Tabella 6.3.3

^{239}Pu (fissione termica)				
Gruppo	$T_{½}$ (s)	Costante di decadimento λ_i (s^{-1})	Resa (n per fissione)	Frazione β_i
1	54,28	0,0128	0,00021	0,000073
2	23,04	0,0301	0,00182	0,000626
3	5,60	0,124	0,00129	0,000443
4	2,13	0,325	0,00199	0,000685
5	0,618	1,12	0,00052	0,000181
6	0,257	2,69	0,00027	0,000092
	Resa totale		0,0061	
	Frazione totale ritardata (β)			0,0021

Valori tipici delle costanti dei neutroni ritardati da fissione in ^{235}U, ^{239}Pu e ^{238}U

segue Tabella 6.3.3

^{238}U (fissione veloce)				
Gruppo	$T_{1/2}$ (s)	Costante di decadimento λ_i (s^{-1})	Resa (n per fissione)	Frazione β_i
1	52,38	0,0132	0,00054	0,000192
2	21,58	0,0321	0,00564	0,002028
3	5,00	0,139	0,00667	0,002398
4	1,93	0,358	0,01599	0,005742
5	0,490	1,41	0,00927	0,003330
6	0,172	4,02	0,00309	0,001110
	Resa totale		0,0412	
	Frazione totale ritardata (β)			0,0148

Valori tipici delle costanti dei neutroni ritardati da fissione in ^{235}U, ^{239}Pu e ^{238}U

Tabella 6.3.4

Gruppo	Tempo di dimezzamento $T'_{1/2}$ (s)	Costante di decadimento λ_i (s^{-1})	Resa Y_i (n/fissione)	Frazione β_i	Vita media τ_i (s)	$\beta_i\tau_i$	Energia (keV)
1	56,1	0,0124	0,00052	0,000215	80,65	0,017340	250
2	22,72	0,0305	0,00346	0,001424	32,79	0,046693	560
3	6,22	0,111	0,00310	0,001274	9,01	0,11479	430
4	2,30	0,301	0,00624	0,002568	3,32	0,008526	620
5	0,610	1,14	0,00182	0,000748	0,887	0,000656	420
6	0,230	3,01	0,00066	0,000273	0,322	0,000091	430
		$\lambda = 0{,}0767$	$y = 0{,}0158$	$\beta = 0{,}0065$	$\tau = 13{,}04$	$\beta\tau = 0{,}084784$	
		$\lambda = \beta / \Sigma\, \beta_i/\lambda_i$	$y = \Sigma\, y_i$	$\beta = \Sigma\beta_i$	$\tau = \Sigma\beta_i\tau_i/\beta$	$\beta\tau = \Sigma\beta_i\tau_i$	

Dati caratteristici dei neutroni ritardati prodotti da fissione termica in ^{235}U

Tabella 6.7.1

Isotopo	Abbondanza	$(\sigma_c)_t$ (barns)	$(\sigma_{n,\alpha})_t$ (barns)
^{10}B	19,78	0,5	3837
^{11}B	80,22	$5 \cdot 10^{-3}$	-
^{12}C	98,89	3,6	-
^{13}C	1,11	$0,9 \cdot 10^{-3}$	-

Caratteristiche di assorbimento neutronico delle barre di controllo con B_4C

Tabella 6.7.2

Isotopo	Abbondanza	$(\sigma_a)_t$ (barns)	$(\sigma_a)_{ris}$ (barns)	$(E_n)_{ris}$ (eV)
^{107}Ag	51,83	31	630	16,6
^{109}Ag	48,17	2087	12500	5,1
^{113}Cd	12,2	20000	7200	0,18
^{113}In	4,3	5,8	–	–
^{115}In	95,7	197	30000	1,46

Caratteristiche di assorbimento neutronico delle barre di controllo Ag-Cd-In.

Tabella 6.7.3

Concentrazione del boro (p.p.m)	Σ_a (boro) (cm^{-1})	Σ_a ($B + H_2O$) (cm^{-1})
0	0	0,022
500	0,021	0,043
1000	0,042	0,064
1500	0,063	0,085
2000	0,084	0,106
2500	0,105	0,127
3000	0,126	0,148
3500	0,147	0,169

Valori tipici della sezione macroscopica di assobimento neutronico del boro e del moderatore borato in funzione della concentrazione espressa in p.p.m.

Tab. 6.7.4

Isotopo	Sezione d'urto microscopica σ (barns)
^{10}B	3.837
^{155}Gd	58.000
^{157}Gd	240.000

Sezione d'urto di assorbimento neutronico in zona termica dei più comuni veleni bruciabili

Tabella 6.9.1

Nuclide	$t_{½}$ (fissione)	$t_{½}$ (decadimento)	n/s/g
^{235}U	$1,8 \cdot 10^{17}$ anni	$7,04 \cdot 10^{8}$ anni	$8 \cdot 10^{-4}$
^{238}U	$8 \cdot 10^{15}$ anni	$4,468 \cdot 10^{9}$ anni	$1,6 \cdot 10^{-2}$
^{239}Pu	$5,5 \cdot 10^{5}$ anni	24,110 anni	$3,0 \cdot 10^{-2}$
^{240}Pu	$1,2 \cdot 10^{11}$ anni	6,537 anni	$1,02 \cdot 10^{3}$
^{252}Cf	66 anni	2,64 anni	$2,34 \cdot 10^{12}$

Nuclidi che subiscono fissione spontanea. Sono riportati i tempi di dimezzamento $t_{½}$ per fissione spontanea e per decadimento α unitamente all'intensità di sorgente espressa in neutroni/secondo per ogni grammo del rispettivo nuclide

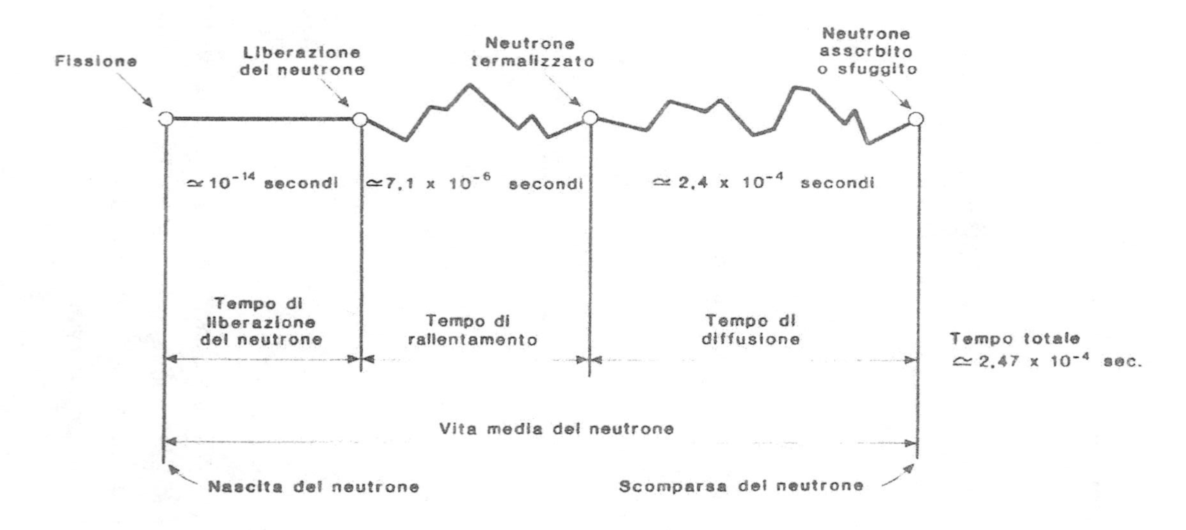

Fig. 6.2.1 *Rappresentazione grafica del tempo di vita media per neutroni di fissione pronti*

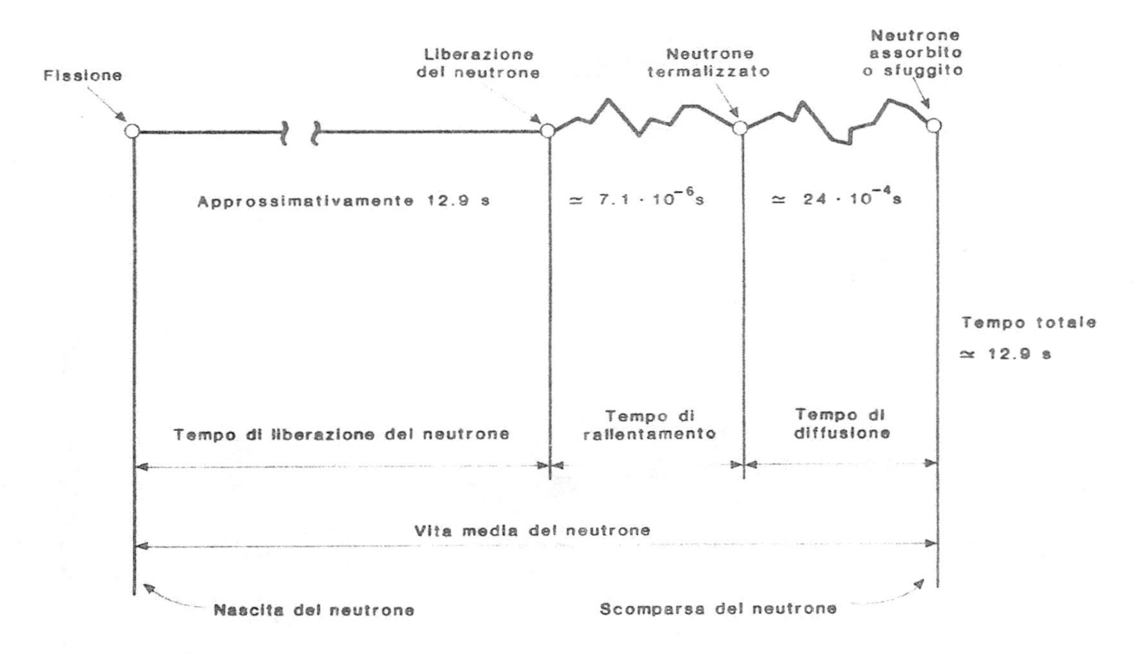

Fig. 6.2.2 *Rappresentazione grafica del tempo di vita media per neutroni di fissioni ritardati*

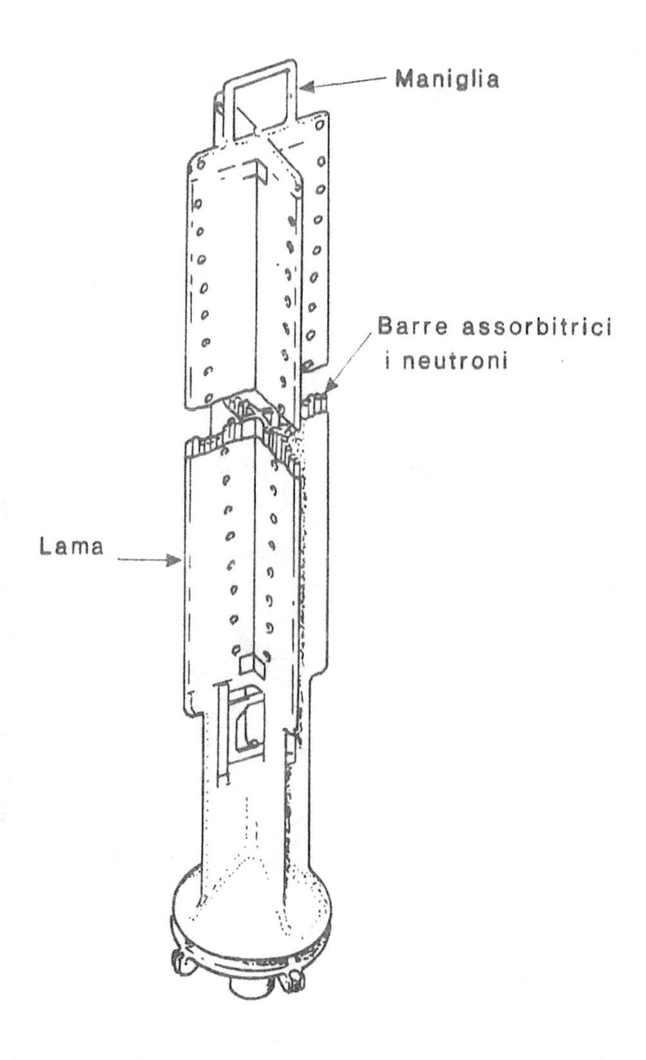

Fig. 6.7.1 *Barra di controllo cruciforme per BWR*

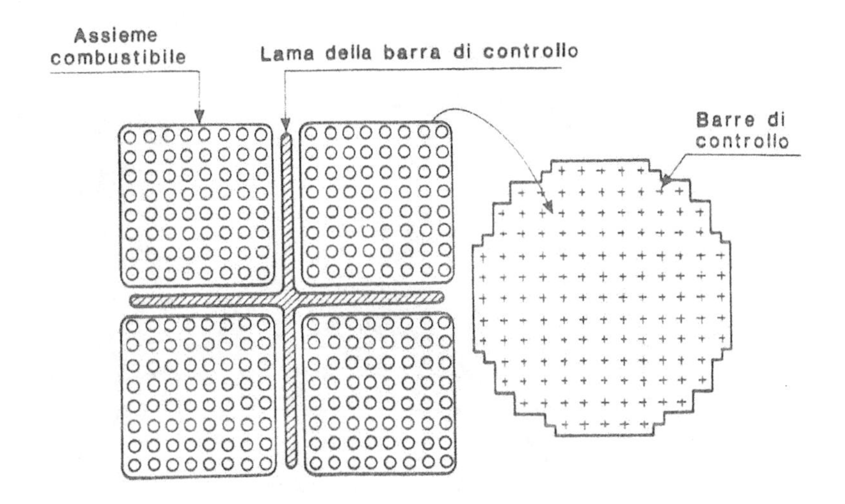

Fig. 6.7.2 *Barra di controllo cruciforme inserita tra quattro elementi di combustibile (quartine) per BWR e realizzazione del nocciolo del reattore con un numero opportunamente elevato di quartine*

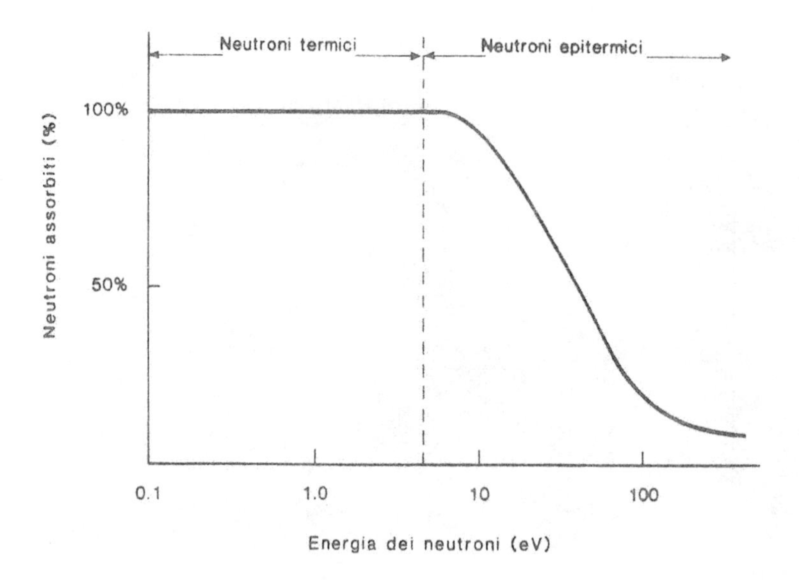

Fig. 6.7.3 *Probabilità di assorbimento dei neutroni espressa in (%) in funzione della loro energia nelle barre di controllo usate nei BWR*

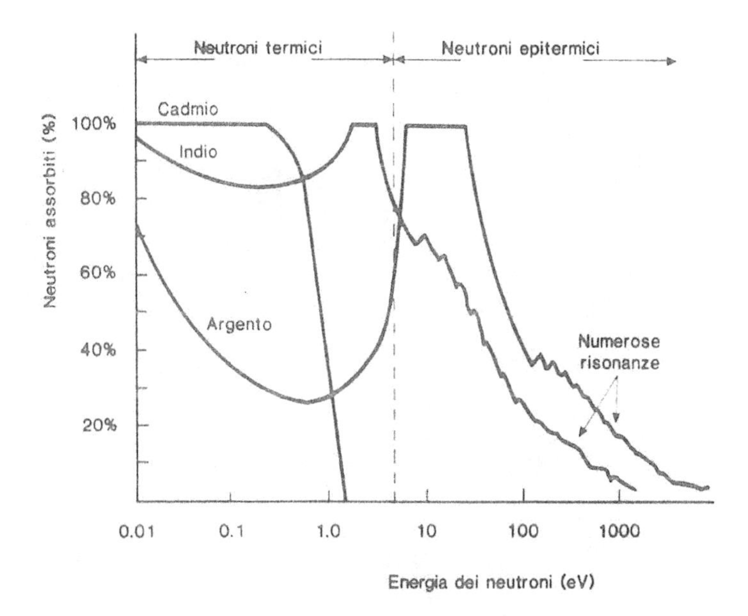

Fig. 6.7.4 *Probabilità di assorbimento dei neutroni espressa in (%) in funzione della loro energia nelle barre di controllo usate nei PWR*

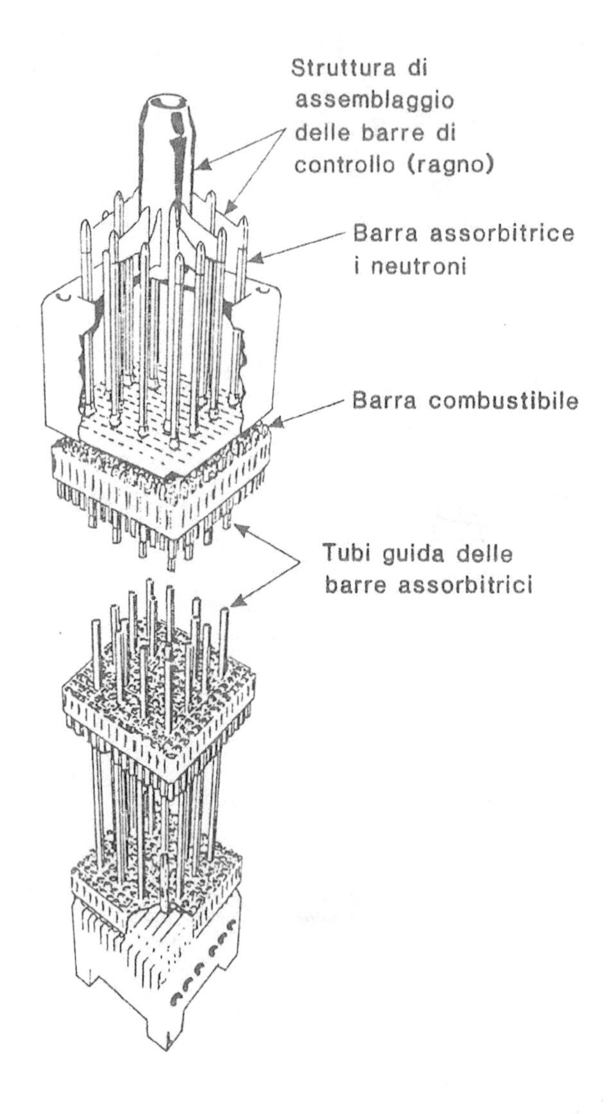

Fig. 6.7.5 *Ragno o struttura di assemblaggio delle barre di controllo per PWR e suo posizionamento all'interno di un elemento di combustibile*

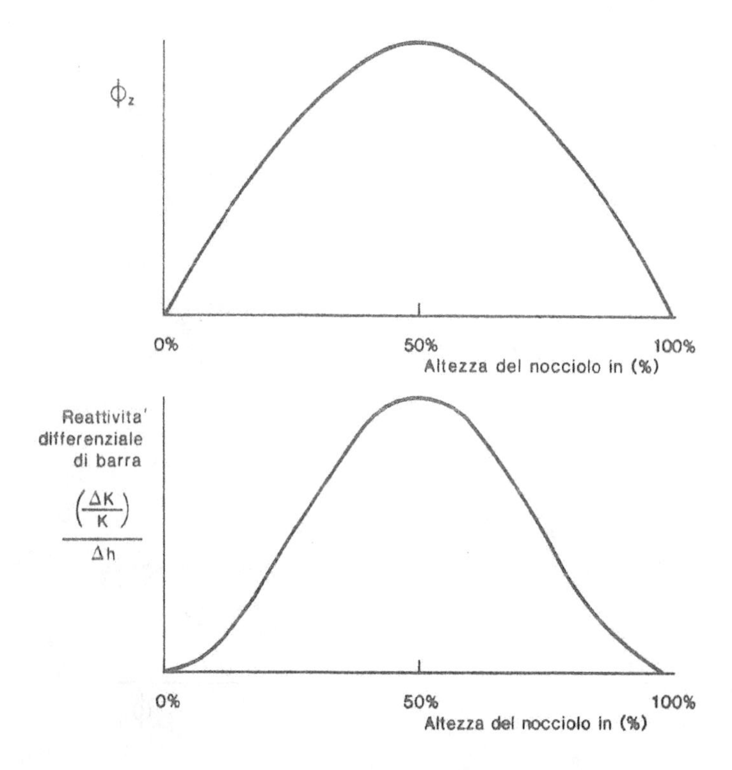

Fig. 6.7.6 *Profilo ideale del flusso neutronico assiale $\phi(Z)$ e della reattività differenziale di una barra in esso inserita*

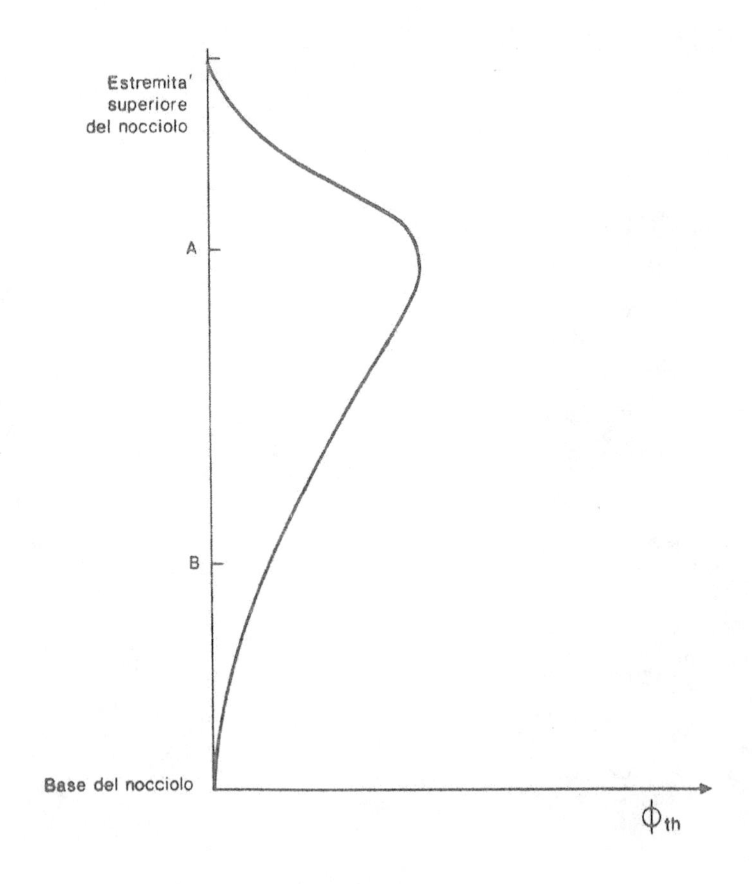

Fig. 6.7.7 *Dipendenza dalla quota assiale del valore differenziale della capacità di controllo della barra. La reattività differenziale della barra è maggiore in A rispetto a B. Il profilo del flusso $\phi(Z)$ è quello tipico in un PWR*

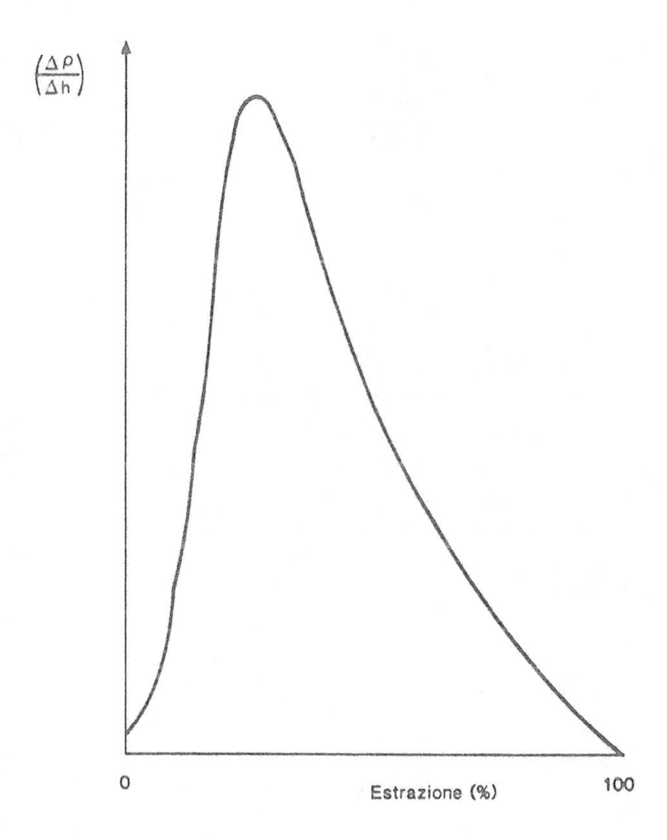

Fig. 6.7.8 *Andamento tipico della reattività differenziale di una barra di controllo*

a) Curva della reattivita' differenziale della barra

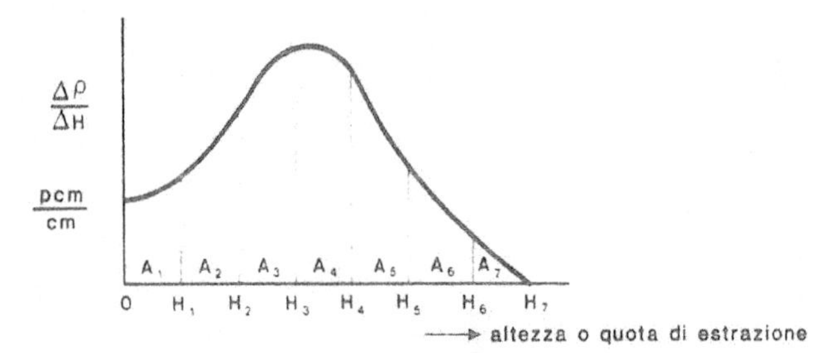

b) Curva della reattivita' integrale della barra

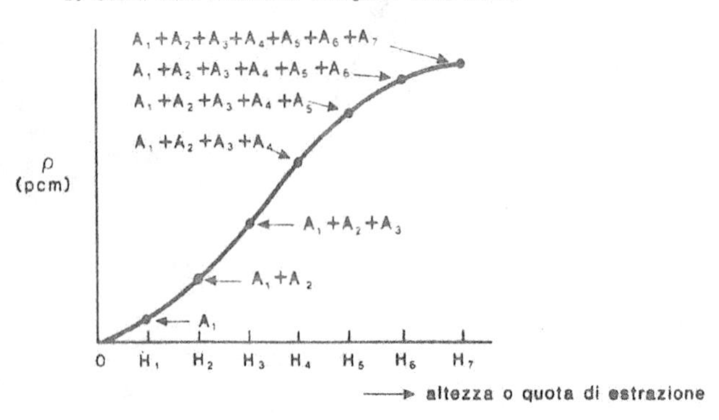

Fig. 6.7.9 *Reattività integrale di una barra di controllo, curva (b), ottenuta per somma dei valori integrali parziali A_i della curva differenziale (a)*

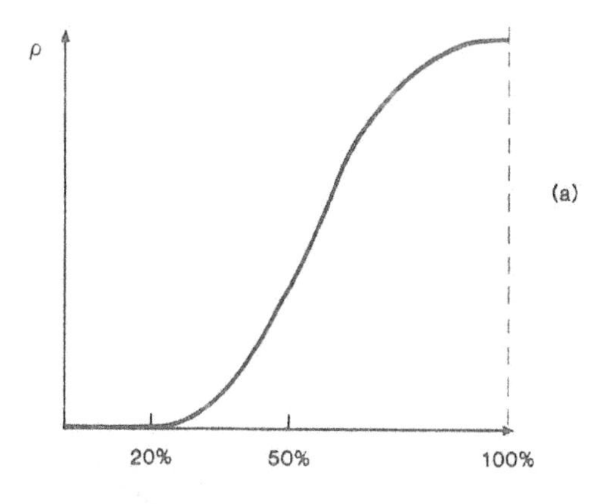

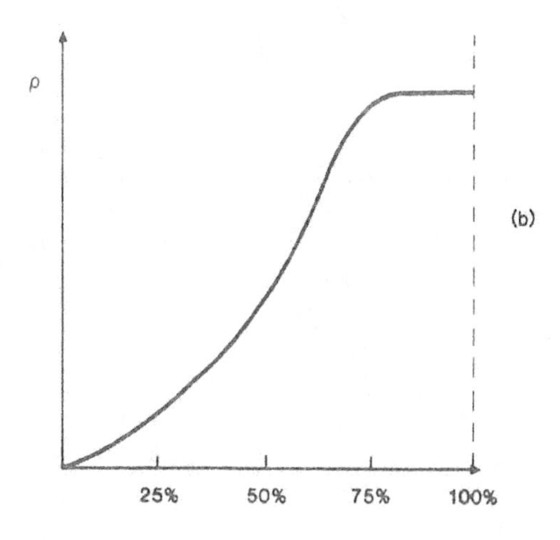

Fig. 6.7.10 *Esempio di profili della reattività integrale delle barre assorbitrici di neutroni (controllo, regolazione, sicurezza)*

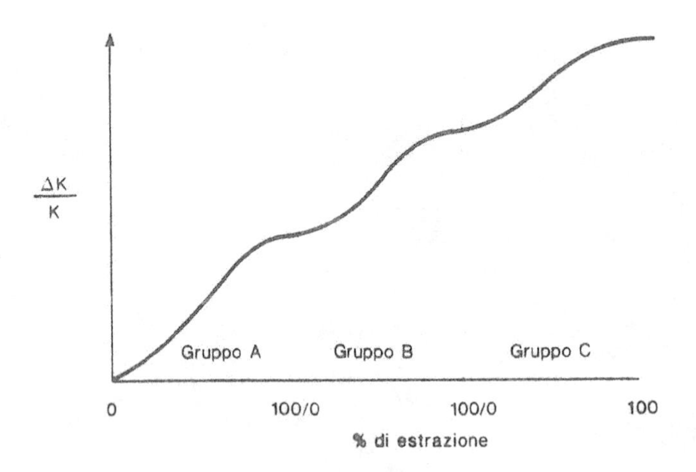

Fig. 6.7.11 *Profilo della reattività integrale controllata complessivamente dai gruppi di barre A, B e C*

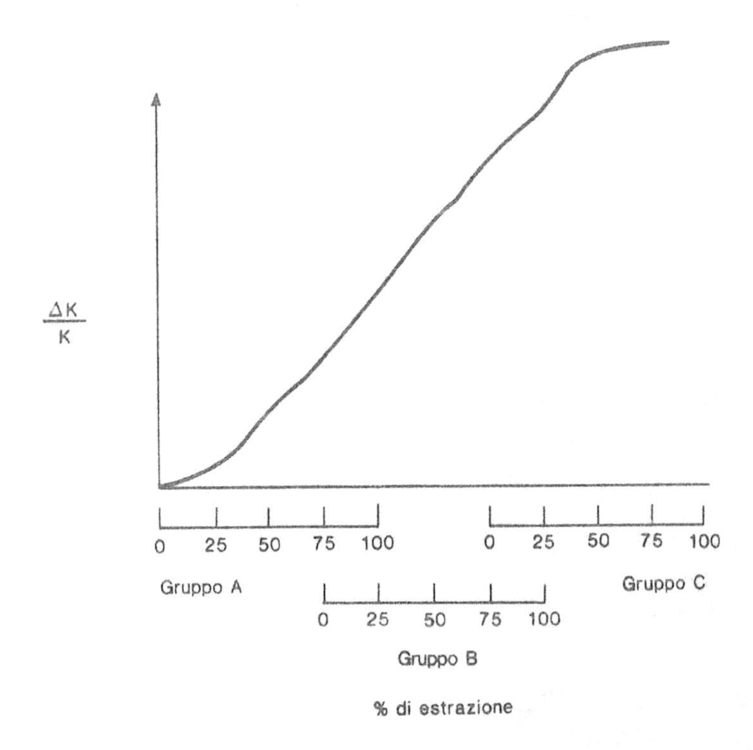

Fig. 6.7.12 *Profilo della reattività integrale controllata complessivamente dai gruppi A, B e C con sequenze ottimate*

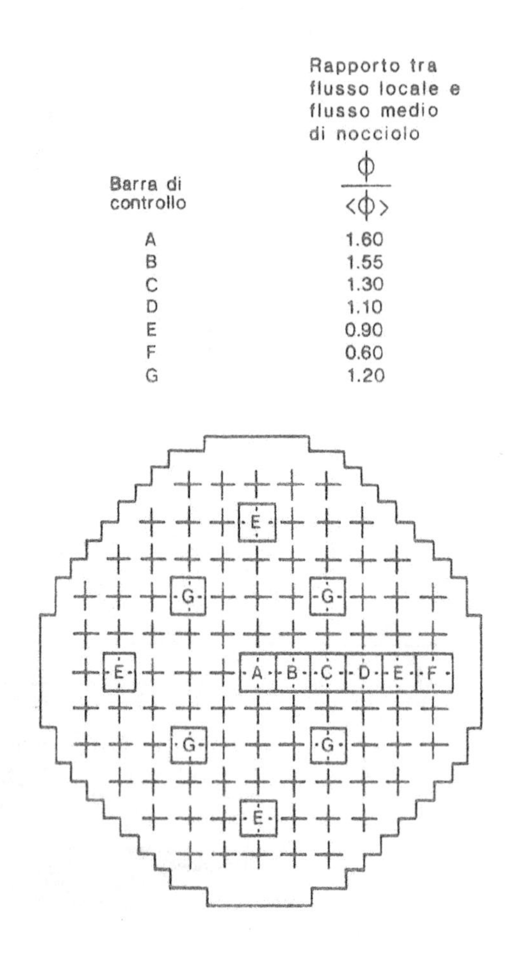

Fig. 6.7.13 *Nocciolo di un BWR con indicata la posizione delle barre di controllo e dei relativi valori locali del flusso neutronico normalizzati rispetto al flusso neutronico medio* $<\phi>$ *nel nocciolo*

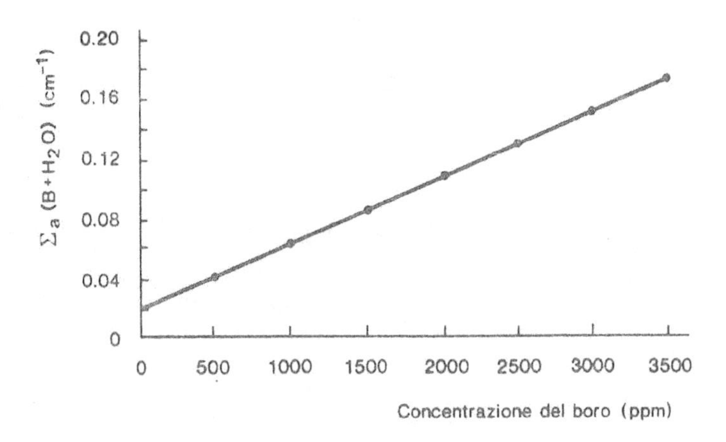

Fig. 6.7.14 *Sezione d'urto macroscopica di assorbimento neutronico del moderatore di un PWR in funzione della concentrazione del boro*

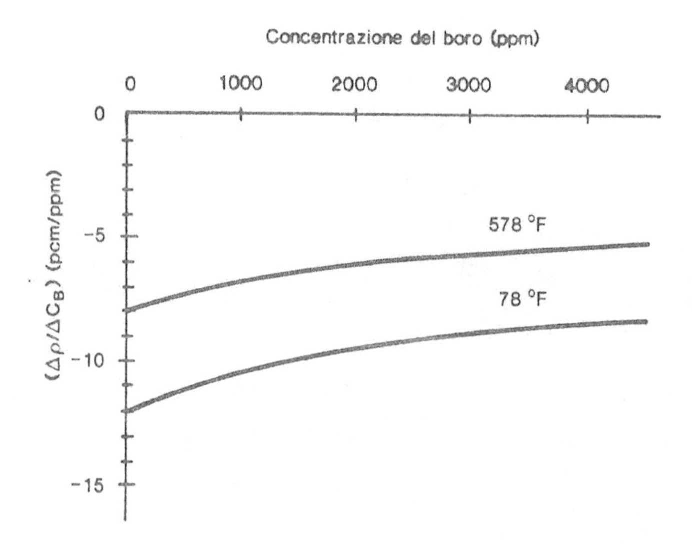

Fig. 6.7.15 *Reattività differenziale del boro disciolto nel moderatore in funzione della concentrazione del boro stesso espressa in p.p.m. per due differenti valori della temperatura del moderatore*

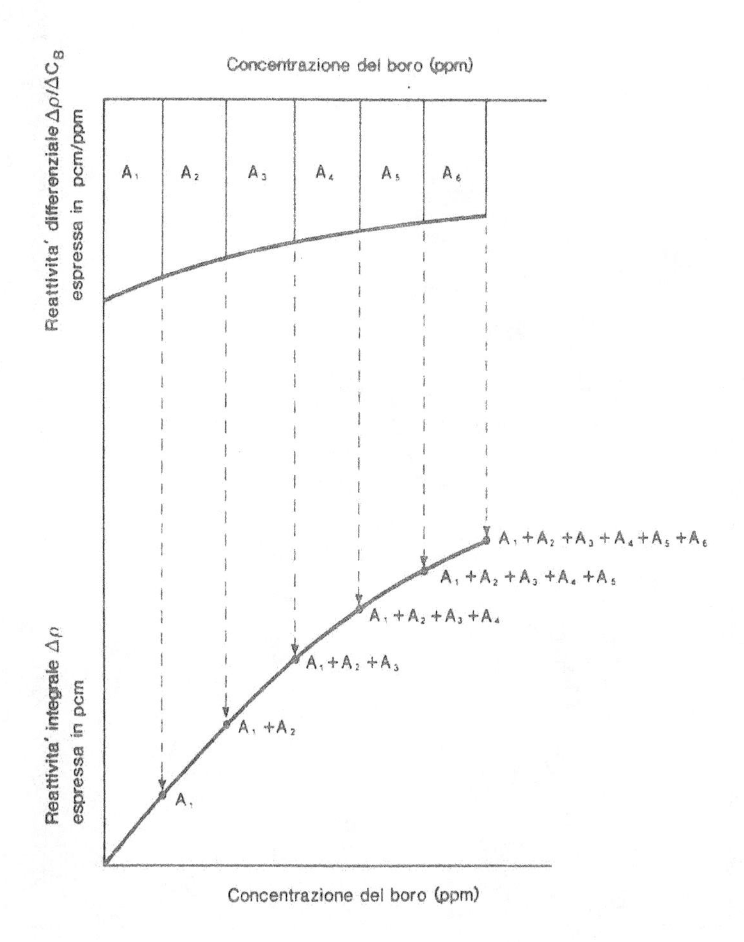

Fig. 6.7.16 *Costruzione del profilo o curva della reattività integrale come somma dei singoli valori integrali parziali A_i relativi alla curva differenziale*

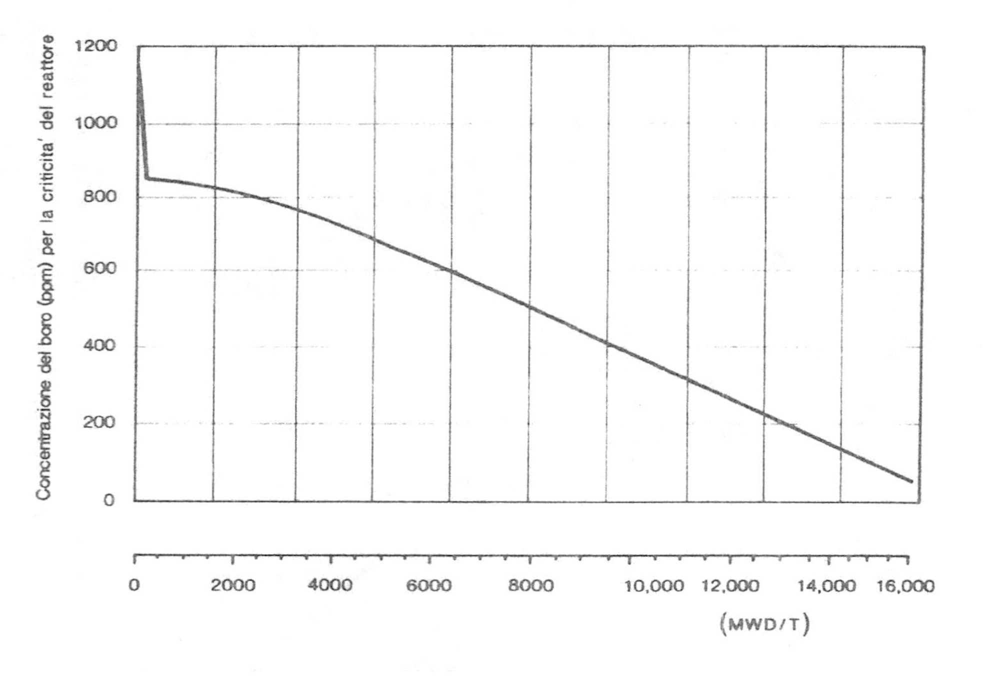

Fig. 6.7.17 *Variazione della concentrazione di boro, espressa in p.p.m., nel moderatore necessaria per mantenere critico il reattore con il crescere del bruciamento (MWD/T)*

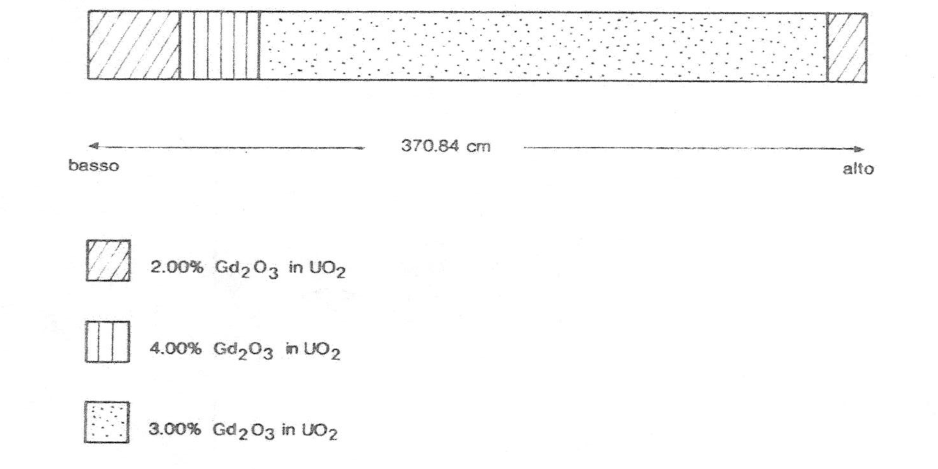

Fig. 6.7.18 *Distribuzione assiale in (%) dell'ossido di gadolinio Gd_2O_3 nell'UO_2 di alcune barre di combustibile per BWR*

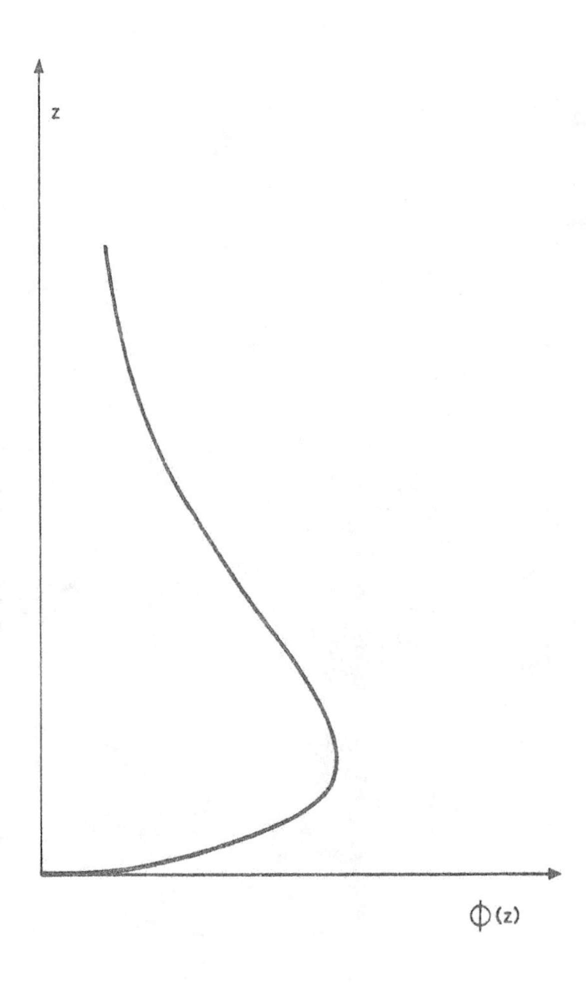

Fig. 6.7.19 *Andamento tipico del flusso neutronico termico $\phi(Z)$ in funzione dell'altezza o quota Z del nocciolo di un BWR*

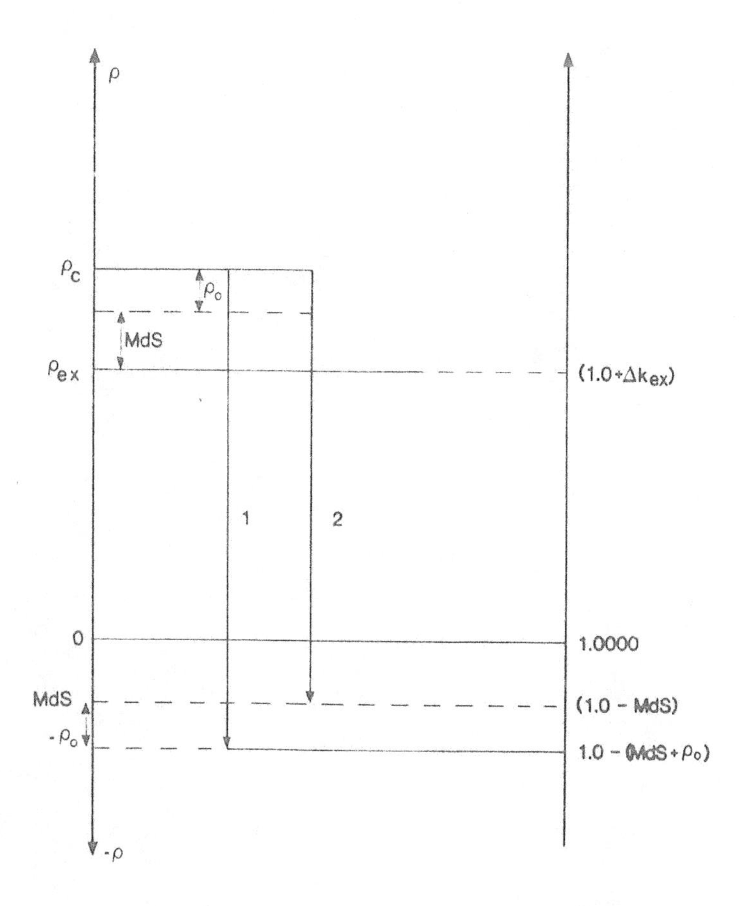

1 ≡ scram con tutte le barre

2 ≡ scram con tutte le barre esclusa la piu' efficace (ρ_o)

Fig. 6.8.1 *Rappresentazione grafica del bilancio di reattività che rispetta sia il valore imposto al margine di spegnimento MdS sia il limite alla reattività massima* ρ_0 *associata ad una sola barra*

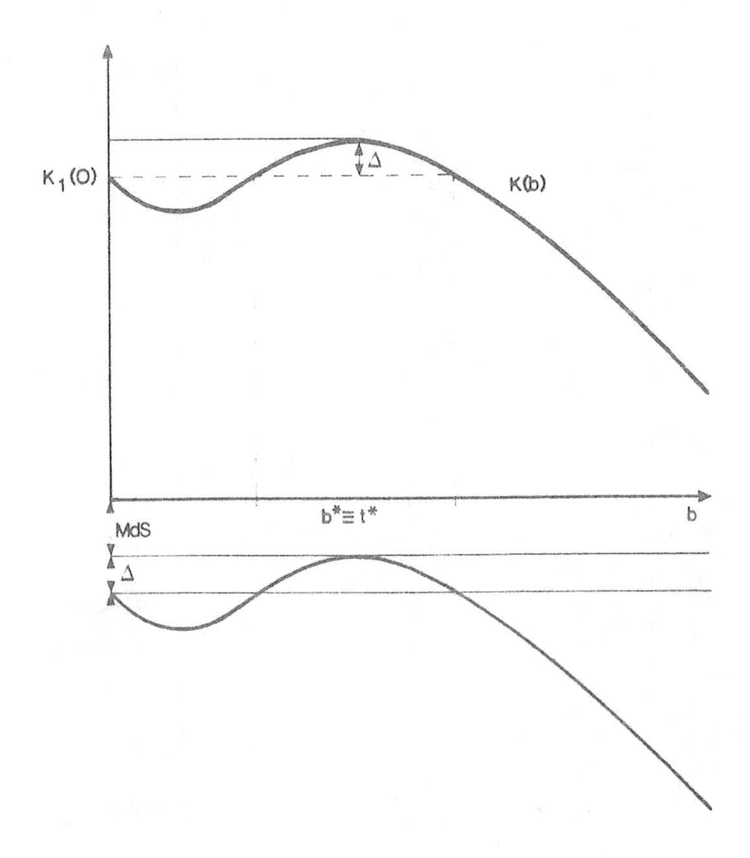

Fig. 6.8.2 *Rispetto del margine di spegnimento MdS quando il fattore di moltiplicazione K(b) del nocciolo del reattore assume durante l'irraggiamento b valori superiori a quello iniziale*

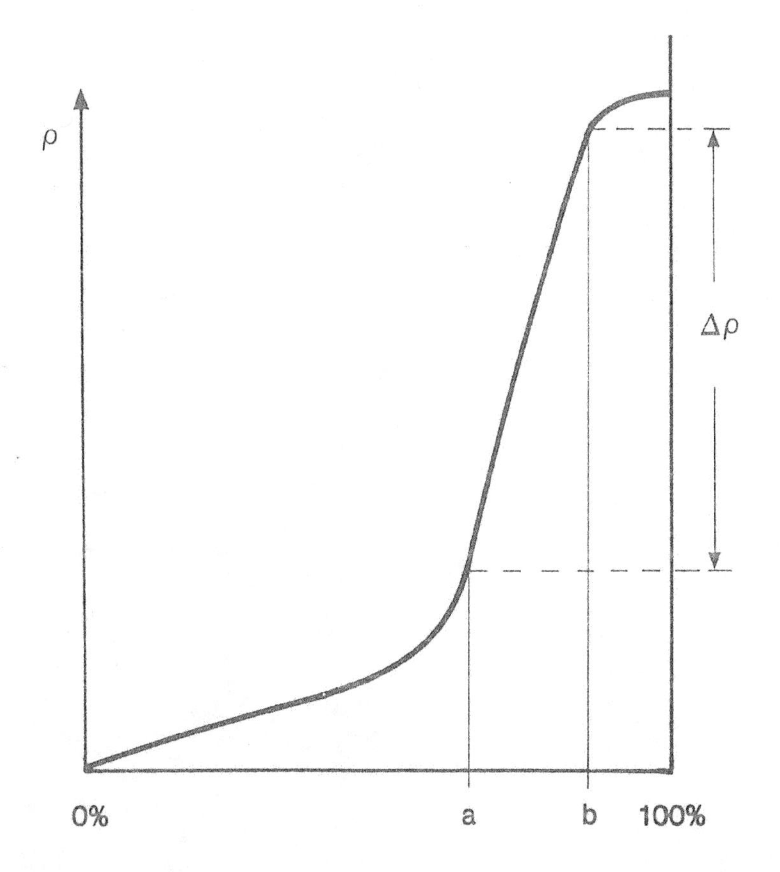

Fig. 6.8.3 *Profilo della reattività integrale controllata da una barra*

CAPITOLO 7

LA CINETICA DEI REATTORI NUCLEARI-2

Lo scopo di questo capitolo è quello di presentare e discutere criticamente i modi di evolvere della moltiplicazione neutronica sia in un reattore sottocritico che sia tale o per composizione del materiale del nocciolo o per la sua forma e dimensioni oppure per tutte queste cause assieme, sia quelli propri di un reattore potenzialmente sopracritico.

La conoscenza del comportamento in transitorio di un reattore è fondamentale sia per il progettista sia per il personale di esercizio che deve intervenire sui dispositivi di comando, di controllo e regolazione del reattore. In particolare durante l'esercizio è fondamentale avere presenti le condizioni che possono produrre una possibile **criticità pronta**.

7.1. Generalità

Lo studio della cinetica del reattore verrà presentato nell'approssimazione che considera tutti i neutroni privi di dipendenza spaziale riducendo quindi il problema ad uno schema a zero dimensioni.

L'approssimazione a zero dimensioni consiste nell'assumere omotetiche le variazione nel tempo che intervengono nel profilo del flusso neutronico su tutto il nocciolo del reattore.

In altre parole si assume che qualunque variazione relativa $\Delta\phi/\phi$ nel valore del flusso neutronico in un punto del reattore scelto arbitrariamente, si riproduca del tutto identica in tutti gli altri punti del nocciolo del reattore.

Questa approssimazione rende quindi sufficiente considerare cosa avviene in un solo punto dello spazio occupato dal nocciolo del reattore per conoscere qual'è il suo comportamento complessivo.

Per questa ragione la cinetica a zero dimensioni è anche detta cinetica ad un punto.

7.2. Lo stato stazionario sottocritico

Si consideri un reattore sottocritico con inserita nel nocciolo una sorgente neutronica ausiliaria s (neutroni$\cdot$s^{-1}).

Se il tempo di generazione neutronica è l (secondi/generazione), l'intensità della sorgente s espressa in termini di generazione neutronica è data dalla relazione $s_0 = s \cdot l$ (neutroni/generazione).

Per semplicità di esposizione si supponga che la sorgente neutronica ausiliaria sia pulsata, emetta cioè s_0 neutroni all'inizio di ogni singola generazione di neutroni.

Lo sviluppo della densità neutronica $N(t)$ nel tempo può essere descritto nel modo seguente.

All'inizio della prima generazione vengono immessi nel nocciolo S_0 neutroni di sorgente. Al termine della prima generazione i neutroni nel nocciolo saranno quelli prodotti dalle fissioni nella quantità $S_0 \cdot k$ per moltiplicazione degli S_0 neutroni di sorgente.

All'inizio della seconda generazione i neutroni nel nocciolo saranno quelli della prima generazione più S_0 nuovi neutroni di sorgente, in totale $N(2) = S_0 + S_0 \cdot k$. Alla fine della seconda generazione i neutroni nel nocciolo saranno quelli prodotti dalle fissioni nella quantità $S_2 \cdot k = S_0 \cdot k + S_0 \cdot k^2$ per moltiplicazione degli $N(2)$ neutroni iniziali.

All'inizio della terza generazione i neutroni nel nocciolo saranno $(S_0 \cdot k + S_0 \cdot k^2)$ più S_0 nuovi neutroni di sorgente, in totale $N(3) = S_0 + S_0 \cdot k + S_0 \cdot k^2$. Alla fine della terza generazione i neutroni nel nocciolo saranno quelli prodotti dalle fissioni nella quantità $S_0 \cdot k + S_0 \cdot k^2 + S_0 \cdot k^3$ per moltiplicazione degli $N(3)$ neutroni iniziali.

Proseguendo di generazione in generazione, alla generazione n^{ma} i neutroni nel nocciolo sono dati dalla relazione ricorrente:

$$N(n) = S_0 + S_0 \cdot k + S_0 \cdot k^2 + S_0 \cdot k^3 + \dots\dots + S_0 \cdot k^{n-1}$$

$$N(n) = S_0 \cdot (1 + k + k^2 + k^3 + \dots\dots + k^{n-1})$$

La somma dei termini della progressione geometrica di ragione k contenuta tra parentesi è data da $M = 1-k^n/(1-k)$; la relazione precedente può scriversi quindi nella seguente forma compatta:

$$N(n) = S_0 \left(\frac{1-k^n}{1-k}\right) \qquad (7.2.1)$$

Per n sufficientemente grande essendo $k < 1$ si può assumere che sia $k^n = 0$.

La densità neutronica $N(n)$ nel nocciolo del reattore tende quindi **asintoticamente** al valore seguente:

$$N(n)_{n \to \infty} = \frac{S_0}{1-k} \qquad (7.2.2)$$

La densità neutronica $N(n)$ espressa dalla rel. 7.2.2 è una quantità costante nel tempo in quanto nessuno dei termini che vi compare è funzione del tempo.

Questo risultato dimostra la possibilità di ottenere lo **stato stazionario** anche in un **reattore sottocritico** in apparente contrasto con la legge che descrive la variazione nel tempo della densità neutronica presentata al par. 6.2.2 che nel caso di **reattore sottocritico** è data da un **esponenziale negativo**.

La discordanza è dovuta al caso particolare cui si riferisce la rel. 7.2.2. Essa infatti descrive lo stato raggiunto da un **nocciolo sottocritico quando in esso è inserita una sorgente ausiliaria S** di neutroni e dopo trascorso un tempo sufficiente perchè si esaurisca il transitorio o perturbazione prodotto o dall'inserimento della sorgente nel nocciolo o se questa è già presente, da variazioni impresse nelle sue proprietà moltiplicanti.

7.2.1. Densità neutronica crescente nel tempo

In un reattore nucleare sottocritico ma con densità neutronica stazionaria per la presenza nel nocciolo di una sorgente di neutroni ausiliaria di intensità S, si riduca il livello di sottocriticità aumentando il valore del fattore di moltiplicazione da $k = k_1$ a $k = k_2$ con $k_2 > k_1$.

Dopo un certo tempo la densità neutronica N si stabilizzerà su un nuovo valore di equilibrio $N_2 = S/(1-k_2)$ maggiore del valore precedente $N_1 = S/(1-k_1)$ in quanto è $(1-k_2) < (1-k_1)$.

Durante tutto il tempo Δt, che possiamo definire di transitorio, che intercorre tra il momento in cui si è fatto variare il valore del fattore k ed il momento del raggiungimento della nuova condizione stazionaria, si osserva un graduale **aumento** della densità neutronica dal valore iniziale N_1 al valore finale N_2.

Ad esempio si abbia un reattore nucleare sottocritico caratterizzato inizialmente da un fattore di moltiplicazione $k = 0{,}5$ *e da una sorgente ausiliaria di neutroni di intensità* $S_0 = 100$ *neutroni/generazione.*

Dopo un numero sufficientemente elevato n *di generazioni; la densità neutronica* N *si stabilizza al valore:*

$$N_1 = \frac{S_0}{1-k} = \frac{100}{1-0{,}5}$$

N_1 **= 200 neutroni/generazione**

Se ora si fa assumere al fattore di moltiplicazione un valore superiore, ad esempio $k=0{,}8$, *si osserva che dopo un numero sufficientemente elevato* n *di generazioni cioè dopo un tempo* Δt, *la densità neutronica si stabilizza su un nuovo valore superiore al precedente dato da:*

$$N_2 = \frac{S_0}{1-k_2} = \frac{100}{1-0,8}$$

N_2 = **500 neutroni/generazione**

Riportando in grafico i valori calcolati della densità neutronica N(n) *in funzione del numero* n *di generazioni neutroniche necessarie per raggiungere il valore asintotico* N_2 *come risultano dalla Tab. 7.2.1, si ottiene l'andamento di Fig. 7.2.1.*

Questo risultato dimostra che in un **reattore sottocritico** è possibile stabilire condizioni per cui la **densità neutronica N cresce di valore nel tempo**.

Anche questo risultato è in contrasto apparente con quanto visto al par. 6.6.2. La discordanza si giustifica osservando che questo andamento caratteristico (di grande importanza operativa), si manifesta come già detto solamente quando si riduce lo stato o livello di sottocriticità del nocciolo **in presenza** di una sorgente neutronica ausiliaria **S**.

L'andamento crescente di **N** dura per tutto il periodo di tempo necessario per passare da un valore della densità neutronica **N** costante nel tempo a quello successivo.

Il tempo necessario perchè nello stato sottocritico si raggiungano due valori stazionari successivi della densità neutronica **N** **è tanto maggiore** quanto **più si riduce** lo stato di **sottocriticità** cioè quanto più il fattore di moltiplicazione **k** approssima l'unità.

Questa affermazione trova immediata giustificazione ricordando la condizione introdotta in precedenza per ottenere dalla rel. 7.2.1 la densità neutronica **N** asintotica espressa dalla rel. 7.2.2.

E' ovvio riconoscere infatti che il "numero sufficientemente grande" n di generazioni necessario per fare assumere a k^n valori trascurabili dipende fortemente dal valore stesso del fattore k e cresce al tendere di k all'unità con k iniziale < 1.

Si assuma ad esempio che sia trascurabile il valore $k^n = 10^{-3}$; *si ha immediatamente che il numero* n *di generazioni necessario perchè sia valida l'eq. 7.2.2 è dato dalla:*

$$k^n = 10^{-3}$$

$$n \log k = -3 \log 10$$

$$n = \frac{-3}{\log k}$$

Per $k = 0{,}8$; $k = 0{,}9$ *e* $k = 0{,}99$, n *assume rispettivamente i valori seseguenti:*

$$n = \frac{-3}{\log 0{,}8} = 31 \text{ generazioni}$$

$$n = \frac{-3}{\log 0{,}9} = 66 \text{ generazioni}$$

$$n = \frac{-3}{\log 0{,}99} = 697 \text{ generazioni}$$

Il tempo $t = n \cdot l$, *con* l = *tempo di generazione neutronica, necessario per rendere trascurabile il termine* k^n *cresce quindi con l'approssimarsi di* k *al valore unitario come già anticipato.*

In Fig. 7.2.2 è rappresentato schematicamente l'andamento della densità neutronica N o del flusso neutronico ϕ oppure della potenza P del reattore ottenuto per successive riduzioni dello stato di sottocriticità del reattore.

Osserviamo infine che il valore asintotico della densità N dipende, come è evidente dall'eq. 7.2.2, dallo stato di sottocriticità $\Delta k = 1-k$ e dal valore della intensità della sorgente neutronica ausiliaria S.

Si può anche dire che un reattore sottocritico si comporta come un amplificatore dei neutroni di sorgente.

Il **fattore di moltiplicazione sottocritica** o di amplificazione dei neutroni di sorgente $1/(1-k)$ lo si usa indicare con la lettera M; è quindi:

$$M = \frac{1}{1-k} \tag{7.2.3}$$

La rel. 7.2.2 viene di conseguenza scritta anche nella forma seguente:

$$N = M \cdot S_0 \tag{7.2.4}$$

7.3. Transitori con reattore sottocritico

In quello che segue si supporrà di operare su noccioli di reattori già completamente configurati cioè che contengono già tutta la massa di combustibile prevista per il funzionamento a potenza.

Le modalità per passare dallo stato sottocritico allo stato di criticità sono quindi limitate all'estrazione graduale delle barre di controllo o, nel caso dei PWR, alla riduzione controllata della concentrazione del veleno neutronico nel moderatore o ad una opportuna sequenza di entrambe le modalità.

Come parametro di riferimento operativo durante le fasi di variazione dello stato del reattore si assume il periodo T del reattore.

L'espressione analitica da usare è quella 6.6.9 del periodo istantaneo già vista al par. 6.6.1.

Si supponga per semplicità di presentazione che la perturbazione cioè la variazione impressa al fattore di moltiplicazione k ottenuta o per estrazione delle barre di controllo o per riduzione della concentrazione del veleno neutronico, sia data da una funzione lineare nel tempo. In altre parole si supponga di inserire nel nocciolo una **rampa di reattività** dk/dt (p.c.m. s^{-1}) costante nel tempo.

Il reattore sia inizialmente nello stato sottocritico stazionario per la presenza di una sorgente di neutroni ausiliaria S_0.

La densità neutronica nel nocciolo sarà quindi $N = S_0/(1-k)$.

Sostituendo questa espressione nella relazione del periodo istantaneo del reattore $T = 1/(1/N)\cdot(dN/dt)$ si ottiene la relazione:

$$T = \frac{1}{\dfrac{1-k}{S_0} \cdot \dfrac{d}{dt}\left(\dfrac{S_0}{1-k}\right)}$$

che eseguendo le operazioni indicate e con passaggi elementari diviene:

$$T = \frac{1-k}{dk/dt} \qquad (7.3.1)$$

Il periodo del reattore dato dall'eq. 7.3.1 tende a diminuire di valore nel tempo nonostante la rampa di reattività positiva impressa sia di valore costante nel tempo. Infatti è immediato verificare che il fattore di moltiplicazione k a numeratore dell'eq. 7.3.1 cresce di valore linearmente nel tempo secondo la legge:

$$k(t) = k + \frac{dk}{dt} t$$

per la continua aggiunta per ogni unità di tempo dt di "reattività" nella quantità dk e la conseguente riduzione dello stato di sottocriticità $(1-k)$ del nocciolo.

Esempio

Si inserisca in un reattore sottocritico con coefficiente $k = 0{,}8$ *una rampa di reattività positiva* $dk/dt = 50$ *p.c.m.* s^{-1}.

Si calcolino lo stato di sottocriticità $(k-1)$ *ed il periodo istantaneo* T *del reattore dopo 5, 10, 20 e 30 secondi dall'inizio dell'inserzione della rampa.*

Dalla rel. 7.3.1 si ha immediatamente che è:

t(s)	(k - 1)	T(s)
5	(0,8 + 0,025) -1 = -0,175	350
10	(0,8 + 0,050) -1 = -0,15	300
20	(0,8 + 0,100) -1 = -0,10	200
30	(0,8 + 0,150) -1 = -0,05	100

La riduzione nel valore del periodo T è una condizione potenzialmente pericolosa in quanto provoca una accelerazione nello stato di evoluzione nel tempo della densità N (neutroni $cm^3 \cdot s^{-1}$), accelerazione che come si vedrà più avanti può condurre alla ingovernabilità del reattore.

Le manovre che equivalgono all'inserzione di una rampa positiva di reattività nel nocciolo sono quindi potenzialmente pericolose e vanno seguite attentamente in quanto possono condurre come accennato a valori del periodo T estremamente brevi come riportato indicativamente in Fig. 7.3.1.

Per questa ragione durante la fase finale di avvicinamento alla criticità è necessario ridurre il valore della rampa di reattività inserita a suo tempo quando il sistema era in condizioni di elevata sottocriticità.

La riduzione del valore della rampa di reattività inserita dovrà avvenire in generale tanto prima quanto più sottocritico era il nocciolo nello stato iniziale.

In pratica quando si porta il reattore dallo stato sottocritico allo stato critico, con l'avvicinarsi alle condizioni di criticità si opera o rimuovendo dal nocciolo tratti di barre poco efficaci o interrompendo di quando in quando l'estrazione delle barre.

In Fig. 7.3.2 è riportato l'andamento tipico della variazione di valore del periodo T in funzione del fattore di moltiplicazione k del reattore per differenti valori della rampa di reattività inserita. E' immediato riconoscere che come era da attendersi, maggiore è il valore della rampa inserita minore è il periodo T del reattore in corrispondenza dello stesso livello di sottocriticità.

In Fig. 7.3.3 è riportato il valore del periodo istantaneo T in funzione del tempo trascorso dall'inizio dell'inserimento delle differenti rampe di reattività. Nella figura è indicato anche il valore del periodo T al raggiungimento della criticità calcolato nell'ipotesi che il fattore di moltiplicazione nello stato iniziale del reattore fosse $k = 0{,}9$ e che il tempo di vita medio dei neutroni in reattore fosse $l = 10^{-4}$ secondi.

Nella Fig. 7.3.4 infine sono riportati valori indicativi della densità neutronica relativa N/N_0, al momento del raggiungimento della criticità per le diverse rampe di reattività indicate e dove N_0 è la densità neutronica iniziale.

Il valore della densità neutronica relativa, o della potenza relativa del reattore, alla criticità è tanto minore quanto maggiore è il valore della rampa di reattività impressa.

La Fig. 7.3.4 suggerisce quindi di scegliere rampe di valore piuttosto elevato, nell'esempio circa 380 p.c.m/secondo, per ottenere la criticità a potenza relativamente bassa mentre le curve precedenti di Figg. 7.3.2 e 7.3.3 suggeriscono ai fini della sicurezza comportamenti contrari.

Nella pratica si opera in modo da ottimizzare il risultato; in particolare si inseriscono valori di dk/dt sufficientemente elevati quando lo stato del reattore è di notevole sottocriticità poi al crescere di k verso il valore unitario, come già anticipato, si riduce gradualmente la quantità di reattività positiva inserita in reattore nell'unità di tempo.

A conclusione del paragrafo dedicato alla presentazione di alcuni aspetti di cinetica dello stato sottocritico del reattore in Fig. 7.3.5 è riportato a titolo indicativo l'andamento nel tempo della densità neutronica $N(t)$ in un reattore inizialmente sottocritico per inserzione di differenti rampe di reattività positiva. E' importante notare l'impennata delle curve $N(t)$ in funzione del tempo t passando dallo stato sottocritico allo stato sopracritico del reattore a parità di valore di rampa di reattività ed i tempi ridottissimi disponibili per interventi di controllo prima che si raggiungano condizioni di grave ingovernabilità dell'impianto per avvenuta criticità pronta cioè criticità sostenuta dai soli neutroni pronti. Nell'esempio di figura per una rampa positiva di reattività di 0,3 $/s intercorrono solamente circa **tre secondi** tra lo stato governabile di criticità dovuta anche al contributo dei ritardati e lo stato praticamente ingovernabile di criticità pronta.

7.4. La cinetica del reattore con soli neutroni pronti

Dato un reattore con inserita una sorgente ausiliaria di neutroni di intensità S (neutroni cm^{-3} s^{-1}) se ne può descrivere il comportamento nel tempo della densità neutronica $N(t)$ o del flusso $\phi(t)$ o della potenza $P(t)$, in breve la cinetica, facendo riferimento all'equazione di bilancio neutronico seguente:

$$\frac{dN(t)}{dt} = P - A - F + S \qquad (7.4.1)$$

dove i termini P, A ed F hanno il significato già visto al Cap. 5.

Nell'approssimazione che assume tutti i neutroni di fissione come pronti, il termine di produzione dei neutroni per fissione nell'unità di tempo e di volume del nocciolo è dato dalla relazione:

$$P(t) = \nu \cdot \Sigma_f \cdot \phi(t) \qquad (7.4.2)$$

Il numero di neutroni assorbiti complessivamente per unità di volume di nocciolo e per secondo è dato a sua volta dalla relazione:

$$A(t) = \Sigma_a \cdot \phi(t) \qquad (7.4.3)$$

Il numero di neutroni che sfuggono dall'unità di volume del nocciolo nell'unità di tempo espresso in teoria della diffusione monoenergetica è dato come già visto al Capitolo 5 dalla relazione:

$$F = D \cdot B^2 \cdot \phi(t) \qquad (7.4.4)$$

dove $D \cdot B^2$ rappresenta il numero medio di fughe per distanza unitaria percorsa dal neutrone in reattore.

Sostituendo le rel. 7.4.2, 7.4.3 e 7.4.4 nella rel. 7.4.1 e ricordando che in teoria monoenergetica è $\phi(t) = v \cdot N(t)$, si ottiene la relazione:

$$\frac{1}{v} \frac{d}{dt} \phi(t) = (\nu \cdot \Sigma_f - \Sigma_a - D \cdot B^2)\ \phi(t) + S \qquad (7.4.5)$$

Dividendo e moltiplicando il primo termine a destra del segno di eguaglianza per la quantità $(\Sigma_a + D \cdot B^2)$, l'eq. 7.4.5 diviene:

$$\frac{1}{v} \frac{d}{dt} \phi(t) = \left(\frac{\nu \cdot \Sigma_f}{\Sigma_a + D \cdot B^2} - 1\right) \phi(t)\ (\Sigma_a + D \cdot B^2) + S \qquad (7.4.6)$$

Sostituendo nell'eq. 7.4.6 le seguenti eguaglianze valide in teoria della diffusione monoenergetica:

$$k_\infty = \frac{\nu \cdot \Sigma_f}{\Sigma_a}$$

$$L^2 = \frac{D}{\Sigma_a}$$

$$k = \frac{k_\infty}{1+B^2 \cdot L^2}$$

e ricordando la rel. 6.2.4 già vista in precedenza che riscriviamo nella forma seguente:

$$(\Sigma_a + D \cdot B^2) = \frac{1}{l \cdot v}$$

si ottiene infine la relazione:

$$\frac{d \cdot \phi(t)}{dt} = \left(\frac{k-1}{l}\right) \phi(t) + S \cdot v \qquad (7.4.7)$$

La soluzione dell'eq. 7.4.7 è data dalla funzione:

$$\phi(t) = \phi(0) e^{\frac{k-1}{l} t} + \frac{S \cdot \nu \cdot l}{1-k} \left(1 - e^{\frac{k-1}{l} t}\right) \qquad (7.4.8)$$

dove si è posto $\phi(t) = \phi(0)$ per $t = 0$.

L'eq. 7.4.8 descrive nella forma più generale, fatte salve le ipotesi semplificative elencate in precedenza, l'andamento nel tempo del flusso neutronico $\phi(t)$ quando si assumono tutti i neutroni di fissione come pronti e quando nel nocciolo è inserita una sorgente ausiliaria di neutroni di intensità S (neutroni cm^{-3} s^{-1}).

7.4.1. Casi particolari

Le relazioni o funzioni trovate ai paragrafi e capitoli precedenti che descrivono l'andamento nel tempo della densità neutronica $N(t)$ o del flusso $\phi(t)$ o della potenza $P(t)$ nel caso di reattore sottocritico, di reattore critico o sopracritico, contengono tutte implicitamente la medesima assunzione e cioè che tutti i neutroni di fissione siano pronti.

Esse debbono quindi potersi derivare come casi particolari direttamente dalla eq. 7.4.8.

A questo proposito consideriamo anzitutto il caso del reattore sottocritico, quindi con fattore di moltiplicazione $k < 1$. Gli esponenziali che compaiono nella eq. 7.4.8 risultano di conseguenza tutti negativi e con il trascorrere del tempo tendono ad annullarsi.

La rel. 7.4.8 per reattore sottocritico con inserita la sorgente S assume asintoticamente la forma seguente:

$$\phi(t) = \frac{S \cdot 1 \cdot \upsilon}{1-k}$$

che con le posizioni già viste $S_0 = S \cdot 1$ ed $N(t)\upsilon = \phi(t)$ diviene:

$$N(t) = \frac{S_0}{1-k} \qquad (7.4.9)$$

che coincide esattamente con l'espressione ricavata per altra via, la rel. 7.2.2, al par. 7.2.

Assumiamo ora che il reattore sia critico, quindi abbia fattore di moltiplicazione $k = 1$.

In questo caso l'eq. 7.4.7 si riduce alla relazione:

$$\frac{d}{dt}\phi(t) = s \cdot \upsilon$$

che risolta per integrazione fornisce la seguente funzione:

$$\phi(t) = \phi(0) + s \cdot \upsilon \cdot t \qquad (7.4.10)$$

Un reattore critico con inserita una sorgente ausiliaria di neutroni s diverge quindi linearmente.

Si consideri infine il caso in cui il reattore sia sopracritico e sia privo della sorgente ausiliaria s.

La rel. 7.4.8 diviene:

$$\phi(t) = \phi(0) e^{\frac{k-1}{l} t} \qquad (7.4.11)$$

Questa relazione funzionale è del tutto identica alla rel. 6.6.2 già vista in precedenza. Essa descrive l'evoluzione nel tempo del flusso neutronico di un reattore inizialmente critico reso sopracritico ($k-1>0$) o sottocritico ($k-1<0$) a seguito dell'inserzione a gradino nel nocciolo di reattività positiva o negativa.

Per inserzione a gradino di reattività si intende una variazione istantanea, cioè con tempo di salita nullo, della reattività del reattore, variazione che poi si manterrà costante nel tempo.

Altre modalità di inserimento di reattività positiva o negativa nel nocciolo sono ad esempio:

- a rampa;

- sinusoidale;
- ad onda quadra;

come rappresentato indicativamente in Fig. 7.4.1.

Lo studio della eq. 7.4.11 permette di trarre alcune conclusioni.

Sia infatti $l = 5 \cdot 10^{-5}$ secondi, valore caratteristico per la vita media dei neutroni pronti in un reattore del tipo LWR, ed il gradino di reattività positivo inserito sia tale che risulti $k = 1{,}00005$ e quindi $\Delta k = 5 \cdot 10^{-5}$.

Ponendo questi valori nella rel. 7.4.11 e scrivendola in termini di potenza si ottiene immediatamente:

$$P(t) = P(0) \cdot e^{t}$$

Questa relazione rende evidente che la potenza del reattore $P(t)$ viene moltiplicata ogni secondo per un fattore $e = 2{,}71828178$.

Se ad esempio all'istante $t = 0$ è $P(0) = 10$ kW, dopo un secondo sarà $P(1) = 27{,}18$ kW, dopo due secondi sarà $P(2) = 27{,}18 \cdot 2{,}718 \simeq 74$ kW e così via.

E' immediato riconoscere che già per il modesto valore ipotizzato di Δk, circa 5 p.c.m. di reattività, il reattore è di controllo problematico e che per valori di Δk anche solo leggermente superiori, il controllo del reattore diviene impraticabile.

Ad esempio per $\Delta k = 10^{-3}$, circa 100 p.c.m. di reattività, si ha che dopo un solo secondo di sopracriticità la potenza del reattore diviene $P(1)/P(0) = e^{20} \simeq 4{,}8 \cdot 10^{8}$ volte superiore al valore iniziale.

In conclusione l'approssimazione che assume tutti i neutroni di fissione come pronti conduce a formule che descrivono il reattore nucleare come una macchina praticamente ingovernabile.

7.5. La cinetica del reattore con neutroni ritardati

Quando si tiene conto esplicitamente della frazione ritardata β dei neutroni di fissione le equazioni che descivono la cinetica del reattore si ottengono con le seguenti considerazioni.

Come già più volte ricordato, dei ν neutroni emessi in media da ogni evento di fissione, solamente la quantità $\nu(1-\beta)$ è costituita da neutroni pronti mentre la quantità rimanente $\Sigma_i \nu\beta_i = \nu\beta_1 + \nu\beta_2 + \nu\beta_3 + \nu\beta_4 + \nu\beta_5 + \nu\beta_6$ è resa disponibile gradualmente in tempi successivi e caratteristici del gruppo i^{mo} di appartenenza con $(i=1, 2, 3, ..., 6)$ come schematizzato indicativamente in Fig. 7.5.1.

L'equazione generale di bilancio dei neutroni in reattore è quindi più correttamente espressa scrivendo:

$$\frac{dN(t)}{dt} = P_1(t) + P_2(t) - A(t) - F(t) + S \qquad (7.5.1)$$

dove P_1 e P_2 sono i termini di produzione dei neutroni rispettivamente pronti e ritardati ed S sta ad indicare la presenza di una sorgente ausiliaria di intensità S neutroni/secondo cm^{-3}.

Il termine di produzione P_1 dei neutroni pronti è dato dalla ovvia relazione:

$$P_1(t) = \nu(1-\beta)\ \Sigma_f\ N(t)\cdot v \qquad (7.5.2)$$

Il termine $P_2(t)$ di produzione dei neutroni ritardati è dato a sua volta dalla quantità di "precursori" che decadono nell'unità di tempo. Questa quantità è data dal prodotto della concentrazione $c_i(t)$ nell'unità di volume del combustibile dei precursori dei neutroni latenti di ogni gruppo (generati da fissioni avvenute in precedenza) per la rispettiva costante di tempo di decadimento $\lambda_i(s^{-1})$.

La componente ritardata $P_2(t)$ del termine di produzione dei neutroni è quindi data dalla relazione:

$$P_2(t) = \Sigma_i \; c_i(t) \cdot \lambda_i \tag{7.5.3}$$

La rel. 7.5.1 di bilancio esplicitando tutti i termini che vi compaiono diviene:

$$\frac{dN(t)}{dt} = \nu(1-\beta)\, \Sigma_f\, N(t) \cdot v + \Sigma_i \lambda_i \cdot c_i(t) -$$

$$- \Sigma_a \cdot N(t) \cdot v - D \cdot B^2 \cdot N(t) \cdot v + S \tag{7.5.4}$$

Dividendo e moltiplicando ogni termine dell'equazione precedente per $(\Sigma_a + D^2 \cdot B^2)$ e sostituendo nella relazione risultante le eguaglianze:

$$k_\infty = \frac{\nu \cdot \Sigma_f}{\Sigma_a}$$

$$L^2 = D/\Sigma_a \tag{7.5.5}$$

$$k = k_\infty / (1 + B^2 \cdot L^2)$$

$$(\Sigma_a + D \cdot B^2) = 1/l \cdot v$$

si ottiene la relazione seguente:

$$\frac{dN(t)}{dt} = \frac{k(1-\beta)-1}{l} N(t) + \Sigma_i \lambda_i \cdot c_i(t) + S \qquad (7.5.6)$$

Nella rel. 7.5.6 le concentrazioni $c_i(t)$ dei precursori di ogni gruppo di neutroni ritardati sono date dalla soluzione delle equazioni di bilancio che si ottengono confrontando il numero $\nu \cdot \beta_i \cdot \Sigma_f \cdot N(t) \upsilon$ dei neutroni ritardati del gruppo i^{mo} che sono prodotti dagli eventi di fissione nell'unità di tempo e di volume del combustibile con il numero $\lambda_i \cdot c_i(t)$ di precursori (o neutroni latenti) dello stesso gruppo che nell'unità di volume decadono nell'unità di tempo.

In conclusione la concentrazione dei neutroni ritardati o latenti di ogni gruppo è ottenuta dalla soluzione della rispettiva equazione di bilancio seguente:

$$\frac{dc_i(t)}{dt} = \nu \cdot \beta_i \cdot \Sigma_f \cdot N(t) \upsilon - \lambda_i \cdot c_i(t)$$

Dividendo e moltiplicando ogni termine della relazione precedente per $(\Sigma_a + D \cdot B^2)$ e sostituendo nella relazione risultante le eguaglianze 7.5.5 si ottiene infine l'equazione:

$$\frac{dc_i(t)}{dt} = k \cdot \beta_i \frac{N(t)}{l} - \lambda_i \cdot c_i(t) \qquad (7.5.7)$$

La cinetica del reattore con neutroni ritardati è quindi descritta da un sistema di sette equazioni, una, l'eq. 7.5.6 nell'incognita densità neutronica $N(t)$ e le altre sei, tutte del tipo della eq. 7.5.7, nelle incognite concentrazione $c_i(t)$ dei precursori di neutroni ritardati dei rispettivi sei gruppi.

Lo stato non stazionario del reattore è in conclusione descritto dal seguente sistema di equazioni:

$$\frac{dN(t)}{dt} = \frac{k(1-\beta)-1}{l} N(t) + \Sigma_i \lambda_i \cdot C_i(t) + S$$

(7.5.8)

$$\frac{dC_i(t)}{dt} = k\beta_i \frac{N(t)}{l} - \lambda_i \cdot C_i(t) \qquad (i=1,2,3.....6)$$

Il sistema di eq. 7.5.8 è di validità generale nel senso che da esso si ottengono gli andamenti nel tempo della densità $N(t)$ (o del flusso neutronico $\phi(t)$ o della potenza $P(t)$) per tutti i casi già visti in precedenza e precisamente:

a) reattore sottocritico stazionario con sorgente neutronica ausiliaria S inserita nel nocciolo;

b) reattore critico con sorgente neutronica ausiliaria S inserita nel nocciolo;

c) reattore sopracritico (o sottocritico) senza sorgente neutronica ausiliaria S nel nocciolo.

a) **Lo stato sottocritico stazionario**

Lo stato stazionario in un reattore sottocritico è ottenibile come già visto quando nel reattore è presente una sorgente di neutroni ausiliaria S.

Per descrivere lo stato stazionario occorre imporre nella prima eguaglianza del sistema di eq. 7.5.8, la condizione: $dN(t)/dt=0$.

Si ha quindi:

$$\frac{k(1-\beta)-1}{l} N(t) + \Sigma_i\lambda_i \cdot c_i(t) + S = 0$$

Esplicitando rispetto alla densità neutronica $N(t)$ si ha:

$$N(t) = \frac{\Sigma_i\lambda_i \cdot c_i(t) + S}{1 - k(1-\beta)} \cdot l \qquad (7.5.9)$$

Osserviamo che nello stato sottocritico **stazionario** è anche $dc_i(t)/dt = 0$ per tutti i sei gruppi di ritardati.

Dalle sei equazioni di bilancio dei precursori che compaiono nel sistema di eq. 7.5.8 si ottengono quindi le sei eguaglianze del tipo:

$$\beta_i \frac{k \cdot N(t)}{l} = \lambda_i \cdot c_i(t)$$

sommando tra di loro i sei membri a sinistra del segno di eguaglianza e separatamente i sei membri a destra si ottiene la relazione complessiva:

$$\Sigma_i\beta_i \frac{k \cdot N(t)}{l} = \Sigma_i\lambda_i \cdot c_i(t)$$

Sostituendo questa eguaglianza nella rel. 7.5.9 si ha:

$$N(t) = \frac{\Sigma_i\beta_i \dfrac{k \cdot N(t)}{l} + S}{1 - k \cdot (1-\beta)} \, l$$

$$N(t) = \frac{\Sigma_i\beta_i \cdot k\ N(t) + S \cdot 1}{1 - k(1-\beta)}$$

e quindi:

$$N(t) - N(t)\ k(1-\beta) = \Sigma_i\beta_i \cdot k \cdot N(t) + S \cdot 1$$

essendo $\Sigma_i\beta_i \cdot k \cdot N(t) = \beta \cdot k \cdot N(t)$, è immediato ottenere per semplificazione la relazione:

$$N(t)\ (1-k) = S \cdot 1$$

ed infine:

$$N(t) = \frac{S \cdot 1}{1-k} \qquad (7.5.10)$$

Quest'ultima coincide esattamente con la rel. 7.2.2 trovata per altra via al par. 7.2.

La coincidenza dalla rel. 7.2.2 con la rel. 7.5.10 ricavata questa ultima tenendo esplicitamente conto dell'esistenza dei neutroni ritardati è dovuta allo stato del reattore considerato che è quello **stazionario.**

La sorgente S' di neutroni di fissione pronti e ritardati è infatti esprimibile con la relazione:

$$\nu \cdot \Sigma_f (1-\beta) \cdot \phi(t) + \nu \cdot \Sigma_f \cdot \Sigma_i\beta_i \cdot \phi(t-t_i) = S'(t) \qquad (7.5.11)$$

dove t_i è il tempo medio di ritardo nell'emissione di neutroni del gruppo i^{mo}.

Nel caso stazionario è:

$$\phi(t) = \phi(t-t_i) = \text{costante}$$

E' questa la condizione che sostituita nella rel. 7.5.11 permette di operare le seguenti semplificazioni:

$$\nu \cdot \Sigma_f \cdot \phi(t) - \beta \cdot \nu \cdot \Sigma_f \cdot \phi(t) + \nu \cdot \Sigma_f \cdot \beta \cdot \phi(t) = S'(t)$$

$$\nu \cdot \Sigma_f \cdot \phi(t) = S'(t)$$

In quanto le componenti dovute ai neutroni ritardati sono costanti nel tempo grazie alla costanza del flusso neutronico nello stato stazionario.

b) **Reattore critico con sorgente ausiliaria inserita**

Lo stato critico del reattore è caratterizzato come noto dal valore del fattore di moltiplicazione $k=1$. Sostituendo questo valore nel sistema di eq. 7.5.7 si ha:

$$\frac{dN(t)}{dt} = \frac{(1-\beta) - 1}{l} N(t) + \Sigma \lambda_i \cdot C_i(t) + S$$

(7.5.12)

$$\frac{dC_i(t)}{dt} = \beta_i \frac{N(t)}{l} - \lambda_i \cdot C_i(t)$$

Se si assume inoltre che il reattore sia anche in equilibrio, dove per reattore in equilibrio si intende lo stato caratterizzato dalla condizione $C_i(t)/N(t)$ = costante in ogni istante, è anche valida la condizione:

$$\frac{dc_i(t)}{dt} = 0$$

Si possono di conseguenza scrivere le eguaglianze:

$$\beta_i \frac{N(t)}{l} = \lambda_i \cdot c_i(t)$$

e quindi:

$$\beta \frac{N(t)}{l} = \Sigma_i \lambda_i \cdot c_i(t)$$

Sostituendo questa ultima eguaglianza nell'equazione di bilancio della densità neutronica $N(t)$ del sistema di eq. 7.5.12, si ottiene:

$$\frac{d}{dt} N(t) = -\beta \frac{N(t)}{l} + \beta \frac{N(t)}{l} + S$$

da cui semplificando si ha:

$$\frac{dN(t)}{dt} = S$$

che risolta per integrazione fornisce l'equazione:

$$N(t) = N(0) + S \cdot t \qquad (7.5.13)$$

L'eq. 7.5.13 è l'equazione di una retta e descrive la legge di variazione nel tempo della densità neutronica in un **reattore**

critico con inserita nel nocciolo una sorgente ausiliaria di neutroni di intensità S, variazione che risulta quindi lineare nel tempo.
La concordanza formale e sostanziale dei risultati ottenuti rispettivamente con l'approssimazione che assume tutti i neutroni di fissioni come pronti, l'eq. 7.4.10, e la trattazione che tiene esplicitamente conto dell'esistenza dei neutroni ritardati, l'eq. 7.5.13, è dovuta all'ipotesi assunta che il reattore sia in equilibrio cioè sia caratterizzato da un valore costante nel tempo del rapporto: $\Sigma_i C_i(t)/N(t)$, ipotesi che è determinante per giungere all'eq. 7.5.13.

c) **Reattore sopracritico (o sottocritico) senza sorgente S nel nocciolo**

La descrizione dello stato sopracritico o sottocritico derivante dall'inserzione a gradino di reattività rispettivamente positiva o negativa in un reattore inizialmente critico ed in assenza di sorgenti neutroniche ausiliarie S è data dalla soluzione del sistema di eq. 7.5.8 ponendo in esse $S = 0$.
Si dimostra che l'evoluzione nel tempo della densità neutronica $N(t)$ soluzione del sistema di eq. 7.5.8, è descritta dalla seguente relazione generale:

$$N(t) = N(0) \cdot \Sigma_i A_i \cdot e^{\omega_i t} \tag{7.5.14}$$

dove le costanti A_i sono determinate dalle condizioni iniziali del nocciolo.
La rel. 7.5.14 **è soluzione** del sistema di eq. 7.5.8 con $S=0$ **a condizione** che le costanti di tempo ω_i siano soluzioni (o radici) della seguente equazione algebrica:

$$\rho = \frac{l \cdot \omega}{k} + \Sigma_i \frac{\beta_i \cdot \omega}{\omega + \lambda_i} \qquad (7.5.15)$$

nota come equazione di Nordheim.

Il problema di cercare le soluzioni del sistema di equazioni differenziali 7.5.8, è quindi ridotto a cercare le soluzioni dell'eq. 7.5.15 per ogni assegnato valore della reattività ρ.

Si rimanda ai testi specializzati per la soluzione dettagliata del sistema di eq. 7.5.8. Si può comunque osservare che assumendo le funzioni $N(t) = Ae^{\omega t}$ e $C(t) = C(0) \cdot e^{\omega t}$ come soluzione del sistema di eq. 7.5.8 e sostituendole nelle eq. 7.5.8 si ottiene l'eq. 7.5.15.

In Fig. 7.5.2 è riportata la funzione 7.5.15.

Per valori positivi della reattività, che risultano sempre compresi nell'intervallo $0 \leq \rho \leq 1$, l'eq. 7.5.15 fornisce sette valori (radici) reali per ω di cui uno positivo, ω_0, e sei negativi. Per valori negativi della reattività ρ ($k < 1$) la eq. 7.5.15 ha ancora come radici sette valori reali di ω, ma tutti negativi.

L'andamento nel tempo della densità neutronica $N(t)$ è quindi descritto per l'eq. 7.5.14 dalla somma o combinazione lineare delle sette funzioni esponenziali o "armoniche" seguenti:

$$N(t) = N(0) \cdot (A_0 \cdot e^{\omega_0 t} + A_1 \cdot e^{\omega_1 t} + A_2 \cdot e^{\omega_2 t} + A_3 \cdot e^{\omega_3 t} + \\ + \ldots\ldots + A_6 \cdot e^{\omega_6 t}) \qquad (7.5.16)$$

Nel caso in cui il reattore sia reso sopracritico per inserimento di reattività positiva, $\rho > 0$, l'andamento della densità $N(t)$

è descritto dalla somma di sei funzioni esponenziali transitorie, tutte quelle con costante di tempo ω negativa in quanto decrescenti fino all'annullamento con il trascorrere del tempo e da una funzione crescente esponenzialmente con il tempo, quella con costante di tempo ω_0 positiva.

L'andamento "asintotico" cioè l'andamento della densità $N(t)$ dopo aver esaurito il transitorio quindi dopo un tempo sufficiente per annullare le armoniche con costante di tempo negativa, sarà descritto dall'equazione:

$$N(t) = N(0) \cdot A_0 \cdot e^{\omega_0 t} \tag{7.5.17}$$

In queste condizioni si dice che il **reattore diverge** esponenzialmente con costante di tempo ω_0.

Nel caso in cui il reattore sia reso sottocritico per inserimento di reattività negativa, $\rho<0$, la densità neutronica $N(t)$ risulta ancora descritta da una combinazione lineare di sette funzioni esponenziali questa volta però tutte con costante di tempo ω_i negativa.

Con il trascorrere del tempo tutte le componenti o armoniche di $N(t)$ tendono quindi ad annullarsi.

L'armonica con costante di tempo ω numericamente più piccola sarà quella che decresce nel tempo più lentamente delle altre.

Dalla Fig. 7.5.2 si vede che per valori negativi della reattività ρ, la radice con valore numerico più piccolo è ω_0.

In conclusione anche per valori negativi della reattività, l'andamento asintotico della densità neutronica $N(t)$ sarà descritto da un'equazione del tipo della eq. 7.5.17 questa volta però con costante di tempo ω_0 negativa.

$$N(t) = N(0) \cdot A \cdot e^{-\omega_0 t} \qquad (7.5.18)$$

In queste condizioni si dice che il **reattore converge** esponenzialmente.

Osserviamo ora che ponendo nelle eqq. 7.5.17 e 7.5.18 $\omega_0 = 1/T$ dove T è il periodo stabile del reattore si ottiene una relazione del tutto coincidente formalmente con l'eq. 6.6.4 ricavata per altra via al Cap. 6 senza tener conto esplicitamente dei neutroni ritardati.

Si deve avere presente la differenza sostanziale che comunque sussiste nei due casi e precisamente; quando un reattore inizialmente critico viene allontanato da quello stato, l'andamento nel tempo della sua densità neutronica o in breve della sua potenza è descritta da una funzione esponenziale rispettivamente:

- **dall'istante della perturbazione** in poi nell'approssimazione che assume **tutti i neutroni** di fissione come **pronti**;
- **asintoticamente** cioè dopo un tempo detto di transitorio **quando si tiene** correttamente ed esplicitamente **conto** dell'esistenza **dei neutroni ritardati**.

Questa prima osservazione permette anche di precisare meglio cosa si intende per **periodo stabile** T del reattore; da quanto precede esso è determinato dalla costante di tempo che caratterizza la divergenza o la convergenza del reattore **dopo** trascorso l'intervallo di tempo detto di transitorio durante il quale si annullano le perturbazioni che accompagnano i primi istanti che seguono all'allontanamento dalla condizione di criticità, in breve dopo l'annullamento delle armoniche superiori (i = 1, 2, ...6).

La funzione esponenziale è comunque differente nei due casi in quanto è differente la costante di tempo che la caratterizza.

Nel caso infatti in cui tutti i neutroni di fissione sono assunti come pronti, la relazione tra reattività e periodo T è quella ricavata al par. 6.6.4 che riscriviamo:

$$\rho = \frac{1}{k \cdot T}$$

Ponendo $1/k = \Lambda$ tempo di generazione per soli neutroni pronti, essa diviene:

$$\rho = \frac{\Lambda}{T} \qquad (7.5.19)$$

Nel caso si introduca la correzione che tiene conto del differente tempo di vita media in reattore dei neutroni pronti e dei neutroni ritardati a valle della impostazione delle equazioni della cinetica, risulta che il tempo medio di vita di tutti i neutroni di fissione è la media pesata dei due tempi precedenti $\langle l \rangle = (1-\Sigma_i\beta_i) \cdot l_p + \Sigma_i\beta_i \cdot \tau_i + \Sigma_i\beta_i \cdot l_p$, e la relazione tra reattività e periodo stabile T del reattore è data dall'eq. 6.6.7 che riscriviamo:

$$\rho = \frac{1}{T} \left(l_p + \Sigma_i\beta_i \cdot \tau_i \right) \qquad (7.5.20)$$

Tenendo infine conto in modo esplicito dell'esistenza dei neutroni ritardati già nella impostazione iniziale delle equazioni della cinetica del reattore come si è fatto nel presente paragrafo, si ottiene come relazione tra reattività ρ e periodo T l'equazione di Nordheim. Sostituendo nell'eq. 7.5.15 la relazione di eguaglianza $\omega = 1/T$ si ottiene:

$$\rho = \frac{\Lambda}{T} + \Sigma_i \frac{\beta_i}{1+\lambda_i \cdot T} \qquad (7.5.21)$$

Riassumendo si può quindi concludere che le espressioni analitiche che descrivono l'andamento nel tempo del flusso neutronico $\phi(t)$ del reattore (o indifferentemente della densità neutronica $N(t)$ o anche della potenza $P(t)$ del reattore) considerando tutti i neutroni di fissione come pronti oppure in maniera più corretta tenendo conto delle due componenti pronte e ritardate dei neutroni di fissione, sono **formalmente coincidenti solamente** quando si valutano condizioni di stabilità o di equilibrio del reattore.

Per equilibrio del reattore, lo ripetiamo, si intende lo stato per cui risulta costante nel tempo il rapporto tra la concentrazione $C_i(t)$ dei precursori ritardati e la densità neutronica complessiva $N(t)$.

Occorre anche avere presente che alla coincidenza formale non sempre corrisponde quella sostanziale sul valore dei simboli come evidenziato nei tre casi precedenti dalle rel. 7.5.19, rel. 7.5.20 e rel. 7.5.21.

Applicazione delle relazioni tra reattività e periodo T

Si introduca un gradino di reattività $\rho = 5 \cdot 10^{-4}$ in un reattore critico caratterizzato da: $\Lambda = 10^{-5}$ s; $\Sigma\beta_i = 0{,}0065$; $\Sigma\beta_i \cdot \tau_i = 0{,}081$; $\lambda = \Sigma_i \cdot \beta_i\lambda_i/\beta_i = 0.08\ s^{-1}$ e si valuti il periodo stabile T *del reattore con le tre rel. 7.5.19, 7.5.20 e 7.5.21 precedenti.*

Soluzione

Nel caso si assuma valida la rel. 7.5.19 si ha:

$$T = \frac{\Lambda}{\rho}; \qquad T = \frac{10^{-5}}{5 \cdot 10^{-4}} = 0{,}02 \text{ secondi}$$

Nel caso si assuma valida la rel. 7.5.20 si ha:

$$T = \frac{l_p + \Sigma \beta_i \cdot \tau_i}{\rho}$$

ponendo $l_p \simeq \Lambda$ *si ha:*

$$T = \frac{10^{-5} + 0{,}081}{5 \cdot 10^{-4}} = 162 \text{ secondi}$$

Nel caso si assuma valida la rel. 7.5.21 e sostituendo nella stessa i dati numerici dell'esempio si vede che può essere scritta nella forma semplificata seguente:

$$\rho \approx \Sigma_i \frac{\beta_i}{1+\lambda_i \cdot T} \simeq \frac{\beta}{1+\lambda T}$$

infatti è:

$$\rho = \frac{10^{-5}}{T} + \frac{650 \cdot 10^{-5}}{1 + 0{,}08\, T}$$

Risulta quindi immediato riconoscere che il primo termine $10^{-5}/T$ *è numericamente trascurabile rispetto al secondo.*

Si ha quindi che è:

$$1 + \lambda T = \frac{\beta}{\rho}; \qquad \lambda T = \frac{\beta}{\rho} - 1; \qquad T = \frac{1}{\lambda}\left(\frac{\beta}{\rho} - 1\right)$$

$$T = \frac{1}{0{,}08}\left(\frac{0{,}0065}{5 \cdot 10^{-4}} - 1\right) = \frac{12}{0{,}08} = 150 \text{ secondi}$$

Osserviamo che per gradini di reattività negativa molto grandi in valore assoluto, il valore numerico della radice ω_0 coincide praticamente con la costante di decadimento λ_1 del primo gruppo di precursori dei ritardati, quello a vita media più lunga, come si vede anche dal grafico della Fig. 7.5.2.

Si ha quindi che:

$$\omega_0 = -\lambda_1$$

Il periodo stabile T del reattore risulta quindi dato dalla:

$$T = \frac{1}{\omega_0} = -\frac{1}{\lambda_1}$$

Dalla Tab. 2.3.1, il valore della costante di decadimento λ_1 per fissione termica dell'^{235}U è ad esempio λ_i=0,0126 s^{-1}.

Risulta quindi che il periodo stabile T del reattore per inserzioni di grandi reattività negative assume il valore costante: $T = -80$ s. Questo risultato è particolarmente importante in ambito operativo cioè di controllo del reattore in quanto dimostra che quando si **inserisce** in un reattore critico **una grande reattività negativa** $\rho >> \beta$, per esempio allo spegnimento del reattore, **la densità neutronica** N (o la potenza P od il flusso neutronico ϕ) diminuisce dapprima rapidamente come già visto, ma **dopo un certo tempo**, quando le armoniche superiori del transitorio sono praticamente annullate e la convergenza del reattore è comandata dal periodo stabile T, **diminuisce di valore** nel tempo con una **costante di tempo fissa non minore di 80 secondi**, cioè si riduce di un fattore e = 2,718..... ogni 80 secondi circa. In Fig. 7.5.3 è riportato un esempio di questo andamento caratteristico.

7.6. Schematizzazione ad un solo gruppo di neutroni ritardati

L'andamento nel tempo della densità neutronica $N(t)$ o indifferentemente del flusso neutronico $\phi(t)$ o della potenza $P(t)$ del reattore quando quest'ultimo inizialmente critico viene reso sopracritico o sottocritico per l'inserimento nel nocciolo di reattività a gradino rispettivamente positiva o negativa, è descritto con ulteriore semplicità formale, e quindi risulta di più agevole comprensione fisica, se si assume che i neutroni ritardati siano rappresentati da un unico gruppo caratterizzato dai seguenti parametri:

- la frazione ritardata espressa dal valore complessivo $\Sigma_i\beta_i = \beta$;
- la costante di decadimento dei precursori espressa da un unico valore ottenuto come media pesata delle singole costanti di decadimento dei sei gruppi $<\lambda> = \Sigma_i \lambda_i \cdot \beta_i/\beta$.

Con questa approssimazione il sistema di sette eq. 7.5.7 si riduce al seguente sistema di due equazioni; una relativa alla densità $N(t)$ e l'altra al bilancio dei ritardati:

$$\frac{dN(t)}{dt} = \frac{k(1-\beta) - 1}{l} N(t) + \lambda \cdot C(t)$$

(7.6.1)

$$\frac{dC(t)}{dt} = k \cdot \beta \frac{N(t)}{l} - \lambda \cdot C(t)$$

Per semplificare la scrittura in questo paragrafo si scriverà λ intendendo con essa il valore medio pesato $<\lambda>$.

Ponendo $l/k = \Lambda$ e sostituendo questa eguaglianza nel sistema di eq. 7.6.1 con semplici passaggi si ottengono le seguenti equazioni:

$$\frac{dN(t)}{dt} = \frac{\rho-\beta}{\Lambda} N(t) + \lambda \cdot C(t)$$

$$\frac{dC(t)}{dt} = \frac{\beta}{\Lambda} N(t) - \lambda \cdot C(t) \qquad (7.6.2)$$

La soluzione di questo sistema è data da una funzione somma di due funzioni esponenziali del tipo:

$$\frac{N(t)}{N(0)} = \frac{b-c}{b-a} \cdot e^{at} + \frac{c-a}{b-a} \cdot e^{bt} \qquad (7.6.3)$$

dove:

$$a = \frac{\rho \cdot \lambda}{\Lambda \cdot \lambda + \beta - \rho}$$

$$b = \frac{\rho-\beta}{\Lambda}$$

$$c = \frac{\rho}{\Lambda}$$

sostituendo queste eguaglianze nella eq. 7.6.3 e con alcune semplificazioni si ottiene come soluzione del sistema di eq. 7.6.2 la seguente funzione:

$$\frac{N(t)}{N(0)} = \frac{\beta}{\beta-\rho}\, e^{\frac{\lambda \cdot \rho}{\beta-\rho} t} + \frac{\rho}{\rho-\beta}\, e^{-\frac{\beta-\rho}{\Lambda} t} \qquad (7.6.4)$$

Per comprenderne il significato fisico e quindi per interpretare i grafici forniti dalla strumentazione di controllo del reattore, è conveniente numerizzare e rappresentare graficamente l'eq. 7.6.4, avendo comunque sempre presente il carattere didascalico del modello ad un solo gruppo di neutroni ritardati.

Il nocciolo del reattore sia caratterizzato dai seguenti parametri.

La frazione di neutroni ritardati sia β = 0,0065; la costante di decadimento media di tutti i neutroni ritardati sia $<\lambda>$ = 0,085 s^{-1} ed il tempo di generazione dei neutroni pronti sia $\Lambda = 5 \cdot 10^{-4}$ s.

Si considerino ora i due casi seguenti:

a) si applica al reattore critico un gradino di reattività positiva ρ = 0,003;

b) si applica al reattore critico un gradino di reattività negativa ρ = -0,03.

Caso a

L'eq. 7.6.4 sostituendovi i dati numerici precedenti e con semplici elaborazioni diviene:

$$N(t) = N(0) \cdot (1{,}86 e^{0{,}073t} - 0{,}86 e^{-7t})$$

In Fig. 7.6.1 è riportata la rappresentazione grafica di quest'ultima relazione.

Caso b

Il gradino di reattività negativa ρ = -3000 p.c.m. che può supporsi corrispondere allo spegnimento rapido (scram) del reattore (dalla condizione di criticità) determina, nell'approssimazione assunta, un andamento della densità neutronica dato dalla eq. 7.6.4 che sostituendovi i valori assegnati ai vari parametri diviene:

$$N(t) = N(0)\ (0{,}178e^{-0{,}06986t} + 0{,}822e^{-73t})$$

In Fig. 7.6.2 è riportata la rispettiva rappresentazione grafica.

Entrambe le curve a tratto continuo delle Figg. 7.6.1 e 7.6.2 descrivono (nell'approssimazione ad un solo gruppo di neutroni ritardati) l'andamento complessivo della densità neutronica $N(t)$ normalizzato al valore iniziale N_0 della stessa, quello relativo al reattore critico.

Esse risultano formate dalla somma algebrica delle due funzioni esponenziali della eq. 7.6.4 di cui la prima descrive l'andamento asintotico e la seconda il transitorio iniziale.

Si richiama ancora una volta l'attenzione sulla diversa descrizione del comportamento cinetico del reattore che deriva dal tenere conto dei neutroni ritardati rispetto al modello che assume tutti i neutroni di fissione come pronti.

Al par. 7.4 si era visto che l'inserzione di un gradino di reattività positiva di 100 p.c.m. in un reattore critico considerando tut-

ti i neutroni di fissione pronti conduce nel tempo di un solo secondo ad un aumento del livello di potenza pari a circa $4{,}8 \cdot 10^8$ volte il valore iniziale mentre applicando la eq. 7.6.4 si trova che nello stesso tempo risulta $N(1)/N(0) = 1{,}34$. *Questo risultato riporta il reattore nell'area della controllabilità.*

Il brusco salto che subisce inizialmente il valore della densità neutronica $N(t)$ a seguito dell'inserzione a gradino di reattività positiva o negativa può essere spiegato come segue.

Osserviamo che la densità neutronica complessiva N_0 esistente nel reattore in condizioni di criticità è data dalla somma delle due componenti, quella pronta $N_0(1-\beta)$ e quella ritardata $N_0\beta$ come schematizzato in Fig. 7.6.3.

Nel modello ad un solo gruppo di neutroni ritardati la componente ritardata presente all'istante generico t_0 è dovuta alle fissioni verificatesi circa 12,9 secondi prima cioè al tempo (t_0-t_r) dove t_r = 12,9 s è il tempo medio di decadimento (di vita) del gruppo dei ritardati.

Se si inserisce in reattore al tempo t_0 un gradino di reattività positiva $\rho = \Delta k/k$ minore del valore numerico della frazione β di neutroni ritardati, la componente pronta k_p del fattore di moltiplicazione k diviene:

$$k_p = k(1-\beta) + \frac{\Delta k}{k} \qquad (7.6.5)$$

Poichè il reattore è inizialmente critico, fino a quando non compaiono i neutroni ritardati prodotti dall'istante t_0 in poi, il fattore di moltiplicazione del nocciolo vale $k=1$ quindi l'eq. 7.6.5 si può scrivere:

$$k_p = 1-\beta + \Delta k \tag{7.6.6}$$

Poichè è per ipotesi $\Delta k<\beta$ cioè $(-\beta+\Delta k) < 0$ risulta che è:

$$k_p < 1$$

La moltiplicazione neutronica pronta è quindi quella caratteristica dello stato sottocritico con sorgente inserita quando si riduce lo stato di sottocriticità vista al par. 7.2.1.

La sorgente neutronica inserita è costituita in questo caso dalla componente ritardata $N_0\beta$ dovuta alle fissioni prodotte circa tredici secondi prima del tempo t_0 quando ancora il reattore era critico. L'andamento nel tempo della densità neutronica $N(t)$ è quello riportato in Fig. 7.6.4.

Il transitorio è descritto nella sua parte iniziale dalla moltiplicazione pronta sottocritica dei neutroni ritardati, moltiplicazione che tende al valore asintotico $N = N_0\beta/(\beta-\rho)$.

Ponendo nella rel. 7.2.2 $S_0=N_0\cdot\beta$ *si ha:*

$$N = N_0 \frac{\beta}{1-k_p}$$

Sostituendo a k_p *la rel. 7.6.6 si ha:*

$$N = N_0 \frac{\beta}{1-1+\beta-\Delta k}$$

quindi:

$$N = N_0 \frac{\beta}{\beta - \Delta k}$$

Con buona approssimazione è $\Delta k = \rho$. La relazione precedente diviene:

$$N = N_0 \frac{\beta}{\beta - \rho} \quad \text{c.v.d.} \qquad (7.6.7)$$

Al tempo $t = t_0 + 12.9$ secondi inizia a farsi sentire il contributo dei neutroni ritardati generati dalle fissioni prodottesi dal tempo t_0 in poi. Il reattore diviene sopracritico ed il transitorio con le ipotesi semplificatrici adottate è descritto da una funzione esponenziale la cui costante di tempo è data dal periodo stabile T del reattore come riportato indicativamente nella Fig. 7.6.4 già ricordata.

Il rapporto tra il valore della densità neutronica asintotica, eq. 7.6.7, ed il valore iniziale N_0 a reattore critico dato dalla relazione:

$$\frac{N}{N_0} = \frac{\beta}{\beta - \rho} \qquad (7.6.8)$$

viene assunto come valore del salto pronto; prompt jump nella letteratura anglosassone.

In tempi brevissimi, frazioni di secondo, la potenza del reattore varia da un valore iniziale P_0 ad un valore P che calcolato con la rel. 7.6.8 nel caso dell'esempio (a) risulta superiore dell'86% al valore iniziale P_0 e nel caso (b) risulta ridotto dell'82,2% rispetto a P_0.

7.7. Studio del transitorio

Durante un transitorio di potenza due importanti parametri che caratterizzano il comportamento dinamico del nocciolo cambiano di valore. Essi sono:

a) la frazione effettiva dei neutroni ritardati $\beta = \Sigma_i \beta_i$;
b) la costante di decadimento media dei neutroni ritardati $<\lambda> = \Sigma_i \beta_i \cdot \lambda_i / \Sigma_i \beta_i$.

a) **La frazione effettiva dei neutroni ritardati β**

Supponiamo di inserire reattività positiva a gradino in un reattore critico.

Il reattore diverge come visto in precedenza. Si osservi però che il numero di neutroni ritardati presenti ad ogni istante t_0 corrisponde alla concentrazione di precursori prodotti al livello di potenza inferiore esistente al tempo $t = t_0$ - (tempo di latenza dei ritardati) come mostrato indicativamente in Fig. 7.7.1.

Come risultato si ha quindi che durante la salita a potenza del reattore la frazione di neutroni ritardati è sempre minore di quella corrispondente alla situazione stazionaria.

Al solo scopo di esemplificare, supponiamo che la potenza del reattore cambi istantaneamente dal 10% al 20% del valore nominale.

La frazione effettiva di neutroni ritardati appena giunti al 20% della potenza nominale corrisponde in realtà alla concentrazione di precursori formatesi quando la potenza era al 10% della potenza nominale.

La frazione effettiva di neutroni ritardati durante i primi istanti del transitorio ipotizzato avrà valore metà di quella corrispondente allo stato stazionario nel nuovo livello di potenza.

Questa situazione dura per tutto il tempo necessario perchè si esaurisca il transitorio cioè si raggiunga di nuovo la condizione di concentrazione stazionaria nel tempo dei precursori corrispondente al nuovo livello di potenza.

Lo stesso fenomeno ma in senso inverso si manifesta nel caso di inserzione a gradino di reattività negativa e quindi di convergenza o riduzione del livello di potenza del reattore. Infatti i precursori che decadono in ogni istante t_0 sono quelli prodotti in precedenza al tempo $t = t_0$ - (tempo di latenza dei ritardi) quando il livello di potenza era maggiore. Il loro contributo alla densità complessiva di neutroni presenti in ogni istante è quindi superiore a quella che si avrebbe allo stesso livello di potenza considerato ma in condizioni stazionarie.

In Fig. 7.7.2 sono riportati gli andamenti ed i valori puramente indicativi della frazione β per variazioni a gradino sia positive che negative della potenza del reattore.

b) **La costante di decadimento media $<\lambda>$ dei neutroni ritardati**

La costante media $<\lambda>$ dei neutroni ritardati è data come già visto, dalla somma delle costanti di decadimento λ_i dei differenti gruppi di neutroni ritardati pesate con le rispettive frazioni β_i, cioè dalla relazione $<\lambda> = \Sigma\beta_i \cdot \lambda_i / \Sigma\beta_i$.

Quando cambia il livello di potenza cambia anche la concentrazione relativa dei vari gruppi di precursori come già visto al punto precedente in quanto ogni gruppo segue più o meno velocemente questi cambiamenti in base alla propria costante di tempo λ_i. Il gruppo a vita media più breve segue ovviamente più velocemente degli altri le variazioni di livello della potenza.

La costante di decadimento media effettiva $<\lambda>$ viene quindi a dipendere dal valore della reattività inserita in quanto maggiore è il suo valore, maggiore sarà nell'unità di tempo la variazione del livello di potenza del reattore e quindi la variazione nella produzione dei precursori ritardati dei vari gruppi.

Per lo studio del transitorio nel modello ad un solo gruppo di neutroni ritardati si è trovato soddisfacente sostituire nella formula reattività-periodo, alla quantità β_{eff} corrispondente allo stato stazionario la quantità $(\beta_{eff}-\rho)$ come sarà presentato nel paragrafo seguente, mentre per la "costante media" $<\lambda>$ si usano valori opportunamente corretti in funzione della reattività ρ come quelli che possono essere ricavati dalla curva riportata in Fig. 7.7.3.

7.8. Reattività e periodo stabile T

Nella pratica operativa le variazioni impresse di reattività sono sempre molto minori del valore numerico della frazione efficace β dei neutroni ritardati.

Si valuterà tuttavia anche il transitorio per reattività $\rho>\beta$ per l'importanza che quest'ultima condizione riveste ai fini della sicurezza.

Il riferimento alla quantità β per il valore della reattività impressa è dovuto come noto al diverso comportamento del reattore nelle due regioni $\rho<\beta$ e $\rho>\beta$ rispettivamente.

Nella regione $\rho<\beta$ la cinetica del reattore è governata dai neutroni ritardati mentre nella regione $\rho>\beta$ è governata dai soli neutroni pronti come dimostrato più avanti anche in questo paragrafo.

In Fig. 7.8.1 è riportato indicativamente il valore del periodo stabile T in funzione della reattività $\rho = \Delta k/k$ inserita a gradino nel nocciolo critico di reattori del tipo BWR e PWR.

Si può osservare che a piccoli valori della reattività corrispondono periodi T di valore elevato e viceversa.

In pratica per la reattività si considerano come valori piccoli quelli che producono valori di periodo stabile $T \geq 30$ secondi.

Ricaviamo ora delle relazioni approssimate ma sufficientemente precise e semplici da applicare nella pratica per calcolare il valore del periodo stabile T assegnata la reattività ρ (inserita a gradino nel reattore) o viceversa.

Usiamo per questo l'approssimazione ad un solo gruppo di neutroni ritardati.

Scriviamo la rel. 7.5.15 corrispondente

$$\rho = \frac{\Lambda}{T} + \frac{\beta}{1 + \langle\lambda\rangle T} \qquad (7.8.1)$$

e consideriamo i due casi seguenti:

a) reattività inserita $\rho<\beta$;

b) reattività inserita $\rho>\beta$.

a) Per reattività piccole o modeste si è già visto che il valore del periodo T è superiore a qualche decina di secondi.

Il primo termine della rel. 7.8.1 dato il valore di Λ che è dell'ordine di $10^{-4} \div 10^{-5}$ secondi, diviene numericamente trascurabile. La rel. 7.8.1 si riduce quindi all'espressione seguente:

$$\rho = \frac{\beta}{1 + \langle\lambda\rangle\ T}$$

Con pochi passaggi che non vengono qui riportati per la loro semplicità si ottiene infine la seguente relazione:

$$T = \frac{\beta - \rho}{\rho\ \langle\lambda\rangle} \qquad (7.8.2)$$

La rel. 7.8.2 è quella più frequentemente usata nella pratica in quanto in generale nell'operazione del reattore intervengono valori di reattività $\rho<\beta$.

La rel. 7.8.2 in termini di **S**tart **U**p **R**ate **(SUR)** si scrive come segue:

$$SUR = 26{,}06\ \frac{\rho\ \langle\lambda\rangle}{\beta - \rho} \qquad (7.8.3)$$

b) L'inserzione a gradino di reattività positiva $\rho>\beta$ al tempo generico t_0 in un reattore critico produce un fattore di moltiplicazione pronta k_p dato dalla relazione seguente:

$$k_p = k(1-\beta) + \frac{\Delta k}{k}$$

Poichè fino al tempo (t_0+t_r) con t_r come già visto, tempo di vita medio dei neutroni ritardati, è $k=1$ si ha anche che è:

$$k_p = 1-\beta + \Delta k$$

Per ipotesi è $\Delta k > \beta$ cioè $(-\beta + \Delta k) > 0$ e quindi:

$$k_p > 1$$

Il reattore risulta di conseguenza sopracritico con i soli neutroni pronti e come già visto ai paragrafi precedenti diverge esponenzialmente come riportato indicativamente anche in Fig. 7.8.2.

Per reattività grandi, maggiori numericamente della frazione β, il periodo T, diviene molto piccolo come riportato anche nella Fig. 7.8.1; il prodotto $<\lambda> T$ della rel. 7.8.1 diviene numericamente trascurabile per cui questa stessa relazione si riduce alla forma seguente:

$$\rho = \frac{\Lambda}{T} + \beta$$

o alla equivalente:

$$T = \frac{\Lambda}{\rho - \beta} \qquad (7.8.4)$$

Poichè Λ è dell'ordine di $10^{-4} \div 10^{-5}$ secondi, il periodo T risulta estremamente breve; in altre parole la potenza del reattore cresce di un fattore $e = 2{,}718....$ in tempi dell'ordine del centesimo o del millesimo di secondo cioè il **reattore** diviene pericolosamente **incontrollabile**.

In conclusione **per ragioni di sicurezza la reattività aggiunta** a gradino in un **reattore critico** deve essere **sempre minore** del valore numerico **della frazione** β.

Se il nocciolo del reattore è costituito da combustibile ad uranio, il valore della frazione β varia con l'arricchimento in

^{235}U e con il bruciamento, ossia con il tempo trascorso a potenza, a causa del formarsi degli isotopi del plutonio.

Se il combustibile è costituito da solo plutonio o da ossidi misti uranio-plutonio il valore della frazione β diminuisce notevolmente rispetto al caso di combustibile a solo uranio come già evidenziato al par. 6.3.

Quando la reattività è espressa in percento oppure in p.c.m. la rel. 7.8.2 fornisce valori differenti del periodo T a parità di reattività ρ a seconda del valore che assume la frazione β.

Per questa ragione negli studi di cinetica del reattore si preferisce a volte usare la reattività espressa in dollari $(\$) = \rho/\beta$ come già anticipato al par. 6.4.1, in quanto con questa "unità" si ottengono valori di periodo T univocamente definiti per ogni valore di reattività ed indipendenti dalla composizione isotopica del combustibile.

La rel. 7.8.2 esprimendo la reattività in dollari ($) diviene infatti indipendente da β.

$$T = \frac{1 - \rho/\beta}{\langle\lambda\rangle \; \rho/\beta}$$

$$T = \frac{1 - (\$)}{\langle\lambda\rangle \; (\$)} \qquad (7.8.5)$$

Tabella 7.2.1

n (numero della generazione)	S (intensità della sorgente di neutroni	$N_f^{(\bullet)}$ (neutroni prodotti dalle fissioni)	$N^{(\bullet)}$ (neutroni totali)	ΔN (incremento di neutroni SK^n tra due generazioni successive
1	100	0	100	--
2	100	50	150	50
3	100	75	175	25
4	100	88	188	13
5	100	94	194	6
6	100	97	197	3
7	100	99	199	≃ 2
8	100	100	200	1
9	100	100	200	≃ 0
10	100	100	200	≃ 0

•) Valori ad inizio generazione

Moltiplicazione sottocritica in un sistema con $k = 0,5$ e sorgente neutronica S inserita

segue Tabella 7.2.1

n (numero della generazione)	S (intensità della sorgente di neutroni	N_f (•) (neutroni prodotti dalle fissioni)	N (•) (neutroni totali)	ΔN (incremento di neutroni SK^n tra due generazioni successive
1	100	0	100	--
2	100	80	180	80
3	100	144	244	64
4	100	195	295	51
5	100	236	336	41
6	100	269	369	33
7	100	295	395	26
8	100	316	416	21
9	100	333	433	17
10	100	346	446	13
11	100	357	457	11
12	100	366	466	9
13	100	373	473	7
14	100	378	478	5
15	100	382	482	4
16	100	386	486	4
17	100	389	489	3
18	100	391	491	2
19	100	393	493	2
20	100	394	494	1

(•) Valori ad inizio generazione

Moltiplicazione sottocritica in un sistema con κ = 0,8 e sorgente neutronica S inserita

segue Tabella 7.2.1

Valore di k^n per k = 0,5

n (numero della generazione)	Valore di k^n
1	$(0,5)^1 = 0,5$
2	$(0,5)^2 = 0,25$
3	$(0,5)^3 = 0,125$
4	$(0,5)^4 = 0,062$
5	$(0,5)^5 = 0,031$
6	$(0,5)^6 = 0,015$
7	$(0,5)^7 = 0,008$
8	$(0,5)^8 = 0,004$
9	$(0,5)^9 = 0,002$
10	$(0,5)^{10} = 0,001$

Moltiplicazione sottocritica in un sistema con k = 0,5 e sorgente neutronica S inserita

segue Tabella 7.2.1

Valore di k^n per $k = 0,8$

n (numero della generazione)	Valore di k^n
1	$(0,8)^1 = 0,8$
2	$(0,8)^2 = 0,64$
3	$(0,8)^3 = 0,512$
4	$(0,8)^4 = 0,4096$
5	$(0,8)^5 = 0,32768$
10	$(0,8)^{10} = 0,10737$
20	$(0,8)^{20} = 0,01153$

Moltiplicazione sottocritica in un sistema con $k = 0,8$ e sorgente neutronica S inserita

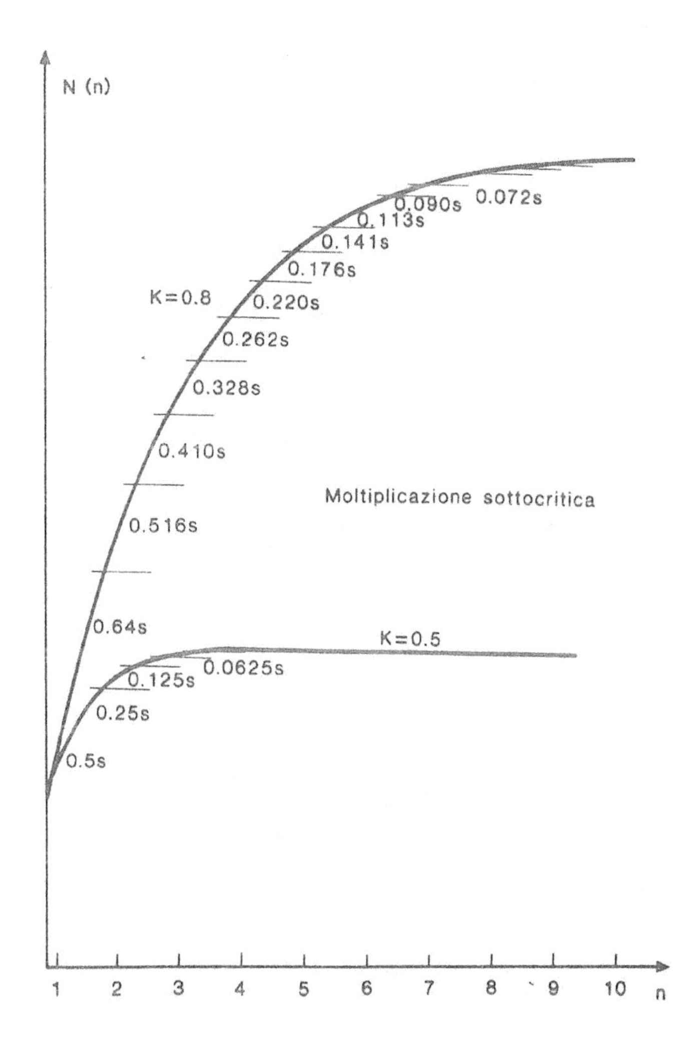

Fig. 7.2.1 *Moltiplicazione sottocritica dei neutroni emessi da una sorgente di intensità S (neutroni generazione^{-1}) in funzione del numero di generazioni n in un mezzo con fattore di moltiplicazione K=0.5 oppure K=0.8*

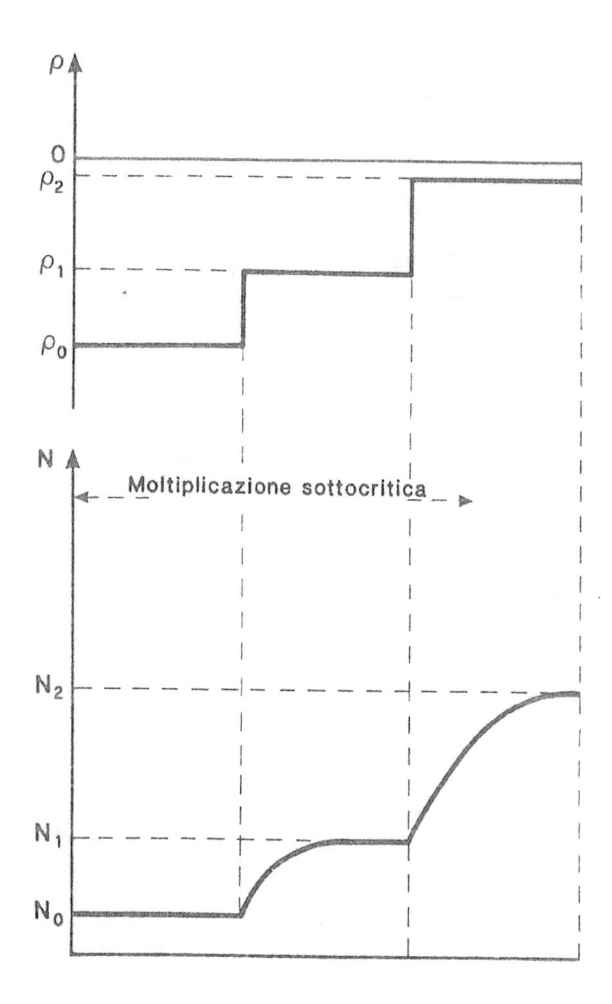

Fig. 7.2.2 *Esempio di moltiplicazione neutronica sottocritica con sorgente neutronica ausiliaria inserita per differenti valori* ρ_i *di sottocriticità del mezzo moltiplicante*

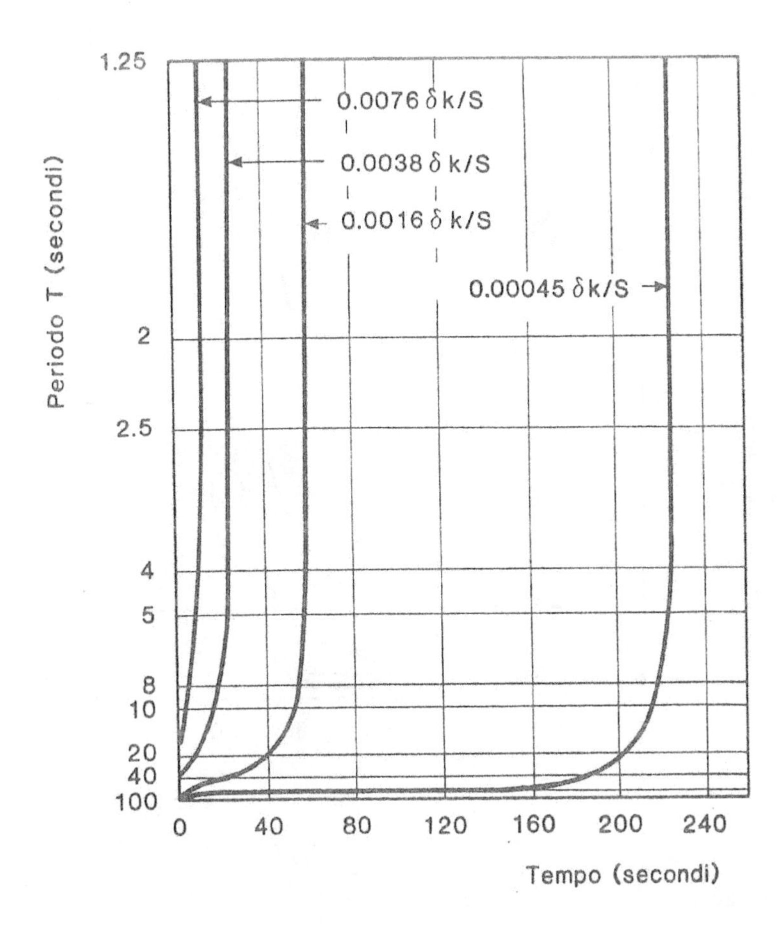

Fig. 7.3.1 *Periodo T del reattore in funzione del tempo per inserzione di differenti rampe di reattività positiva* $(\delta K/s) \equiv (p.c.m.\ s^{-1})$

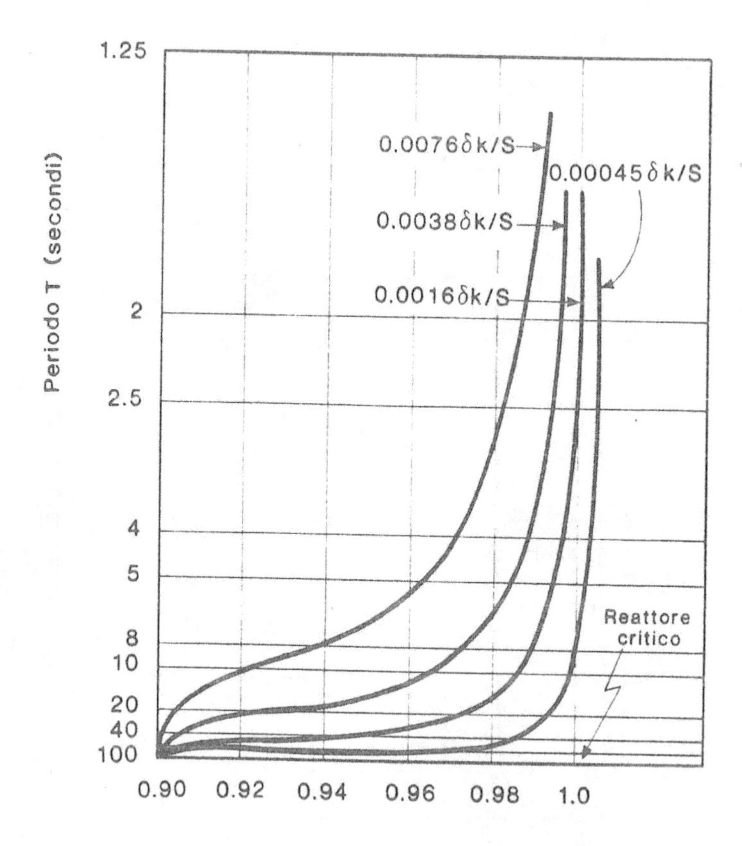

Fig. 7.3.2 *Periodo T del reattore in funzione del fattore di moltiplicazione k per inserzione di differenti rampe di reattività positiva* $(\delta k/s) \equiv (p.c.m\ s^{-1})$

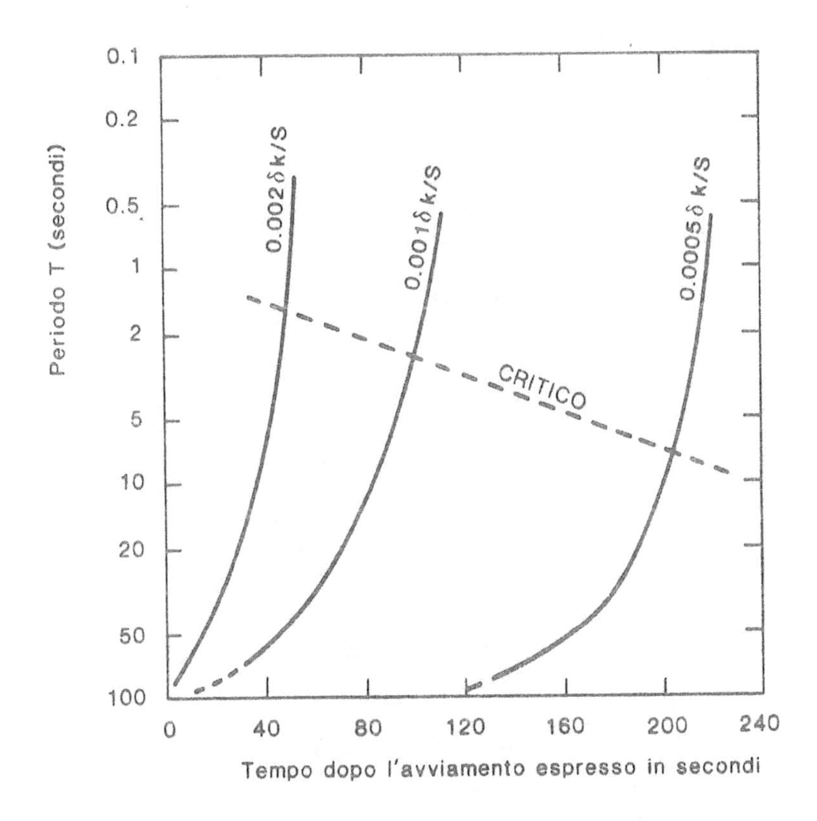

Fig. 7.3.3 *Periodo T del reattore in funzione del tempo t calcolato dall'avviamento del reattore con differenti rampe di reattività positiva. La linea tratteggiata determina il valore del periodo T al raggiungimento della criticità*

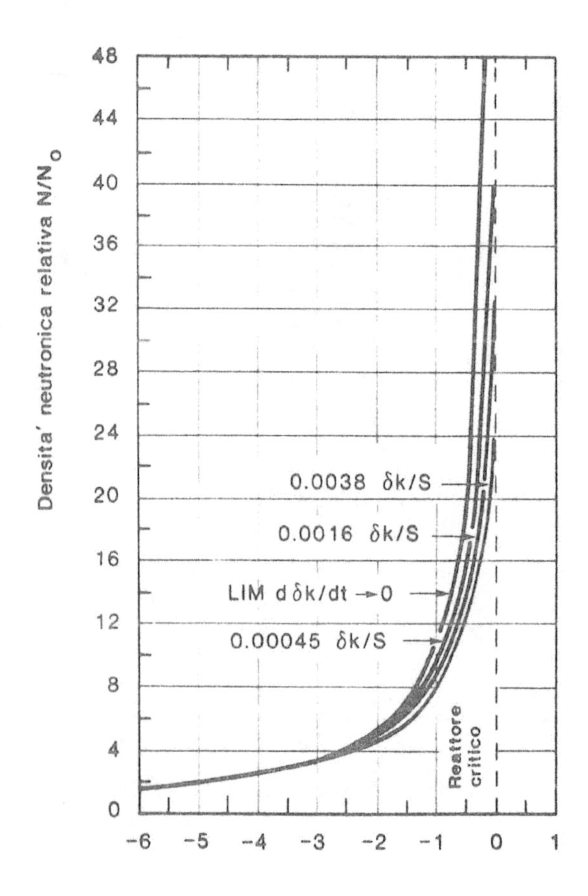

Fig. 7.3.4 *Densità neutronica relativa in funzione della reattività ρ di sottocriticità per differenti rampe di reattività positiva (δk/s)≡(p.c.m. s^{-1}) impresse*

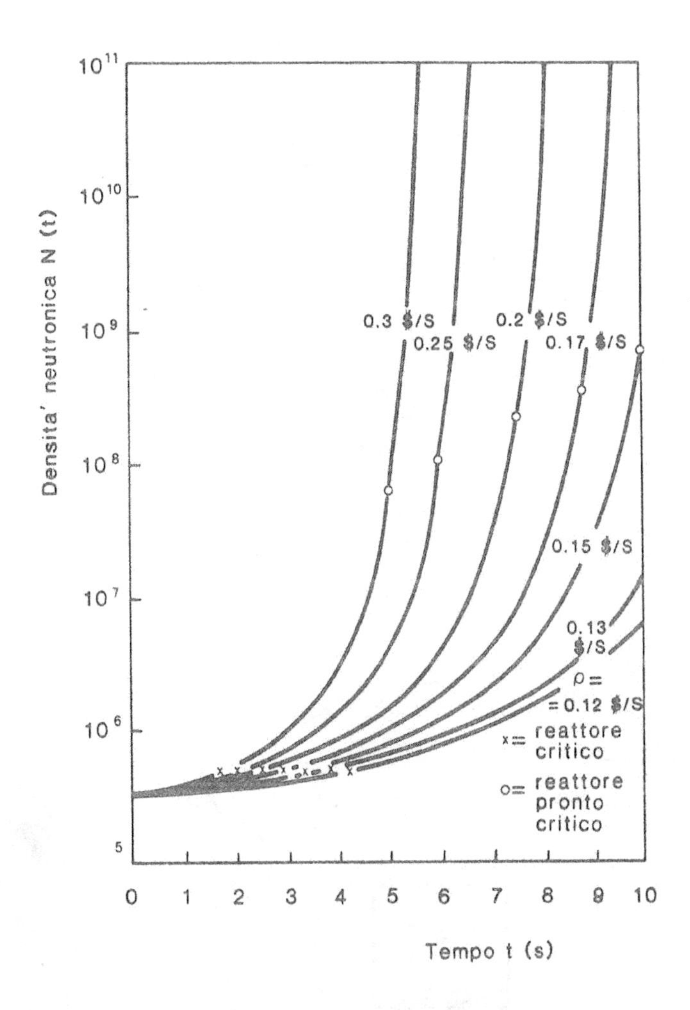

Fig. 7.3.5 *Densità neutronica in funzione del tempo per differenti rampe di reattività positiva inserite in un reattore inizialmente sottocritico*

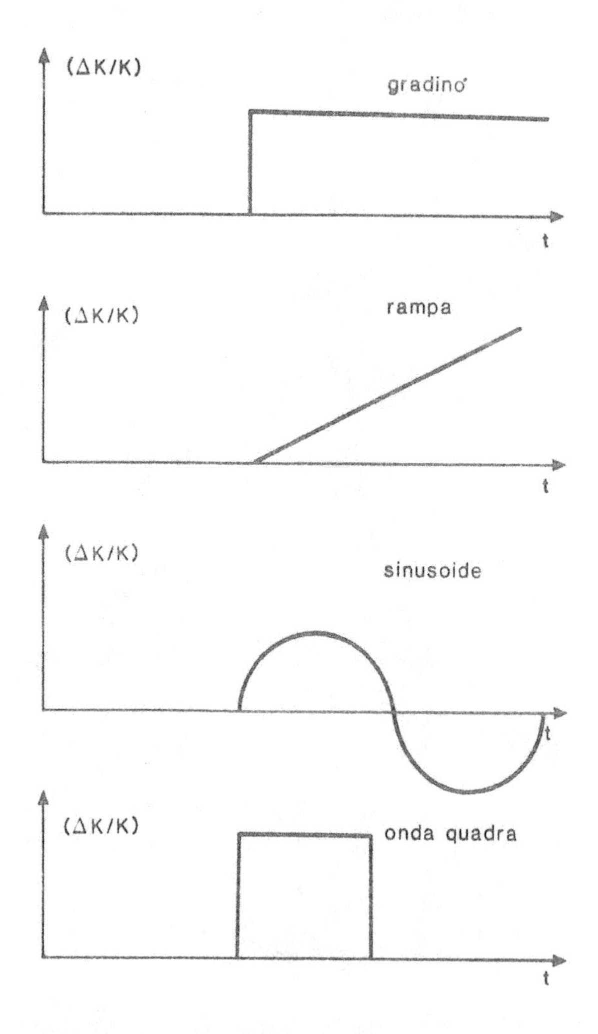

Fig. 7.4.1 *Alcune modalità tipiche di variazione di reattività*

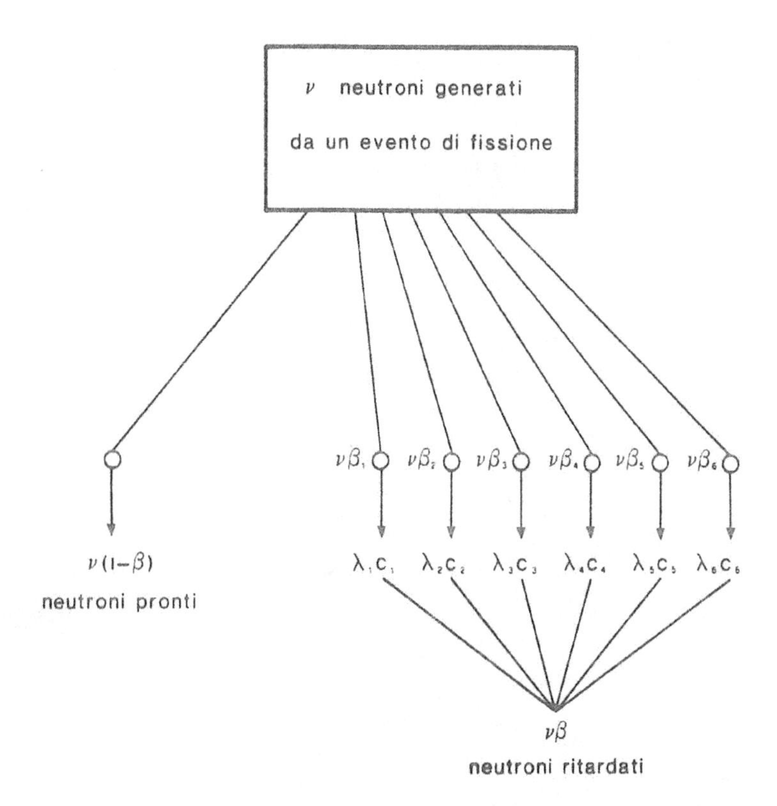

Fig. 7.5.1 *Rappresentazione grafica della ripartizione tra neutroni pronti e neutroni ritardati emessi da un evento di fissione*

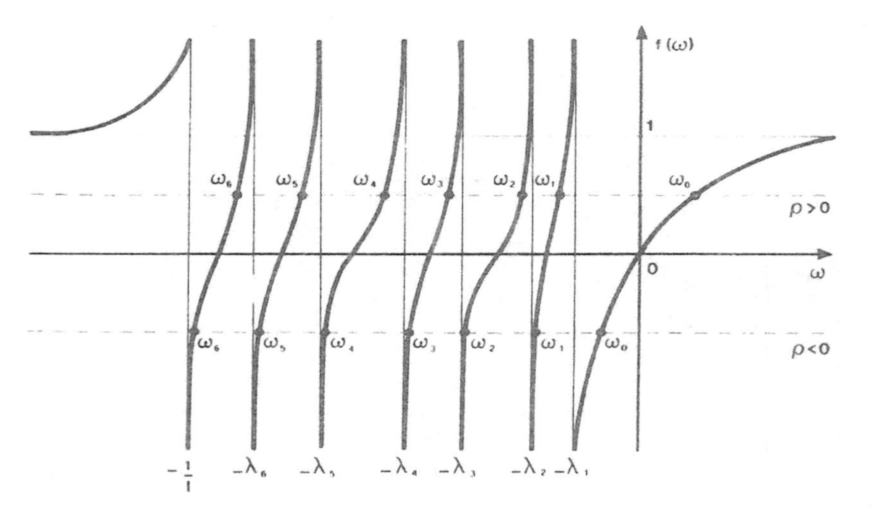

Fig. 7.5.2 *Rappresentazione grafica della funzione di Nordheim. Sono evidenziati i valori delle radici ω_i ($i=0, 1, 2,\dots 6$) per due valori della reattività ρ, uno positivo ed uno negativo*

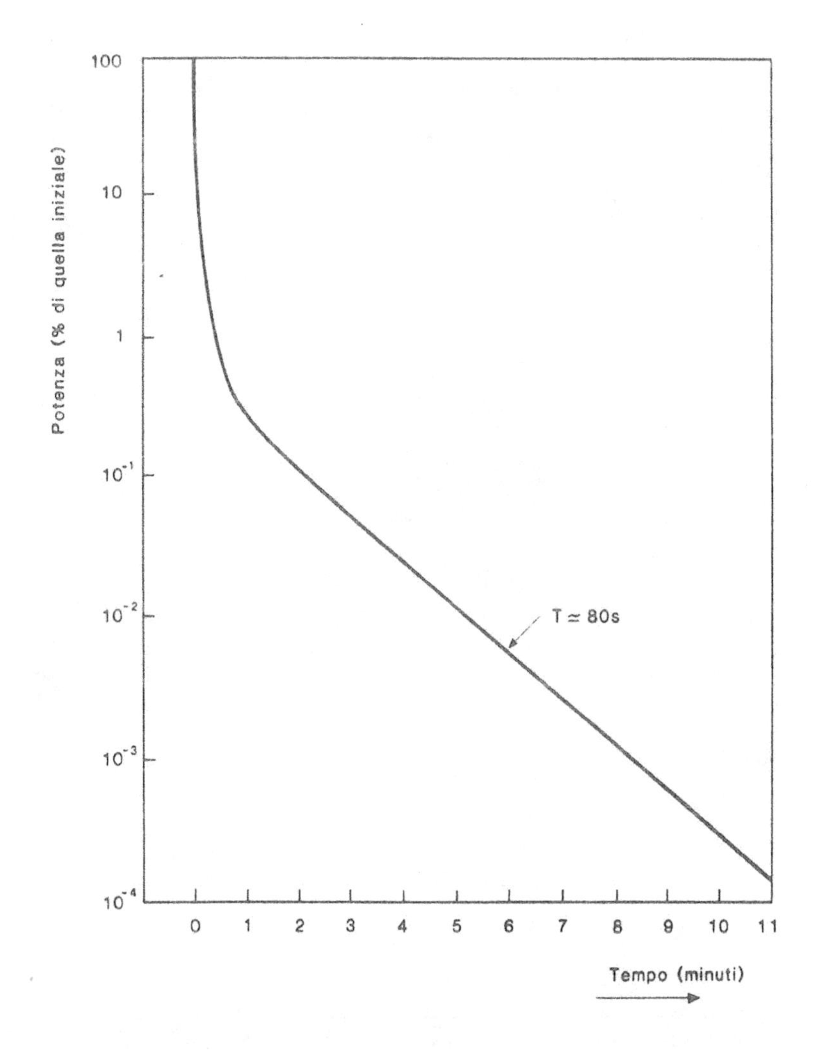

Fig. 7.5.3 *Spegnimento del reattore. Periodo stabile (asintotico) minimo dopo il transitorio iniziale*

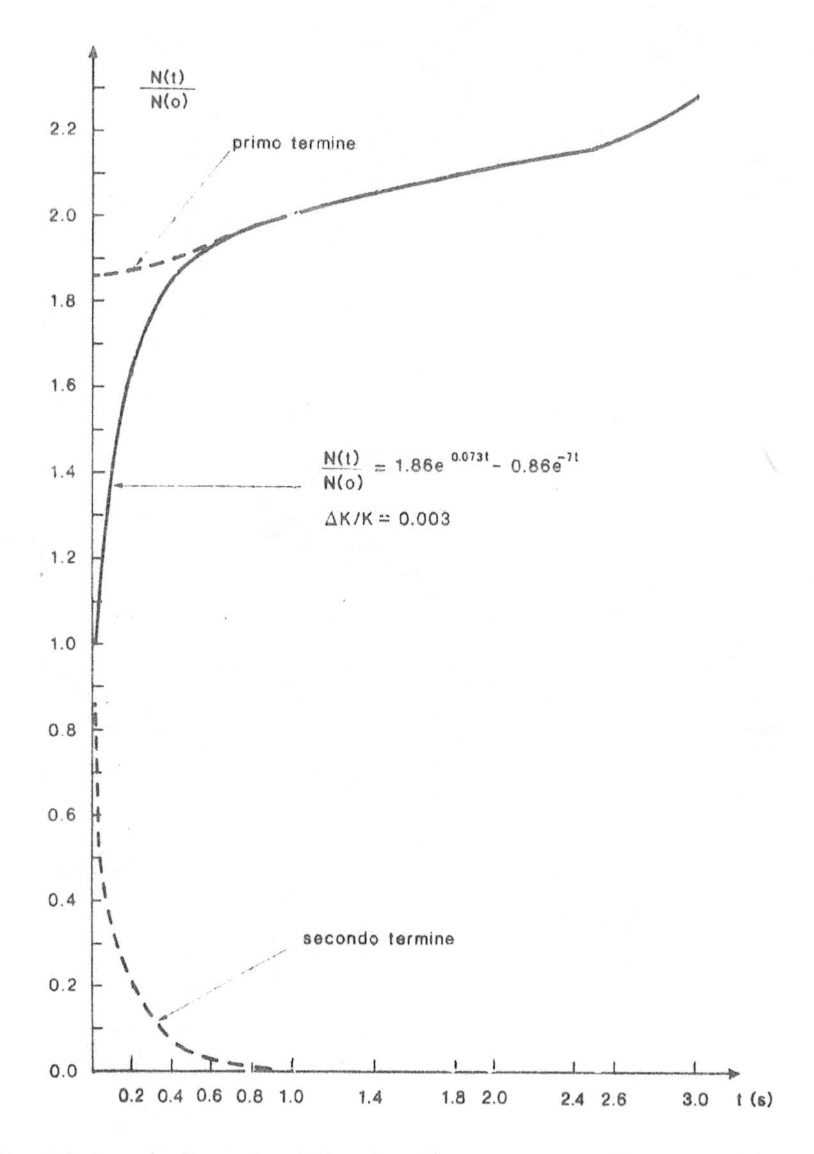

Fig. 7.6.1 *Andamento della densità neutronica N(t) in funzione del tempo t per inserzione di reattività positiva a gradino in un reattore inizialmente critico*

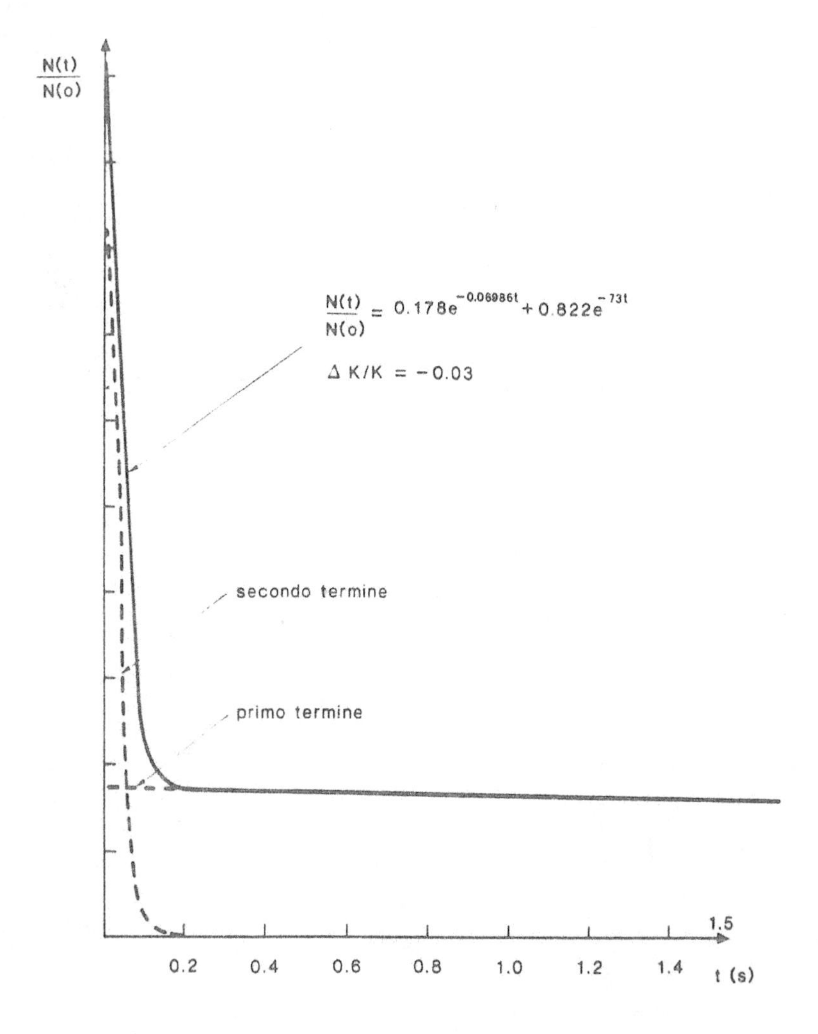

Fig. 7.6.2 *Andamento della densità neutronica N(t) in funzione del tempo t per inserzione di reattività negativa a gradino in un reattore inizialmente critico*

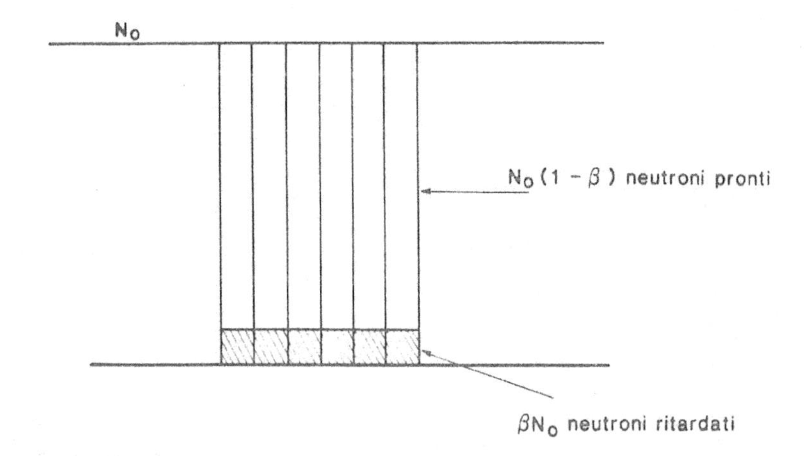

Fig. 7.6.3 *Densità neutronica complessiva* $N_o = N_o (1-\beta) + N_o \beta$ *in un reattore critico*

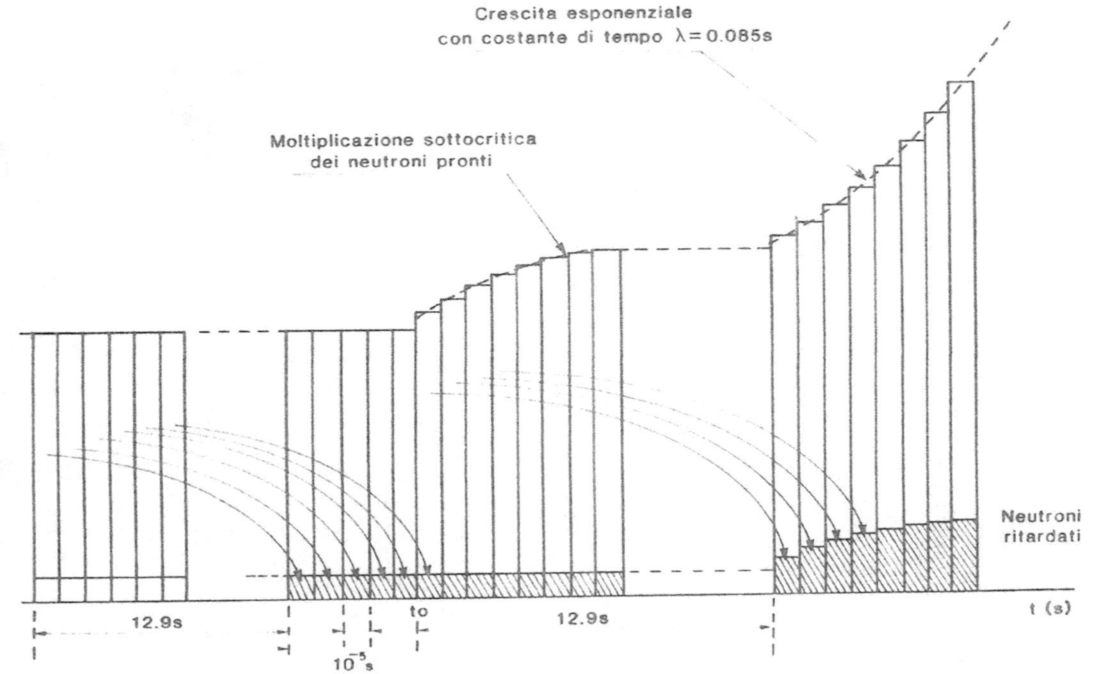

Fig. 7.6.4 *Andamento della densità neutronica N(t) in funzione del tempo t per inserimento di reattività positiva a gradino in un reattore inizialmente critico. E' evidenziata la moltiplicazione sottocritica dei neutroni pronti che caratterizzano i primi istanti del transitorio*

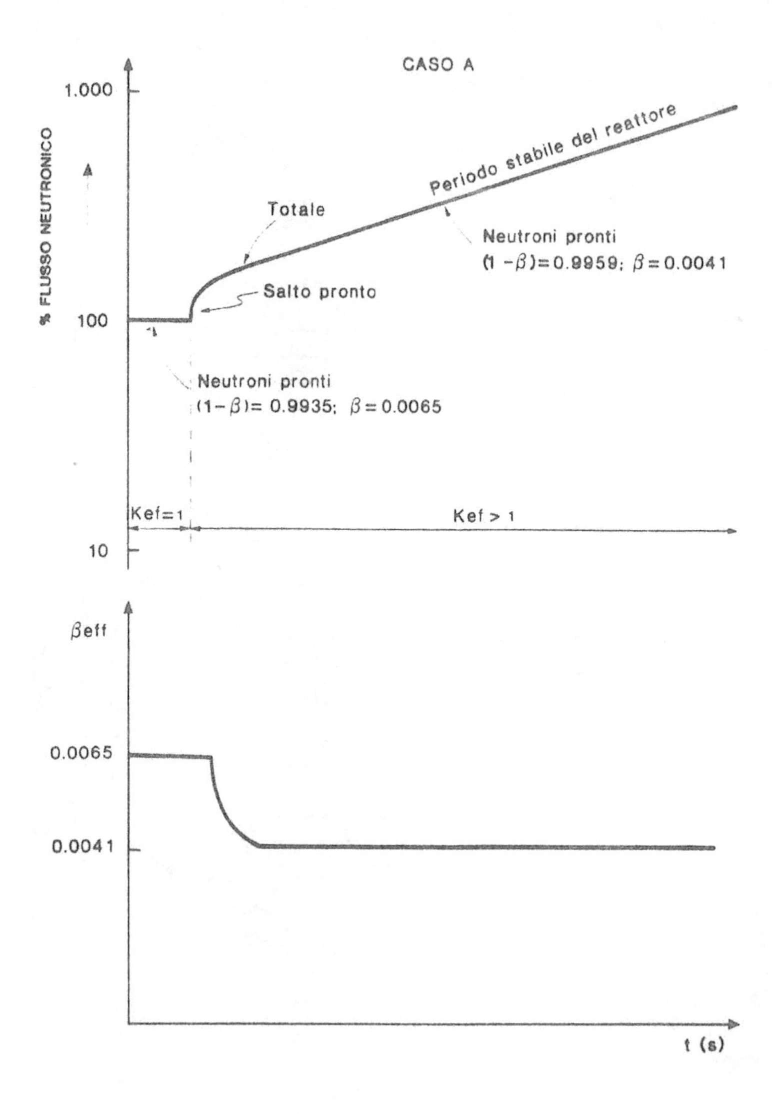

Fig. 7.7.1 *Frazione effettiva β_{eff} di neutroni ritardati durante una variazione positiva di potenza. Valori indicativi*

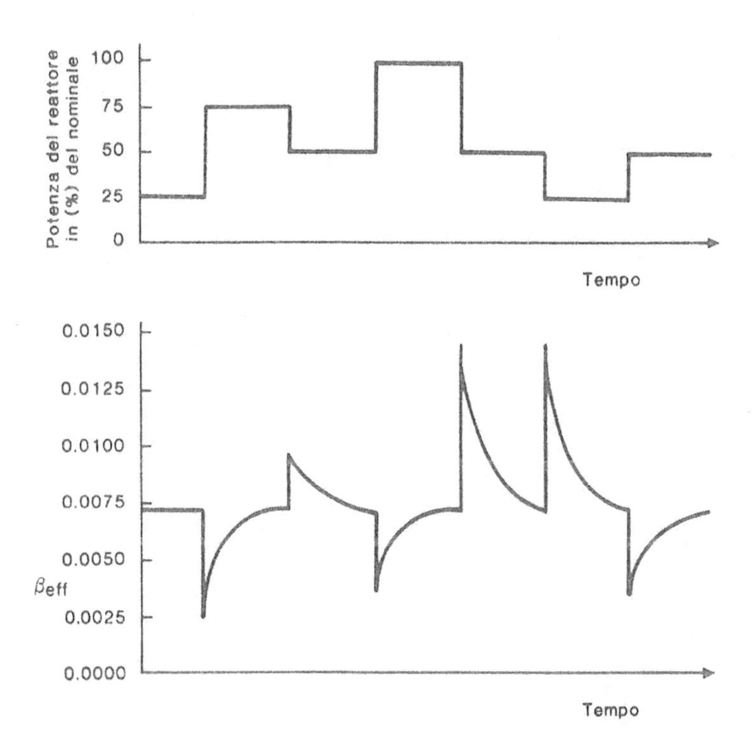

Fig. 7.7.2 *Frazione effettiva β_{eff} di neutroni ritardati in funzione del tempo per variazione a gradino della potenza del reattore*

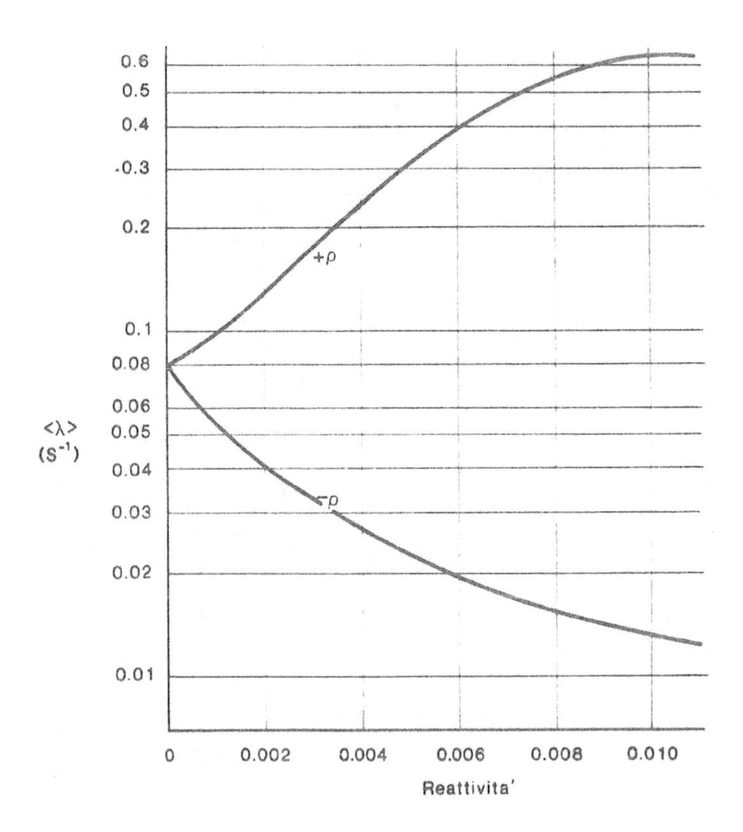

Fig. 7.7.3 *Costante di decadimento media <λ> dei precursori di neutroni ritardati in funzione della reattività*

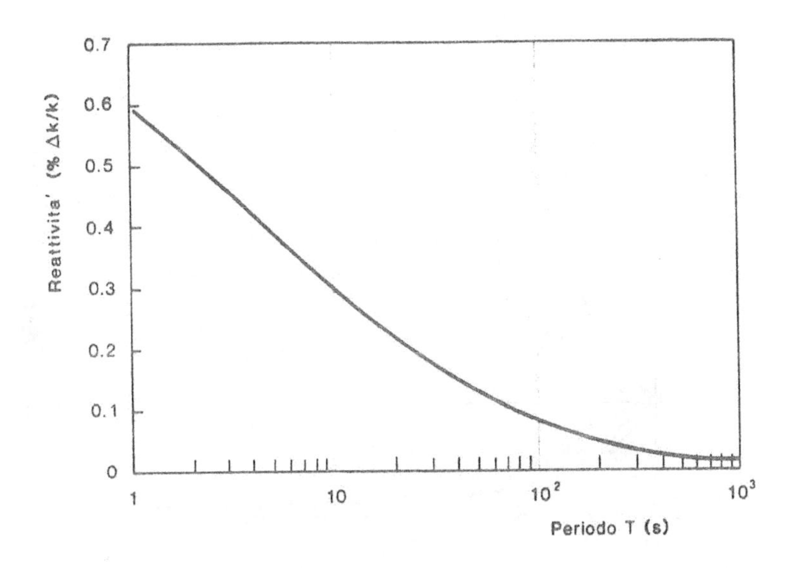

Fig. 7.8.1 *Periodo stabile T del reattore in funzione del gradino di reattività positiva ρ inserita in un reattore critico*

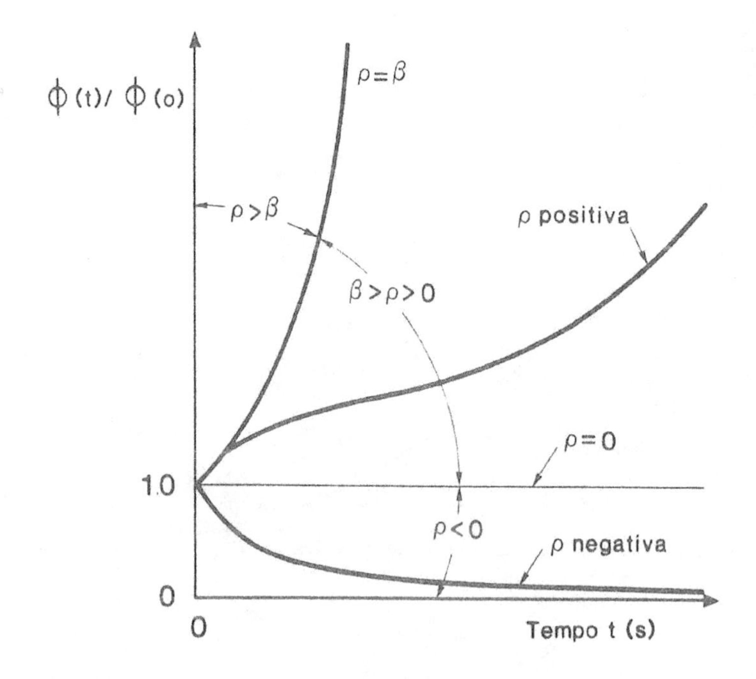

Fig. 7.8.2 *Andamenti tipici del flusso neutronico $\phi(t)$ in funzione del tempo t per differenti intervalli di valori della reattività ρ inserita a gradino in un reattore inizialmente critico*

CAPITOLO 8

I COEFFICIENTI DI REATTIVITA' α_i

I coefficienti di reattività giocano un ruolo primario nella stabilità di funzionamento di un reattore nucleare.

In questo capitolo viene anzitutto presentato il significato dei diversi coefficienti e spiegate le cause del loro manifestarsi per poi concludere con una breve descrizione sull'"uso" dei coefficienti nella pratica operativa.

8.1. Introduzione

Uno dei principali obiettivi del progetto neutronico di un reattore nucleare è quello di realizzare un sistema intrinsecamente stabile.

Un sistema è detto intrinsecamente stabile se allontanato dallo stato stazionario vi ritorna in tempi relativamente brevi grazie a meccanismi di controreazione generati al suo interno dalle sole leggi fisiche attivate dalla perturbazione iniziale e non per azioni correttive dell'operatore o per l'intervento automatico dei sistemi ingegneristici di protezione e sicurezza.

Un reattore nucleare viene considerato stabile quando una perturbazione di reattività $\Delta\rho$ che produce una variazione nel livello di potenza è seguita in breve tempo dal raggiungimento di una nuova condizione stazionaria.

Un reattore è invece instabile quando una variazione di reattività produce o una variazione illimitata del livello di potenza o delle ampie oscillazioni di potenza prima del ritorno alla condizione stazionaria.

Più precisamente in un reattore critico ed intrinsecamente stabile una perturbazione di reattività $\Delta\rho>0$ provoca inizialmente un aumento graduale della potenza secondo una legge esponenziale con periodo stabile T poi, quando il nocciolo inizia a scaldarsi in maniera significativa per effetto della potenza continuamente crescente, si nota un rallentamento nella velocità di crescita della potenza; in altre parole si nota un aumento graduale del valore del periodo T che comanda la divergenza del reattore.

Per T tendente all'infinito, la potenza del reattore tende ad un nuovo livello stabile nel tempo.

Le cause di questo comportamento vanno ricercate nei meccanismi di controreazione intrinsechi al sistema che introducono automaticamente reattività di segno opposto a quella di perturbazione.

Questi meccanismi sono attivati dalle variazioni di livello della potenza prodotta che a loro volta inducono variazioni nel valore di alcuni parametri caratteristici del nocciolo. Per reattori del tipo LWR i principali sono:

- la temperatura del combustibile (T_C).
- la temperatura del moderatore neutronico (T_M);
- la frazione di vapore o di "vuoto" nel moderatore (V%);
- la pressione del moderatore (p);

Le variazioni che intervengono nel valore di questi parametri comportano variazioni nel valore del coefficiente di moltiplicazione k e quindi della reattività $\rho=\Delta k/k$ del nocciolo del reattore come schematizzato in Fig. 8.1.1.

8.2. I coefficienti di reattività

Si definisce coefficiente di reattività e lo si indica in generale con la lettera α, il rapporto tra la variazione $\Delta\rho$ di reattività del reattore e la variazione unitaria Δx_i intervenuta nel valore di uno dei parametri ricordati alla fine del paragrafo precedente e causa della variazione $\Delta\rho$.

Per definizione il generico coefficiente di reattività α_i dovuto alla variazione unitaria Δx_i di un parametro x_i è dato quindi dalla seguente relazione:

$$\alpha_i = \Delta\rho/\Delta x_i \qquad (8.2.1)$$

La variazione di reattività è in ultima analisi conseguenza della variazione intervenuta nel valore del fattore di moltiplicazione $k = \epsilon \cdot p \cdot f \cdot \eta \cdot L_V \cdot L_t$.

Si può quindi scrivere:

$$\frac{\Delta k}{k} = \frac{\Delta \epsilon}{\epsilon} + \frac{\Delta p}{p} + \frac{\Delta f}{f} + \frac{\Delta \eta}{\eta} + \frac{\Delta L_V}{L_V} + \frac{\Delta L_t}{L_t} \qquad (8.2.2)$$

Sostituendo la rel. 8.2.2 nella rel. 8.2.1 si ottiene la seguente espressione generale:

$$\alpha_i = \frac{1}{\epsilon} \frac{\Delta \epsilon}{\Delta x_i} + \frac{1}{p} \frac{\Delta p}{\Delta x_i} + \frac{1}{f} \frac{\Delta f}{\Delta x_i} +$$

$$+ \frac{1}{\eta} \frac{\Delta \eta}{\Delta x_i} + \frac{1}{L_V} \frac{\Delta L_V}{\Delta x_i} + \frac{1}{L_t} \frac{\Delta L_t}{\Delta x_i} \qquad (8.2.3)$$

Il segno algebrico che assumono i coefficienti α_i rivela l'esistenza o meno nel sistema, cioè nel nocciolo del reattore, di meccanismi di stabilità intrinseca.

Infatti se ad un aumento nel valore del parametro x_i, quindi $\Delta x_i > 0$, corrisponde una variazione di reattività positiva $\Delta \rho > 0$, si ha come conseguenza immediata dalla rel. 8.2.1 che il corrispondente coefficiente di reattività α_i è positivo.

La risposta "naturale" dei sistemi con coefficienti di reattività positiva $\alpha_i > 0$ ad una perturbazione che li allontani dallo stato stazionario è quindi tale da **sommarsi** alla perturbazione iniziale con effetto **destabilizzante**.

Se viceversa ad un aumento del valore del parametro $\mathbf{x}_i$ cioè $\Delta\mathbf{x}_i>0$, corrisponde una variazione di reattività del sistema di segno negativo cioè $\Delta\rho<0$, il corrispondente coefficiente di reattività α_i è per la rel. 8.2.1 di segno negativo: $\alpha_i<0$.

La risposta naturale dei sistemi con coefficienti di reattività negativa $\alpha_i<0$ è quindi tale da **opporsi** alla perturbazione iniziale riducendone il valore con effetto **stabilizzante.**

I reattori intrisecamente stabili hanno coefficienti di reattività α_i negativi. Più precisamente quando la somma algebrica dei coefficienti di reattività generati dalla perturbazione intervenuta in alcuni dei parametri $\Delta\mathbf{x}_i$ del nocciolo è negativa $\Sigma_i\alpha_i < 0$, il reattore è detto intrinsecamente stabile.

I reattori commerciali del tipo **LWR** (**L**ight **W**ater **R**eactors) ad una perturbazione che li allontani dallo stato stazionario o critico presentano una "risposta naturale" tendenzialmente stabilizzante, sono quindi **tendenzialmente intrinsecamente stabili.**

La precisazione "tendenzialmente" vuole evidenziare da una parte il carattere stabilizzante della risposta naturale dei LWR e dall'altra indicare o meglio avvisare che questa caratteristica è necessaria ma non sufficiente per garantire la stabilità del reattore.

In altre parole si può anticipare che se la perturbazione di reattività $\Delta\rho$ è grande, la risposta naturale dei LWR **tende** a stabilizzare il sistema **riducendo** il valore della perturbazione $\Delta\rho$ stessa.

8.3. Il coefficiente di temperatura del combustibile o coefficiente Doppler α_D

Il combustile usato nei reattori LWR contiene l'isotopo U238 dell'uranio per circa il 97% del totale di metallo pesante.

Gli effetti di reattività dovuti a variazioni della temperatura del combustibile come conseguenza di variazioni della potenza del reattore sono dovuti principalmente alle variazioni di valore delle sezioni d'urto neutroniche del combustibile, in particolare della sezione d'urto di cattura neutronica nella zona delle risonanze dell'^{238}U.

Le variazioni nelle proprietà di cattura neutronica dell'isotopo ^{238}U nella zona delle risonanze si traducono in variazioni del fattore p di trasparenza alle risonanze stesse.

La rel. 8.2.2 in questo caso si riduce quindi alla relazione seguente:

$$\Delta\rho = \frac{\Delta k}{k} = \frac{\Delta p}{p} \tag{8.3.1}$$

Il coefficiente di temperatura del combustibile α_D è definito dall'inverso del rapporto tra la variazione di temperatura del combustibile ΔT_c e la conseguente variazione di reattività $\Delta\rho$. E' quindi:

$$\alpha_D = \frac{1}{\Delta T_c / \Delta\rho}$$

$$\alpha_D = \frac{\Delta\rho}{\Delta T_c} \tag{8.3.2}$$

Sostituendo la rel. 8.3.1 nella rel. 8.3.2 si ottiene per il coefficiente di temperatura del combustibile α_D la relazione più esplicita seguente:

$$\alpha_D = \frac{1}{p} \frac{\Delta p}{\Delta T_c} \quad (p.c.m./^oC) \qquad (8.3.3)$$

La spiegazione della dipendenza del valore del fattore p di trasparenza alle risonanze dell'^{238}U dalla temperatura T_c del combustibile è data dall'interpretazione dell'andamento della sezione d'urto microscopica di cattura neutronica dell'^{238}U, la $\sigma_c^{38}(E)$, per due differenti valori della temperatura del combustibile riportata in Fig. 8.3.1.

Le differenze tra i due andamenti, quello a tratto continuo per combustibile a temperatura ambiente e quello tratteggiato per temperatura più elevata del combustibile, si spiegano come segue.

Si supponga per semplicità che a temperatura ambiente i nuclei di ^{238}U siano fermi nelle rispettive posizioni reticolari.

L'energia cinetica E disponibile nella collisione neutrone-nucleo è tutta e sola quella fornita dal neutrone incidente. La probabilità di cattura nell'^{238}U è massima per neutroni con energia cinetica E coincidente con quella dei massimi di assorbimento, i picchi di risonanza della sezione d'urto $\sigma_c^{38}(E)$, di cui uno è riportato nella curva a tratto continuo della Fig. 8.3.1, e decresce rapidamente anche per piccoli scostamenti dell'energia cinetica E dei neutroni da quei valori.

Se la temperatura del combustibile aumenta cioè se a livello microscopico cresce la velocità di vibrazione dei nuclei attorno alle rispettive posizioni di equilibrio, l'energia di interazione neutrone-nucleo sarà ora quella corrispondente alla velocità di movimento relativa neutrone-nucleo che nella direzione di collisione si può scrivere:

$$v = v_n \pm v_b$$

dove v_n è la velocità del neutrone e v_b la velocità di vibrazione del nucleo bersaglio.

La probabilità di cattura dei neutroni nell'^{238}U sarà in questo caso determinata dal valore dell'energia E apparentemente posseduta dai neutroni e che corrisponde alla velocità relativa v.

Consideriamo a questo proposito tre valori discreti dell'energia cinetica dei neutroni di cui uno E_0=6,7 eV sia coincidente con la prima risonanza della sezione d'urto di cattura σ_c^{38} di Fig. 8.3.1 e gli altri due siano sufficientemente distinti dal precedente da poterli considerare esterni alla larghezza del picco di risonanza quando la temperatura T del combustibile coincide con la temperatura ambiente: ad esempio essi siano come in Fig. 8.3.1, E_1=5,7 eV ed E_2=7,7 eV.

Al crescere della temperatura e quindi dell'agitazione termica degli atomi di ^{238}U i neutroni con energia cinetica E_0=6,7 eV hanno minore probabilità di essere catturati nell'^{238}U in quanto dal nucleo bersaglio in movimento essi sono "visti" con maggiore frequenza come se in realtà avessero energia E maggiore o minore di E_0.

Il tasso di reazione di cattura neutronica di conseguenza si riduce come se fosse diminuito il valore puntuale della sezione d'urto σ_c^{38} all'energia 6,7 eV.

I neutroni con energia cinetica E_n che per nuclei fermi è esterna ai valori della risonanza considerata, al contrario per nuclei in vibrazione possono essere visti come se avessero energia $E = E_n \pm \Delta E$ interna alla risonanza stessa e quindi con elevata probabilità di cattura nell'^{238}U.

L'insieme dei fenomeni descritti si usa rappresentarlo per comodità di sintesi tramite un diverso andamento con la temperatura T della sezione d'urto di cattura σ_c^{38} in funzione dell'energia dei neutroni incidenti. Un esempio è dato dalle curve di Fig. 8.3.2, quella a tratto continuo per $T = T_0 = 20\ ^oC$ e quelle tratteggiate per $T > T_0$.

I picchi di assorbimento per risonanza che sono descritti dall'andamento a "campana" delle rispettive curve sono quindi ridotti in altezza per temperature $T > T_0$ ma sono allargati su un più ampio intervallo di energie.

L'allargamento della "campana" che descrive l'andamento della $^{38}\sigma_c(E)$ in funzione dell'energia E con l'aumento della temperatura del combustibile, l'UO_2, è noto come "allargamento Doppler" ed il fenomeno ora descritto è ricordato come "effetto Doppler" per le analogie con i noti effetti Doppler studiati nella fisica di propagazione delle onde sonore e delle onde elettromagnetiche.

Si dimostra che al crescere della temperatura del combustibile a pari ΔT corrispondono minori allargamenti della campana di risonanza e quindi minori riduzioni del valore massimo o picco di assorbimento come riportato indicativamente in Fig. 8.3.2 e che le aree sottese dalle curve corrispondenti alle temperature T_0, T_1 e T_2 sono tra di loro uguali.

L'eguaglianza dell'area sottesa significa in ambito fisico che il numero complessivo dei neutroni catturati per risonanza è lo stesso nei differenti casi.

In base a quanto ora detto si potrebbe quindi concludere che ciò che avviene nella zona delle catture per risonanza dell'^{238}U è del tutto ininfluente in termini di reattività e quindi non ha ragione di esistere un coefficiente Doppler come definito dall'eq. 8.3.3 in quanto il numero di neutroni che giungono a livello termico nei due casi è lo stesso. Rimane infatti invariato il valore del fattore p di trasparenza alle risonanze e per la rel. 8.3.3 è $\alpha_D=0$.

Occorre però osservare che il combustibile nucleare non è costituito da strati di materiale sottili, monoatomici, per i quali solamente vale senza ulteriori considerazioni quanto sopra descritto sul fenomeno Doppler.

In realtà il combustibile è costituito da corpi di spessore non trascurabile con conseguenti importanti effetti di autoschermaggio neutronico specialmente in corrispondenza dei valori dell'energia cinetica dei neutroni per i quali si hanno elevati picchi di assorbimento.

Nel caso dei reattori a cui si fa frequentemente riferimento, i LWR, il combustibile è costituito da pastiglie cilindriche con diametro di circa un centimetro.

Consideriamo quindi il caso reale del combustibile UO_2 nella forma di pastiglie ed alla temperatura ambiente T_0. Il maggior numero dei neutroni catturati nell'^{238}U sarà quello con energia compresa nell'immediato intorno dei valori corrispondenti ai picchi di cattura per risonanza come schematizzato in Fig. 8.3.3.

Per esempio i neutroni con energia E = 6,7 eV o nelle immediate vicinanze vengono praticamente tutti assorbiti, mentre quelli con energia esterna al picco passano attraverso il combustibile praticamente indisturbati.

Per quanto riguarda le parti o zone del combustibile interessate alle catture neutroniche si può osservare che per i neutroni con energia corrispondente al picco di assorbimento, le catture sono limitate per autoschermaggio alla porzione periferica del combustibile, quella esterna alla circonferenza tratteggiata di Fig. 8.3.3, mentre i neutroni con energia cinetica esterna al picco di risonanza, come già detto, attraversano indisturbati il combustibile che per loro risulta praticamente trasparente.

Quando il reattore funziona a potenza la temperatura del combustibile sale notevolmente, in media esso funziona a circa 700÷800 ^{o}C.

L'effetto Doppler conseguente all'aumento di temperatura modifica le probabilità di cattura dei neutroni alle varie energie e come già detto in precedenza, le cose vanno come se la sezione d'urto $^{38}\sigma_c(E)$ descritta in funzione dell'energia E dei neutroni avesse un andamento a campana abbassata ed allargata rispetto a quello relativo al combustibile alla temperatura ambiente.

Di conseguenza i neutroni con energia corrispondente al picco di risonanza sono meno facilmente catturati negli strati esterni delle pastiglie, penetrano in profondità nel combustibile ma dati gli spessori esistenti quasi sempre vengono comunque catturati.

I neutroni con energie anche sensibilmente diverse da quella coincidente con il picco di assorbimento per risonanza, ad esempio entro l'intervallo $5{,}7\ eV \leq E \leq 7{,}7\ eV$, hanno al contrario maggiore probabilità di essere catturati di quanta ne avessero a temperatura ambiente come schematizzato in Fig. 8.3.4 in quanto ora sono compresi all'interno della banda allargata della risonanza.

In conclusione all'aumento di temperatura del combustibile conseguente all'aumento di potenza del reattore si accompagna per effetto Doppler un allargamento dell'intervallo energetico utile alle catture neutroniche per risonanza e quindi si verifica un aumento nel numero complessivo di neutroni catturati nella zona delle risonanze stesse con sensibile riduzione di quelli che giungono a livello termico. Come conseguenza ultima si ha quindi una variazione negativa di reattività del sistema per riduzione $\Delta p<0$ del fattore di trasparenza alle risonanze p.

Questa ultima osservazione rende ragione del segno algebrico negativo che si assegna al coefficiente Doppler espresso dalla rel. 8.3.3.

Infatti essendo $\Delta T_c > 0$ e $\Delta p < 0$ si ha:

$$\alpha_D = \frac{1}{p} \frac{\Delta p}{\Delta T_c} < 0$$

L'aumento di temperatura del combustibile si verifica in pratica contemporaneamente all'aumento del tasso di fissione (fissioni $cm^{-3} \cdot s^{-1}$), ossia del livello di potenza.

Il coefficiente Doppler si manifesta quindi immediatamente dopo una variazione nel livello di potenza del reattore e rappresenta il più immediato effetto stabilizzante intrinseco e caratteristico dei reattori con combustibile uranio.

Il coefficiente Doppler nei reattori commerciali LWR vale circa $\alpha_D = -1 \cdot 10^{-5}$ $\Delta k/k/^{o}C$.

Il coefficiente Doppler espresso in termini di variazione di reattività $\Delta\rho$ per una variazione dell'1% della potenza W del reattore, è dato dalla relazione seguente:

$$\alpha_D = \frac{\Delta\rho}{\Delta W(\%)} = \frac{\Delta\rho}{\Delta T_c} \frac{\Delta T_c}{\Delta W(\%)} \qquad (8.3.4)$$

dove ΔT_c è la variazione di temperatura del combustibile per una variazione dell'1% della potenza del reattore.

Esempio

Un reattore BWR a potenza zero ha fattore di moltiplicazione $k = 1{,}005$ *e temperatura del combustibile* $T_C = 30\ ^oC$.

Alla potenza $W = 40\%$ *della potenza nominale, ha fattore di moltiplicazione* $k = 1{,}001$ *e temperatura del combustibile* $T_C = 530\ ^oC$.

Si chiede qual'è il valore medio del coefficiente Doppler nell'intervallo 0%÷40% della potenza nominale espresso in termini di variazione unitaria della potenza cioè per una variazione dell'1% della potenza **W**.

La variazione di reattività è data da:

$$\Delta\rho = \frac{k_2 - k_1}{k_2}$$

$$\Delta\rho = -4 \cdot 10^{-3}\ \Delta k/k$$

La variazione di temperatura del combustibile vale $\Delta T_C = (530\text{-}30) = 500\ ^oC$.

La variazione del livello di potenza vale $\Delta W = 40\%$.

Sostituendo questi valori nell'eq. 8.3.4 si ottiene:

$$\alpha_D = \frac{-4 \cdot 10^{-3}}{500}\ \frac{500}{40}$$

$$\alpha_D = -10 \cdot 10^{-5}\ \frac{\Delta k}{k} / (\%W)$$

8.4. Coefficiente di temperatura del moderatore α_M

Il coefficiente di temperatura del moderatore è prodotto dalla variazione di reattività $\Delta\rho$ del reattore dovuta ad una variazione

ΔT_M di un grado centigrado nel valore della temperatura T_M del moderatore.

Esso è definito dalla relazione:

$$\alpha_M = \frac{\Delta(\Delta k/k)}{\Delta T_M} \quad [p.c.m./^oC] \qquad (8.4.1)$$

Nel caso del moderatore dei reattori del tipo LWR, cioè l'acqua, ad un aumento di temperatura corrisponde sempre, nell'intervallo dei valori operativi, una diminuzione della sua densità come riportato indicativamente in Fig. 8.4.1.

Come già visto al Cap. 4, le variazioni di densità del moderatore modificano il valore del fattore di moltiplicazione k principalmente tramite gli effetti indotti sul fattore di trasparenza alle risonanze p, sul fattore di utilizzazione termica f ed in minore misura sulle probabilità di non fuga neutronica veloce L_v e termica L_t.

Dalla relazione generale, eq. 8.2.3, si ottiene quindi:

$$\alpha_M = \frac{1}{p}\frac{\Delta p}{\Delta T_M} + \frac{1}{f}\frac{\Delta f}{\Delta T_M} + \frac{1}{L_v}\frac{\Delta L_v}{\Delta T_M} + \frac{1}{L_t}\frac{\Delta L_t}{\Delta T_M} \qquad (8.4.2)$$

Le ragioni fisiche che giustificano l'esistenza del coefficiente α_M sono date dalle seguenti considerazioni.

La diminuzione di densità del moderatore conseguente ad un aumento della sua temperatura, $\Delta T_M>0$, provoca un aumento nella lunghezza di rallentamento e di diffusione termica dei neutroni per la ridotta densità dei nuclei di scattering.

L'aumento della lunghezza di rallentamento e quindi del tempo di rallentamento costringe i neutroni a spendere un maggiore tempo della loro vita nella zona energetica delle risonanze.

L'accresciuta permanenza dei neutroni in questa zona energetica si traduce in una loro minore probabilità di sfuggire alle catture di risonanza, quindi $\Delta p<0$; in conclusione si ha che è: $\Delta p/\Delta T_M<0$.

Al contrario a livello energetico termico la riduzione della densità del moderatore comporta meno catture neutroniche per assorbimento in questo materiale e conseguente maggiore probabilità di cattura dei neutroni termici nel combustibile e quindi $\Delta f>0$; in conclusione si ha che è: $\Delta f/\Delta T_M>0$.

Per quanto riguarda le fughe neutroniche sia in zona veloce che termica si può affermare anche con sole considerazioni intuitive che la riduzione della densità del moderatore favorisce le fughe.

Nei grandi reattori commerciali questo effetto è comunque trascurabile e limitatamente a questa classe di reattori si può quindi porre:

$$\frac{\Delta L_v}{\Delta T_M} + \frac{\Delta L_t}{\Delta T_M} \approx 0$$

L'eq. 8.4.2 si riduce quindi alla:

$$\alpha_M = \frac{1}{p}\frac{\Delta p}{\Delta T_M} + \frac{1}{f}\frac{\Delta f}{\Delta T_M} \qquad (8.4.3)$$

L'aumento di temperatura del moderatore produce in ultima analisi due risposte del sistema che sono di segno algebrico contrario e quindi in competizione tra di loro.

In Fig. 8.4.2 sono riportati gli andamenti rispettivamente dei parametri p ed f in funzione del rapporto R_M già definito al par. 4.5.

Il valore del rapporto R_M diminuisce come già detto al par. 4.5, al crescere della temperatura T_M.

La curva risultante dal prodotto punto per punto di pari ascissa delle due curve che descrivono l'andamento con R_M dei fattori p ed f, la si può assumere rappresentativa dell'andamento del fattore k in funzione della densità del moderatore, cioè rappresentativa dell'andamento della funzione $k(R_M)$.

Gli altri quattro fattori che determinano k e cioè ϵ, η, L_v ed L_t possono essere considerati in prima approssimazione costanti in quanto, come già visto alle pagine precedenti, debolmente variabili con il valore del rapporto R_M.

Per determinare il segno algebrico del coefficiente α_M osserviamo quanto segue:

- ad elevati valori del rapporto R_M i neutroni sono bene termalizzati; la riduzione della quantità di moderatore contenuta nella cella elementare dovuta all'aumento della sua temperatura T_M non altera le condizioni di termalizzazione dei neutroni. Il risultato più evidente è la riduzione delle catture neutroniche termiche parassite nel moderatore stesso cioè della sezione d'urto macroscopica $\Sigma_{aM} = \sigma_{aM} \cdot N_M$ per la diminuzione di N_M = numero di atomi di moderatore/cm^3.

  Il fattore di utilizzazione termica:

$$f = \frac{\Sigma_{ac}}{\Sigma_{ac} + \Sigma_{aM} + \Sigma_i \cdot \Sigma_{ai}}$$

aumenta conseguentemente di valore mentre è molto modesta l'influenza della riduzione di N_M sul fattore di trasparenza alle risonanze p data la presenza di neutroni prevalentemente appartenenti allo spettro termico in questa zona di valori di R_M.

E' quindi: $\Delta f/\Delta T_M>0$ e $\Delta p/\Delta T_M \simeq 0$.

- al contrario per più piccoli valori del rapporto R_M i neutroni non sono ancora completamente termalizzati, una buona parte appartiene alla zona energetica epitermica ed è quindi elevata la probabilità della loro cattura nelle risonanze di assorbimento del combustibile, in particolare nell'^{238}U.

  Un aumento della temperatura T_M del moderatore si traduce nella riduzione del rapporto R_M e quindi in un ulteriore "indurimento" dello spettro neutronico con conseguente riduzione nel valore del fattore di trasparenza alle risonanze p mentre risulta relativamente più modesto l'aumento del fattore f a causa della contemporanea riduzione delle catture nel moderatore e nel combustibile.

  E' quindi: $\Delta p/\Delta T_M<0$ e $\Delta f/\Delta T_M>0$ ma questo ultimo numericamente più piccolo del precedente.

Il segno algebrico complessivo del coefficiente α_M dipende quindi dal valore del rapporto R_M iniziale cioè prima della variazione di potenza e dalle caratteristiche moltiplicanti del reticolo come schematizzato in Fig. 8.4.3.

Gli aumenti ΔT_M nella temperatura del moderatore che si verificano in reticoli con valore iniziale del rapporto R_M a destra del massimo della curva $k(R_M)$ cioè nella zona sovramoderata, si traducono in valori positivi del coefficiente α_M in quanto in questa zona è generalmente $\Delta f/\Delta T_M > \Delta p/\Delta T_M$ come già mostrato indicativamente in Fig. 8.4.3.

Al contrario un aumento ΔT_M della temperatura del moderatore per reticoli con valore iniziale del rapporto R_M a sinistra del massimo della curva $k(R_M)$ cioè nella zona sottomoderata, si traducono in valori negativi del coefficiente α_M, in quanto in questa zona è generalmente $\Delta p/\Delta T_M > \Delta f/\Delta T_M$ come è evidente dagli andamenti già mostrati nella Fig. 8.4.3.

In conclusione il coefficiente di temperatura del moderatore α_M risulta negativo a sinistra del massimo della curva $k(R_M)$ cioè nella zona sottomoderata, mentre risulta positivo a destra dello stesso massimo cioè nella zona sovramoderata.

Il nocciolo dei reattori del tipo LWR, sia bollenti che pressurizzati rispettivamente BWR e PWR sono progettati in modo da rimanere nella zona sottomoderata in tutte le condizioni operative. Il coefficiente α_M in questi reattori è generalmente negativo; $\alpha_M < 0$ come indicato nella Fig. 8.4.4.

Il coefficiente di temperatura del moderatore α_M richiede un certo tempo per manifestarsi.

Infatti il calore dovuto all'aumento di potenza del reattore deve prima attraversare il combustibile e poi trasferirsi al moderatore per variarne la temperatura di una quantità ΔT_M.

Osserviamo infine che **il coefficiente di temperatura del moderatore nei reattori BWR è importante nella fase di avviamento o start up ma perde significato nel funzionamento a potenza.** Infatti nel funzionamento a potenza il moderatore-refrigerante dei BWR bolle e rimane praticamente alla temperatura di saturazione corrispondente alla pressione di funzionamento.

La temperatura del moderatore refrigerante in pratica raggiunge il valore di saturazione a $T_M = 285\ ^oC$ circa e rimane quindi costante su un ampio intervallo di valori della potenza, dall'1% circa al 100% del valore nominale.

Il coefficiente di temperatura del moderatore α_M espresso in termini di variazione di reattività $\Delta\rho$ per una variazione dell'1% della potenza W del reattore è dato dalla seguente relazione:

$$\alpha_M = \frac{\Delta\rho}{\Delta W(\%)} = \frac{\Delta\rho}{\Delta T_M} \frac{\Delta T_M}{\Delta W(\%)} \qquad (8.4.4)$$

dove ΔT_M è la variazione di temperatura del moderatore per una variazione dell'1% della potenza W del reattore.

Esempio

La temperatura del moderatore-refrigerante di un PWR funzionante a potenza vale T_M=277 °C ed il coefficiente di moltiplicazione è k=1,0050. Un aumento della potenza ΔW=3% W determina un aumento della temperatura del moderatore ΔT_M=9 °C ed un valore del fattore di moltiplicazione k=1,0045.

Calcolare il valore medio del coefficiente di temperatura del moderatore α_M nell'intervallo di potenza considerato.

La variazione di reattività $\Delta\rho$ vale:

$$\Delta\rho = \frac{1{,}0045-1{,}005}{1{,}0045} = -4{,}9 \cdot 10^{-4}\ (\Delta k/k)$$

Dalla rel. 8.4.4 si ottiene che il valore medio del coefficiente α_M nell'intervallo di potenza ΔW considerato vale:

$$\alpha_M = \frac{-4{,}9 \cdot 10^{-4}}{9} \frac{9}{3}$$

$$\alpha_M = -16{,}3 \cdot 10^{-5}\ \Delta\rho/\Delta W(\%)$$

8.4.1. Il coefficiente α_M e la concentrazione di boro

Fino ad ora abbiamo considerato gli effetti di reattività conseguenti a variazioni di temperatura del moderatore nell'ipotesi che questo ultimo fosse costituito da acqua pura.

Nei reattori pressurizzati, i PWR, per il controllo della reattività si utilizzano più sistemi, le barre di controllo, i veleni bruciabili ed un forte assorbitore neutronico uniformemente distribuito nel moderatore; in pratica si diluisce del boro nel moderatore sotto forma di acido borico H_3BO_3.

La presenza del boro nel moderatore altera le caratteristiche del coefficiente α_M.

Infatti il boro come forte assorbitore di neutroni termici interviene in maniera sensibile nel valore che assume il fattore di utilizzazione termica f.

Se per semplicità di esposizione supponiamo che il reticolo in assenza di boro nel moderatore sia costituito da una miscela omogenea di solo combustibile ed acqua, possiamo scrivere per il fattore f l'espressione seguente:

$$f = \frac{\Sigma_{ac}}{\Sigma_{ac} + (\Sigma_a)_{H_2O}}$$

Quando nel reticolo precedente si aggiunge il boro l'espressione simbolica per il fattore di utilizzazione f è data dalla relazione:

$$f = \frac{\Sigma_{ac}}{\Sigma_{ac} + (\Sigma_a)_{H_2O} + (\Sigma_a)_{boro}}$$

In Fig. 8.4.5 è riportato l'andamento tipico del fattore di utilizzazione termica f in funzione del valore del rapporto R_M per concentrazione nulla di boro nel moderatore e per concentrazione elevata del boro come si ha all'inizio del ciclo di funzionamento del reattore.

Al crescere della temperatura T_M del moderatore e della contemporanea diminuzione di densità di questo ultimo, si ha una notevole riduzione nella concentrazione del boro per unità di volume.

Questo ha come conseguenza un aumento nel valore numerico della variazione Δf del fattore f rispetto al caso in cui non ci sia boro nel moderatore come schematizzato in Fig. 8.4.5 bis in quanto le catture neutroniche relative nella zona moderatore si riducono parallelamente alla riduzione nella concentrazione del boro che è un forte assorbitore di neutroni.

Il fenomeno è tanto maggiore quanto maggiore è la concentrazione di boro come indicato nella precedente Fig. 8.4.5 bis.

In conclusione si può affermare che la componente positiva $1/f \; \Delta f/\Delta T_M$ del coefficiente α_M è numericamente tanto più importante quanto maggiore è la concentrazione di boro nel moderatore. Il coefficiente di temperatura del moderatore α_M tende quindi nella zona sottomoderata a divenire meno negativo o addirittura positivo con il crescere della concentrazione del veleno neutronico nel moderatore come riportato indicativamente in Fig. 8.4.6.

A inizio ciclo (Beginning of cicle BOC) la forte concentrazione del boro nel moderatore rende il coefficiente di temperatura del moderatore leggermente positivo a temperatura ambiente.

Alla temperatura del moderatore che si ha per funzionamento a potenza il coefficiente α_{TM} ad inizio ciclo ha valore nullo o leggermente negativo come schematizzato nella precedente Fig. 8.4.6.

La concentrazione massima di boro nel moderatore deve quindi essere limitata superiormente per conservare al coefficiente di temperatura del moderatore dei PWR l'importantissima funzione di stabilizzatore intrinseco.

Il coefficiente α_M nei reattori pressurizzati risulta di conseguenza più negativo a fine ciclo EOC (End of Cicle) in quanto in questa condizione la concentrazione di boro nel moderatore è notevolmente ridotta per ragioni di reattività del sistema.

Valori tipici sono:

$$\alpha_{TM} = 0,1 \cdot 10^{-4} \ \Delta k/k/^{o}C \qquad \text{(BOC)}$$

$$\alpha_{TM} = -2,6 \cdot 10^{-4} \ \Delta k/k/^{o}C \qquad \text{(EOC)}$$

A conclusione in Fig. 8.4.7 è schematizzato l'andamento del coefficiente k in funzione del rapporto R_M con parametro la concentrazione del boro nel moderatore espressa in parti per milione (p.p.m.). Per un assegnato valore di progetto del rapporto R_M indicato nella figura e per concentrazione nulla del boro si ricava per quanto detto in precedenza che è:

$$\alpha_M = \frac{\Delta k}{k} \frac{1}{\Delta T_M} < 0$$

mentre per una concentrazione indicativa di 1000 p.p.m. risulta $\alpha_M \simeq 0$ e per una concentrazione di 2000 p.p.m. risulta $\alpha_M > 0$.

8.5. Il coefficiente di vuoto del moderatore α_v

La densità dell'acqua cambia con la temperatura fino a quando si raggiunge la condizione di ebollizione. Da questo momento in poi l'aggiunta nel moderatore di ulteriore energia termica non ne cambia la temperatura ma cambia solo il titolo del vapore della miscela che si va formando con l'ebollizione. La densità del moderatore quando si ha ebollizione diminuisce quindi a causa del crescere del titolo ossia della qualità del vapore come già schematizzato in Fig. 8.4.1.

Per titolo del vapore si intende come noto il rapporto tra massa del vapore e massa totale della miscela bifase liquido-vapore.

La frazione di volume occupata dal vapore è nota come frazione di "vuoto" ed è definita dal rapporto:

$$\gamma = \frac{\text{volume del vapore nella miscela}}{\text{volume totale della miscela acqua-vapore}}$$

Il "vuoto" dovuto alla presenza della fase vapore nel moderatore dei LWR è di maggiore importanza per la classe dei BWR in quanto essi funzionano alla temperatura di saturazione, cioè l'ebollizione del moderatore si verifica per scelta di progetto.

I PWR che funzionano alla temperatura di circa 300 ^{o}C ed alla pressione di circa 2200 p.s.i., hanno invece il moderatore-refrigerante in forte stato di sottoraffreddamento come evidente dalla Fig. 8.5.1. Nei PWR si possono comunque verificare dei fenomeni di ebollizione nucleata sottoraffreddata localizzati nelle immediate prossimità delle barrette combustibile dove la temperatura può raggiungere il valore di saturazione corrispondente alla pressione ivi esistente.

Il fenomeno è in ogni caso estremamente limitato nello spazio occupato dal moderatore; a piena potenza si raggiungono frazioni di vuoto che in volume non superano lo 0,5% del refrigerante complessivamente contenuto nel nocciolo.

Nei BWR al contrario, a piena potenza il vapore occupa frazioni in volume eguali a circa il 30% del volume complessivo del moderatore **nel nocciolo.**

Nella parte alta dei canali di potenza, il "vuoto" può essere anche superiore al 70% del volume complessivo della miscela acqua-vapore ivi esistente.

Il meccanismo che produce effetti di reattività come conseguenza di variazioni del grado di vuoto nel nocciolo reattore è essenzialmente lo stesso già descritto per il coefficiente di temperatura del moderatore.

Il coefficiente di reattività da "vuoto" $\alpha_{V(\%)}$ è definito dell'inverso del rapporto tra la variazione unitaria intervenuta nel grado di vuoto del moderatore ΔV espressa in (%) e la conseguente variazione di reattività; si ha quindi che è:

$$\alpha_{V(\%)} = \frac{\Delta\rho}{\Delta V(\%)} \quad [p.c.m./(\%)V] \qquad (8.5.1)$$

Il coefficiente di reattività da vuoto risulta numericamente molto maggiore del coefficiente di reattività α_M da temperatura del moderatore in quanto la variazione di densità del moderatore corrispondente alla variazione dell'uno per cento del "vuoto" esistente è molto maggiore della variazione di densità del moderatore corrispondente alla variazione di un grado centigrado della sua temperatura.

Il coefficiente di reattività da vuoto $\alpha_{V(\%)}$ per noccioli sottomoderati risulta di segno negativo per le medesime ragioni fisiche già presentate a proposito del coefficiente α_M di temperatura del moderatore.

I noccioli sottomoderati manifestano quindi **coefficienti** α_M e $\alpha_{V(\%)}$ **negativi** che forniscono **stabilità intrinseca**.

Il tempo necessario per avere una risposta di reattività "naturale" o intrinseca a causa della variazione di densità del moderatore determinata da una variazione del grado di vuoto dipende come già detto per il coefficiente α_M, dal tempo necessario perchè l'energia termica migri dal combustibile al moderatore, in breve dipende dalla costante di tempo termica del combustibile che nel caso dell'ossido di uranio UO_2 non è trascurabile, ed anche dal tempo di trasporto del "vuoto" nel moderatore.

La risposta del reattore in questo caso si avrà quindi con un certo ritardo rispetto all'istante in cui si verifica la variazione del livello di potenza.

Il coefficiente di vuoto $\alpha_{V(\%)}$ espresso in termini di variazione di reattività $\Delta\rho$ per una variazione dell'1% della potenza W del reattore è dato dalla seguente relazione:

$$\alpha_{V(\%)} = \frac{\Delta\rho}{\Delta W(\%)} = \frac{\Delta\rho}{\Delta V(\%)} \quad \frac{\Delta V(\%)}{\Delta W(\%)} \tag{8.5.2}$$

8.6. Il coefficiente di reattività da pressione $\alpha_{(p)}$

Il moderatore dei reattori LWR è come noto l'acqua quindi la sua densità dipende molto poco dalla pressione cui è sottoposta.

Tuttavia quando nel moderatore sono in atto fenomeni di ebollizione localizzata (PWR) o generalizzata (BWR), un aumento di pressione induce un aumento di densità del moderatore per compressione dei "vuoti".

Il coefficiente di reattività da pressione è definito come il rapporto tra la variazione di reattività $\Delta\rho$ e la variazione unitaria di pressione Δp che la provoca. E' dato quindi dalla seguente relazione:

$$\alpha_{(p)} = \frac{\Delta \rho}{\Delta p} \quad [p.c.m/p.s.i] \qquad (8.6.1)$$

Il coefficiente di pressione si misura in p.c.m. per variazione unitaria del valore di pressione, in generale per $\Delta p = 1$ p.s.i (pound per square inch).

Un aumento di pressione $\Delta p > 0$ a causa dell'aumento di densità che induce nel moderatore produce un effetto di reattività che nei noccioli dei LWR sottomoderati, per quanto detto in precedenza è positivo, $\Delta \rho > 0$.

Il coefficiente di reattività da pressione è quindi il solo di segno positivo tra quelli fino ad ora esaminati.

Il suo valore numerico è comunque molto piccolo. Negli attuali PWR ad esempio un **aumento di pressione** $\Delta p = 100$ p.s.i produce lo stesso effetto di reattività dovuto alla **diminuzione** della **temperatura** del moderatore di un grado centigrado.

Il coefficiente di reattività da pressione $\alpha_{(p)}$ espresso in termini di variazione di reattività $\Delta \rho$ per una variazione dell'1% della potenza W del reattore, è dato dalla seguente relazione:

$$\alpha_{(p)} = \frac{\Delta \rho}{\Delta W(\%)} = \frac{\Delta \rho}{\Delta p} \quad \frac{\Delta p}{\Delta W(\%)} \qquad (8.6.2)$$

8.7. Difetto di reattività

Le variazioni che intervengono accidentalmente o volutamente nelle condizioni operative del reattore determinano in generale l'allontanamento dello stesso dallo stato di criticità.

Si definisce come difetto di reattività, la reattività ρ_{x_i} complessivamente introdotta in reattore dalla **variazione complessiva** Δx_i intervenuta nel valore di uno dei suoi parametri caratteristici x_i.

Se la variazione unitaria nel valore del parametro x_i genera il coefficiente di reattività α_{x_i}, il difetto di reattività dovuto ad una variazione Δx_i dello stesso è dato dalla relazione:

$$\rho_{x_i} = \alpha_{x_i} \Delta x_i \qquad (8.7.1)$$

Nell'eq. 8.7.1 si assume che il valore del coefficiente α_{x_i} sia costante nell'intervallo Δx_i; in generale si assume come valore del coefficiente α_{x_i} il suo valore medio nell'intervallo Δx_i di variazione del parametro x_i.

Se si hanno variazioni simultanee nel valore di più di uno dei parametri x_i che caratterizzano lo stato di funzionamento del reattore, il difetto di reattività è dato dalla:

$$\rho_{x_i} = \Sigma_i \, \alpha_{x_i} \cdot \Delta x_i \qquad (8.7.2)$$

Ad esempio se la temperatura del combustibile cambia di valore per un ammontare ΔT_c e la temperatura del moderatore cambia di valore per un ammontare ΔT_M, la reattività complessivamente inserita in reattore o che è lo stesso il difetto di reattività è dato dalla relazione:

$$\rho_{tot} = \alpha_D \cdot \Delta T_c + \alpha_{TM} \cdot \Delta T_M$$

La stima del difetto di reattività è di notevole importanza operativa in quanto permette di valutare quantitativamente di quanto occorra estrarre (o inserire) le barre di controllo per mantenere la criticità nel caso di aumento o diminuzione del livello voluto di potenza del reattore. Un altro esempio di uso pratico del difetto di reattività è dato dalla verifica dell'effettiva disponibilità del margine di spegnimento richiesto dalle Specifiche Tecniche.

La verifica deve essere sempre fatta dopo l'avvenuto esaurimento del veleno bruciabile contenuto inizialmente nel combustibile quando si verifichi anche una sensibile riduzione del livello di potenza del reattore a causa del recupero di reattività positiva dovuto ad entrambe queste cause.

8.8. Coefficiente di potenza α_W

Nella pratica operativa è utile riunire in un unico coefficiente, il coefficiente di potenza α_W, tutti i coefficienti presentati nei paragrafi precedenti.

Infatti quei coefficienti sono associati a parametri quali la temperatura del combustibile, quella del moderatore, il grado di vuoto ecc., tutti di difficile misurazione e variabili da punto a punto del reattore.

Si preferisce quindi fare riferimento ad una grandezza "integrale" che comprende cioè l'intero nocciolo del reattore, la potenza prodotta, la cui misura è normalmente disponibile in sala controllo.

Si definisce quindi come coefficiente di potenza α_W la variazione di reattività $\Delta\rho$ dovuta alla variazione nel livello di potenza W del reattore espressa in per cento (%). E' cioè:

$$\alpha_W = \frac{\Delta(\Delta k/k)}{\Delta W(\%)} \tag{8.8.1}$$

Per reattori del tipo **BWR** funzionanti **a potenza** si ha che ai fini pratici il coefficiente α_W è dato dalla seguente relazione:

$$\alpha_W = \frac{\alpha_D \cdot \Delta T_c + \alpha_V \cdot \Delta V(\%)}{\Delta W(\%)}$$

Il coefficiente di temperatura del moderatore è infatti nullo perchè la temperatura T_M è quella di saturazione che per pressione costante non varia.

In Fig. 8.8.1 è riportata a titolo di esempio lo schema a blocchi semplificato del controllo intrinseco di un BWR. In figura è:

$\Delta\rho_R = \Delta\rho_{est} - \alpha_W \Delta W$.

Analogamente per reattori del tipo PWR si ha che è:

$$\alpha_W = \frac{\alpha_D \cdot \Delta T_c + \alpha_{TM} \cdot \Delta T_M}{\Delta W(\%)}$$

dove ΔT_c e ΔT_M sono le variazioni di temperatura del combustibile e della temperatura del moderatore che si verificano per una variazione ΔW nel livello di potenza del reattore.

Il coefficiente di vuoto è stato trascurato perchè in generale in questi reattori la frazione di vapore nel nocciolo è estremamente modesta.

8.9. Difetto di potenza

Il numeratore del coefficiente di potenza è noto come difetto di potenza ρ_W. Si ha quindi che è:

$$\rho_W = \alpha_W \cdot \Delta W(\%) \quad (p.c.m.) \qquad (8.9.1)$$

Il difetto di potenza è costituito dalla somma algebrica dei difetti di reattività Doppler, del moderatore, dei vuoti e di pressione presi singolarmente per una stessa variazione $\Delta W(\%)$ della potenza.

Il contributo al difetto di potenza dovuto alla temperatura del combustibile, alla temperatura del moderatore ed al grado di vuoto nel caso dei BWR, ed alla temperatura del combustibile ed alla temperatura del moderatore nel caso dei PWR, è variabile nell'intero intervallo di valori di potenza da 0(%) al 100(%).

In Fig. 8.9.1 sono riportati gli andamenti della temperatura del combustibile e della temperatura del moderatore in funzione della potenza del reattore nel caso dei PWR.

Si vede che mentre la temperatura del combustibile cresce sull'intero intervallo di potenza da 0(%) al 100(%), al contrario la temperatura del moderatore cresce fino ad un certo valore della potenza nominale e poi resta costante.

La temperatura del moderatore cresce fino al valore di circa 580 ^{o}F che raggiunge al 15% circa della potenza nominale del reattore e viene poi mantenuta costante al crescere della potenza per scelta di progetto.

Nel caso dei BWR la temperatura del combustibile cresce come nel caso precedente sull'intero intervallo di potenza mentre la temperatura del moderatore cresce fino a raggiungere il valore di saturazione per la pressione di funzionamento, in pratica fino a qualche percento della potenza nominale.

Il coefficiente di temperatura del moderatore non contribuisce quindi al difetto di potenza per potenze superiori a circa:

- qualche percento del valore nominale per reattori BWR;
- il 15% del valore nominale per reattori PWR.

Il coefficiente di vuoto $\alpha_V(\%)$ nel caso dei reattori BWR non contribuisce al difetto di potenza quando la temperatura del moderatore è inferiore alla temperatura di saturazione.

8.10. Coefficienti di reattività - valori differenziali

Il valore numerico dei coefficienti di reattività varia in funzione del valore **iniziale** del parametro o grandezza la cui variazione genera il coefficiente stesso. In altre parole il valore numerico dei coefficienti di reattività $\alpha_i = \Delta\rho/\Delta \mathbf{x}_i$ è differente a parità di variazione $\Delta \mathbf{x}_i$ quando è differente il valore iniziale $\mathbf{x}_i$ attorno al quale si verifica la variazione $\Delta \mathbf{x}_i$ stessa.

In quello che segue si descrivono le ragioni di questa dipendenza funzionale e si ricordano anche le concause principali che determinano il valore numerico dei coefficienti di reattività.

8.10.1. Il coefficiente Doppler

a) Il coefficiente Doppler α_D **diminuisce** di valore, la reattività Doppler è quindi meno negativa, al **crescere** della temperatura **iniziale** T_c del combustibile.

E' immediato riconoscere infatti che a parità di variazione della temperatura, ad esempio $\Delta T_c = 10\ ^oC$, la variazione relativa $\Delta T_c/T_c$ è tanto minore quanto maggiore è il valore iniziale T_c. Ad esempio se è $T_c = 50\ ^oC$ è $\Delta T_c/T_c = 20\%$ mentre se è $T_c = 100\ ^oC$ è $\Delta T_c/T_c = 10\%$.

La relazione di dipendenza diretta tra temperatura di un corpo ed energia cinetica di movimento e quindi velocità delle molecole o atomi che lo costituiscono, che possiamo scrivere $kT = 1/2\ mv^2$, rende ragione della minore variazione relativa della velocità media di movimento degli atomi a pari ΔT_c al crescere del valore iniziale della temperatura T_c.

In ultima analisi questi fenomeni tradotti in termini di andamento della sezione d'urto di assorbimento neutronico si evidenziano con un minore allargamento della campana che descrive l'assorbimento per risonanza a pari ΔT_c per valori crescenti della temperatura T_c del combustibile come già riportato sinteticamente nelle Fig. 8.3.2.

b) il coefficiente Doppler α_D **aumenta** di valore, la reattività Doppler è quindi più negativa nei seguenti casi:

- quando aumenta la temperatura T_M del moderatore. Infatti con l'aumentare della T_M diminuisce la densità del moderatore stesso ed i neutroni permangono per un tempo maggiore nell'intervallo energetico delle risonanze aumentando quindi la probabilità (1-p) della loro cattura nelle stesse;
- con il bruciamento del combustibile. Infatti con il bruciamento cresce la concentrazione del ^{240}Pu che come già ricordato presenta forti risonanze di assorbimento neutronico nella zona energetica epitermica, quella di rallentamento, come schematizzato in Fig. 8.10.1 dove è anche rappresentata la riduzione del coefficiente Doppler con il crescere della temperatura del combustibile;
- quando aumenta il grado di vuoto del moderatore. La riduzione di densità del moderatore che ne consegue aumenta la probabilità (1-p) di cattura dei neutroni per risonanza come già detto a proposito dell'aumento della temperatura T_M. Il Fig. 8.10.2 è schematizzato l'andamento del coefficiente Dop-

pler in funzione del grado di vuoto, della temperatura T_M del moderatore e della temperatura T_c del combustibile.

8.10.2. Il coefficiente di temperatura del moderatore

L'aumento della temperatura del moderatore T_M con la conseguente sua riduzione di densità riduce la probabilità $P = P_V \cdot P_t$ di non fuga dei neutroni dal reattore; questo effetto rende α_{TM} **più negativo** al crescere di T_M.

Egualmente quanto maggiore è la densità di barre di controllo inserite nel nocciolo tanto più un aumento di T_M rende maggiormente negativo il coefficiente α_{TM}. Questo effetto è dovuto al crescere della lunghezza di diffusione termica L_t con il diminuire della densità del moderatore ed alla contemporanea crescita della capacità di controllo delle barre che come già visto al par. 6.7.1 è direttamente proporzionale ad L_t.

L'aumento nella capacità di controllo delle barre con l'aumento della temperatura T_M ha effetto negativo sulla reattività del nocciolo e contribuisce come detto a rendere maggiormente negativo il coefficiente α_{TM}. Il coefficiente α_{TM} è quindi a parità delle altre condizioni generalmente più negativo ad inizio ciclo (BOC), quando sono presenti nel nocciolo un numero elevato di barre di controllo, di quanto non lo sia a fine ciclo (EOC) quando le barre sono per la quasi totalità estratte a causa della ridotta reattività del nocciolo.

8.11. Coefficienti di reattività e controllo del reattore

I coefficienti di reattività che caratterizzano il comportamento dinamico di un reattore LWR sono come descritto in precedenza:

- il coefficiente Doppler α_D;
- il coefficiente di temperatura del moderatore α_{TM};
- il coefficiente di vuoto $\alpha_{V(\%)}$;
- il coefficiente di pressione α_p.

I coefficienti dovuti alle variazioni di densità del moderatore nonostante siano di segno negativo sia nei reattori BWR che nei PWR intervengono nel controllo del reattore con modalità completamente differenti nelle due famiglie di reattori a causa delle loro differenze impiantistiche.

a) Impianti di potenza con reattori BWR

L'economia neutronica nei reattori BWR è fortemente condizionata sia dai movimenti nel nocciolo del sistema delle barre di controllo che dalle condizioni fisiche del moderatore-refrigerante.

In Fig. 8.11.1 sono schematizzati alcuni stati caratteristici del moderatore in funzione del variare rispetto alle condizioni nominali dei parametri quali la pressione, la portata attraverso il nocciolo ed il grado di sottoraffreddamento di ingresso del moderatore stesso.

Si vede chiaramente che per un aumento in uno qualunque dei parametri ricordati si ha un innalzamento della quota alla quale l'entalpia del moderatore raggiunge il valore di saturazione mentre per una riduzione nel valore di quei parametri si ha una riduzione nella quota oltre la quale si ha ebollizione estesa del refrigerante.

Nella fase di inseguimento del carico il controllo del reattore può essere del tipo:

- reattore asservito alla turbina;
- turbina asservita al reattore.

Nel primo caso il reattore produce la potenza richiesta dalla turbina nel secondo la turbina assorbe la potenza prodotta dal reattore.

Nel primo caso le richieste di variazione di carico (potenza) vengono inviate alla turbina nel secondo caso al reattore.

Dalle Figg. 8.11.1 e 8.11.2 si vede chiaramente che negli impianti BWR la modalità - reattore asservito alla turbina - non è praticabile come sistema di regolazione automatica in quanto il risultato dei fenomeni che intervengono è dato da una variazione di potenza di segno contrario a quello voluto.

Infatti un aumento nella domanda di potenza alla turbina produrrebbe l'apertura della valvola di ammissione del vapore in turbina con riduzione della pressione nel vessel e conseguente aumento del "vuoto" contenuto nel nocciolo del reattore. Il coefficiente di vuoto negativo $\alpha_{V(\%)}$ renderebbe sottocritico il reattore con riduzione immediata della potenza prodotta e questo risultato è esattamente il contrario di quanto voluto.

Per questa ragione i reattori BWR vengono fatti funzionare fondamentalmente come sistemi a pressione costante. Il regolatore di pressione opera aprendo o chiudendo le valvole di ammissione in turbina e/o le valvole di sorpasso (by pass) turbina indicate schematicamente in Fig. 8.11.3 rispettivamente con v_I e v_S.

Il segnale primario di richiesta di variazione del carico viene quindi inviato al sistema di controllo del reattore adottando la modalità turbina asservita al reattore.

La potenza del reattore BWR può essere quindi variata o con movimenti delle barre di controllo o variando la portata di ricircolazione attraverso il nocciolo.

In Fig. 8.11.4 sono schematizzate le due modalità di controllo.
Per adeguare la potenza prodotta dal reattore nelle fasi di inseguimento del carico è preferita di gran lunga la modalità di controllo che utilizza il coefficiente di vuoto $\alpha_{V(\%)}$ variando la portata di ricircolo attraverso il nocciolo del reattore.

Questa tecnica permette di mantenere fermi i banchi delle barre di controllo e quindi di non alterare la distribuzione spaziale fine della potenza che altrimenti deve essere sempre attentamente controllata per evitare il formarsi di punti eccessivamente caldi nel combustibile.

Un aumento nella domanda di potenza viene soddisfatto con l'aumento della portata di ricircolo e viceversa.

Supponiamo infatti che si abbia la richiesta di aumento della potenza prodotta dal reattore.

Aumentando la portata di ricircolo attraverso il nocciolo si provoca inizialmente una riduzione del contenuto di vapore = vuoto nel nocciolo, a causa dell'effetto di trascinamento prodotto dall'aumento di portata d'acqua.

La variazione $\Delta V(\%)$ del grado di vuoto introduce reattività positiva nella quantità $\rho_{V(\%)} = \alpha_{V(\%)} \cdot \Delta V\%$ con conseguente sopracriticità ed aumento della potenza del reattore.

L'aumento di potenza provoca maggiore produzione di vapore con riduzione graduale, fino all'annullamento, della variazione negativa iniziale $\Delta V(\%)$ del grado di vuoto nel nocciolo.

Questa compensazione annulla la reattività o difetto da vuoto precedente ed il reattore torna critico ad una potenza superiore a quella iniziale come richiesto.

b) Impianti di potenza con reattori PWR

Nei reattori pressurizzati, i PWR, il vapore viene prodotto all'esterno del nocciolo del reattore nei generatori di vapore. Questi ultimi ricevono calore del fluido primario che attraversa il nocciolo in fase liquida e lo trasferiscono al fluido di lavoro secondario che essendo a pressione più bassa si trasforma in vapore che viene mandato alla turbina come schematizzato in Fig. 8.11.5.

Nella fase di inseguimento del carico il controllo dei reattori PWR può essere, contrariamente al caso dei BWR, del tipo reattore asservito alla turbina in quanto la risposta naturale di questo sistema tende ad adeguare automaticamente la potenza prodotta dal reattore alla domanda proveniente dalla turbina.

Supponiamo infatti che si abbia un aumento nella domanda di potenza e quindi di vapore.

Inizialmente il calore extra richiesto dal secondario per produrre più vapore viene fornito dall'energia termica accumulata nel circuito primario con conseguente riduzione della sua temperatura media $\langle T_M \rangle$ come schematizzato in Fig. 8.11.6. L'ingresso nel reattore di refrigerante primario più freddo libera reattività positiva rendendo il reattore sopracritico.

L'aumento di potenza conseguente accresce la temperatura del refrigerante che esce dal nocciolo e va ai generatori di vapore e produce un aumento nella temperatura del combustibile con sviluppo conseguente di reattività Doppler negativa.

Il reattore torna critico ad una potenza superiore a quella iniziale, come richiesto, quando sono di eguale valore la antireattività Doppler $\Delta\rho_D = \alpha_D \cdot \Delta T_c$ e la reattività positiva $\Delta\rho_M = \Delta\langle T_M \rangle \cdot \alpha_{TM}$ dovuta alla riduzione $\Delta\langle T_M \rangle$ nella temperatura del moderatore come schematizzato in Fig. 8.11.7.

In conclusione la potenza del reattore è aumentata ma affinchè il reattore sia critico la temperatura media $<T_M>$ del refrigerante primario deve essere inferiore al valore iniziale della quantità:

$$\Delta<T_M> = -\Delta T_c \cdot \frac{\alpha_D}{\alpha_{TM}}$$

come schematizzato in Fig. 8.11.8.

La risposta naturale di un PWR dovuta ai soli coefficienti di reattività è, come visto, tale da adeguare spontaneamente il funzionamento del reattore alla domanda di maggiore o minore potenza prodotta. Questa caratteristica spiega la scelta del sistema PWR come motore o propulsore nucleare per sommergibili e navi nucleari.

8.12. Eccesso di reattività

Per eccesso di reattività del nocciolo di un reattore nucleare si intende la differenza di reattività $\Delta\rho$ tra reattore critico e reattore con tutte le barre di controllo completamente estratte.

L'eccesso di reattività varia al variare dello stato o condizione operativa del nocciolo in quanto è funzione:

- della temperatura del nocciolo in particolare di quella del combustibile e del moderatore/refrigerante;
- della concentrazione dei veleni neutronici;
- della vita o grado di "bruciamento" del combustibile.

Per "bruciamento" del combustibile si intende la quantità di energia, espressa generalmente in Megawatt giorno (MWD = Megawatt day), prodotta fino a quel momento dall'unità di massa del combustibile, in generale una tonnellata, in quanto da questa quantità dipendono le modifiche nella composizione isotopica del combustibile.

Gli stati o condizioni più comuni del nocciolo rispetto ai quali si valuta l'eccesso di reattività sono:

- reattore freddo, pulito, critico;
- reattore caldo, pulito, critico;
- reattore caldo, a piena potenza e con i veleni neutronici principali Xeno e Samario (vedi più avanti) in equilibrio.

Per reattore pulito si intende un reattore con combustibile **privo** dei prodotti di fissione.

L'eccesso di reattività $\Delta\rho$ è intenzionalmente introdotto in reattore realizzando noccioli con una massa di combustibile M superiore alla massa critica M_C. La criticità del reattore è ottenuta annullando l'eccesso di reattività $\Delta\rho$ dovuto all'eccesso di massa $\Delta M = M-M_C$ con l'antireattività del sistema delle barre di controllo e sicurezza e dei veleni neutronici.

L'eccesso di reattività viene introdotto con lo scopo di garantire:

- lo stato di criticità del reattore per un periodo di tempo noto come **ciclo** di funzionamento, la cui durata è definita in fase di progetto;
- il funzionamento del reattore alla potenza nominale di progetto per tutta la durata del ciclo.

Con il funzionamento a potenza il reattore perde reattività principalmente per tre cause. Esse sono:

- l'aumento della temperatura del nocciolo rispetto a quella ambiente;
- il consumo del materiale fissile inizialmente presente nel combustibile;

- il generarsi dei prodotti di fissione tra i quali alcuni hanno sezione d'urto di assorbimento per neutroni termici estremamente elevata.

L'aumento di temperatura del nocciolo del reattore che è contestuale all'aumento di potenza dello stesso determina come visto ai paragrafi precedenti, l'insorgere di antireattività o difetti di reattività Doppler $\Delta\rho_D$, di temperatura del moderatore $\Delta\rho_{TM}$ e di vuoto $\Delta\rho_{V(\%)}$.

Per mantenere critico il reattore è necessaria l'esistenza nel nocciolo del reattore di un eccesso di reattività fino a quel momento annullata dalla antireattività o reattività negativa delle barre di controllo e dei veleni. L'estrazione graduale di una frazione delle barre di controllo equivalente in reattività $\Delta\rho$ e quella negativa Doppler, da temperatura del moderatore e da vuoti, permette di mantenere lo stato di criticità realizzando in ogni momento la seguente condizione o eguaglianza:

$$\Delta\rho = -(\Delta\rho_D + \Delta\rho_{TM} + \Delta\rho_{V(\%)}) \qquad (8.12.1)$$

In Fig. 8.12.1 è riportato in sintesi il bilancio di reattività tipico per un PWR per differenti condizioni operative.

La condizione (1) è quella di reattore critico, freddo e pulito.

La reattività ρ del nocciolo è dovuta all'eccesso di combustibile caricato $\Delta M = M-M_c$ dove M_c è la massa critica. La reattività del nocciolo è compensata dal Boro disciolto nel moderatore e dalla frazione di barre di controllo mantenute inserite nel nocciolo.

La condizione (2) è quella di reattore critico, caldo a potenza nulla. L'aumento di temperatura del moderatore introduce reattività negativa ρ_{T_M} che viene compensata con la riduzione della concentrazione di B. Si considera nullo l'effetto Doppler dovuto all'aumento di temperatura trasmesso dal moderatore perchè molto modesto.

La condizione (3) è quella di reattore critico, caldo alla potenza nominale. La reattività negativa Doppler è compensata estraendo gran parte delle barre di controllo ancora inserite nel nocciolo.

La condizione (4) è quella di reattore critico, caldo alla potenza nominale già da qualche tempo. La reattività negativa introdotta dai prodotti di fissione (se ne parlerà al Cap. 9) ^{135}Xe e ^{149}Sm è compensata riducendo la concentrazione del B.

La condizione (5) è quella di reattore critico, caldo alla potenza nominale e verso fine ciclo (EOC). La perdita di reattività per consumo di combustibile è compensata riducendo ulteriormente la concentrazione del B. La riduzione del B rende più negativo il coefficiente di temperatura del moderatore con conseguente aumento della anti reattività ρ_{T_M}.

Questo ultimo effetto non è stato evidenziato in figura per le due condizioni precedenti (2) e (4) per il valore più modesto delle variazione intervenute anche se comunque nella pratica se ne deve tenere conto.

Il consumo del materiale fissile iniziale è tanto più rapido, come è intuitivo comprendere, quanto maggiore è il livello di potenza del reattore.

La potenza P è infatti proporzionale al numero R di reazioni di fissione che si verificano nell'unità di tempo cioè al numero di nuclei fissili N_f che vengono distrutti per fissione ogni secondo. Nell'approssimazione monoenergetica il tasso di reazione è dato dalla relazione $R = \sigma_f \, N_f \, \phi$ ed è quindi:

$$P = \gamma \, \sigma_f \, N_f \, \varphi$$

dove γ è la costante di proporzionalità che permette di convertire le fissioni che si verificano nell'unità di tempo in unità di potenza. Se si esprime la potenza P in watts e si assume che l'energia liberata da ogni evento di fissione sia $E = 200$ MeV, la costante di proporzionalità vale $\gamma = 3{,}226 \cdot 10^{-9}$.

In realtà il numero di nuclei fissili che vengono distrutti ogni secondo è superiore a quello necessario per produrre un certo livello di potenza in quanto come noto la sezione d'urto di assorbimento σ_a per neutroni è in generale formata da due componenti, la sezione d'urto di cattura σ_c e la sezione d'urto di fissione σ_f.

Si ha quindi che il numero N di nuclei di materiale fissile distrutti ogni secondo è in realtà dato dalla relazione:

$$N = (n_o \text{ di fissioni} \cdot \text{secondo}^{-1}) \quad (1 + \alpha)$$

con $\alpha = \sigma_c/\sigma_f$.

In Fig. 8.12.2 è riportato l'andamento tipico caratteristico della concentrazione nel tempo (con il funzionamento a potenza) degli isotopi principali degli elementi pesanti che costituiscono il combustibile dei LWR.

Il ^{239}Pu è generato per fertilizzazione dell'^{238}U con la nota reazione di cattura radiativa ^{238}U (n, γ) ^{239}Pu; la cattura radiativa di neutroni da parte del ^{239}Pu che è anche fissile, genera a sua volta il ^{240}Pu che non fissiona termico ma presenta forte risonanza nella zona epitermica. La conversione di ^{238}U in ^{239}Pu fissile avviene con lentezza rispetto alla distruzione del fissile iniziale ^{235}U e quindi questa reazione non compensa ma **riduce** la velocità di perdita di reattività per consumo di fissile.

A seguito degli eventi di fissione si formano nel combustibile del reattore un grande numero di prodotti di fissione radioattivi, in media una coppia per ogni evento di fissione, che in generale dopo uno o più decadimenti radioattivi beta si trasformano in isotopi stabili o a lunga vita media.

Per la maggioranza dei prodotti di fissione la sezione d'urto di assorbimento neutronico è di circa 50 barns per coppia cioè per evento di fissione.

Con il protrarsi del funzionamento del reattore a potenza il numero di neutroni assorbiti dai prodotti di fissione e quindi sottratti al processo di riproduzione aumenta sempre più con effetti crescenti di reattività negativa e quindi di riduzione dell'eccesso di reattività iniziale.

Tra i prodotti di fissione alcuni hanno sezione d'urto di assorbimento per neutroni termici molto elevata.

Se la frequenza con la quale vengono generati, cioè se la loro resa di fissione (par. 2.1) è alta, essi divengono molto importanti nel bilancio neutronico e quindi nel controllo del reattore.

Per stimare ed anticipare gli effetti di questi prodotti sulla reattività del nocciolo è importante conoscere il meccanismo del loro accumulo e distruzione nel combustibile del nocciolo.

I prodotti di fissione più significativi a questo riguardo sono lo ^{135}Xe, ed il ^{149}Sm per la loro elevata sezione di assorbimento e e l'alta resa di fissione.

Tabella 8.1.1

Fattore	Effetto	Importanza BWR	PWR
η	I neutroni vengono termalizzati meno efficacemente. L'energia media del gruppo termico aumenta	Effetto negativo trascurabile	Effetto negativo trascurabile
ϵ	I neutroni incontrano meno nuclei di moderatore nell'unità di tempo. Permangono più tempo nella zona energetica utile per le fissioni veloci	Modesto effetto positivo	
p	La ridotta efficacia del moderatore mantiene più a lungo i neutroni nella zona della risonanza	Forte effetto negativo nei noccioli sottomoderati	
f	a) Si riducono le catture in H_2O per la ridotta densità	Effetto positivo non trascurabile	
	b) I neutroni termici percorrono spazi maggiori; cresce la probabilità della loro cattura nelle barre di controllo	Forte effetto negativo. Con combustibile fresco molte barre sono ancora inserite	Effetto negativo modesto. A piena potenza le barre sono quasi completamente estratte
	c) La riduzione di densità del moderatore riduce la concentrazione del boro nello stesso	----	Forte effetto positivo; con combustibile fresco la concentrazione del boro è elevata

Effetti di reattività causati dall'aumento di temperatura del moderatore per combustibile fresco

Segue Tabella 8.1.1

Fattore	Effetto	Importanza	
		BWR	PWR
L_v	La minore densità del moderatore aumenta la probabilità di fuga durante il rallentamento	Effetto negativo piccolo	
L_t	La minore densità del moderatore aumenta la probabilità di fuga dei neutroni termici	Effetto negativo piccolo	

Effetti di reattività causati dall'aumento di temperatura del moderatore per combustibile fresco

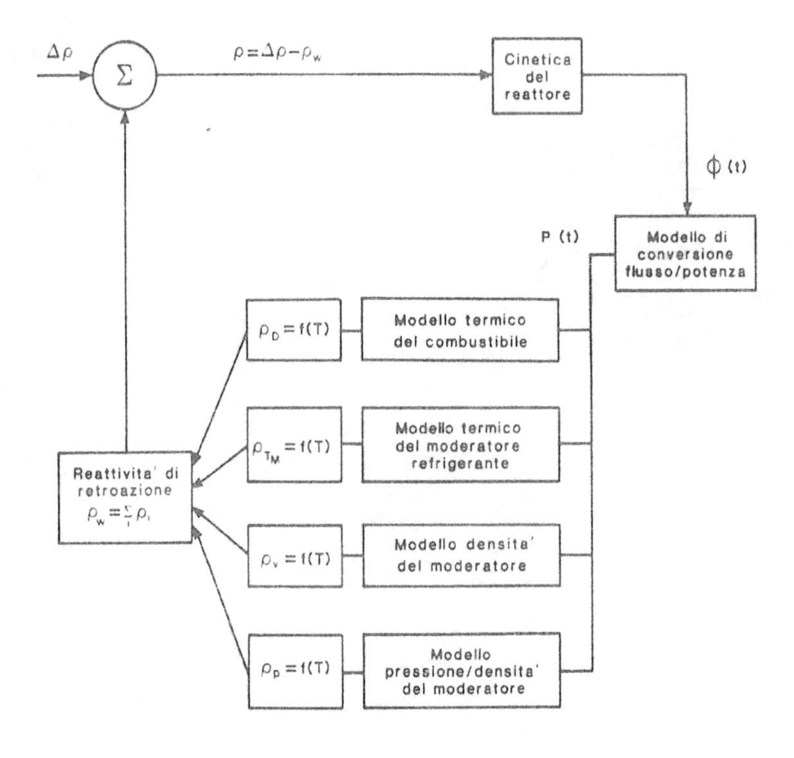

Fig. 8.1.1 *Schema a blocchi del modello della dinamica di un reattore ad acqua leggera o LWR*

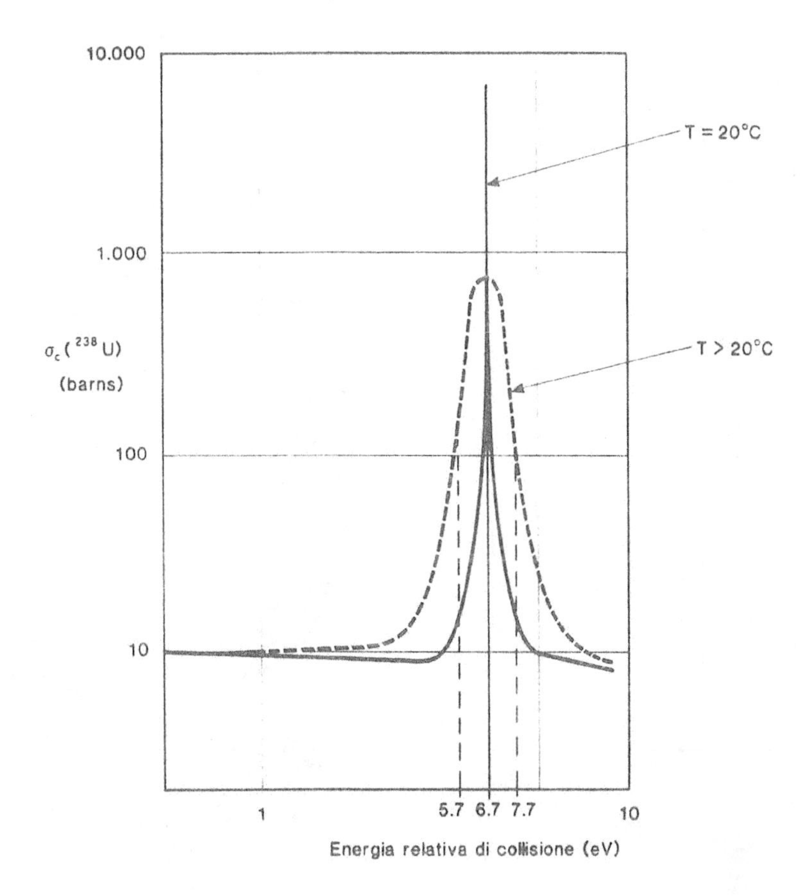

Fig. 8.3.1 *Andamento della sezione d'urto microscopica di cattura dell'^{238}U in funzione dell'energia di collisione neutrone-nucleo per differenti valori della temperatura T del combustibile*

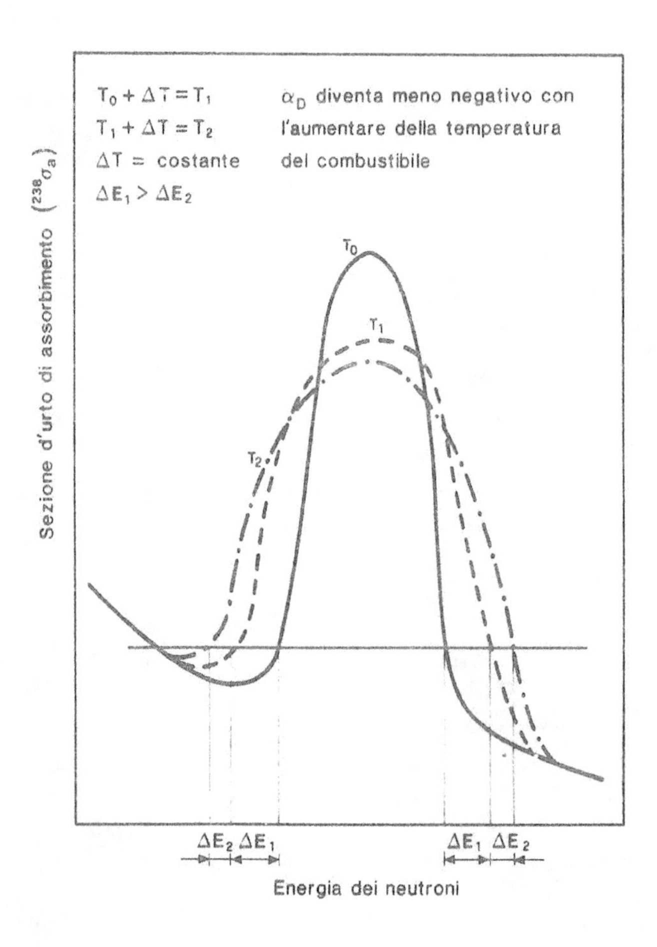

Fig. 8.3.2 *Effetto sulla sezione d'urto macroscopica di assorbimento neutronico dell'^{238}U (in corrispondenza di un picco di risonanza) dovuto a variazioni ΔT di temperatura del combustibile*

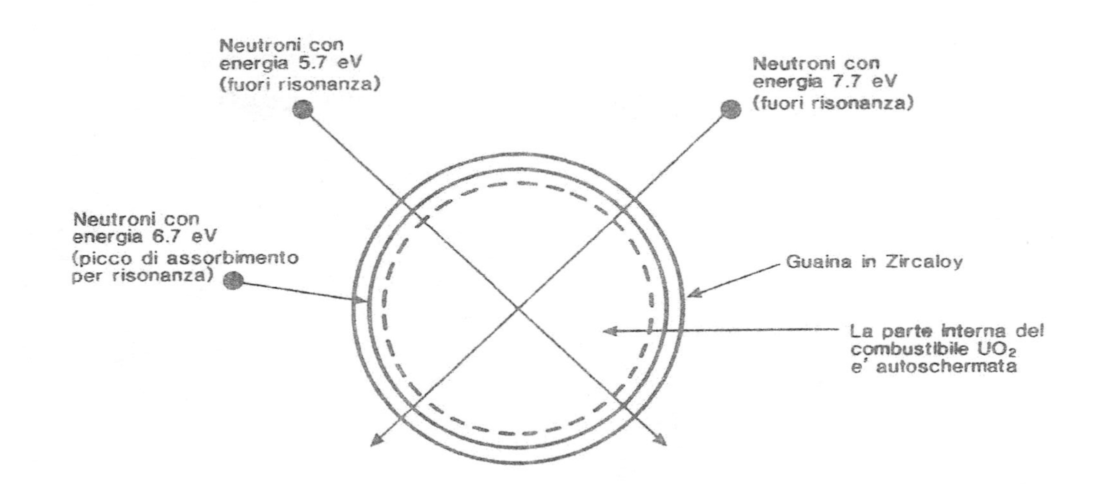

Fig. 8.3.3 *Cattura neutronica per risonanza nelle pastiglie di combustibile UO_2 alla temperatura ambiente*

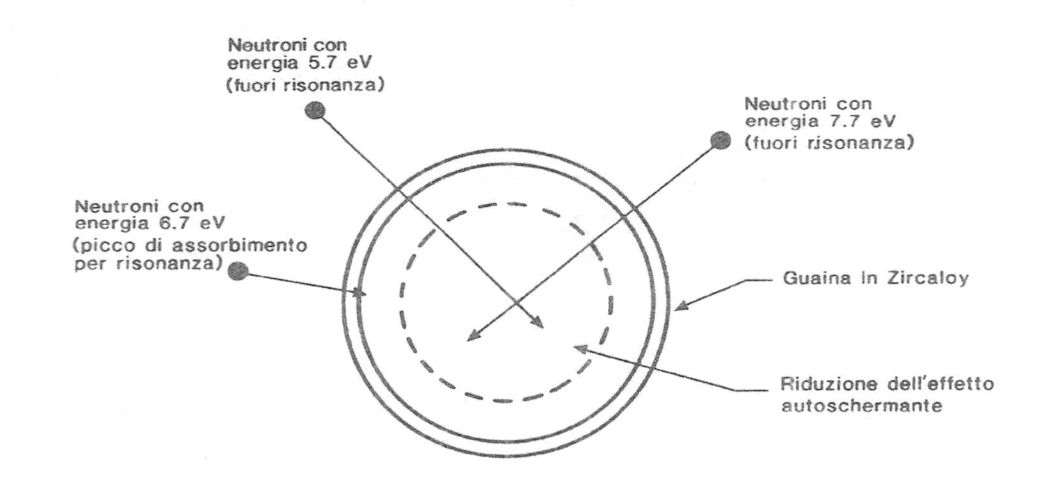

Fig. 8.3.4 *Cattura neutronica per risonanza nelle pastiglie di combustibile UO_2 quando il reattore è a potenza*

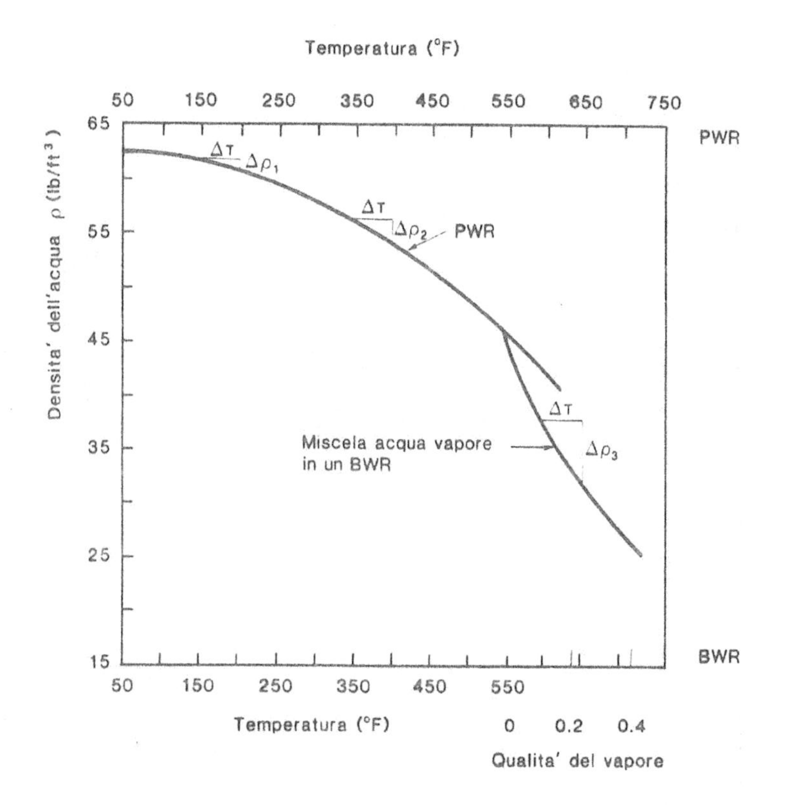

Fig. 8.4.1 *Densità dell'acqua e della miscela acqua vapore in funzione della loro temperatura. Per valori di temperatura T crescenti a pari ΔT corrispondono variazioni di densità crescenti e quindi variazioni di reattività crescenti* $\Delta\rho_1 < \Delta\rho_2 < \Delta\rho_3$

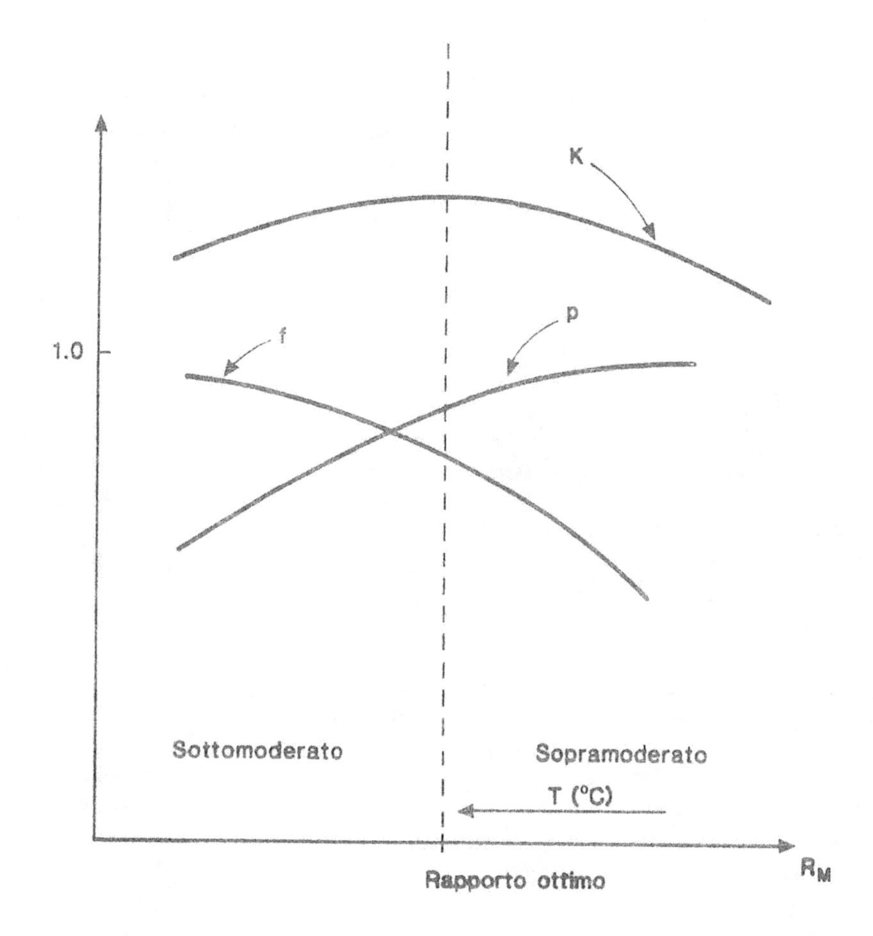

Fig. 8.4.2 *Andamento tipico dei coefficienti K, p ed f in funzione del rapporto* R_M

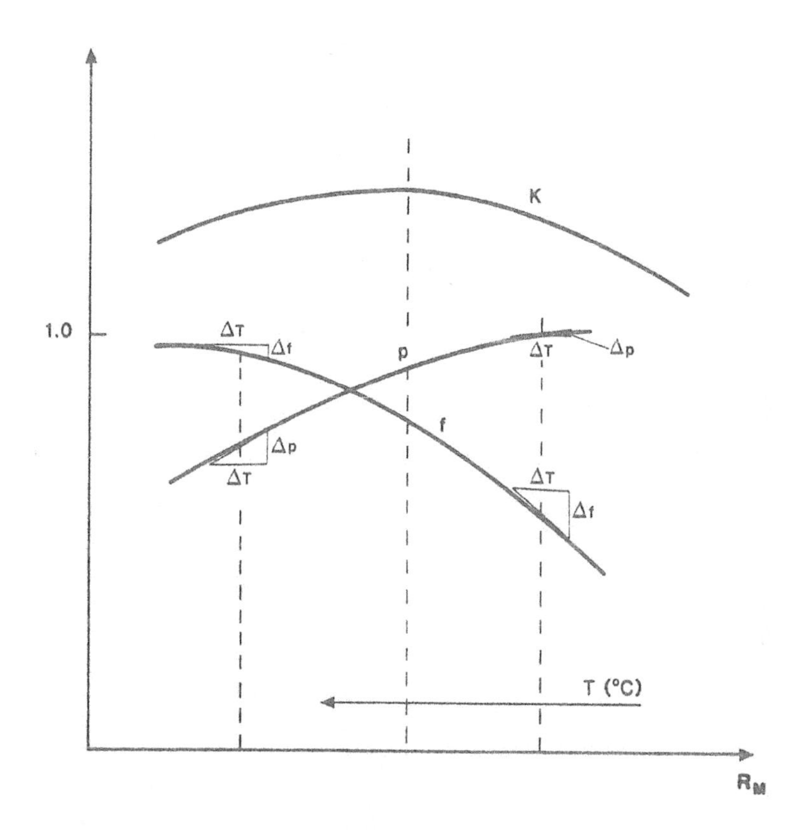

Fig. 8.4.3 *Andamento tipico dei coefficienti K, p ed f in funzione della temperatura T. Nella zona sottomoderata, quella a sinistra della tratteggiata che passa per il massimo di K, per $\Delta T>0$ è $\Delta f>0$ e $\Delta p<0$ con $\Delta f<\Delta p$; nella zona sovramoderata, quella a destra della tratteggiata che passa per il massimo di K, per $\Delta T>0$ è $\Delta f>0$ e $\Delta p<0$ con $\Delta f>\Delta p$*

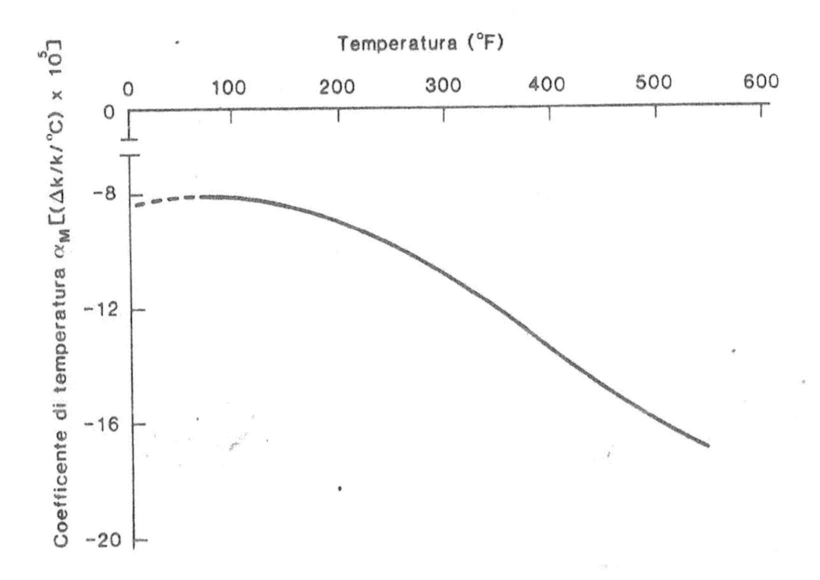

Fig. 8.4.4 *Valori tipici del coefficiente di temperatura del moderatore α_M in funzione della temperatura T per un BWR ad inizio vita cioè con combustibile fresco*

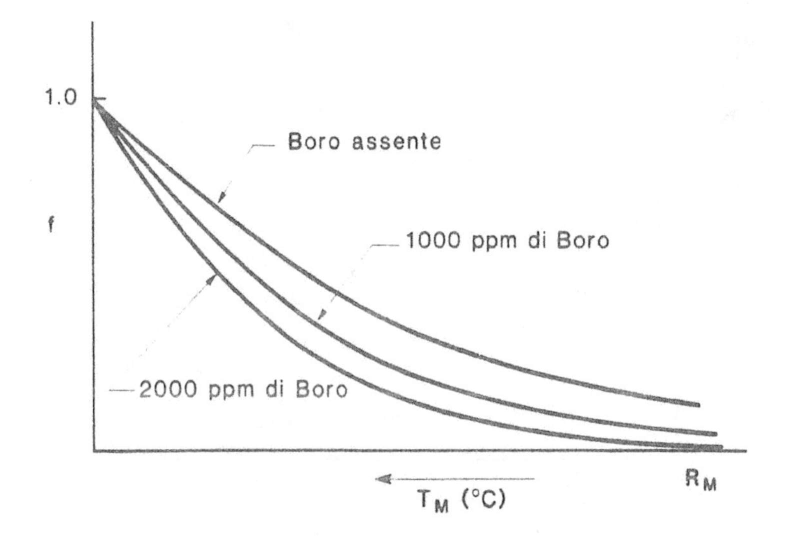

Fig. 8.4.5 *Fattore di utilizzazione termica f in funzione del rapporto R_M per differenti concentrazioni di boro nel moderatore*

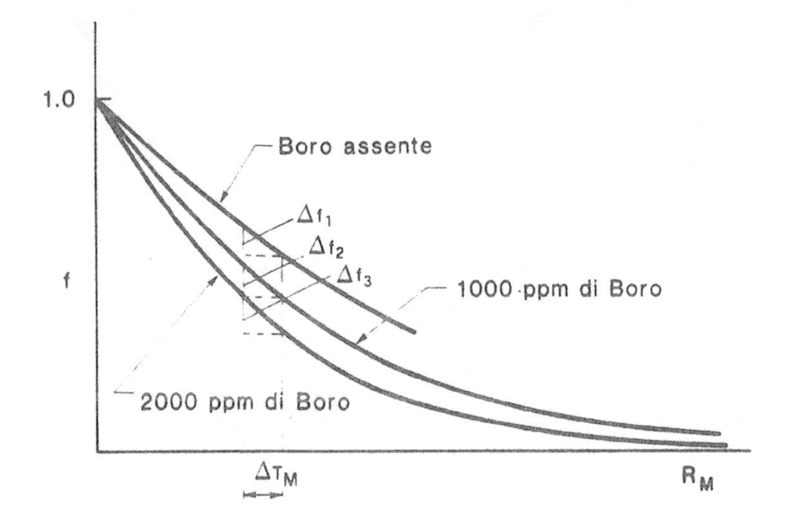

Fig. 8.4.5bis *Variazione Δf del fattore di utilizzazione termica per una variazione positiva ΔT_M della temperatura del moderatore per differenti concentrazioni di boro nello stesso moderatore*

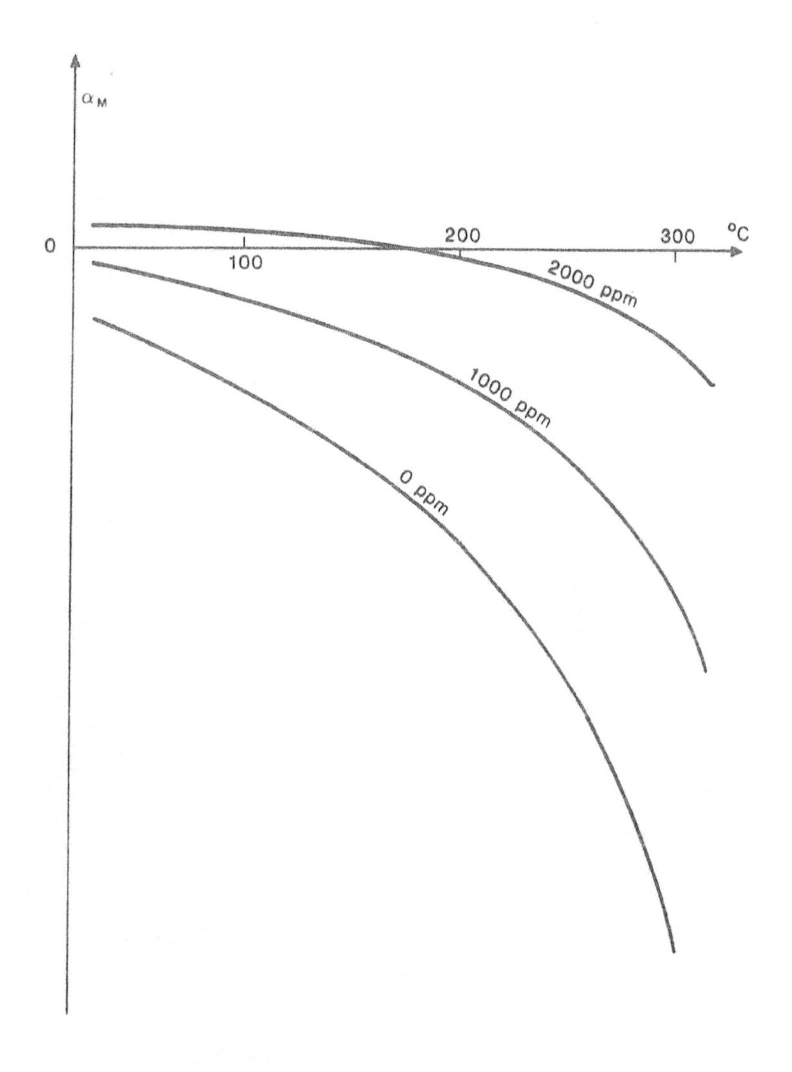

Fig. 8.4.6 *Coefficiente di temperatura del moderatore α_M in funzione della temperatura T_M del moderatore per differenti concentrazioni di boro*

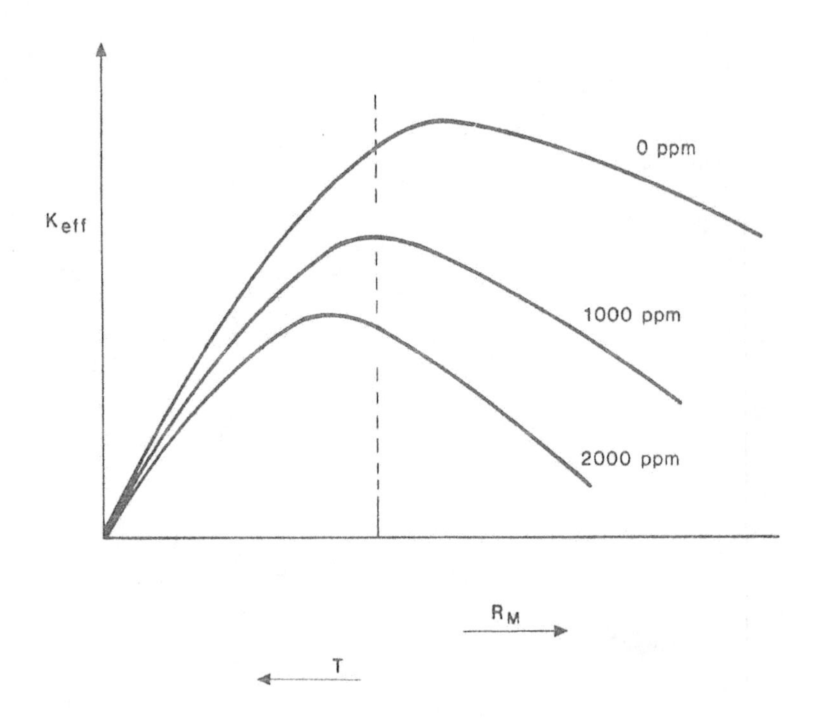

Fig. 8.4.7 *Andamento del coefficiente K in funzione del rapporto R_M per differenti concentrazioni di boro nel moderatore*

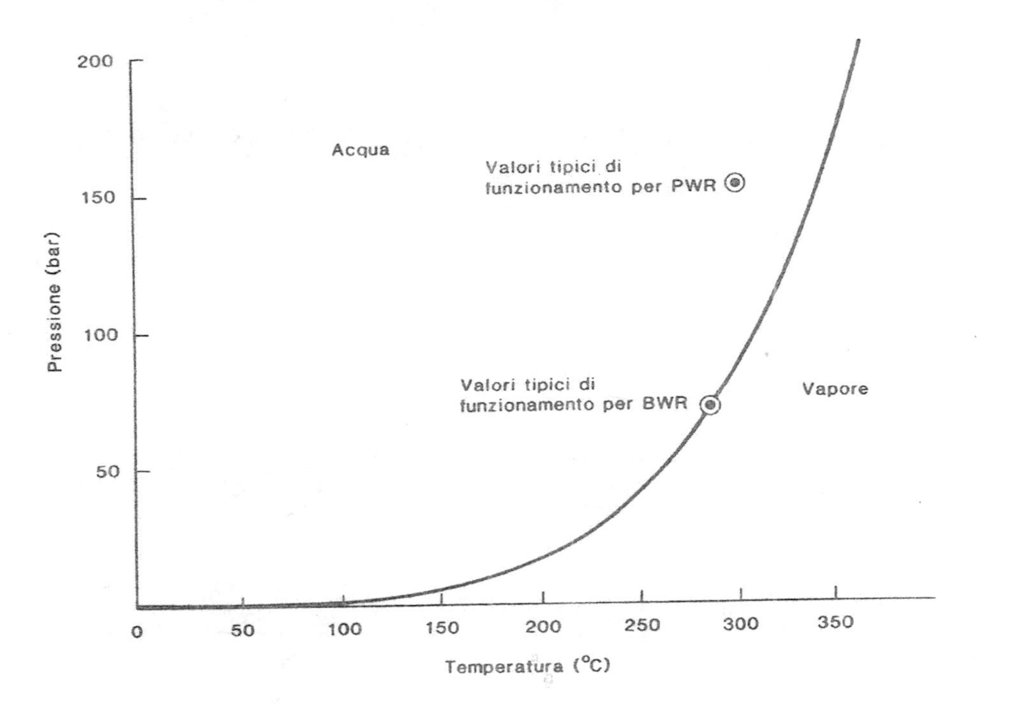

Fig. 8.5.1 *Curva dei valori di temperatura e pressione dell'acqua alla saturazione. Sono indicate le condizioni tipiche di funzionamento per impianti dotati rispettivamente di un BWR e un PWR*

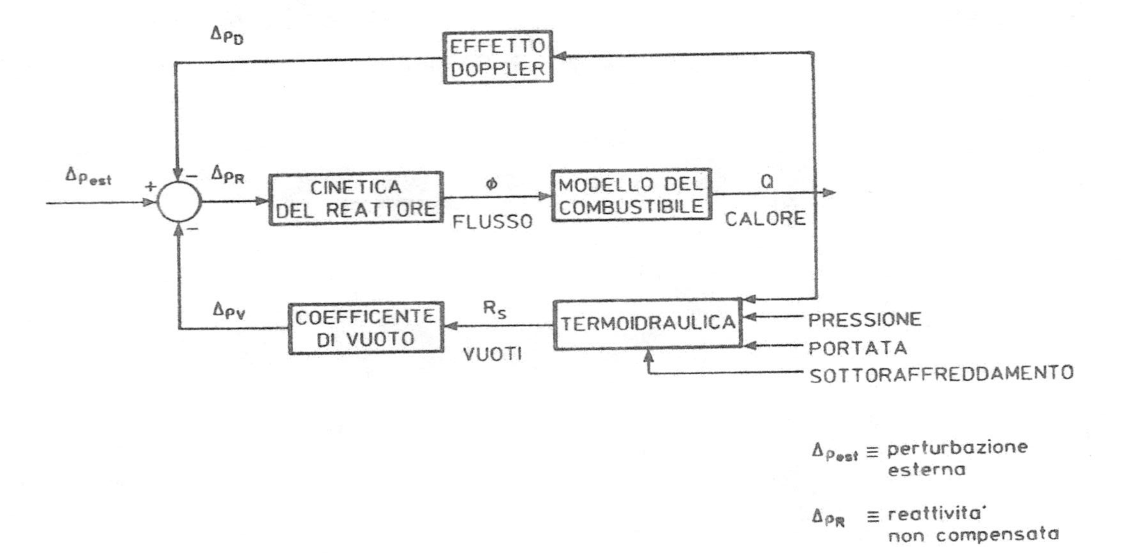

Fig. 8.8.1 Diagramma a blocchi semplificato del controllo intrinseco in un BWR

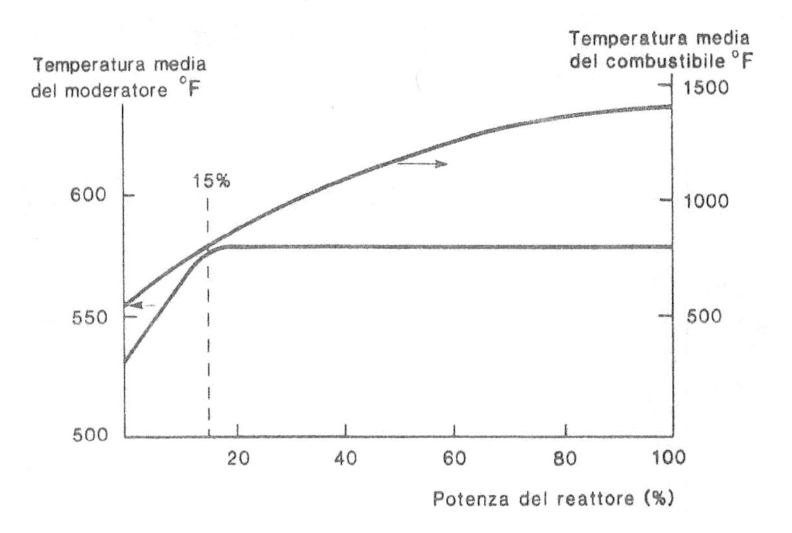

Fig. 8.9.1 *Andamenti tipici della temperatura media rispettivamente del moderatore e del combustibile in funzione del livello di potenza del reattore del tipo PWR*

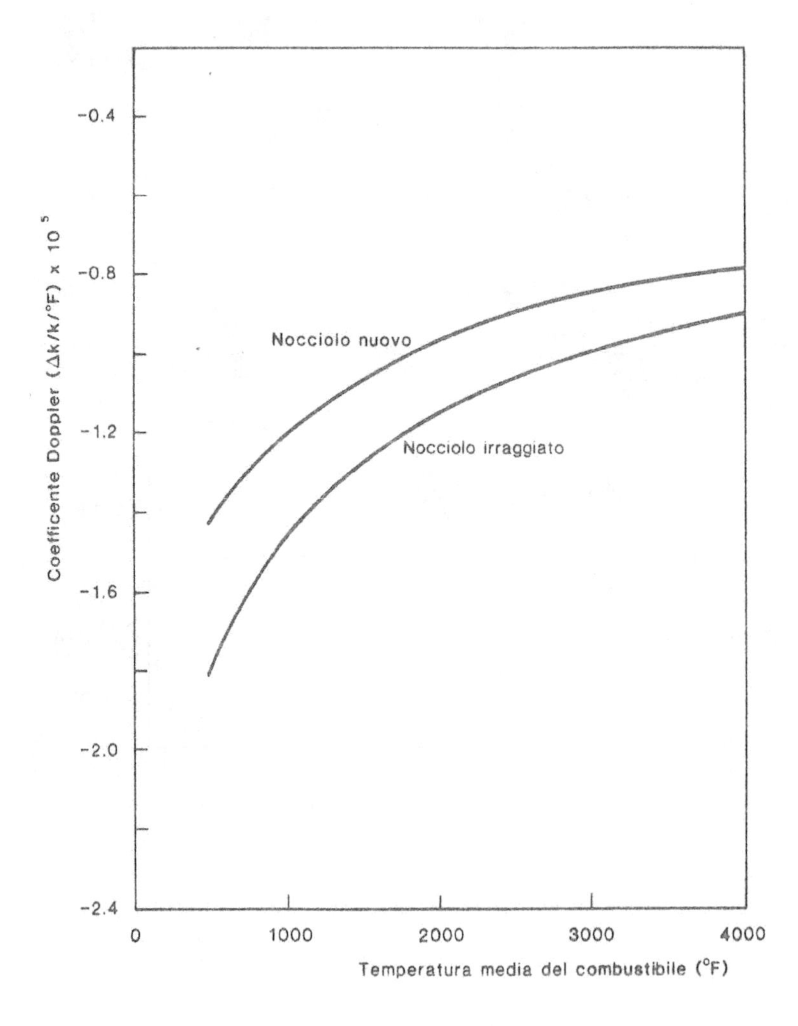

Fig. 8.10.1 *Coefficiente Doppler α_D in funzione della temperatura del combustibile per un nocciolo BWR nuovo ed uno fortemente irraggiato*

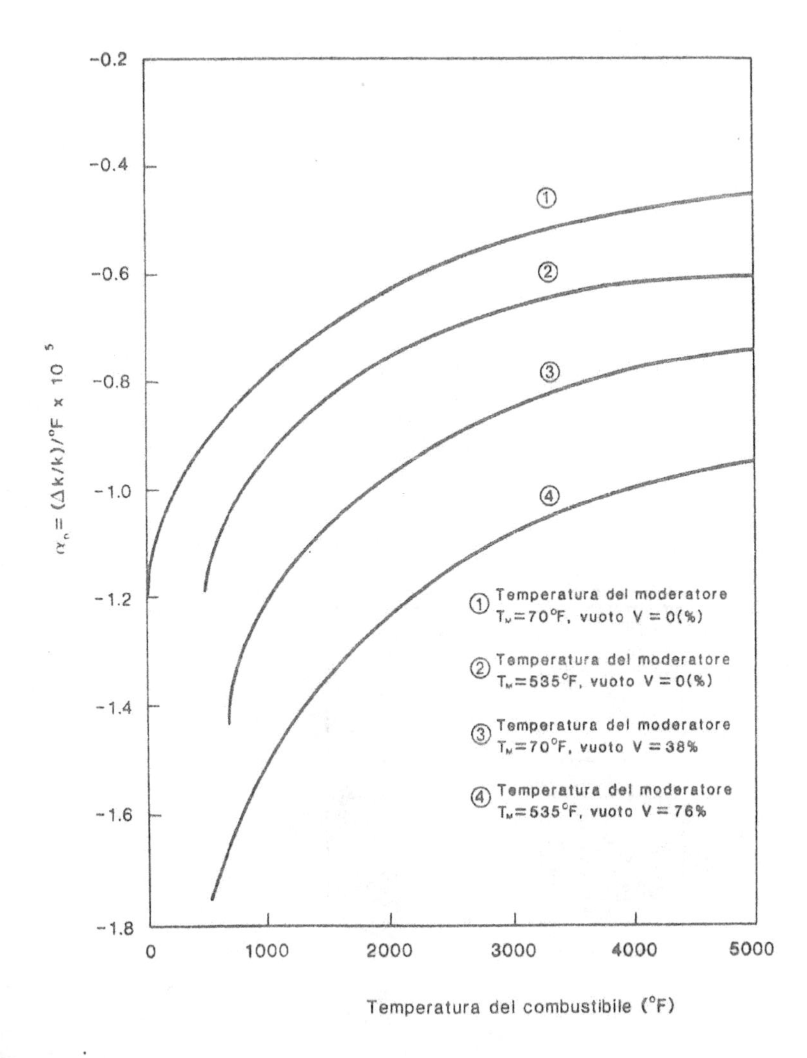

Fig. 8.10.2 *Andamento del coefficiente Doppler* α_D *in funzione della temperatura del combustibile per differenti coppie di valori della temperatura del moderatore e del grado di vuoto in un BWR*

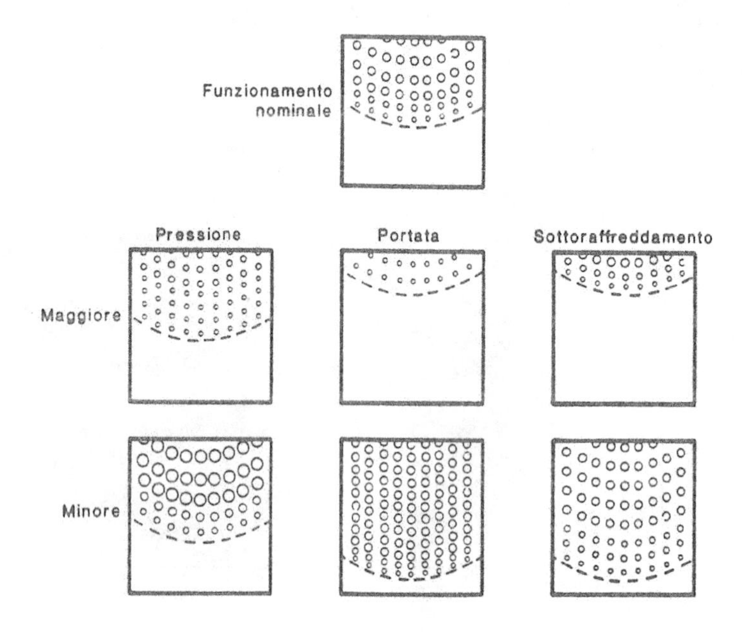

Fig. 8.11.1 *Differenti stati del moderatore-refrigerante in un BWR per differenti condizioni operative*

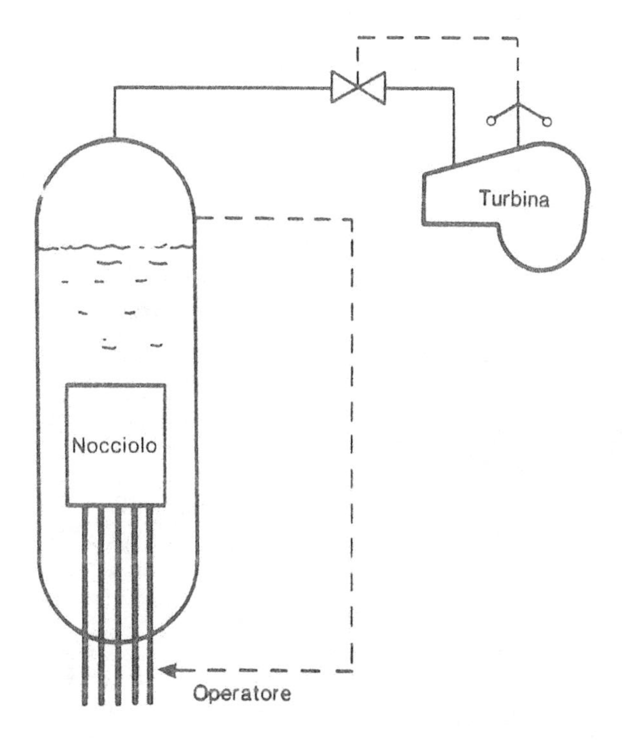

Fig. 8.11.2 *Modalità di funzionamento con reattore asservito alla turbina, impianto con BWR, per seguire la domanda di carico (potenza) proveniente dal sistema centralizzato di dispacciamento*

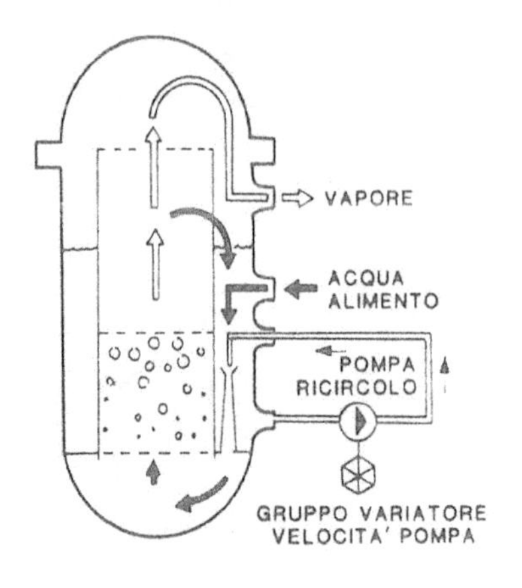

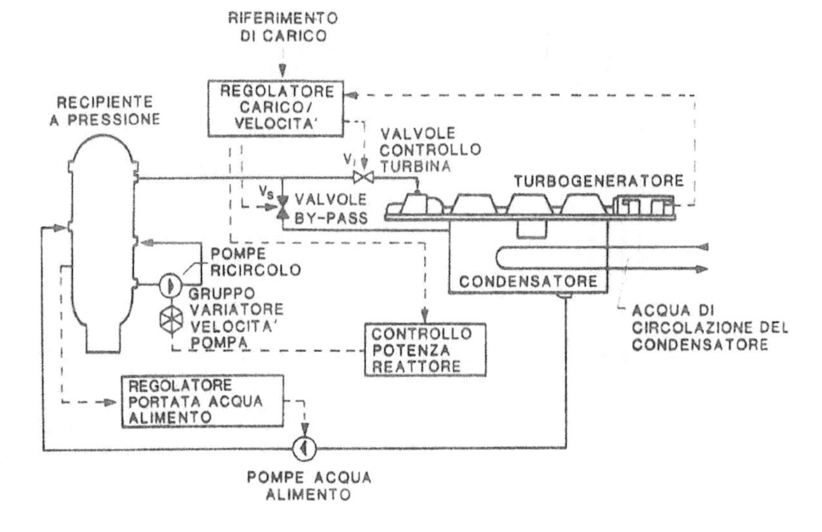

Fig. 8.11.3 *Modalità di funzionamento con turbina asservita al reattore in un impianto con BWR. Il controllo della potenza del reattore avviene mediante variazioni nella portata di ricircolo dell'acqua di raffreddamento*

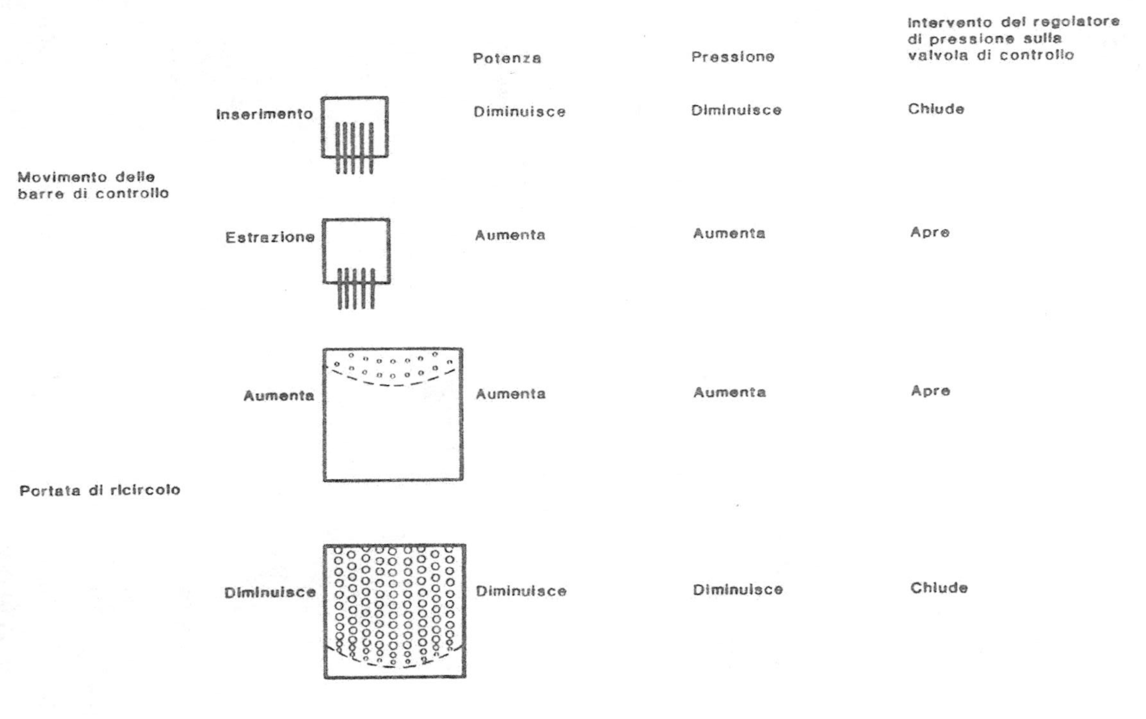

Fig. 8.11.4 *Differenti modalità di controllo della potenza e della pressione in un BWR*

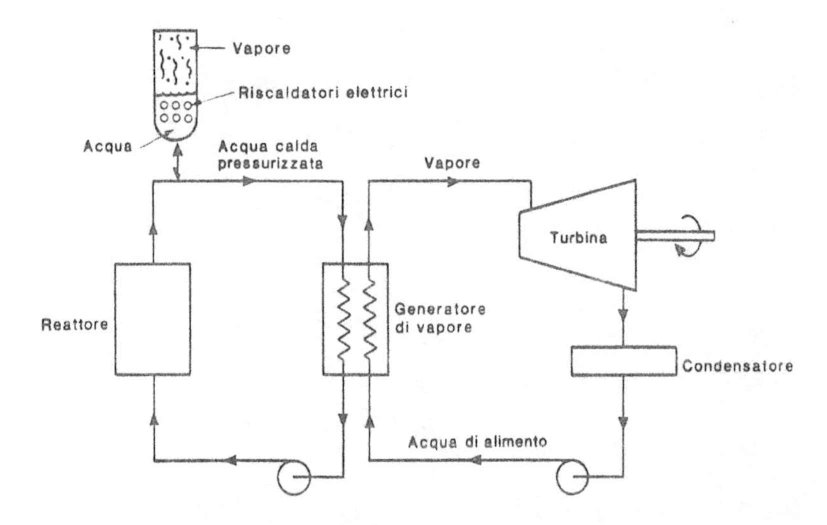

Fig. 8.11.5 *Schema di principio di un impianto di potenza con reattore ad acqua in pressione PWR*

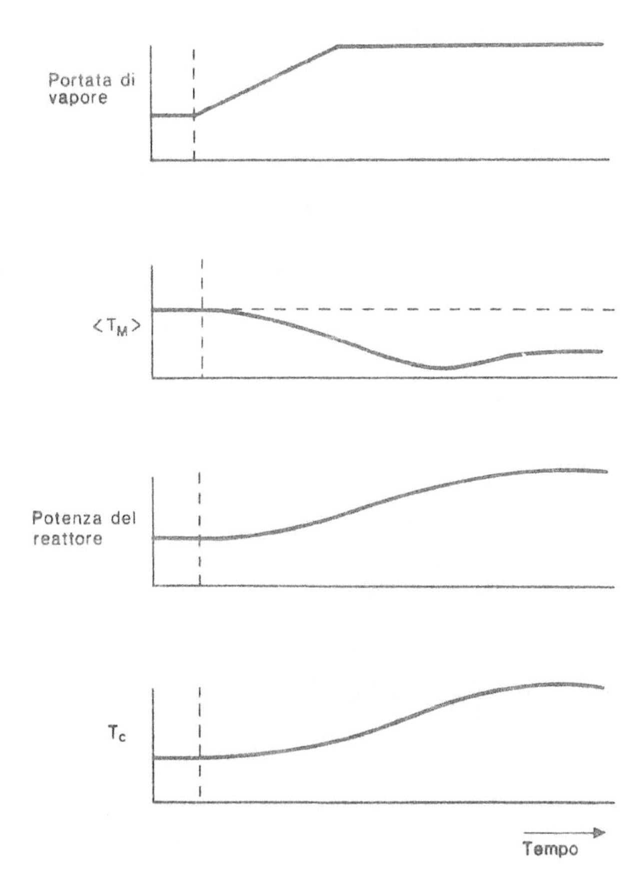

Fig. 8.11.6 *Aumento nella domanda di vapore al secondario di un PWR in potenza e conseguenze sulla temperatura media* $<T_M>$ *del primario, sulla potenza del reattore e sulla temperatura* T_c *del combustibile*

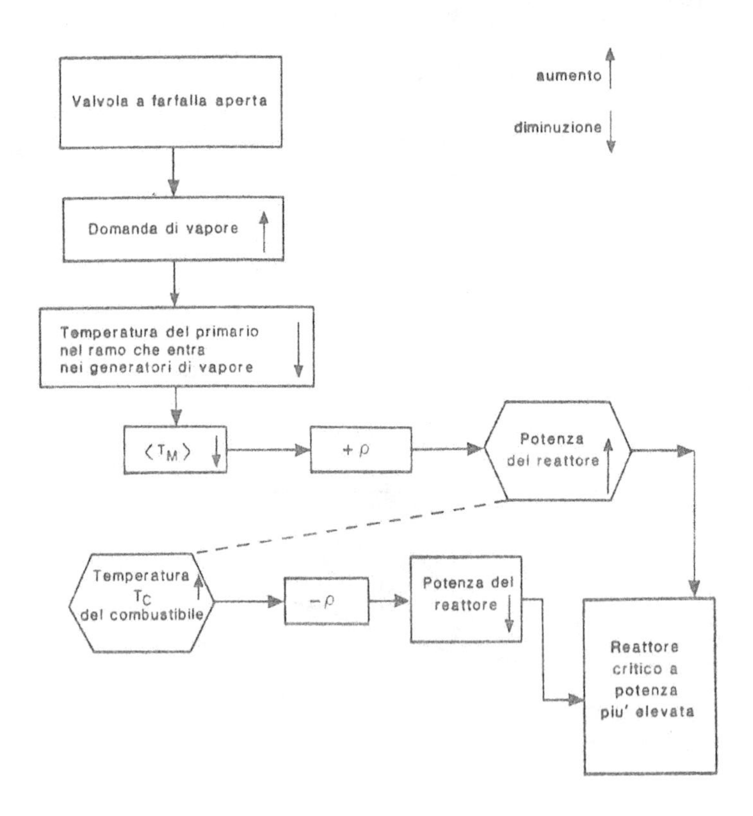

Fig. 8.11.7 *Risposta naturale in un impianto di potenza con un PWR per un aumento nella domanda di vapore*

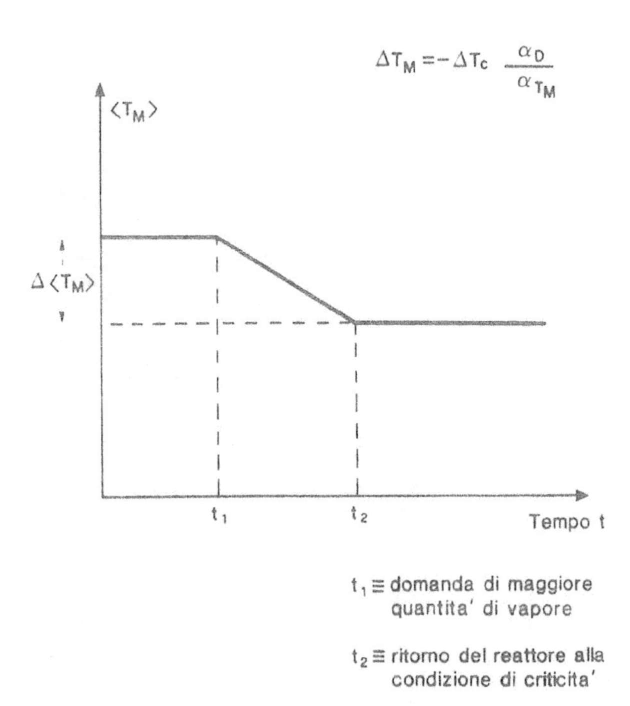

Fig. 8.11.8 *Riduzione della temperatura media* $\Delta\langle T\rangle_M$ *del refrigerante in corrispondenza di un aumento* ΔT_c *della temperatura del combustibile per mantenere critico il reattore*

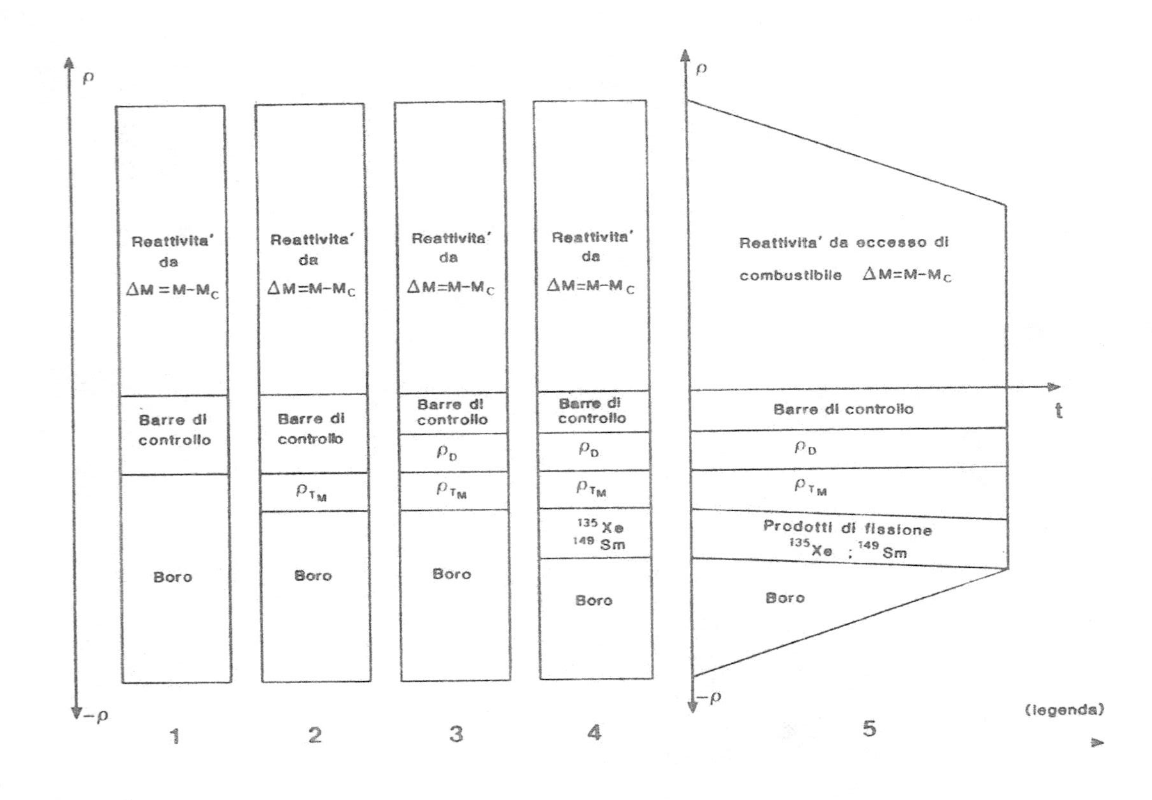

Fig. 8.12.1 *Bilancio di reattività relativo al nocciolo di un generico PWR*

LEGENDA

Fig. 8.12.1

1) *Reattore critico freddo e pulito. La reattività da eccesso di combustibile caricato ΔM è compensata dal boro disciolto nel moderatore e dalla frazione di barre di controllo mantenute inserite nel nocciolo*

2) *Reattore critico caldo a potenza nulla. L'aumento di temperatura del moderatore introduce reattività negativa ρ_{T_M} che viene compensata con riduzione della concentrazione di boro. Si considera nullo l'effetto Doppler dovuto all'aumento di temperatura del combustibile perchè modesto*

3) *Reattore critico caldo alla potenza nominale. La reattività negativa Doppler è compensata estraendo parte delle barre di controllo ancora inserite nel nocciolo*

4) *Reattore critico caldo alla potenza nominale già da qualche giorno. La reattività negativa introdotta dai prodotti di fissione (vedi Cap. 9) ^{135}Xe e ^{149}Sm è compensata riducendo la concentrazione di boro*

5) *Reattore critico caldo alla potenza nominale. La perdita di reattività per consumo del combustibile è compensata riducendo la concentrazione del boro. La riduzione del boro rende più negativo il coefficiente di temperatura del moderatore con aumento dell'antireattività ρ_{T_M}*

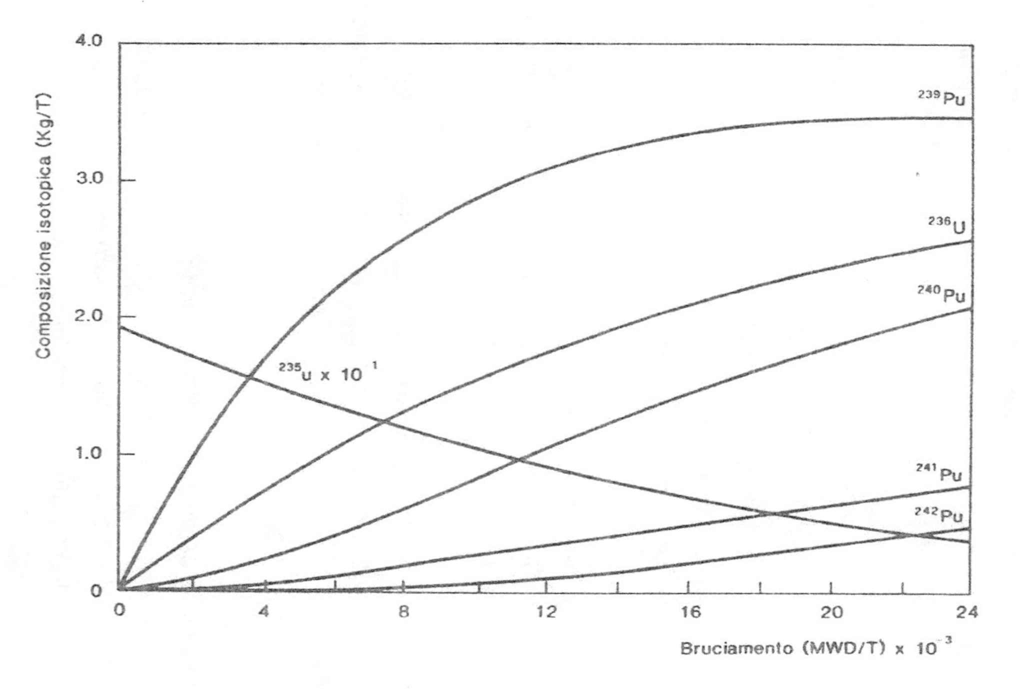

Fig. 8.12.2 *Composizione isotopica del combustibile in funzione del bruciamento*

CAPITOLO 9

AVVELENAMENTO NEUTRONICO DEL COMBUSTIBILE DA PRODOTTI DI FISSIONE

Tra i nuclei di fissione primari oppure tra i nuclei delle catene di decadimento da essi generate ve ne sono alcuni che hanno un'elevatissima sezione d'urto di cattura per i neutroni termici.

Essi agiscono quindi come **veleni** della reazione a catena, in ultima analisi delle proprietà moltiplicanti del combustibile nucleare.

Gli effetti di reattività dovuti alla elevata cattura dei neutroni termici da parte dei prodotti di fissione sono particolarmente importanti per due di essi, precisamente per gli isotopi ^{135}Xe e ^{149}Sm.

Per questi ultimi vengono descritti l'andamento nel tempo delle rispettive concentrazioni e dei conseguenti effetti di reattività in condizioni di aumento, di diminuzione o di stazionarietà del livello di potenza del reattore.

La conoscenza di questi fenomeni è molto significativa sia sul piano progettuale sia sul piano operativo al fine di pianificare sia la configurazione del nocciolo sia gli interventi operativi per mantenere da una parte valide le condizioni di sicurezza fissate dal progetto e dall'altra evitare condizioni indesiderate di sottocriticità.

9.1. Generalità

Gli elementi naturali od artificiali capaci di assorbire neutroni con reazioni che non li restituiscono sono indicati generalmente come veleni neutronici in quanto sottraggono neutroni in maniera improduttiva al processo di fissione a catena.

Per avvelenamento neutronico A_v del combustibile o del nocciolo del reattore nel suo complesso si intende il valore numerico del rapporto tra i neutroni assorbiti nei nuclei veleno ed i neutroni assorbiti nel materiale combustibile e cioè:

$$A_v = \frac{{}^{X}\sigma_a \, X}{\Sigma_{ac}} \qquad (9.1.1)$$

dove ${}^{X}\sigma_a$ e X indicano rispettivamente la sezione d'urto microscopica di assorbimento neutronico del nucleo veleno e la concentrazione X dello stesso espressa in nuclei cm^{-3}. Σ_{ac} è la sezione macroscopica di assorbimento neutronico del combustibile.

L'avvelenamento neutronico del combustibile è quindi direttamente proporzionale alle due grandezze ${}^{X}\sigma_a$ ed X precedenti come evidente dalla rel. 9.1.1.

I prodotti di fissione più significativi ai fini dell'avvelenamento e quindi della perdita di reattività del nocciolo, sono di conseguenza quelli caratterizzati da un elevato valore della sezione microscopica di assorbimento σ_a e da un'elevata resa di fissione γ in quanto la concentrazione X del veleno neutronico dipende anche da questa ultima.

Come già anticipato, i prodotti di fissione più importanti a questo fine sono lo ^{135}Xe ed il ^{149}Sm.

9.2. Lo Xeno 135

Nel fenomeno della fissione si possono distinguere diverse fasi come già presentato al Cap. 2.

Il nucleo assorbe un neutrone, si forma un nucleo composto altamente eccitato per l'eccesso di energia apportato dal neutrone accorpato ed infine il nucleo si spezza con maggiore frequenza in due frammenti generalmente con massa M_1 ed M_2 differenti tra di loro.

Gli studi effettuati hanno mostrato che la fissione termica dell'U235 può condurre a più di quaranta differenti modi di ripartirsi delle masse dei due frammenti e quindi a più di ottanta differenti prodotti di fissione primari.

La maggiore o minore resa di fissione per ogni coppia di masse M_1 ed M_2 dei frammenti rende conto dell'andamento della curva di Fig. 2.1.1 già presentata al Cap. 2.

I prodotti di fissione primari sono radioattivi e decadono più o meno rapidamente in prodotti di fissione secondari e questi in prodotti terziari e così via fino a quando decadono in un nucleo stabile.

Durante il funzionamento del reattore lo ^{135}Xe **è prodotto** con due modalità differenti:

a) **direttamente** come prodotto di fissione primario con una resa dello 0,2%;

b) **indirettamente** generato dal decadimento del prodotto di fissione Iodio 135 che ha una resa di circa il 6%.

Queste due modalità di produzione dello ^{135}Xe sono schematizzate in Fig. 9.2.1.

La resa di fissione complessiva dello ^{135}Xe risulta quindi tra le più alte di quelle conosciute come risulta evidente dalla già ricordata Fig. 2.1.1.

Lo ^{135}Xe presenta anche due modalità di rimozione o scomparsa. Esse sono:

- **la rimozione per decadimento** beta in quanto lo ^{135}Xe è radioattivo con tempo di dimezzamento $T_{½}$ = 9,2 ore che lo trasforma in ^{135}Ba stabile;
- **la rimozione per assorbimento neutronico** che lo trasforma in ^{136}Xe stabile. Questa seconda via di rimozione dello ^{135}Xe è molto efficace in quanto lo ^{135}Xe ha una elevatissima sezione di assorbimento per neutroni termici; è infatti $\sigma_a = 2.7 \cdot 10^6$ barn. E' l'elevato potere di assorbimento neutronico dello ^{135}Xe che caratterizza questo elemento come "veleno neutronico".

In Fig. 9.2.2 sono schematizzate le modalità di rimozione dello ^{135}Xe.

Lo ^{135}I come riportato anche nella Fig. 9.2.1 è un prodotto di fissione primario con una resa del 3,1% ed è pure prodotto dal decadimento beta di un altro prodotto primario, il ^{135}Te che ha anche esso una resa di circa il 3,1% ed un tempo di dimezzamento minore di un minuto primo.

Il brevissimo tempo di dimezzamento del ^{135}Te permette di considerare tutto lo ^{135}I presente come prodotto di fissione primario e semplificare la trattazione matematica per il calcolo dei termini di produzione e rimozione dello ^{135}I.

Le concentrazioni di ^{135}I e ^{135}Xe nel reattore in ogni istante sono ottenute dalla risoluzione delle rispettive equazioni di bilancio tra produzione P e rimozione R.

La concentrazione dello iodio in funzione del tempo è data dalla relazione:

$$\frac{dI}{dt} = P - R$$

$$\frac{dI}{dt} = \gamma_i \Sigma_f\phi - \lambda_I I \qquad (9.2.1)$$

dove γ_i è la resa complessiva di fissione per lo ^{135}I e λ_i è la sua costante di decadimento.

La condizione di equilibrio tra produzione P e rimozione R è data dalla condizione $dI/dt=0$ cioè $\lambda_I I = \gamma_I\Sigma_f\phi$ con I concentrazione dello ^{135}I (nuclei cm^{-3}) **costante** nel tempo data dalla relazione:

$$I = \left(\frac{\gamma_I\Sigma_f}{\lambda_I}\right)\phi \qquad (9.2.2)$$

Dalla rel. 9.2.2 la concentrazione di equilibrio dello ^{135}I risulta direttamente proporzionale al flusso neutronico ϕ ed alla sezione d'urto di fissione Σ_f cioè proporzionale alla potenza del reattore oltre che alla resa di fissione γ_I. La distribuzione spaziale della concentrazione di ^{135}I è quindi omotetica alla distribuzione o profilo della potenza $P(x,y,z)$.

La concentrazione dello ^{135}Xe in funzione del tempo è data anche essa dalla risoluzione della equazione di bilancio tra produzione P e rimozione R:

$$\frac{dXe}{dt} = P - R \qquad (9.2.3)$$

dove:

$$P = \gamma_{Xe} \Sigma_f \phi + \lambda_I I \qquad (9.2.4)$$

ed:

$$R = \lambda_{Xe}\, Xe - \sigma_{Xe}\, Xe\, \phi \qquad (9.2.5)$$

con:

$\gamma_{Xe} \cdot \Sigma_f \phi$ ≡ produzione o resa diretta dello ^{135}Xe

$\lambda_I \cdot I$ ≡ produzione indiretta per decadimento β dello ^{135}I in ^{135}Xe

$\lambda_{Xe} \cdot Xe$ ≡ rimozione dello ^{135}Xe per decadimento β

$\sigma_{Xe} \cdot Xe\phi$ ≡ rimozione dello ^{135}Xe per assorbimento neutronico $^{135}Xe\,(n, \gamma)\ ^{136}Xe$

La condizione di equilibrio è data dalla relazione $dXe/dt = 0$ dalla quale si ottiene la concentrazione dello Xe **costante** nel tempo il cui valore si ricava con un procedimento analogo al caso dello ^{135}I e vale:

$$Xe = \frac{(\gamma_I + \gamma_{Xe}) \cdot \Sigma_f \phi}{\lambda_{Xe} + \sigma_{Xe} \cdot \phi}$$

$$Xe = \frac{(\gamma_I + \gamma_{Xe}) \cdot \Sigma_f}{\sigma_{Xe} + (\lambda_{Xe}/\phi)} \qquad (9.2.6)$$

La distribuzione della concentrazione dello ^{135}Xe all'equilibrio **non** è proporzionale alla distribuzione di potenza come è evidente dalla rel. 9.2.6 precedente e come è riportato indicativamente in Fig. 9.2.3.

Per giustificare l'andamento delle curve di Fig. 9.2.3 sostituiamo le molte costanti che compaiono nella rel. 9.2.6 con delle quantità costanti c_i come segue:

$$Xe = \frac{c_1 \cdot \phi}{c_2 + c_3 \phi} \qquad (9.2.7)$$

Consideriamo dapprima la concentrazione all'equilibrio $(Xe)_o$ dello ^{135}Xe alla potenza P_0 data dalla relazione:

$$(Xe)_0 = \frac{c_1 \cdot \phi_o}{c_2 + c_3 \cdot \phi_o} \qquad (9.2.8)$$

Si valuti ora la concentrazione all'equilibrio dello ^{135}Xe alla potenza $P_1 = 2P_0$. Ponendo nella rel. 9.2.8 $\phi = 2\phi_0$ essa risulta data a sua volta dalla relazione:

$$(Xe)_1 = \frac{2c_1 \cdot \phi_o}{c_2 + 2c_3 \cdot \phi_o}$$

$$(Xe)_1 = \frac{c_1 \cdot \phi_o}{c_2/2 + c_3 \cdot \phi_o} \qquad (9.2.9)$$

La potenza del reattore è raddoppiata ma la concentrazione di equilibrio dello ^{135}Xe data dalla rel. 9.2.9 **non** è doppia rispetto a quella della rel. 9.2.8.

Iterando il processo precedente per livelli di potenza maggiori o minori di quello iniziale si troveranno sempre concentrazioni di equilibrio dello ^{135}Xe dove uno solo dei termini e denominatore varia proporzionalmente al livello di potenza mentre tutti gli altri restano costanti.

Per un livello di potenza generico $P = n \cdot P_0$ con n qualunque si ottiene dalla rel. 9.2.9 la relazione ricorrente:

$$(Xe)_n = \frac{C_1 \cdot \phi_o}{C_2/n + C_3 \cdot \phi_o} \tag{9.2.10}$$

Dalla rel. 9.2.10 si vede infine che al crescere di n diminuisce l'importanza numerica relativa del termine C_2/n e questo rende conto del fatto che al crescere del livello di potenza del reattore la concentrazione dello ^{135}Xe tenda al valore asintotico o di saturazione seguente:

$$Xe = \frac{(\gamma_I + \gamma_{Xe}) \cdot \Sigma_f}{\sigma_{Xe}} \tag{9.2.11}$$

praticamente **indipendente** dal valore della **potenza**.

Nei reattori commerciali LWR recenti il flusso neutronico ϕ alla potenza nominale è talmente elevato che la concentrazione di equilibrio dello Xe è prossima alla concentrazione di saturazione su gran parte del nocciolo del reattore. Questo ha come conseguenza che **la distribuzione spaziale** della concentrazione **dello ^{135}Xe è all'incirca piatta** su gran parte del nocciolo.

In Fig. 9.2.4 a titolo esemplificativo è riportata la concentrazione di equilibrio dello ^{135}Xe in funzione del flusso neutronico ϕ per valori di questo ultimo caratteristici delle diverse zone del nocciolo di un recente LWR.

L'assorbimento parassita di neutroni o l'avvelenamento del nocciolo del reattore da parte dello ^{135}Xe alla concentrazione di equilibrio espressa dalle rel. 9.2.6 o 9.2.11 vale in termini di reattività negativa nei recenti LWR circa ρ_{Xe} = 2500÷3000 p.c.m. come indicato in Fig. 9.2.5.

9.3. Transitori di potenza e Xeno 135

Quando il reattore viene portato a potenza a partire da una condizione di contenuto nullo del veleno neutronico ^{135}Xe, la concentrazione di questo ultimo inizia a crescere per raggiungere infine la concentrazione di equilibrio, rel. 9.2.6, dopo circa quaranta ore di funzionamento allo stesso livello di potenza.

Questo intervallo di tempo è dovuto alla durata relativamente lunga del tempo di dimezzamento dello ^{135}I, $T_{½}$ = 6,7 ore, e dello ^{135}Xe, $T_{½}$ = 9,2 ore.

L'andamento della concentrazione dello ^{135}Xe in funzione del tempo di permanenza allo stesso livello di potenza è riportato indicativamente in Fig. 9.3.1.

Dal punto di vista operativo per il mantenimento dello stato di criticità del reattore al crescere della concentrazione dello ^{135}Xe deve corrispondere la rimozione dal nocciolo di una quantità equivalente in reattività di altri veleni neutronici. Questa compensazione è ottenuta ad esempio estraendo una frazione opportuna delle barre di controllo o, nei reattori PWR, riducendo la concentrazione dell'acido borico contenuto nel moderatore.

Quando si cambia il livello di potenza del reattore, ad esempio durante le fasi di inseguimento del carico, la concentrazione dello

^{135}Xe tende ad adeguarsi ma dominata dai lunghi tempi di dimezzamento dello ^{135}I e dello ^{135}Xe, vi giunge con ritardo e dopo imponenti oscillazioni.

Per comprendere la meccanica del transitorio nella concentrazione dello ^{135}Xe ed il conseguente effetto sulla reattività del nocciolo, si consideri l'esempio semplificato che segue.

Si supponga di ridurre istantaneamente il livello di potenza del reattore al 50% del valore precedente.

La perdita o diminuzione del livello di potenza e quindi del flusso neutronico, comporta la riduzione al 50% del termine di produzione dello ^{135}I contenuto nella rel. 9.2.1 e la riduzione al 50% del termine di rimozione dello ^{135}Xe contenuto nella rel. 9.2.5. La riduzione al 50% del valore del termine di produzione diretta dello ^{135}Xe per fissione che compare nella rel. 9.2.4 influisce relativamente poco sull'andamento del transitorio a causa del piccolo valore della resa diretta per fissione γ_{Xe} che limita il peso di questo termine al 5% circa della concentrazione complessiva di Xe nel tempo.

Dalla condizione di equilibrio $dXe/dt=0$ caratterizzata dalla eguaglianza dei due termini rispettivamente di produzione P e di rimozione R si passa ad una condizione dove il termine di rimozione dello Xe per assorbimento neutronico $R=\sigma_{Xe}\cdot Xe\ \phi$ si dimezza mentre il termine di produzione $P=\lambda_I\cdot I$ per decadimento dello ^{135}I resta invariato in quanto la concentrazione I di questo ultimo è quella corrispondente al livello di potenza esistente nelle ore precedenti la variazione $\Delta\phi = \phi_0/2$.

Il risultato complessivo è quindi dato da uno sbilanciamento tra i due termini P ed R con:

$P > R$

e quindi per la rel. 9.2.3 di bilancio risulta $dXe/dt > 0$.

Questo significa che **dopo** una **riduzione** nel livello di **potenza** si verifica inizialmente un **aumento della concentrazione dello** ^{135}Xe.

La crescita nella concentrazione dello ^{135}Xe dura per circa 5÷10 ore a seconda del livello di potenza iniziale e finale.

Il picco nella concentrazione dello ^{135}Xe riportato nella Fig. 9.3.2 si raggiunge quando il termine di produzione P ed il termine di rimozione R si eguagliano. Da questo momento in poi la concentrazione dello ^{135}Xe inizia a diminuire verso il nuovo valore di equilibrio corrispondente al nuovo livello di potenza in quanto comincia a farsi sentire la riduzione nella produzione dello ^{135}I.

Alle variazioni di concentrazione dello ^{135}Xe corrispondono in conseguenza delle sue caratteristiche di forte veleno neutronico cioè di forte assorbitore di neutroni, variazioni di reattività che debbono essere seguite e compensate dagli organi di controllo del reattore.

L'eccesso di reattività iniziale che deve essere contenuto nel nocciolo per compensare l'avvelenamento da ^{135}Xe è notevolmente elevato. Nei LWR moderni la reattività negativa corrispondente alla concentrazione di equilibrio dello Xe alla potenza nominale è come già ricordato di circa 2800÷3000 p.c.m. Il picco di reattività negativa da ^{135}Xe nel caso di riduzione del livello di potenza dopo raggiunto il valore di equilibrio, può assumere valori imponenti anche di poco inferiori ai 5000÷6000 p.c.m quando si passa da valori elevati della potenza di esercizio al valore nullo di quest'ultima a causa di uno spegnimento voluto o accidentale come schematizzato anche in Fig. 9.3.2.

Tornando all'esempio precedente schematizzato anche in Fig. 9.3.3 se dopo raggiunta la concentrazione di equilibrio dello ^{135}Xe al 50% della potenza nominale si ritorna improvvisamente al 100% cioè al valore iniziale della potenza si verifica un **picco negativo** nella concentrazione dello ^{135}Xe.

Il picco negativo nella concentrazione dello ^{135}Xe è dovuto all'improvviso aumento del flusso neutronico e quindi del termine di rimozione $R = \sigma_{Xe}\, Xe\, \phi$ mentre il termine di produzione indiretta per decadimento dello ^{135}I resta al valore di equilibrio corrispondente al 50% della potenza a causa del suo lungo tempo di dimezzamento.

Anche in questo caso dopo cinque-dieci ore di permanenza al nuovo livello di potenza, la concentrazione dello ^{135}I cresce e lo ^{135}Xe cresce anche esso verso il nuovo valore di equilibrio che come indicato in Fig. 9.3.2 coincide con quello iniziale poichè sono eguali i livelli di potenza iniziale e finale del transitorio di potenza considerato.

Le variazioni di concentrazione dello ^{135}Xe al variare del livello del flusso neutronico ϕ sono di grande importanza operativa sia per gli effetti di reattività complessiva sul nocciolo già ricordati sia per gli effetti locali sulla distribuzione di potenza.

Ritornando infatti ancora una volta all'esempio precedente supponiamo che si abbia una improvvisa riduzione della potenza richiesta alla turbina dal valore di equilibrio corrispondente al 100% della potenza nominale al 50% della stessa.

Le barre di controllo debbono entrare nel nocciolo per renderlo momentaneamente sottocritico al fine di ridurre rapidamente il livello di potenza prodotta.

Il reattore considerato nell'esempio supponiamo che sia un PWR; le barre penetrano dall'alto verso il basso. L'avvelenamento che introducono le barre nella zona alta del nocciolo "spinge" la potenza specifica, espressa in watt$\cdot$cm^{-3} di combustibile, a crescere notevolmente nella zona bassa del reattore come riportato in Fig. 9.3.4(b).

Nella zona alta del nocciolo si ha la maggiore riduzione nel flusso neutronico e questo comporta inizialmente per quanto visto in precedenza un forte aumento della concentrazione dello **Xe** e quindi un forte aumento nell'avvelenamento della zona stessa.

L'estrazione delle barre che deve seguire per riportare il reattore alla criticità produce a sua volta uno spostamento verso l'alto dei valori elevati della potenza specifica con conseguente inversione nel tasso di produzione di **Xe** nelle due zone, quella alta e quella bassa, del nocciolo.

Le oscillazioni di potenza innescano quindi delle oscillazioni nella concentrazione dello **Xe** e queste ultime a loro volta inducono oscillazioni di potenza a causa delle maggiori o minori depressioni di flusso neutronico di zona.

Appropriate tecniche operative di controllo della distribuzione assiale della potenza permettono di controllare e smorzare in breve tempo queste oscillazioni.

9.4. Il Samario 149

Un altro prodotto di fissione importante come veleno neutronico è il ^{149}Sm.

Esso presenta infatti una sezione d'urto di assorbimento neutronico $\sigma_a = 5 \cdot 10^4$ barns.

E' un isotopo praticamente **stabile** in quanto la sua mezza vita o tempo di dimezzamento è $T_{1/2} = 10^{16}$ anni circa.

Il ^{149}Sm è un prodotto di fissione indiretto come schematizzato in Fig. 9.4.1 e proviene dalla catena di decadimento seguente:

$$\text{fissione} \longrightarrow {}^{149}Nd \xrightarrow[T_{1/2}\ 2^h]{\beta^-} {}^{149}Pm \xrightarrow[T_{1/2}\ 53^h]{\beta^-} {}^{149}Sm \qquad (9.4.1)$$

Il tempo di dimezzamento del Neodimio (Nd) è sufficientemente breve se confrontato con quello del Promezio (Pm) per potere assumere senza errori apprezzabili che il Pm sia il prodotto di fissione primario.

La rimozione del Samario dal combustibile avviene solamente per cattura neutronica come schematizzato anche in Fig. 9.4.2.

La reazione cui dà luogo per assorbimento neutronico è di cattura radiativa; la sua espressione simbolica in forma compatta è:

$$^{149}Sm\ (n,\ \gamma)\ ^{150}Sm$$

Il ^{150}Sm è stabile ed ha una debole sezione d'urto di assorbimento per i neutroni.

Le concentrazioni istantanee di ^{149}Pm e di ^{149}Sm nel reattore sono ottenute dalla soluzione delle rispettive equazioni di bilancio tra produzione P e rimozione R.

L'equazione di bilancio del Promezio è data dalla:

$$\frac{dPm}{dt} = P - R$$

con $P = \gamma_{Pm} \cdot \Sigma_f \phi$ ed $R = \lambda_{Pm} \cdot Pm$; è quindi:

$$\frac{dPm}{dt} = \gamma_{Pm} \cdot \Sigma_f \phi - \lambda_{Pm} \cdot Pm \qquad (9.4.2)$$

L'equazione di bilancio del Samario è data dalla:

$$\frac{dSm}{dt} = P - R$$

con $P = \lambda_{Pm} \cdot Pm$ ed $R = \sigma_{Sm} \cdot Sm \cdot \phi$; è quindi:

$$\frac{dSm}{dt} = \lambda_{Pm} \cdot Pm - \sigma_{Sm} \cdot Sm \cdot \phi \qquad (9.4.3)$$

La condizione di equilibrio nella concentrazione del ^{149}Pm, $dPm/dt = 0$, si ottiene quando è $\gamma_{Pm} \cdot \Sigma_f \phi = \lambda_{Pm} \cdot Pm$.

La concentrazione di equilibrio è quindi:

$$Pm = \frac{\gamma_{Pm} \cdot \Sigma_f}{\lambda_{Pm}} \cdot \phi \qquad (9.4.4)$$

La condizione di equilibrio nella concentrazione del ^{149}Sm data dalla $dSm/dt = 0$, si ottiene quando è $\lambda_{Pm} \cdot Pm = \sigma_{Sm} \cdot Sm \cdot \phi$.

La concentrazione di equilibrio è quindi:

$$Sm = \frac{\lambda_{Pm} \cdot Pm}{\sigma_{Sm} \cdot \phi} \qquad (9.4.5)$$

Sostituendo nella rel. 9.4.5 la rel. 9.4.4 si ottiene per la concentrazione di equilibrio del ^{149}Sm la relazione:

$$Sm = \frac{\gamma_{Pm}}{\sigma_{Sm}} \Sigma_f \qquad (9.4.6)$$

Il valore di equilibrio della concentrazione del ^{149}Sm come espresso dalla rel. 9.4.6 **non** dipende dal livello di potenza del reattore ma dipende solamente dal combustibile usato e dallo spettro energetico medio dei neutroni attraverso γ_{Pm} Σ_f e σ_{Sm}. Per i reattori del tipo LWR il valore di equilibrio del ^{149}Sm equivale in reattività a circa 900÷1000 p.c.m.

La velocità con la quale la concentrazione del ^{149}Sm cresce nel tempo dipende come è evidente dalla rel. 9.4.3 dalla costante di decadimento λ_{Pm} del Promezio e dal bruciamento o rimozione $R = \sigma_{Sm} \cdot Sm \cdot \phi$ del ^{149}Sm.

Il **tempo** necessario per raggiungere la concentrazione di equilibrio descritta dalla rel. 9.4.6 **dipende dal livello di potenza** del reattore e quindi dal valore del flusso neutronico ϕ.

Per valori del flusso neutronico termico $\phi > 10^{13}$ (n cm^{-2} s^{-1}) come si ha nella parte a maggiore potenza specifica (watt gr^{-1}) del nocciolo dei moderni LWR, il tempo necessario per raggiungere a potenza costante la concentrazione asintotica del ^{149}Sm è di circa 25÷30 giorni come riportato indicativamente in Fig. 9.4.3.

9.5. Transitori di potenza e ^{149}Sm

Durante le operazioni di inseguimento del carico o al seguito di spegnimento improvviso (scram) del reattore, le variazioni di livello della potenza determinano cambiamenti nella concentrazione del ^{149}Sm e quindi perturbazioni di reattività del nocciolo.

Supponiamo ad esempio che dopo raggiunta la concentrazione di saturazione del ^{149}Sm, rel. 9.4.6, si verifichi uno spegnimento del reattore. Nella rel. 9.4.3 il termine di rimozione si annulla perchè dipende dal flusso ϕ mentre prosegue la produzione per decadimento beta del ^{149}Pm in ^{149}Sm.

La condizione di equilibrio $dSm/dt = 0$ viene meno e poichè il termine di produzione P è positivo mentre quello di rimozione è nullo si ha che è $dSm/dt > 0$. Ad una **riduzione** del livello di **potenza** del reattore corrisponde quindi un **aumento** nella **concentrazione** del veleno neutronico ^{149}Sm.

La reattività negativa che introduce in reattore questo fenomeno deve essere compensata per mantenere la criticità o con l'estrazione di una frazione delle barre di controllo o con la riduzione nella concentrazione del veleno neutronico nel moderatore dei PWR per un ammontare equivalente in reattività ma di segno contrario.

Poichè allo spegnimento e nelle condizioni ipotizzate la concentrazione del ^{149}Pm è funzione del livello di potenza al quale funzionava il reattore, anche il ^{149}Sm prodotto dopo lo spegnimento è funzione del livello di potenza del reattore e raggiungerà il suo valore massimo quando tutto il ^{149}Pm sarà decaduto in ^{149}Sm.

Il tempo necessario per raggiungere questa nuova condizione di equilibrio è di circa 12 giorni ed il valore in reattività è di circa il 40% superiore a quello di asintoto cioè circa 1400 p.c.m. come riportato indicativamente in Fig. 9.5.1.

La concentrazione di ^{149}Sm così raggiunta resta a questi valori fino a quando non si riporta a potenza il reattore.

Se si riporta il reattore al 100% della potenza nominale si verifica inizialmente una rapida riduzione nella concentrazione del ^{149}Sm in quanto è forte il termine di rimozione mentre è nullo o modesto il termine di produzione che dipende dalla velocità con la quale si forma il ^{149}Pm e dal suo decadimento in ^{149}Sm.

La concentrazione del ^{149}Sm in questi casi può anche scendere sotto il valore corrispondente alla concentrazione asintotica come indicato in Fig. 9.5.2.

Dopo circa 8÷10 giorni di funzionamento a potenza costante la concentrazione del ^{149}Sm torna al valore di saturazione come riassunto in Fig. 9.5.3.

L'avvelenamento del reattore da ^{149}Sm può creare problemi operativi per insufficiente eccesso di reattività alla fine del ciclo di vita del nocciolo. Infatti in questo periodo il reattore ha un eccesso di reattività ridotto per consumo del fissile iniziale e per avvelenamento da tutti i prodotti di fissione, che oltre al contributo da ^{135}Xe e ^{149}Sm, è cresciuto al ritmo di circa 50 barns per fissione.

Riavviare il reattore dopo uno spegnimento in queste condizioni significa disporre dell'eccesso di reattività necessario per superare le cause negative precedenti, gli effetti di temperatura da potenza e la crescita nell'avvelenamento da ^{135}Xe e ^{149}Sm.

Mentre l'antireattività da ^{135}Xe si annulla gradualmente da se in quanto lo ^{135}Xe è radioattivo ed è quindi sufficiente attendere un tempo sufficiente al suo azzeramento, quella da ^{149}Sm resta costante ed eguale al suo valore massimo in quanto il ^{149}Sm è a tutti gli effetti stabile.

9.6. Bilancio di reattività

Il bilancio di reattività consiste nel confronto tra reattività ed antireattività introdotta nel nocciolo del reattore.

La reattività è dovuta essenzialmente alla massa **M** di combustibile caricato ed alla sua disposizione geometrica cioè alla forma data al nocciolo come presentato al Cap. 5.

L'antireattività o reattività negativa è dovuta:

- al sistema di controllo, barre e veleni bruciabili;
- agli effetti di potenza sintetizzati nel difetto di potenza presentato al Cap. 8;
- all'avvelenamento da prodotti di fissione.

Il bilancio deve essere fatto con riferimento ad un ben preciso stato di funzionamento del reattore. Stati di riferimento possono essere ad esempio:

- reattore critico freddo;
- reattore critico caldo a potenza zero;
- reattore critico caldo a potenza nominale.

L'espressione generale del bilancio di reattività si presenta come segue:

$$\rho_t = \rho_c - (\rho_b+\rho_{vb}+\rho_D+\rho_{T_M}+\rho_{v(\%)}+\rho_{Xe}+\rho_{Sm}+\rho_{pf}) \qquad (9.6.1)$$

dove:

ρ_t ≡ reattività del nocciolo

ρ_c ≡ reattività del combustibile dovuta alla massa caricata ed alla geometria scelta, freddo, pulito cioè senza veleni bruciabili e nessuna barra di controllo inserita

ρ_b ≡ antireattività del sistema di barre di controllo

ρ_{vb} ≡ antireattività dovuta ai veleni bruciabili

ρ_D ≡ antireattività Doppler

ρ_{T_M} ≡ antireattività per aumento di temperatura del moderatore rispetto alla temperatura di riferimento

$\rho_{v(\%)}$ ≡ antireattività da "vuoto" nel moderatore (BWR)

ρ_{Xe} ≡ antireattività da avvelenamento da ^{135}Xe

ρ_{Sm} ≡ antireattività da avvelenamento da ^{149}Sm

ρ_{pf} ≡ antireattività da avvelenamento da prodotti di fissione esclusi ^{135}Xe e ^{149}Sm

In Fig. 9.6.1(a) è riportato graficamente un esempio di bilancio neutronico relativo ad un reattore PWR da 900 MWe a **potenza nulla**; il bilancio si riferisce a reattore critico freddo e pulito cioè alla temperatura di 40 °C e con il combustibile privo di prodotti di fissione.

In Fig. 8.6.1(b) è riportato il bilancio di reattività per lo stesso reattore precedente riferito questa volta allo stato critico alla **potenza nominale** dopo raggiunto l'avvelenamento di equilibrio da ^{135}Xe e ^{149}Sm.

La reattività negativa assegnata nell'esempio alle barre di controllo è limitata al valore ρ_b = 200 p.c.m. dalla strategia operativa generalmente adottata per i PWR che vede il sistema delle barre estratto quasi completamente dal nocciolo durante il funzionamento a potenza mentre i valori di reattività Doppler ρ_D = 2100 p.c.m e da temperatura del moderatore ρ_{TM} = 2100 p.c.m. sono quelli che si ottengono considerando come stato iniziale quello di reattore critico e freddo (40 °C).

La possibilità di riportare il reattore alla potenza nominale dopo uno spegnimento accidentale o comunque non programmato che intervenga in queste condizioni e che quindi comporti i conseguenti picchi di reattività da ^{135}Xe e ^{149}Sm, è garantita della reattività ρ_{ab} controllata dal boro disciolto nel moderatore che può essere opportunamente liberata diluendone la concentrazione.

Il bilancio di reattività durante un intero ciclo di funzionamento dello stesso PWR dell'esempio precedente è riportato in sintesi in Fig. 9.6.2.

I valori indicati di antireattività sono quelli che si ricavano con riferimento al reattore critico freddo (40 ^{o}C) e pulito.

Dalla Fig. 9.6.2 si nota in particolare che durante il funzionamento a potenza il bilancio di reattività subisce significative variazioni in alcuni dei suoi componenti. In particolare:

- la riserva di reattività da eccesso **ΔM** di combustibile diminuisce per graduale consumo del materiale fissile;
- l'antireattività dovuta ai veleni bruciabili, il boro, diminuisce per compensare l'effetto precedente;
- l'antireattività per temperatura del moderatore aumenta di valore a causa della riduzione nella concentrazione di boro nel moderatore stesso per le ragioni già descritte al par. 8.4.

Dai bilanci di reattività di Fig. 9.6.1.a e 9.6.2 è immediato riconoscere che l'antireattività associata alle barre di controllo e sicurezza pari a circa ρ_b=8000 p.c.m. è sufficiente per mantenere con sicurezza sottocritico il reattore anche in caso di improvviso ed accidentale spegnimento del reattore a fine ciclo (**EOC**) e supponendo come ipotesi peggiorativa, anche se irrealistica, che contemporaneamente si verifichi un raffreddamento immediato del nocciolo che lo porti mediamente alla temperatura di 40 ^{o}C.

Il raffreddamento a 40 ^{o}C comporta infatti la liberazione di reattività positiva ($\rho_{TM}+\rho_D$) per un ammontare di 7500 p.c.m., rispettivamente per riduzione della temperatura del moderatore ρ_{TM} = 5400 p.c.m. e per riduzione della temperatura del combustibile ρ_D = 2100 p.c.m.

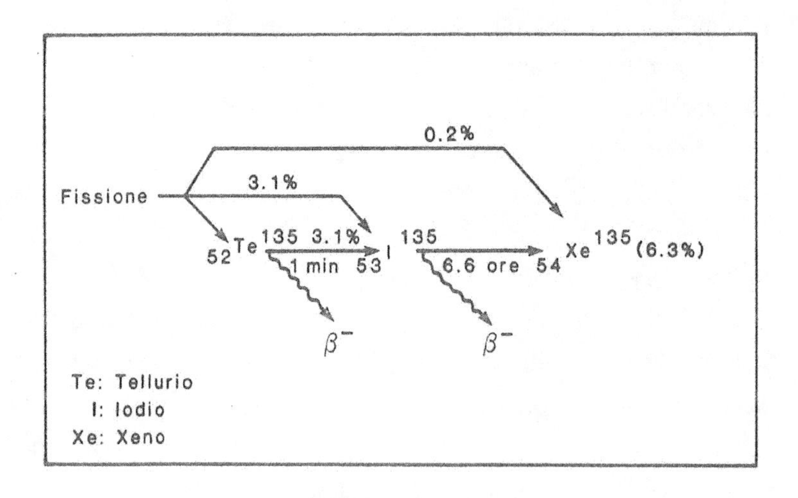

Fig. 9.2.1 *Modalità di produzione diretta ed indiretta dello* ^{135}Xe

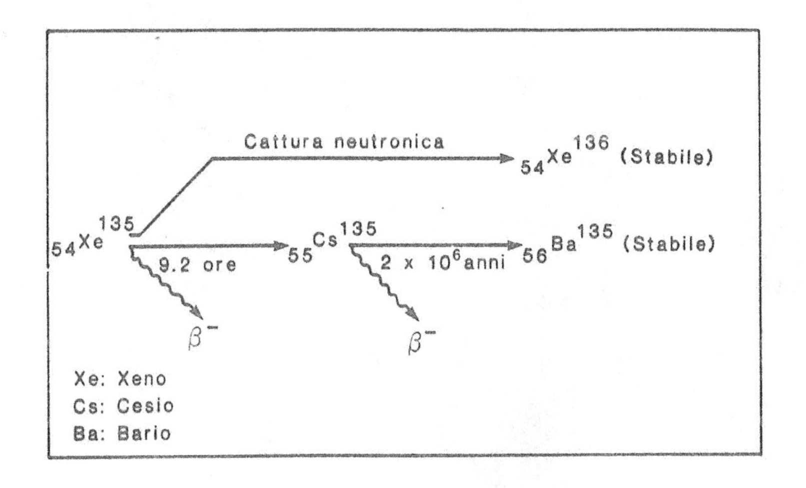

Fig. 9.2.2 *Modalità di rimozione per cattura neutronica e per decadimento dello* ^{135}Xe

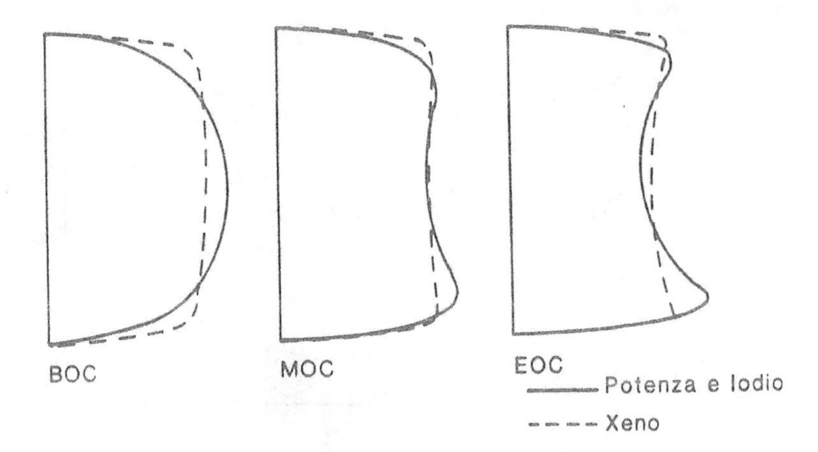

Fig. 9.2.3 *Profili caratteristici della distribuzione assiale della potenza in un PWR ad inizio ciclo (BOC) a circa metà del ciclo (MOC) ed a fine ciclo (EOC) e rispettive distribuzioni di concentrazione dello* ^{135}I *e dello* ^{135}Xe

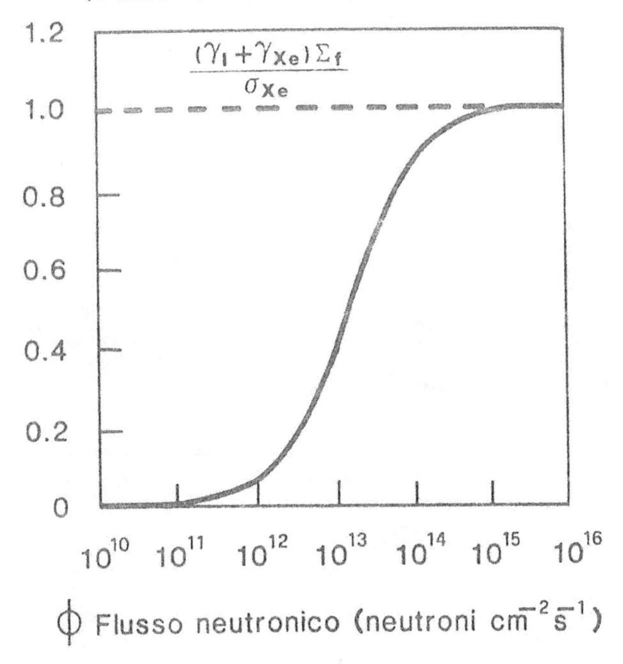

Fig. 9.2.4 *Concentrazione di equilibrio dello ^{135}Xe in funzione del valore del flusso neutronico ϕ espressa in funzione della concentrazione di saturazione*

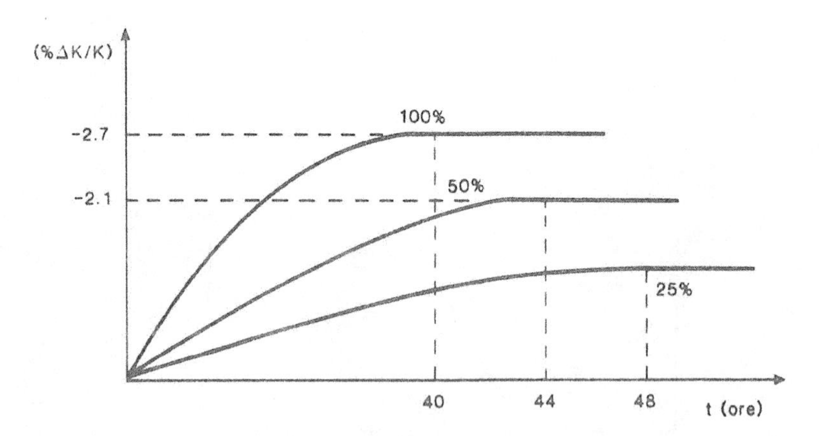

Fig. 9.2.5 *Reattività assorbita dallo ^{135}Xe in funzione del tempo per reattore funzionante rispettivamente al 100% della potenza nominale, al 50% ed al 25%. Sono indicati anche i tempi caratteristici (ore) per raggiungere i rispettivi valori di equilibrio*

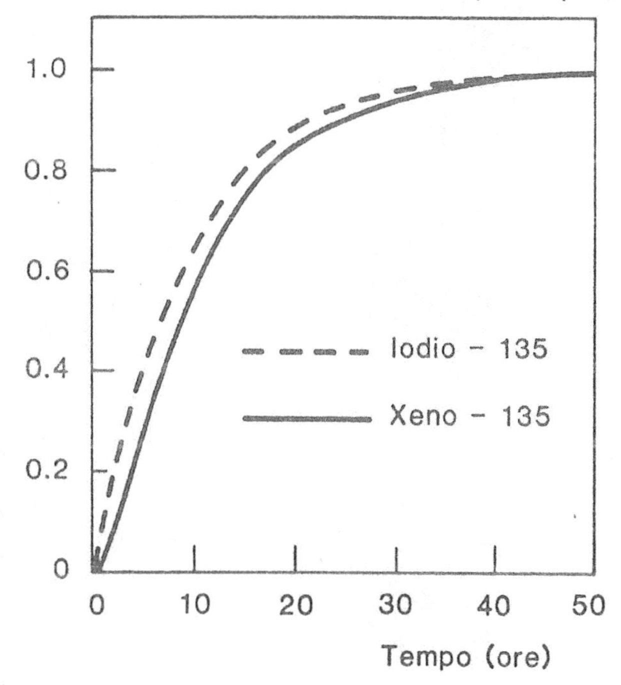

Fig. 9.3.1 *Concentrazione dello ^{135}I e dello ^{135}Xe in funzione del tempo a partire dell'istante di raggiungimento della potenza nominale mantenuta in seguito costante*

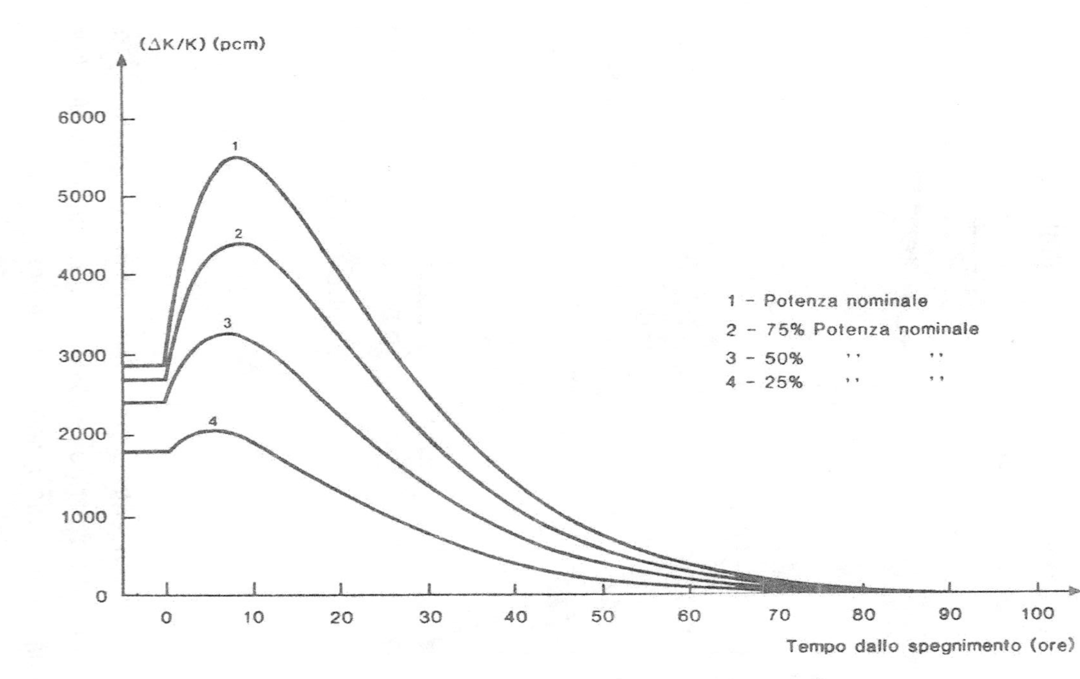

Fig. 9.3.2 *Antireattività in funzione del tempo introdotta dello* ^{135}Xe *a causa dello spegnimento improvviso del reattore funzionante ai livelli di potenza indicati. Il picco di antireattività si manifesta dopo 5÷10 ore dallo spegnimento*

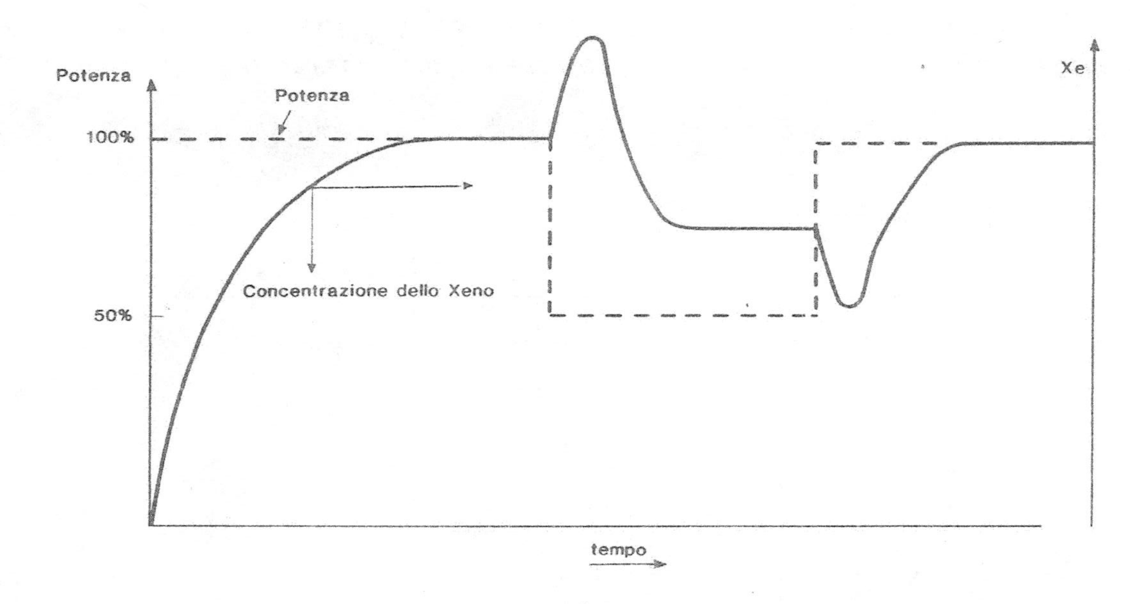

Fig. 9.3.3 *Transitorio di potenza e di concentrazione dello Xe135*

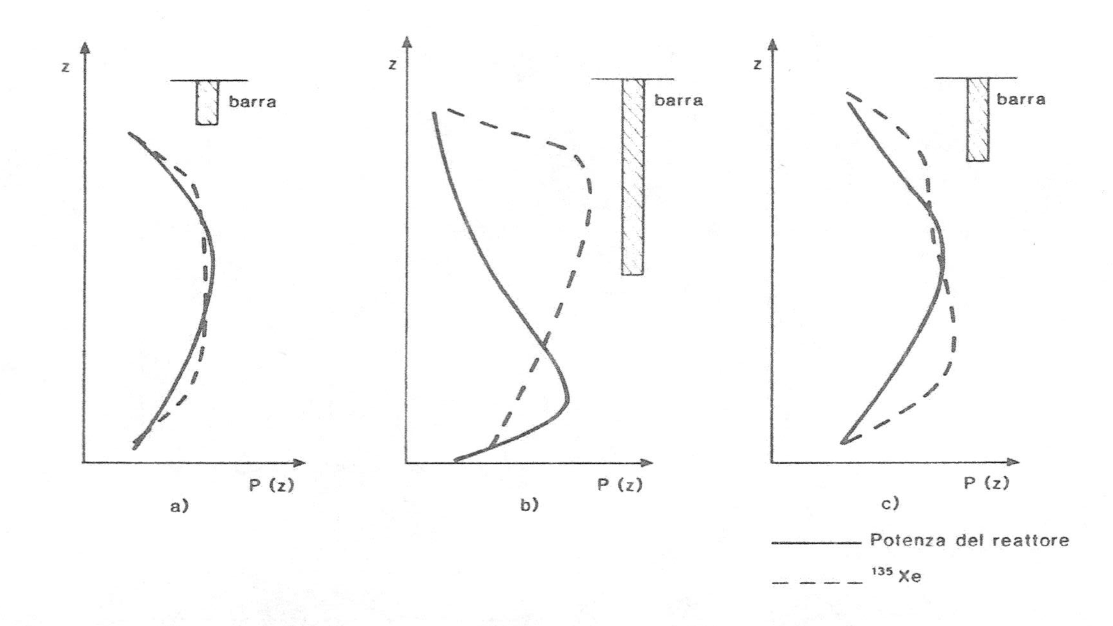

Fig. 9.3.4 *Oscillazioni della distribuzione assiale di potenza P(z) e della distribuzione della concentrazione di ^{135}Xe, dovute al movimento delle barre di controllo*

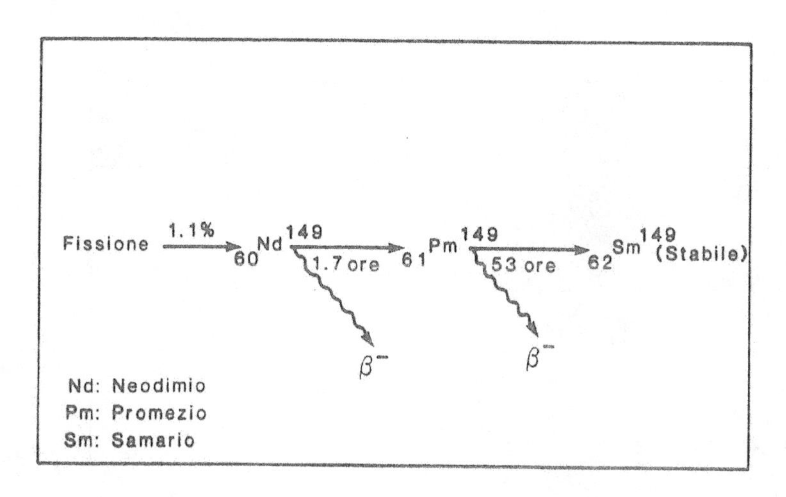

Fig. 9.4.1 *Modalità di produzione del* ^{149}Sm

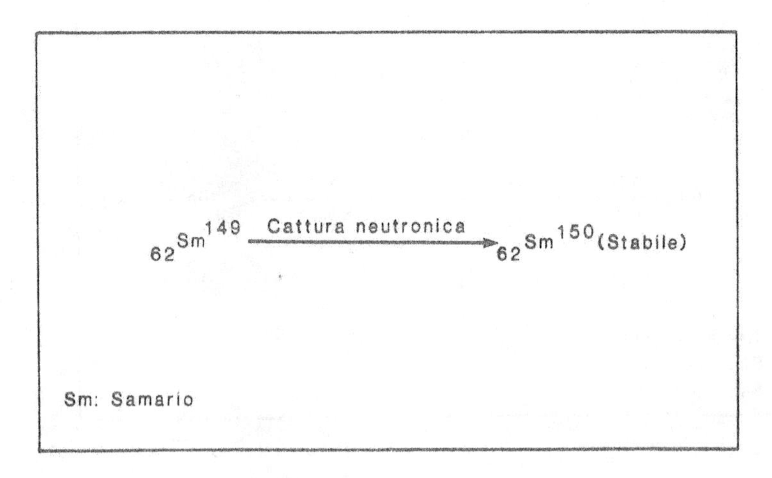

Fig. 9.4.2 *Modalità di rimozione del* ^{149}Sm per cattura neutronica

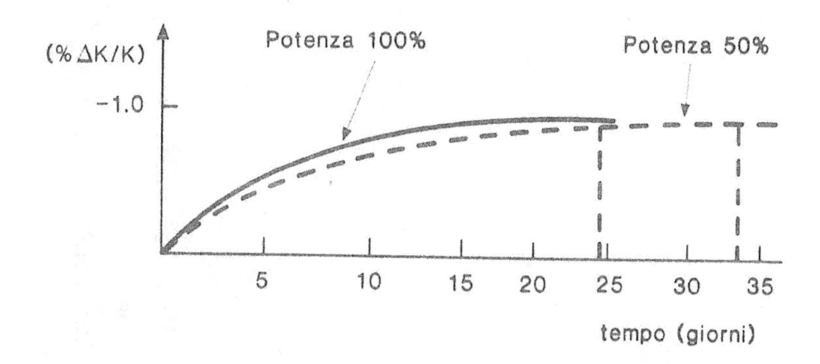

Fig. 9.4.3 *Tempo per il raggiungimento della concentrazione di equilibrio del* ^{149}Sm *per due differenti valori della potenza del reattore*

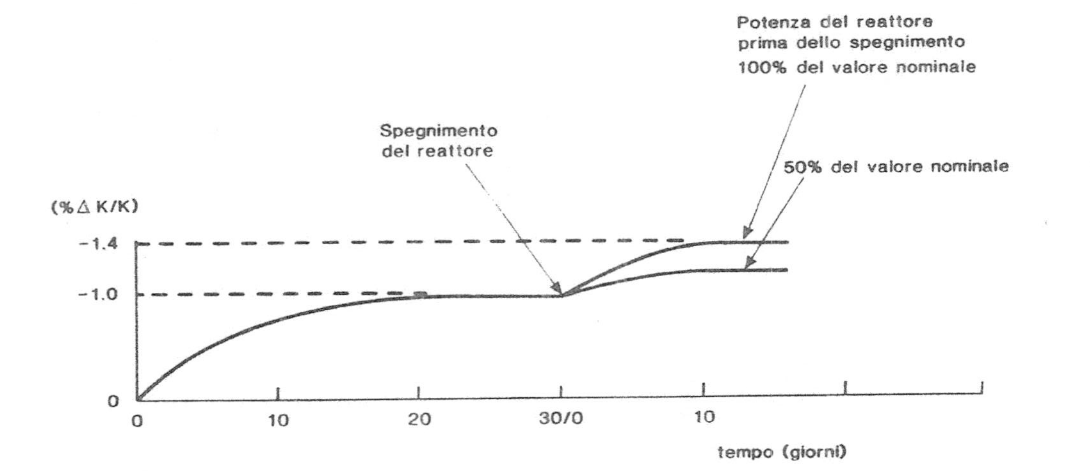

Fig. 9.5.1 *Concentrazione di picco del ^{149}Sm al seguito di spegnimento improvviso del reattore quando questo funzionava a potenza costante rispettivamente eguale al 100% del valore nominale ed al 50% dello stesso*

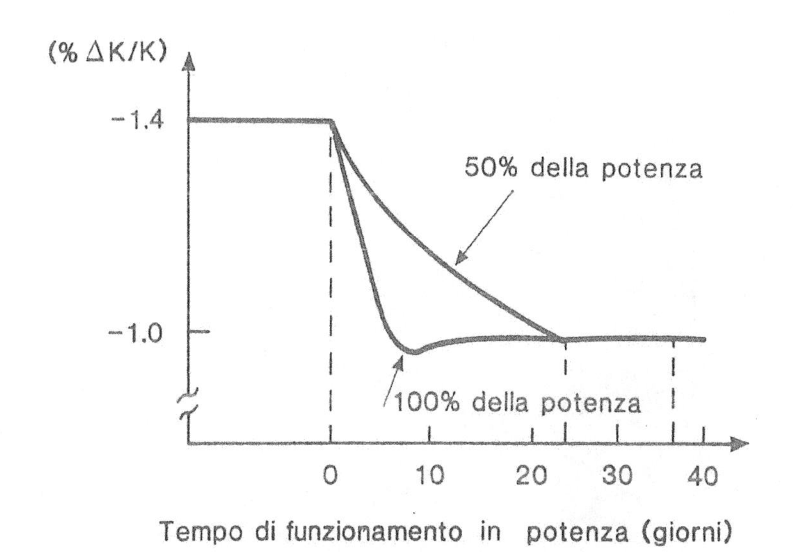

Fig. 9.5.2 *Antireattività da ^{149}Sm in funzione del tempo per ritorno del reattore al 100% della potenza nominale o al 50% della stessa. Il tempo zero corrisponde al ritorno in potenza del reattore dopo uno spegnimento accompagnato da avvelenamento massimo del nocciolo da parte del ^{149}Sm*

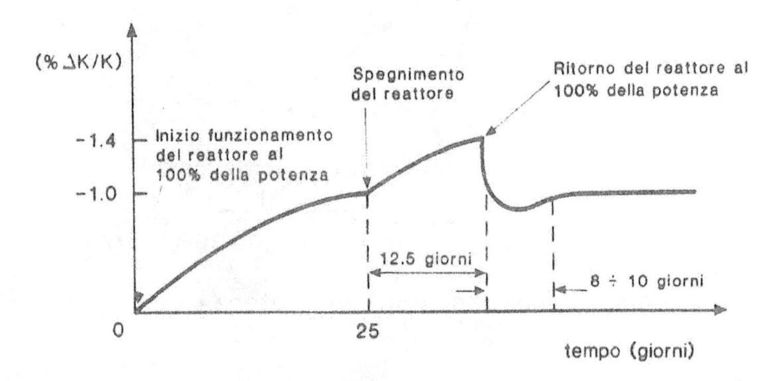

Fig. 9.5.3 *Antireattività da ^{149}Sm in funzione del tempo per differenti condizioni operative*

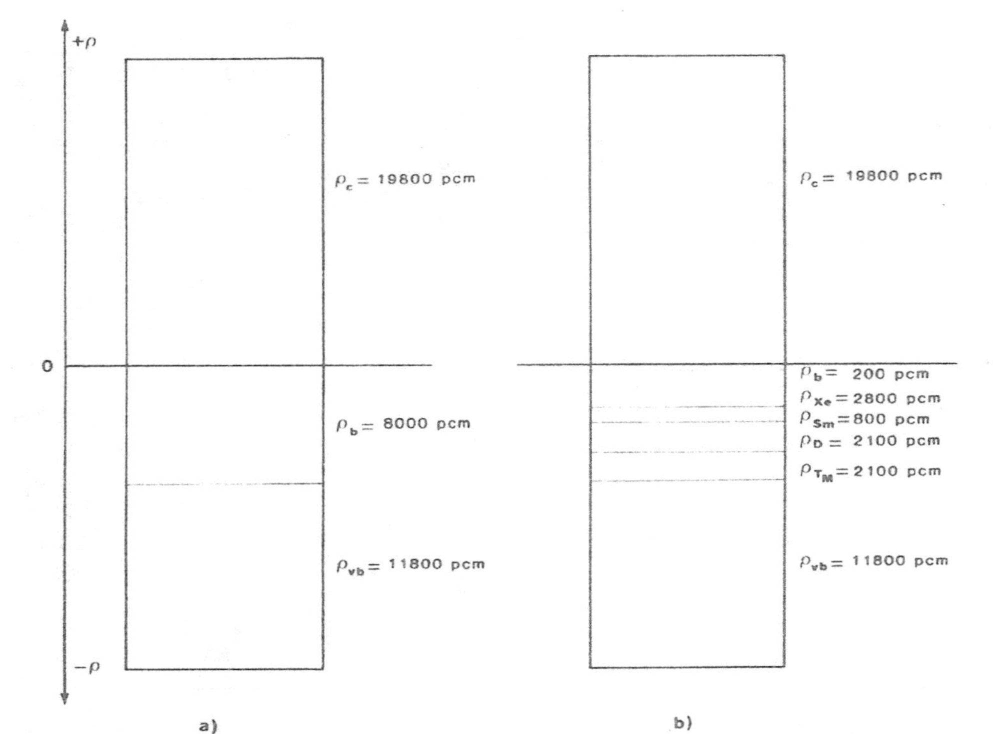

Fig. 9.6.1 *Bilancio di reattività tipico per un PWR da 900 MWe nelle due condizioni o stati: a) reattore freddo, pulito a potenza nulla; b) reattore alla potenza nominale con veleni ^{135}Xe e ^{149}Sm in equilibrio.*

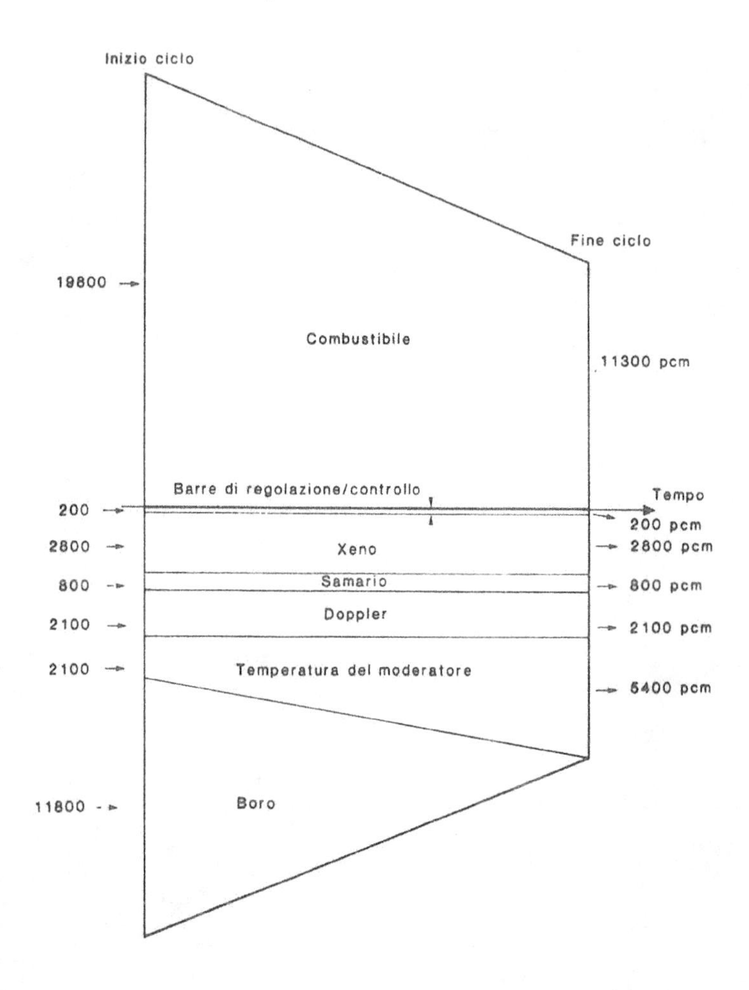

Fig. 9.6.2 *Bilancio di reattività tipico per un PWR da 900 MWe alla potenza nominale dall'inizio alla fine di un intero ciclo di funzionamento (circa un anno)*

CAPITOLO 10

GESTIONE DEL COMBUSTIBILE NEL NOCCIOLO

Vengono presentati gli elementi di base per la comprensione dei principi e delle regole che governano e guidano le attività di utilizzo e di ricambio del combustibile nel nocciolo del reattore.

La trattazione presume che il lettore abbia seguito in precedenza un corso sulla Termoidraulica e in particolare un approfondimento sullo scambio termico in monofase e cambiamento di fase.

La lettura di questo capitolo permette di comprendere la logica che conduce a definire la configurazione di ricarica del combustibile, quali sono le cause che impongono dei limiti termici al combustibile e quali sono le grandezze da controllare a questo fine durante il funzionamento del reattore per tutta la durata del ciclo.

Nei primi tre paragrafi vengono presentate alcune grandezze caratteristiche come il fattore di forma di potenza, la potenza lineare di barra q', il flusso termico di barra q'', la densità di potenza di barra q''' ed il loro collegamento con i meccanismi di danneggiamento o guasto degli elementi di combustibile.

Vengono poi descritte alcune tecniche di ricambio del combustibile con lo scopo di presentare le regole generali ed i principi che permettono di conseguire l'obbiettivo delle attività di gestione del combustibile nel nocciolo del reattore che è quello di ottenere dal combustibile nucleare il massimo bruciamento o resa energetica, misurati in MWD/T, nel rispetto delle limitazioni imposte alle tante ricette di gestione del combustibile nel nocciolo del reattore dalle prescrizioni di sicurezza.

10.1. Generalità

I combustibili sono sostanze che con l'ossigeno dell'aria danno luogo a reazioni di ossidazione fortemente esotermiche, cioè reazioni che liberano calore in quantità elevata e praticamente utilizzabile. Sono sostanze costituite prevalentemente da carbonio ed idrogeno.

Per analogia si chiamano combustibili nucleari quei materiali che sviluppano calore come conseguenza degli eventi di fissione nucleare indotti dal bombardamento neutronico in alcuni elementi chimici in essi contenuti come l'uranio ed il plutonio.

Il calore è prodotto in questo caso principalmente dalla trasformazione dell'energia cinetica dei frammenti di fissione in energia termica.

La caratteristica principale dei combustibili è il **potere calorifico** che si misura in kilocalorie o joule per unità di peso, il kilogrammo, o di volume, il litro e il metro cubo della sostanza in esame.

Per quantificare il potere calorifico del combustibile nucleare è necessario fare riferimento alla tecnologia adottata per il suo utilizzo.

Per tecnologia adottata si intende il tipo di reattore nucleare entro il quale il combustibile produce calore.

Ad esempio nei reattori con moderatore l'acqua naturale, i LWR, con un'attenta progettazione ed un'ottima condotta operativa si può utilizzare l'1% del totale dei nuclei naturalmente contenuti nell'elemento uranio, mentre lo stesso materiale usato nei reattori autofertilizzanti veloci, i Fast Breeder Reactor (FBR), potrà essere sfruttato per il 60% dei nuclei di uranio contenuti.

Il potere calorifico dell'uranio può variare quindi nel rapporto 60 ad 1 quando il combustibile è usato con l'una o con l'altra delle due tecnologie esemplificate.

Come unità di misura dell'energia sviluppata dai combustibili nucleari si è convenuto di fare riferimento all'energia termica prodotta dall'unità di massa del combustibile ed esprimere l'energia termica in Megawatt giorno (MWD) e l'unità di massa in tonnellate (T).

L'unità di misura risulta quindi espressa in MWD/T.

L'energia termica prodotta dall'unità di massa del combustibile è nota come **bruciamento** o **esposizione** o **resa energetica** ed è indicata generalmente con la lettera b (bruciamento) o la lettera greca τ.

Dall'esperienza di funzionamento dei LWR accumulata fino ad oggi sono disponibili dati sufficienti per valutare il contenuto calorico del combustibile uranio quando è utilizzato con la tecnologia LWR.

L'energia termica in media prodotta da una tonnellata di combustibile, l'ossido di uranio UO_2, nei LWR è b = 30.000 MWD circa.

Assumendo che il contenuto in fissile alla coda del'impianto di arricchimento sia dello 0,2%, che l'arricchimento medio del combustibile prodotto sia del 3% e che le perdite di conversione e fabbricazione ammontino al 15%, si ottiene come energia veramente estratta da un kg di uranio naturale nei LWR il valore di circa 170.000 kWh.

In conclusione si può assumere che il potere calorifico dell'uranio naturale usando l'attuale tecnologia LWR sia di circa $1,46 \cdot 10^8$ kcal/kg.

Per confronto ricordiamo il potere calorifico inferiore di alcuni combustibili fossili:

- carbone ≃ 7000 kcal/kg;
- petrolio ≃ 10000 kcal/kg;
- gasolio ≃ 10200 kcal/kg;
- gas naturale ≃ 8250 kcal/m^3.

10.2 Grandezze e definizioni

Si consideri un reattore che inizi l'erogazione della potenza P al tempo $t = t_o$.

Per un tempo L misurato in giorni, e con un fattore di carico f, definito come rapporto tra l'energia erogata in un tempo determinato e l'energia erogabile nello stesso tempo con la piena utilizzazione della potenza disponibile, si ha immediatamente che l'energia totale sviluppata dal reattore è data dalla relazione:

$$E = f \cdot P \cdot L \quad (MWD) \qquad (10.2.1)$$

In Fig. 10.2.1 la potenza $<P> = E/L = f \cdot P$ rappresenta la **potenza media** di funzionamento del reattore durante il tempo o ciclo L.

Se è nota la massa M di combustibile metallico caricata nel nocciolo del reattore, la **potenza specifica media** $<p_s>$, definita come la potenza generata in media dall'unità di massa metallica, è data dalla relazione:

$$<p_s> = \frac{<P>}{M} \quad (KW/kg) \qquad (10.2.2)$$

Il **tempo di residenza in reattore** di una partita di combustibile se sono noti E, f e P, è dato in base all'eq. 10.2.1

dalla relazione:

$$L = \frac{E}{f \cdot P} \tag{10.2.3}$$

oppure:

$$L = \frac{E}{<P>} \tag{10.2.4}$$

o ancora tenendo conto della 10.2.2, dalla relazione:

$$L = \frac{E}{<p_s> M} \tag{10.2.5}$$

Fissata quindi la durata L del ciclo si può definire qual'è la potenza specifica media p_s necessaria per ottenere un certo valore medio $<b>=E/M$ del bruciamento del combustibile o inversamente ricavare il bruciamento medio $<b>$ di ciclo ottenibile con un definito valore medio della potenza specifica $<p_s>$ o ancora quale è la durata L del ciclo avendo prefissato il valore medio della potenza specifica e del bruciamento di ciclo.

La quantità di calore prodotta nell'unità di tempo dal reattore e quindi la sua potenza P trasferita al refrigerante è esprimibile con la nota relazione:

$$P = h \cdot S \cdot \Delta T \tag{10.2.6}$$

dove:

- $\Delta T = (T_S - T_M)$ è la differenza di temperatura media che si verifica tra quella T_s di parete del combustibile e quella T_M del refrigerante;
- S è la superficie di scambio termico. Se il nocciolo è formato da n barre di combustibile di raggio R ed altezza H, la superficie totale di scambio termico risulta essere: $S = n\,(2\pi RH)$;
- h per un fluido refrigerante monofase è il valore medio del coefficiente di scambio termico convettivo.

Il flusso termico medio di nocciolo $\langle q'' \rangle$, o che è lo stesso, la potenza media ceduta al refrigerante per unità di superficie di scambio termico è di conseguenza dato con riferimento alla rel. 10.2.6 dalla:

$$\langle q'' \rangle = P/S = h \cdot \Delta T \quad (\mathrm{watt\ cm^{-2}}) \qquad (10.2.7)$$

Se indichiamo ora con Q la potenza termica totale erogata dalla barra di combustibile media di altezza H e raggio R, si ha immediatamente che la potenza q''' per unità di volume della barra in breve la densità volumetrica di potenza, è data dalla relazione:

$$q''' = \frac{Q}{\pi \cdot R^2 \cdot H} \quad (\mathrm{watt\ cm^{-3}}) \qquad (10.2.8)$$

Dall'equazione di bilancio tra calore prodotto a calore ceduto per conduzione da un corpo scaldante cilindrico in condizioni di equilibrio termico, ad esempio una barra di raggio R, si ottiene la seguente relazione per la potenza volumetrica q'''.

$$q''' = \frac{4}{R^2} \int_{T_s}^{T_c} k(T)\, dT \qquad (10.2.9)$$

dove $k(T)$ è la conducibilità termica del materiale della barra riscaldante, nel caso specifico il combustibile nucleare, espressa in Kcal (s·cm·°C)$^{-1}$ e T_s e T_c sono rispettivamente le temperature alla superficie ed al centro della pastiglia di combustibile.

L'integrale dell'eq. 10.2.9 è noto come **integrale di conducibilità**.

In Fig. 10.2.2 sono riportati gli andamenti della conducibilità termica $k(T)$ in funzione della temperatura T di alcuni combustibili nucleari.

Si vede chiaramente che tra i combustibili considerati, il biossido di uranio UO_2 ha i più bassi valori di conducibilità termica; per questo combustibile di conseguenza a parità di potenza q''' si osservano i valori più elevati di temperatura nella zona centrale della pastiglia.

Dalle eqq. 10.2.8, 10.2.9 si ha quindi che è:

$$Q = H \cdot 4\pi \int_{T_s}^{T_c} k(T)\, dT \qquad (10.2.10)$$

Se le barre di combustibile che formano il nocciolo sono come già detto in numero di n, essendo Q la potenza media di barra si ha immediatamente che la potenza P del reattore risulta data dal prodotto $n \cdot Q$, cioè:

$$P = n \cdot H \cdot 4\pi \int_{T_s}^{T_c} k(T)\, dT \qquad (10.2.11)$$

Definiamo la potenza lineare q' (watt cm^{-1}) come la potenza sviluppata dall'unità di lunghezza della barra di combustibile.

Dalla definizione si ha che è $q' = Q/H$ e dall'eq. 10.2.10 si ottiene la relazione:

$$q' = 4\pi \int_{T_s}^{T_c} k(T)\, dT \qquad (10.2.12)$$

Nella Fig. 10.2.3 è riportato l'andamento dell'integrale di conducibilità dell'UO_2 in funzione della temperatura T del combustibile ed è indicato anche un suo valore nel caso sia $T_s = 700\ ^oC$ e $T_c = 2300\ ^oC$.

La potenza ceduta per unità di superficie dalla barra di combustibile ossia il flusso termico q'' (watt cm^{-2}), detta Q la potenza complessiva di barra di raggio R ad altezza H, è data dalla ovvia relazione:

$$q'' = \frac{Q}{2\pi \cdot R \cdot H} \qquad (10.2.13)$$

Sostituendo nella 10.2.13 la 10.2.10 si ha che è:

$$q'' = \frac{2}{R} \int_{T_s}^{T_c} k(T)\, dT \qquad (10.2.14)$$

Dalle eqq. 10.2.9, 10.2.12 e 10.2.14 si ottengono immediatamente le seguenti relazioni di eguaglianza:

$$q''' = q'/\pi R^2; \qquad q''' = 2q''/R; \qquad q'' = q'/2\pi R \qquad (10.2.15)$$

La quantità Q = potenza di barra media e le quantità derivate, potenza per unità di volume q''', potenza per unità di superficie o flusso termico q'' e potenza lineare q' sono tutti valori medi di nocciolo.

E' d'altra parte ovvio riconoscere che queste quantità non corrispondono se non casualmente a valori effettivamente riscontrabili nella realtà in quanto questo sarebbe possibile solamente se il nocciolo del reattore avesse dimensioni infinite ed isotropia in tutte le direzioni.

In realtà i sistemi esistenti hanno dimensioni finite ed isotropia solo in pochi casi. In particolare la distribuzione spaziale della potenza dipende principalmente dalla geometria del sistema, dalle proprietà moltiplicanti del combustibile che sono funzioni locali, dalla distribuzione della densità del refrigerante anche essa funzione locale e dal movimento delle barre di controllo.

La Fisica del Reattore insegna come calcolare quelle distribuzioni.

Per tradurre in maniera sintetica, con un numero, le caratteristiche della distribuzione spaziale della potenza nel nocciolo si è introdotto il concetto di **fattore di forma di potenza**.

Per fattore di forma F in generale si intende il rapporto tra la potenza massima in un punto e quella media dell'elemento o volume considerato:

$$F = \frac{P_{max}}{\langle p \rangle} \qquad (10.2.16)$$

Per l'intero nocciolo del reattore è usuale fare riferimento al **fattore di forma di potenza totale** F_T inteso come prodotto fra il fattore di forma di grande ripartizione F_g ed il fattore di forma locale (o di struttura fine) F_l; in breve:

$$F_T = F_g \cdot F_l \tag{10.2.17}$$

Il fattore di forma di grande ripartizione per un nocciolo a geometria cilindrica è dato a sua volta dal prodotto di due componenti, il fattore di forma assiale F_Z ed il fattore di forma radiale F_R dove:

$$F_Z \equiv \frac{\text{potenza massima nella direzione Z}}{\text{potenza media nella direzione Z}} \tag{10.2.18}$$

e:

$$F_R \equiv \frac{\text{potenza massima nella direzione R}}{\text{potenza media nella direzione R}} \tag{10.2.19}$$

Il fattore di forma locale F_l è definito dal seguente rapporto:

$$F_l = \frac{\text{potenza massima di una barra appartenente ad un elemento di combustibile}}{\text{potenza media di tutte le barre entro lo stesso elemento di combustibile}} \tag{10.2.20}$$

Il fattore di forma locale F_l è dovuto a differenze localizzate nelle proprietà moltiplicanti ed assorbenti dei materiali del nocciolo e nei LWR anche a differenze negli spessori di moderatore in certe zone rispetto alla media.

A titolo di esempio nella Fig. 10.2.4 sono riportati gli andamenti del flusso neutronico nelle direzioni radiale ed assiale di un nocciolo omogeneo e cilindrico e nella Fig. 10.2.5 il flusso medio ed il flusso neutronico locale per due casi tipici di eterogeneità localizzate.

Dalla definizione di fattore di forma F, che possiamo scrivere in termini di potenza lineare come:

$$F = \frac{q'_{max}}{\langle q' \rangle}$$

e dalle rel. 10.2.11 e 10.2.12 possiamo scrivere, per la potenza totale del reattore, la seguente relazione:

$$P = \frac{n \cdot H}{F_T} \, 4\pi \left(\int_{T_s}^{T_c} k(T) \, dT \right)_{max} \qquad (10.2.21)$$

La differenza di contenuto di informazione tra la rel. 10.2.11 e la rel. 10.2.21 risiede nel fatto che nella prima la potenza del reattore è legata ad un valore fittizio della potenza lineare, il valore medio di nocciolo $\langle q' \rangle = 4\pi \int_{T_s}^{T_c} k(T) \, dT$ mentre nella seconda la potenza P è legata alla potenza massima lineare $q'_{max} = 4\pi \int (k(T) \, dT)_{max}$ ed al fattore di forma F_T e queste due ultime grandezze hanno rispondenza con la realtà dello stato operativo.

Di più, la rel. 10.2.21 permette di trarre delle conclusioni di estremo interesse sia in fase di progetto che in fase di funzionamento del reattore.

Il valore massimo della potenza P erogabile dal reattore risulta infatti condizionata:

- dal valore massimo che può assumere la potenza lineare

$$q' = 4\pi \int_{T_S}^{T_C} k(T)\, dT$$

perchè sia compatibile con l'integrità strutturale degli elementi di combustibile come verrà presentato al paragrafo seguente;

- dal profilo di potenza che si realizza con la configurazione scelta, cioè con la allocazione assegnata agli elementi di combustibile nel nocciolo; in ultima analisi dal valore del fattore di forma di potenza F_T.

10.3. Limiti termici

I meccanismi di guasto o rottura delle barre di combustibile dei reattori ad acqua leggera, i LWR, sono principalmente i seguenti:

a) sollecitazione termica e meccanica delle guaine per loro interazione con le pastiglie del combustibile. Questo meccanismo è noto in letteratura come **P**ellet **C**lad **I**nteraction (**PCI**).

   L'interazione è dovuta alle differenti dilatazioni o espansioni che si manifestano con gli aumenti di temperatura conseguenti agli incrementi di potenza locale e complessiva nei due componenti la barra, il combustibile e la guaina.

   Quando l'interazione tra i due componenti, pastiglia e guaina, è tale da produrre una deformazione plastica della guaina o camicia superiore all'1%, si assume che possa verificarsi un guasto grave alla camicia stessa;

b) severo surriscaldamento della guaina per insufficiente refrigerazione. Il surriscaldamento già dannoso in sè può degenerare rapidamente anche nel bruciamento localizzato della guaina.

Questo meccanismo di guasto è noto come **crisi nella trasmissione del calore**; nei reattori bollenti, i BWR, è fatto coincidere con la transizione dall'ebollizione nucleata all'ebollizione a film e nei reattori pressurizzati, i PWR, è fatto coincidere con l'allontanamento o superamento delle condizioni di ebollizione nucleata (localizzata sulla parete di scambio termico) con fluido termovettore mediamente sottoraffreddato.

Per assicurare l'integrità strutturale del combustibile, in particolare delle guaine e quindi per evitare la dispersione macroscopica ed incontrollata dei prodotti di fissione durante il funzionamento del reattore, si assegnano dei valori limite, **i limiti termici**, ad alcuni parametri del processo e caratteristici del combustibile.

In sintesi i limiti termici hanno lo scopo di:

- assicurare come già detto che non si abbiano guasti al combustibile durante il funzionamento normale del reattore e durante transitori con bassa frequenza di verificarsi;
- permettere di valutare il numero di barre di combustibile che possono cedere al seguito di un incidente severo al fine di valutare l'intensità dei rilasci di prodotti di fissione;
- assicurare la refrigerabilità del nocciolo anche nel caso si verifichi il peggiore incidente di progetto. Con refrigerabilità si intende il mantenimento della geometria del nocciolo con adeguati canali per la rimozione del calore residuo.

La famiglia di eventi che può dare luogo a cedimenti o guasti della guaina per interazione con il combustibile può essere controllata limitando superiormente il valore della temperatura T_C al centro della barra di combustibile.

In pratica sia in fase di progetto che in quella di esercizio dell'impianto il controllo di questo parametro è realizzato **limitando**

il valore massimo della potenza lineare q' che come è evidente dalla rel. 10.2.12 dipende dal valore di T_c.

Sperimentazioni di laboratorio e l'esperienza operativa hanno permesso di stabilire che per il combustibile dei LWR la potenza lineare q' deve essere limitata superiormente ai valori che non producono, come già anticipato, deformazione plastica della camicia superiore all'1%.

Ad esempio per gli elementi di combustibile General Electric 8x8 si è stabilito che deve essere q'_{max} = 13,4 kW/ft pari a circa 447 watt·cm^{-1}.

La protezione da cedimenti o rotture della guaina per fenomeni di interazione combustibile-guaina è garantita assumendo come criterio di progetto e di esercizio del reattore che **in ogni punto del nocciolo del reattore sia sempre**:

$$q' < q'_{max} \equiv MLHGR \qquad (10.3.1)$$

dove MLHGR è l'acronimo di Maximum Linear Heat Generation Rate.

La crisi termica è provocata dalla mancanza di liquido refrigerante a contatto con la parete riscaldante.

Questo fenomeno può essere prodotto da due cause differenti e precisamente:

a) formazione di uno strato stabile di vapore (calefazione) tra la massa liquida di refrigerante e la parete riscaldante;
b) prosciugamento o rottura della pellicola liquida che scorre sulla parete riscaldante.

La crisi del tipo (a) nei sistemi con convezione forzata si verifica durante il riscaldamento del fluido liquido che si trova in condizioni sottoraffreddate o prossime alla saturazione. E' quella che può manifestarsi nei reattori PWR.

La crisi di tipo (b) nei sistemi con convezione forzata si verifica durante il riscaldamento del fluido che genera una miscela acqua-vapore in moto anulare disperso prima dell'insorgere della crisi. La crisi si ha per prosciugamento (dry-out) o rottura della pellicola liquida che bagna la parete riscaldante.

Questo tipo di crisi può manifestarsi nei reattori BWR.

In Fig. 10.3.1 è riportata in forma schematica la rappresentazione dei due fenomeni di crisi nella trasmissione del calore.

La zona di ebollizione nucleata confina superiormente come noto e come schematizzato in Fig. 10.3.2 con la zona di transizione verso l'ebollizione a film.

Il punto di passaggio tra la zona di ebollizione nucleata e la zona di transizione è noto come punto di **flusso termico critico** q''_{CR}.

Il flusso termico critico q''_{CR} dipende dai seguenti parametri:

- la pressione di esercizio;
- la portata attraverso il nocciolo;
- l'entalpia di ingresso dell'acqua di refrigerazione;
- la geometria dei canali di potenza.

Quando il flusso di calore q'' assume un valore coincidente con quello del flusso termico critico q''_{CR} che si ha per le medesime condizioni termoidrauliche, si conviene che le corrispondenti condizioni di funzionamento siano pericolose in quanto è possibile il verificarsi dei modi di guasto dovuti al surriscaldamento e/o alla bruciatura della guaina o camicia.

In apposite strutture sperimentali si sono ottenuti molti dati sul valore del flusso termico critico q''_{CR} variando la portata e l'entalpia del refrigerante per differenti valori della potenza di barra Q e della sua distribuzione assiale.

Questi risultati sperimentali sono stati usati per ottenere delle correlazioni per il calcolo conservativo dei valori del flusso termico critico q''_{CR}.

La logica di utilizzo dei dati sperimentali è quella di seguito presentata.

In un sistema di riferimento come quello di Fig. 10.3.3 dove in ordinate sono indicati i valori del flusso termico critico q''_{CR} (watt cm^{-2}) ed in ascisse il titolo entalpico del refrigerante, si traccia una linea continua che giace al di sotto di tutti i valori sperimentali ottenuti. I valori del flusso termico critico q''_{CR} letti su questa curva in funzione del titolo x vengono presi a riferimento sia nei calcoli di progetto che nella pratica operativa.

La protezione verso il cedimento o guasto della guaina per fenomeni di crisi nella trasmissione del calore è garantita dal **criterio** di sicurezza che impone come valide solamente le condizioni operative per le quali **in nessun punto del nocciolo** del reattore **il flusso termico q" assume valori superiori al corrispondente flusso termico critico q''_{CR}.**

In pratica per rispettare questo criterio di sicurezza si usa il rapporto tra il flusso termico critico q''_{CR} ed il flusso termico reale q" in ogni punto del nocciolo del reattore. In letteratura questa quantità è nota come **rapporto di flusso termico critico**, più spesso nella letteratura inglese con l'acronimo **CHFR** da Critical Heat Flux Ratio.

Per quanto detto in precedenza deve quindi essere sempre ed in ogni punto del nocciolo del reattore:

$$CHFR > 1 \tag{10.3.2}$$

In Fig. 10.3.4 a titolo indicativo è rappresentato un grafico tipico per la valutazione dei valori di CHFR; sono riportate infatti le due curve inviluppo che descrivono rispettivamente i valori del flusso termico critico q''_{CR} e del flusso reale q'' lungo la verticale di un canale di potenza. Dalla figura si vede anche che il valore più piccolo del rapporto, quello potenzialmente più pericoloso, si trova in generale ad altezze intermedie del canale e prima del bordo superiore.

Il valore più piccolo di CHFR è noto in letteratura come Minimum Critical Heat Flux Ratio ≡ MCHFR.

Dal 1975 la General Electric fa riferimento, per i BWR di sua progettazione, alla **potenza critica di canale**, Critical Power, anzichè al flusso termico critico come risposta ad ulteriori indagini sul complesso meccanismo di scambio termico in cambiamento di fase.

La **potenza critica di canale** è quella potenza prodotta complessivamente da un canale che nelle condizioni esistenti di pressione, entalpia e portata produce la crisi nella trasmissione del calore.

Per escludere il danneggiamento del combustibile per surriscaldamento della guaina, cioè per crisi nella trasmissione del calore, si è adottato quindi il **rapporto minimo di potenza critica** dato dal rapporto tra il valore della potenza di canale P_c che provoca la crisi e la potenza reale del canale P_r. Nella letteratura questo rapporto è noto come Minimum Critical Power Ratio MCPR.

In ogni punto del reattore deve quindi essere:

$$MCPR > 1 \qquad (10.3.3)$$

Per gli elementi di combustibile 8x8 della General Electric il valore generalmente accettato del rapporto minimo di potenza critica sotto al quale non si deve mai scendere anche nel caso si verifichi il più grave incidente previsto é:

$$MCPR = 1,07$$

In Fig. 10.3.5 è schematizzato un esempio della logica seguita per assegnare il valore limite al rapporto **MCPR** previsto dalle Specifiche Tecniche per lo stato di funzionamento a potenza nominale tenendo conto del margine necessario per superare senza danni incontrollati transitori e/o situazioni accidentali.

Nella figura sono indicati anche i **margini operativi** che verranno brevemente presentati nel prossimo paragrafo.

I limiti termici intervengono in condizioni operative tipiche contemplate nelle analisi di sicurezza. Esse sono:

- gli incidenti per perdite del refrigerante, **L**oss of **C**oolant **A**ccident **LOCA**;
- gli incidenti da reattività, **R**eactivity **I**nitiated **A**ccident **RIA**;
- l'espulsione di una barra di controllo dal nocciolo;
- il funzionamento normale e i transitori di modesta frequenza.

Per le necessità operative i limiti termici debbono essere tradotti in parametri del nocciolo e categorizzati.

Si è trovato che:

- per gli eventi di perdita del refrigerante, **LOCA**, il parametro che deve essere limitato in valore è:
  - nei PWR la potenza lineare $q' \equiv$ MLHGR;

- nei BWR la massima potenza lineare media planare di elemento. Per potenza lineare media planare si intende il valore medio della potenza lineare di tutte le barre di combustibile che costituiscono un elemento, valutata alla stessa altezza;
- per gli incidenti da reattività il parametro che deve essere limitato è:
  - nei PWR l'allontanamento delle condizioni di ebollizione nucleata cioè la potenza di canale o il flusso termico reale che non debbano essere troppo prossimi ai rispettivi valori critici;
  - nei BWR la potenza lineare $q' \equiv$ MLHGR.

Analogamente si è trovato che per i transitori di modesta frequenza il parametro da limitare è:
- nei PWR l'allontanamento delle condizioni di ebollizione nucleata nel senso sopra ricordato;
- nei BWR il valore minimo del rapporto di potenza critica **MCPR**.

10.4. Margini operativi

I margini operativi sono dati dalla differenza tra i valori dei limiti termici di progetto per le condizioni di funzionamento nominali ed i corrispondenti valori nelle condizioni operative reali.

I margini operativi dipendono da un notevole numero di variabili quali:
- il progetto del nocciolo e degli elementi di combustibile;
- l'irraggiamento accumulato;
- i criteri di intervento dei sistemi ingegneristici di sicurezza;
- le modalità di esercizio del reattore.

Conseguentemente i margini operativi variano da impianto ad impianto e per uno stesso impianto variano in funzione del suo stato.

In generale i margini operativi maggiori si hanno durante il funzionamento a potenza costante cioè quando l'impianto funziona come carico di base mentre si riducono durante i transitori ad esempio durante le manovre di inseguimento del carico.

Come esempio di applicazione del concetto di margine operativo si consideri la relazione tra i limiti di progetto con riferimento all'incidente di **LOCA** ed i valori reali di potenza lineare q' per un moderno PWR nelle due condizioni di funzionamento:

- carico di base;
- inseguimento del carico;

come riportato indicativamente in Fig. 10.4.1.

Per "inseguimento del carico" (load follow nella letteratura anglosassone) si intende, come noto, l'adeguamento della potenza di funzionamento del reattore al "carico" o potenza richiesta dalla rete elettrica a cui è collegato l'impianto.

I valori limite di progetto della potenza lineare considerando un evento di **LOCA** in un moderno PWR da 1200 MW_e oscillano tra 430 e 570 $watt \cdot cm^{-1}$ a seconda della quota del combustibile.

I valori reali di potenza lineare massima in condizioni di carico di base oscillano in generale tra 200 e 370 $watt \cdot cm^{-1}$ e quindi i margini operativi oscillano attorno ai 200 $watt \cdot cm^{-1}$.

Nel caso di inseguimento del carico i margini operativi si riducono notevolmente ed oscillano tra 30 e 130 $watt \cdot cm^{-1}$.

Questi margini sono piuttosto modesti se si considerano la limitata precisione nelle indicazioni della strumentazione di rilevazione locale della potenza e le strategie di controllo attuate dall'operatore non sempre ottime.

E' quindi prudente in fase di progetto prevedere margini operativi più abbondanti per dare maggiore flessibilità operativa e per potere fronteggiare imprevisti quali:

- nuovi fenomeni che emergano dall'esperienza e che possano influire negativamente su modelli usati per le analisi di sicurezza;
- regolamentazione più restrittiva emessa dall'ente nazionale di controllo sulla sicurezza degli impianti.

10.5. Elementi di gestione del combustibile

Quanto detto in precedenza permette di definire in via preliminare gli elementi di riferimento per sviluppare le strategie di utilizzo del combustibile nucleare che si possono riassumere nelle seguenti indicazioni.

Le configurazioni ossia le disposizioni del combustibile nel nocciolo del reattore debbono essere studiate al fine di:

- rendere minimi i picchi di potenza locale cioè limitare il valore massimo della potenza lineare q' e del flusso termico q'' a valori eguali o inferiori ai rispettivi limiti termici q'_{max} e q''_{CR} definiti in fase di progetto;
- rendere minimo il fattore di forma di potenza F_T.

La prima indicazione può essere soddisfatta avendo cura di evitare nel posizionamento reciproco degli elementi di combustibile brusche variazioni spaziali delle caratteristiche nucleari del nocciolo, in particolare brusche variazioni delle sezioni d'urto di assorbimento Σ_a e di fissione Σ_f.

La seconda indicazione può essere soddisfatta realizzando configurazioni che nel rispetto della prima (indicazione) producono una distribuzione spaziale della potenza sufficientemente piatta.

Per comprendere il significato della frase "sufficientemente piatta" è opportuno mettere in evidenza i vantaggi e gli svantaggi che possono essere ottenuti con l'appiattimento delle distribuzioni di potenza assiale, radiale o di entrambe.

A parità di potenza massima locale consentita q'_{max}, l'appiattimento conduce ad un aumento del valore della potenza media $<q'>$ e quindi di quella complessiva del reattore P.

Inversamente assegnata la potenza totale del reattore P e quindi la potenza media $<q'>$, l'appiattimento della distribuzione di potenza va tutta a vantaggio della riduzione della potenza massima locale q'_{max} e quindi delle sollecitazioni massime al combustibile.

La ricerca di configurazioni cioè di distribuzioni degli elementi di combustibile nel nocciolo del reattore, che producano profili di potenza tendenzialmente piatti trova d'altra parte una forte limitazione nella perdita di reattività del nocciolo e quindi di durata del ciclo di funzionamento a potenza che caratterizza negativamente quelle configurazioni.

Le strategie di gestione del combustibile debbono quindi condurre a soluzioni di compromesso come sarà presentato al paragrafo 10.5.2.

Con la dizione gestione del combustibile nel nocciolo del reattore si intendono le strategie in base alle quali si ricambia periodicamente il combustibile all'interno del nocciolo cioè si scarica quello esaurito e si progettano le configurazioni di ricarica stabilendo dove mettere gli elementi di combustibile freschi e quali spostamenti interni al nocciolo fare subire agli elementi parzialmente utilizzati.

Quest'ultima attività è nota come "shuffling".

L'intervallo di tempo compreso tra l'avviamento a potenza del reattore con un nuovo nocciolo di ricarica e la successiva fermata preventivata per il ricambio del combustibile è noto come **ciclo** del combustibile nel nocciolo del reattore.

L'obiettivo **ideale** di progetto di un reattore è rappresentato da un nocciolo con densità di potenza eguale in tutti i punti e con valori del flusso termico q'' (watt cm^{-2}) prossimi al limite per il trasferimento del calore.

Nella condizione di potenza uniforme in tutto il nocciolo, il combustibile viene bruciato in modo uniforme, le dimensioni del nocciolo necessarie per produrre un certo valore della potenza totale P sono quelle minime ed è di conseguenza minimo il costo di produzione del Kwh elettrico per quanto riguarda il ciclo del combustibile in reattore.

In realtà le dimensioni finite del nocciolo del reattore producono distribuzioni spaziali del flusso neutronico e quindi della potenza come quelle riportate indicativamente in Fig. 10.5.1 relative ad un nocciolo omogeneo di forma cilindrica.

Uno degli obiettivi delle attività di gestione del combustibile nel nocciolo del reattore che discende da quanto detto è quello di ovviare alla distribuzione non uniforme della potenza e al conseguente non uniforme bruciamento del combustibile, determinando il "percorso" ottimale di irraggiamento degli elementi di combustibile che costituiscono il nocciolo al fine di ottenere per questa via il bruciamento o resa energetica più elevata ed omogenea possibile.

Per utilizzo o bruciamento omogeneo del combustibile si intende principalmente il consumo uniforme del materiale fissile sia nelle varie zone di uno stesso elemento sia tra tutti gli elementi di combustibile che costituiscono il nocciolo del reattore.

Per cogliere l'obiettivo delle attività di gestione del combustibile nel nocciolo, cioè l'uniformità nel bruciamento, sono perseguibili due vie.

La prima è quella di progettare e configurare il nocciolo con combustibile a diverso arricchimento in fissile in modo da ottenere una distribuzione neutronica spaziale tale che il valore medio differisca relativamente poco dal valore massimo come indicato in Fig. 10.5.2.

Una distribuzione di flusso e quindi di potenza come quella descritta si dice **appiattita**.

La seconda è quella di spostare gli elementi di combustibile all'interno del nocciolo nei cicli successivi, cioè durante la loro "vita" o durata complessiva di irraggiamento nel nocciolo in modo da fare loro descrivere un "percorso compensativo" da zone ad alta densità di potenza locale a zone a minore potenza locale e viceversa.

10.6. Considerazioni preliminari

Durante il funzionamento del reattore a potenza la composizione isotopica del materiale che costituisce il combustibile subisce cambiamenti continui per effetto dell'irraggiamento neutronico. Questo ha come conseguenza ultima la modifica delle sue proprietà moltiplicanti.

I fenomeni principali che si verificano nel combustibile sono:

- diminuzione rispetto al valore iniziale dei nuclei fissili come conseguenza degli eventi di fissione. Questo comporta la diminuzione delle proprietà moltiplicanti cioè del fattore K_∞ di ogni singolo elemento.
- diminuzione rispetto al valore iniziale degli eventuali nuclei di veleno neutronico bruciabile, in particolare ossido di gadolinio Gd_2O_3.

Questo comporta l'aumento con il bruciamento delle proprietà moltiplicanti cioè del K_∞ di elemento come riportato indicativamente in Fig. 10.6.1;

- aumento delle catture neutroniche parassite dovute alla generazione con il funzionamento di nuovi nuclei non presenti inizialmente, in particolare i prodotti della fissione. Tra questi rivestono particolare rilevanza lo ^{135}Xe ed il ^{149}Sm per le loro elevate sezioni di assorbimento neutronico σ_a alle energie termiche.

  Questo comporta la riduzione delle proprietà moltiplicanti cioè del K_∞ di elemento;

- produzione di nuovi nuclei fissili, in particolare ^{239}Pu e ^{241}Pu per cattura neutronica nel materiale fertile. Nei combustibili ad ossido di uranio UO_2, il materiale fertile è come noto l'^{238}U.

  Questo comporta l'aumento delle proprietà moltiplicanti cioè del fattore K_∞ di elemento.

La salita a potenza di un reattore nucleare inizialmente con nocciolo a temperatura ambiente e privo dei prodotti di fissione, in breve "freddo e pulito", comporta a sua volta riduzioni sensibili delle sue proprietà moltiplicanti.

La riduzione di valore del coefficiente di moltiplicazione effettivo K_{eff}, che possiamo esprimere con la relazione $K_{eff} = K_\infty/(1+B^2M^2)$, e quindi la riduzione della reattività del nocciolo $\rho = (1-1/K_{eff})$ conseguente all'aumento della temperatura del nocciolo con l'aumento della potenza è dovuta come noto all'insorgere di antireattività per:

- effetto Doppler nel combustibile;
- aumento di temperatura del moderatore e quindi riduzione della sua densità;

- aumento del "grado di vuoto" nei canali di potenza nei Boiling Water Reactors (BWR).

In Fig. 10.6.2 è riportato l'andamento del coefficiente di moltiplicazione infinito K_∞ con la salita in potenza e con il bruciamento b per il combustibile usato nei LWR.

La forte riduzione iniziale di K_∞ è dovuta ai fenomeni di antireattività che accompagnano la salita in potenza del reattore mentre l'andamento seguente è dovuto al gioco alterno dei fenomeni connessi al bruciamento b e già ricordati.

Come sintesi di quanto fino ad ora detto e per rendere evidente la necessità di sostituire periodicamente il combustibile che forma il nocciolo del reattore al fine di consentirne il funzionamento a potenza, si analizzi la situazione descritta in Fig. 10.6.3.

In essa sono riportati gli andamenti semplificati del coefficiente di moltiplicazione K_∞ di nocciolo e dell'inverso della probabilità complessiva di non fuga neutronica dal reattore $(1 + B^2M^2)$ in funzione del valore, variabile con la temperatura, del rapporto N_m/N_n tra nuclei di moderatore e nuclei di combustibile nella cella elementare dove N_m e N_n sono i nuclei/cm^3 rispettivamente del moderatore e del combustibile.

Con l'aumento della potenza e quindi della temperatura del nocciolo diminuisce come ovvio il valore del rapporto N_m/N_n.

L'andamento di K_∞ con l'aumento della temperatura è parametrizzato con il bruciamento b mentre per semplicità di rappresentazione si è supposto che la grandezza $(1+B^2M^2)$ sia solamente funzione del rapporto N_m/N_n.

Per $b=0$ il punto A rappresenta il valore di K_∞ di nocciolo ad inizio vita con reattore freddo e pulito. Il valore di

K_{eff} è dato dal rapporto dei segmenti AH/D'H misurati sulle rispettive scale.

Il punto B rappresenta la condizione di reattore in potenza, caldo e con i veleni neutronici in equilibrio.

Il valore di $K_{eff} \equiv BK/CK$ e quindi della reattività del nocciolo è diminuito rispetto alla condizione iniziale per la riduzione di valore $(\Delta K_\infty)_1$ del coefficiente K_∞ e per la riduzione di valore $\Delta (1+B^2M^2)^{-1} \equiv (D'H - CK)^{-1}$ della probabilità $P = 1/(1+B^2M^2)$ di non fuga neutronica; entrambe le riduzioni sono dovute all'aumento di temperatura intervenuto.

Se il reattore da questo momento in poi funziona a potenza costante, il valore del fattore di moltiplicazione infinito di nocciolo diminuirà con il crescere del bruciamento b secondo la verticale BK di Fig. 10.6.3.

Il funzionamento o il ciclo potrà proseguire fino al tempo $t_1 = b_1/\langle p_s \rangle$ quando K_∞ assume il valore coincidente con il punto C di Fig. 10.6.3; $\langle p_s \rangle$ è la potenza media per unità di massa del combustibile (MW · Ton^{-1}).

Dopo il tempo $t = t_1$ il funzionamento del reattore non potrà più proseguire allo stesso livello di potenza precedente poichè per $t > t_1$ e quindi $b > b_1$ risulta $K_\infty < (1 + B^2M^2)$ e questo significa che il reattore è diventato sottocritico.

Il reattore potrà continuare a funzionare solamente recuperando reattività, operazione resa possibile operando a livelli di potenza inferiori al precedente.

Il recupero di reattività necessario per mantenere critico ed in potenza il reattore è ottenuto con la riduzione di temperatura che accompagna la riduzione di potenza.

Il prolungamento nel funzionamento del reattore ma a potenza ridotta, è noto come funzionamento in stretch out.

I punti rappresentativi delle nuove condizioni di funzionamento cioè le coppie di valori: livello di potenza e corrispondente prolungamento di durata del ciclo, vanno ricercati entro l'area triangolare CD'D.

La scelta del nuovo livello di potenza al quale fare funzionare il reattore è legata strettamente alla durata desiderata di prolungamento del ciclo.

La durata del tempo di funzionamento in queste nuove condizioni sarà tanto più breve quanto più prossimo al valore iniziale sarà il nuovo livello di potenza, come indicato in Fig. 10.6.4.

Terminato o concluso il ciclo con o senza stretch out per l'esaurimento dell'eccesso di reattività del nocciolo, per proseguire col funzionamento del reattore è necessario costruire un nocciolo nuovo.

Lo schema più semplice di gestione o di ciclo del combustibile che si può immaginare è quello di scaricare tutto il combustibile usato in precedenza e ricostituire un nocciolo nuovo con combustibile fresco.

Usando lo stesso tipo di combustibile del ciclo precedente e a parità di tutte le altre condizioni, si riporta il valore del fattore $K_\infty(0)$ di nocciolo al punto A di Fig. 10.6.3 e si può iniziare un nuovo ciclo.

Questo schema che prevede il ricambio completo del combustibile ad ogni ciclo è noto in letteratura come "batch loading".

Lo schema batch loading presenta però controindicazioni che lo hanno eliminato dalle strategie di ricarica oggi considerate.

Esse sono date principalmente dalla forte disuniformità spaziale nella distribuzione della potenza cioè dall'elevato fattore di forma di potenza che caratterizza questo schema di ricarica e dalle notevoli differenze nella distribuzione stessa che si verificano da inizio ciclo a fine ciclo come riportato indicativamente in Fig. 10.6.5.

Le conseguenze sono rispettivamente:

- l'esposizione massima subita da alcuni elementi di combustibile, molto superiore a quella della maggioranza degli stessi, approssima in tempi relativamente brevi quella limite di garanzia ed obbliga ad interrompere il ciclo e scaricare tutti gli elementi;
- le variazioni nella distribuzione spaziale della potenza durante il ciclo possono produrre picchi locali di potenza che costringano a ridurre il livello di potenza del reattore.

Per superare gli aspetti negativi dello schema "batch loading" si sono sviluppate strategie di gestione del combustibile nel nocciolo più sofisticate i cui principi di base verranno presentati nei paragrafi seguenti e che permettono di ottenere "bruciamenti" medi del combustibile molto più elevati di quelli ottenibili dallo schema a ricambio completo per ciclo.

10.7. Schema a caricamento parziale

All'estremo opposto dello schema di ricambio completo del combustibile per ogni ciclo si può immaginare lo schema con ricambio continuo del combustibile cioè la sostituzione continua di una piccola parte del combustibile come se quest'ultimo fluisse in continuazione attraverso il nocciolo.

Lo schema di ricambio continuo del combustibile è interessante perchè permette come si vedrà più avanti di ottenere il valore massimo del bruciamento del combustibile allo scarico dal reattore. Esso può essere pensato come il caso limite dello schema a ricambio parziale del nocciolo quando la dimensione o quantità del combustibile ricambiato ogni volta diviene infinitesima.

Questo schema di ricambio richiede ovviamente di essere eseguito con il reattore in potenza. In pratica gli unici reattori a diffusione commerciale che possono adottare uno schema di ricambio del combustibile prossimo a quello continuo sono i reattori a tubi in pressione, i CANDU ed i reattori a gas grafite tipo CALDER HALL.

Per valutare i vantaggi ed i limiti dello schema di ricarica parziale del nocciolo utilizziamo un modello semplificato sviluppato originariamente da L.E. Strawbridge della Westinghouse dove il reattore è rappresentato da una regione omogenea entro la quale ogni elemento di combustibile funziona con lo stesso tasso di assorbimento neutronico.

In questo modo si svincola il problema anche dalla dipendenza spaziale permettendo quelle semplificazioni che mettono in maggiore evidenza gli aspetti del problema che qui interessano.

Il fattore di moltiplicazione del reattore può essere valutato in base alla semplice relazione che segue:

$$K_\infty = \frac{1}{n} \sum_{i=1}^{n} K_{\infty_i} \qquad (10.7.1)$$

dove n è il numero di infornate (batches) di combustibile o di ricambi parziali, intendendo per batch una certa quantità di elementi di combustibile caratterizzati dal rispettivo fattore di moltiplicazione K_∞ che assumiamo identico per tutti gli elementi del batch.

Nel modello si assume inoltre che il fattore di moltiplicazione infinito sia una funzione lineare decrescente con il bruciamento, funzione che per semplicità assumiamo eguale per tutti gli elementi di combustibile che formano il nocciolo.

Sia dunque:

$$K_{\infty_i}(b) = k_{\infty_i}(0) - \alpha b \tag{10.7.2}$$

dove k_{∞_i} (0) è il fattore di moltiplicazione del batch iesimo al tempo zero a piena potenza e con veleni in equilibrio ed α è una costante opportuna caratteristica dell'elemento di combustibile che rappresenta la perdita di reattività per MWd/t.

Se il valore del fattore di moltiplicazione a fine ciclo per mantenere la criticità deve essere K_∞ (b_{FC}), allora la capacità di bruciamento per uno schema di ricambio del combustibile completo per ogni ciclo (batch loading) è data da:

$$b = \frac{K_\infty(0) - K_\infty(b_{FC})}{\alpha} \quad (MWD/T) \tag{10.7.3}$$

Adottiamo ora uno schema di ricambio che preveda la sostituzione di una metà del nocciolo per ogni ciclo. Con questo schema gli elementi di combustibile restano in reattore prima dello scarico per due cicli. E' evidente che ad ogni fine ciclo metà nocciolo avrà subito un bruciamento $b_{1/2}$ e l'altra metà $2b_{1/2}$ se i bruciamenti di ciclo sono supposti tutti eguali tra di loro; con $b_{1/2}$ si è indicato il **bruciamento di ciclo** ottenibile con questo schema di ricarica.

Il fattore di moltiplicazione di mezzo nocciolo alla fine del secondo ciclo sarà dato da $K_\infty = K_\infty(0) - \alpha b_{1/2}$ e quello dell'altra metà sarà dato da $K_\infty = K_\infty(0) - 2\alpha b_{1/2}$.

Se il fattore di moltiplicazione del reattore deve essere alla fine del secondo ciclo eguale a $K_\infty(b_{SC})$, con $K_\infty(b_{SC}) \equiv K_\infty(b_{FC})$ dello schema precedente a ricambio completo del nocciolo per ciclo, si ha:

$$K_\infty(b_{SC}) = \frac{K_\infty(0) - \alpha b_{1/2}}{2} + \frac{K_\infty(0) - 2\alpha b_{1/2}}{2}$$

$$K_\infty(b_{SC}) = K_\infty(0) - (3/2)\alpha b_{1/2} \qquad (10.7.4)$$

e quindi il bruciamento di ciclo in questo caso sarà dato dalla:

$$b_{1/2} = \frac{2}{3} \frac{K_\infty(0) - K_\infty(b_{SC})}{\alpha} \qquad (10.7.5)$$

Sostituendo nell'eq. 10.7.5 l'eq. 10.7.3 si ottiene infine:

$$b_{1/2} = \frac{2}{3} b \qquad (10.7.6)$$

Poichè ogni batch o gruppo di elementi di una ricarica resta in reattore per due cicli e per ogni ciclo subisce un bruciamento $b_{1/2}=(2/3)b$, allo scarico si ha un bruciamento complessivo $b_{SC}=(4/3)b$.

In conclusione lo schema di ricambio con sostituzione di mezzo nocciolo per ciclo fornisce un bruciamento superiore di 1/3 al bruciamento ottenibile con lo schema che prevede il ricambio di tutto il nocciolo ad ogni ciclo (batch loading).

Generalizzando lo schema precedente di ricambio parziale del nocciolo al caso dove gli elementi di ogni ricarica (batch) rimangono in nocciolo per n cicli, il che equivale a dire che si effettua il ricambio di $(1/n)^{mo}$ di nocciolo per ogni ciclo, si dimostra che in analogia con l'eq. 10.7.4, vale la seguente relazione:

$$K_\infty (b_{SC}) = K_\infty (0) - \left(\frac{n+1}{2}\right) \alpha b_n \qquad (10.7.7)$$

dove b_n è il **bruciamento di ciclo** ottenibile ricambiando $(1/n)^{mo}$ di nocciolo per ciclo.

Si ha infatti:

$$k_\infty (b_{SC}) = \frac{k_\infty (0) - \alpha b_n}{n} + \frac{k_\infty (0) - 2\alpha b_n}{n} + \ldots\ldots + \frac{k_\infty (0) - n\alpha b_n}{n}$$

$$= \frac{n\, k_\infty (0) - \alpha b_n (1 + 2 + 3 + \ldots n)}{n}$$

$$= \frac{n\, k_\infty (0) - \alpha b_n \cdot n (n+1)/2}{n}$$

$$k (b_{SC}) = k_\infty (0) - \alpha b_n \frac{(n + 1)}{2} \qquad \text{c.v.d.}$$

Il **bruciamento di ciclo** in questo caso diviene:

$$b_n = \frac{2}{n+1} \; \frac{K_\infty (0) - K_\infty (b_{SC})}{\alpha} \; (MWD/T) \qquad (10.7.8)$$

mentre il **bruciamento di scarico** diviene:

$$b_{SC} = n\, b_n = \frac{2\,n}{n+1} \; \frac{K_\infty(0) - K_\infty(b_{SC})}{\alpha} \qquad (MWD/T)$$

e per l'eq. 10.7.3, ricordando che è $K_\infty(b_{FC}) \equiv K_\infty(b_{SC})$, si ha infine:

$$b_{sc} = \frac{2\,n}{n+1}\, b \qquad (MWD/T) \qquad (10.7.9)$$

Lo schema di ricambio con caricamento parziale di combustibile fresco ad ogni ciclo è detto a multibatch dove n è l'ordine di moltiplicità del batch.

Il guadagno di bruciamento rispetto allo schema batch loading è dato dal fattore $2n/(n+1)$.

La ragione fisica che spiega qualitativamente l'aumento di bruciamento conseguibile con schemi di ricambio parziale è da ricercare nelle modalità di controllo dell'eccesso di neutroni necessario per mantenere la criticità; nel caso a batch unico l'eccesso di neutroni viene controllato con il loro assorbimento in materiali parassiti, le barre di controllo o sistemi equivalenti, negli schemi multibatch l'eccesso di neutroni viene assorbito in buona parte dagli elementi di combustibile a basso valore di K_∞ che in questo modo possono permanere in reattore più a lungo e quindi produrre più energia.

Al limite per ricambio continuo, cioè per $n \rightarrow \infty$ si ottiene, come preannunciato, il bruciamento di scarico massimo che come è immediato dedurre dall'eq. 10.7.9 risulta doppio rispetto allo schema di ricambio a batch unico, cioè con ricambio completo del combustibile ad ogni ciclo.

In conclusione più piccolo è il numero di elementi ricambiati ad ogni ciclo, cioè la dimensione del batch, maggiore è il bruciamento di scarico.

In pratica nei LWR si usano schemi di ricambio con $n=3$ oppure $n=4$ in quanto come si vede anche dalla Fig. 10.7.1 gli incrementi di bruciamento per n maggiore di 4 sono abbastanza modesti e decrescenti al crescere di n.

Oltre ai modesti incrementi aggiuntivi di bruciamento del combustibile che si ottengono nei LWR per $n > 4$ occorre ricordare che minore è la frazione di nocciolo ricambiata minore è l'incremento o recupero di reattività e più corto risulta di conseguenza il ciclo di funzionamento a potenza nominale. La maggiore frequenza di fermate dell'impianto che ne consegue riduce la disponibilità dello stesso e quindi anche il fattore di carico con riflessi economici negativi che vanno valutati e confrontati con i benefici rappresentati dal maggiore bruciamento di scarico conseguibile.

Un ulteriore effetto da tenere in debito conto durante la pianificazione della gestione del combustibile nel nocciolo è rappresentato dalle conseguenze prodotte dalla frequenza degli spegnimenti del reattore sull'affidabilità dell'intero sistema di refrigerazione primario. Lo spegnimento del reattore comporta infatti il raffreddamento dei componenti il primario dalle precedenti temperature di esercizio a potenza; le forti sollecitazioni sui componenti il sistema conseguenti a questi transitori di temperatura risultano maggiori di quelle che si hanno normalmente in esercizio anche in occasione di inseguimento del carico.

In conclusione per quanto riguarda strettamente l'affidabilità dei componenti il circuito primario, è altamente desiderabile ridurre al massimo la frequenza delle sollecitazioni termiche cicliche cioè il numero di spegnimenti e successivi riavviamenti dell'impianto.

10.7.1. Il ciclo di equilibrio

In quello che abbiamo detto in precedenza si è sempre assunto o sottointeso che rimanessero invariate di ciclo in ciclo le limitazioni sul bruciamento di scarico, le dimensioni del batch di ricarica, le caratteristiche neutroniche del combustibile e la quantità di energia prodotta per ogni ciclo. Si è cioè fatto esplicito o implicito riferimento a quelli che si usano chiamare cicli di equilibrio.

In realtà il ciclo di equilibrio è più una astrazione utile per analisi di cicli alternativi che una realtà operativa.

Infatti il primo ciclo di funzionamento è progettato per bruciamenti maggiori dei cicli successivi ed utilizza combustibile che in generale presenta caratteristiche neutroniche differenti dal combustibile di ricarica. Occorrono da tre a cinque cicli per eliminare il transitorio introdotto dal primo ciclo, come schematizzato in Fig. 10.7.2; tutti questi cicli in generale differenti tra di loro sono detti cicli di transizione. I cicli successivi potrebbero essere cicli di equilibrio purchè rimanessero invariate tutte le condizioni di funzionamento unitamente alle limitazioni ed ai condizionamenti tecnici ed economici generali ed in più non si verificassero disturbi operativi imprevisti che modifichino o l'energia prodotta durante il ciclo o la frazione di combustibile da ricambiare. In generale l'invarianza estesa a tutti i parametri sopra ricordati non si verifica quasi mai e questo spiega perchè si sia affermato poco sopra che i cicli di equilibrio non sono una realtà operativa ma che ogni ciclo va pensato come un ciclo di transizione verso cicli di equilibrio predefiniti raggiungibili solamente se potranno essere rispettate le invarianze di cui sopra.

10.7.2. Effetto dell'accoppiamento tra cicli

Le ricariche parziali hanno come conseguenza, ovvia d'altra parte, che durante ogni ciclo sia presente contemporaneamente combustibile già in reattore nei cicli precedenti e combustibile che sarà in reattore nei cicli successivi.

Se l'energia generata in un certo ciclo è maggiore o minore di quella originariamente prevista oppure è maggiore o minore il numero di elementi combustibile di ricarica, si ha come conseguenza una perturbazione in reattore del fattore di moltiplicazione rispetto a quanto previsto.

Per esempio supponiamo che per una qualche ragione si riduca la quantità di energia prodotta al ciclo n^{mo}. Le conseguenze sui cicli successivi sono dovute alla necessità di ridurre al valore desiderato di progetto la reattività iniziale in eccesso. Per ottenere questo risultato è necessario ricorrere ad una delle due seguenti alternative:

1) ridurre l'arricchimento isotopico in fissile del combustibile fresco caricato al ciclo $(n+1)$.

   Se si adotta questa strategia è necessario prevedere per il ciclo successivo $(n+2)$ un arricchimento in fissile superiore a quello di riferimento e quindi predisporre oscillazioni negli arricchimenti in fissile per i cicli seguenti, oscillazioni che si appianeranno solamente dopo alcuni cicli (anni);
2) ridurre il numero di elementi freschi di ricarica rispetto al previsto.

   Questo avrà come conseguenza l'aumento del bruciamento di scarico di alcuni elementi di combustibile e l'aumento del numero di elementi di combustibile freschi da introdurre nel nocciolo nel ciclo seguente con oscillazione di queste grandezze per alcuni cicli a seguire.

In pratica si segue la seconda alternativa.

Una certa riduzione negli effetti di accoppiamento tra i cicli si può ottenere progettando cicli con ricariche formate da elementi di combustibile ad arricchimenti in fissile differenziati.

10.8. Schemi di ricarica

10.8.1. Generalità

La determinazione delle configurazioni di ricarica e delle sequenze di movimentazione delle barre di controllo che meglio si adattino a produrre distribuzioni di potenza e generazione di energia nel rispetto dei limiti di progetto è un esercizio di grande complessità.

Nei reattori commerciali del tipo LWR si tratta ad esempio di definire per ogni ciclo la localizzazione esatta entro il nocciolo di alcune centinaia di elementi di combustibile, circa 700 in un BWR (Boiling Water Reactor) da 1000 MWe.

Ricorrendo a configurazioni con simmetrie non solo geometriche ma principalmente delle proprietà neutroniche dei materiali è concettualmente possibile limitare l'analisi ad un quarto o ad un ottavo dell'intero nocciolo. Anche in questi casi tuttavia per ragioni economiche deve ritenersi irrealizzabile sia la valutazione rigorosa della distribuzione di potenza nel tempo per tutte le configurazioni del combustibile possibili sia per ognuna di esse eseguire la verifica delle condizioni operative di sicurezza per ogni singolo elemento.

Per questo in generale si usa dividere il problema della ricerca della configurazione di ricarica in due parti.

La prima parte è volta principalmente a produrre cicli di riferimento. Nel caso di un reattore con potenza assegnata e con cadenze e durata dei cicli prefissati dall'esercente, produrre cicli di riferimento significa in ultima analisi definire:

- l'arricchimento isotopico del combustibile da usare;
- le dimensioni della frazione di nocciolo da ricambiare ad ogni ciclo per ottenere un determinato bruciamento di scarico;
- le zone di nocciolo dove mettere gli elementi freschi.

La seconda parte del problema ha come soluzione la allocazione precisa di ogni elemento di combustibile nel nocciolo del reattore, operazione che risulta facilitata dalle informazioni emerse dalla soluzione della prima parte del problema. In particolare il numero di posizioni potenzialmente disponibili per ogni tipo di elemento è fortemente ridotto e quindi con l'uso di principi guida di carattere generale la soluzione del problema può essere ottenuta con modelli di simulazione a ricerca diretta.

Il processo di analisi di ciclo lo si considera terminato quando ottenuta una certa configurazione di ricarica si verifica che:

- essa soddisfa alle prestazioni richieste sia operative che di resa energetica di ciclo;
- sono soddisfatti i limiti neutronici di progetto;
- per tutti gli elementi di combustibile sono rispettati i limiti termici e tecnologici di progetto sia in funzionamento nominale sia in transitorio operazionale o accidentale previsto.

Esistono numerosissime "ricette" su come dare soluzione alla prima e come alla seconda parte del problema della ricerca della configurazione di ricarica. Tutte comunque sono orientate a soddisfare l'obiettivo comune di minimizzare il costo di produzione del KWh(e) nel rispetto della sicurezza.

Questo obiettivo fino di recente è stato ottenuto tarando le dimensioni dei batches di ricarica in modo da ottenere da una parte il massimo di densità di potenza media di nocciolo e dall'altra una durata di ciclo di circa 12 mesi.

L'aumento che si è verificato nei costi di costruzione delle centrali nucleari e degli oneri finanziari connessi, hanno reso particolarmente importante il fattore di disponibilità dell'impianto ai fini della minimizzazione del costo di generazione della energia elettrica. Nelle analisi degli schemi di ricarica i riflessi di questa rinnovata esigenza si manifestano anche nella ricerca di strategie di riordino del combustibile (shuffling) che comportino il minore dispendio di tempo.

Per queste ragioni è possibile che in futuro ci si orienti su durate di ciclo superiori ai 12 mesi, ad esempio 15 o 18 mesi.

La dimensione ottima del batch di ricarica è in definitiva quella che:

- risulta più piccola compatibilmente con la durata di ciclo prevista;
- non penalizza i cicli successivi;
- assicura condizioni di funzionamento del combustibile che non superino i limiti termici di progetto.

Poichè sia la reattività del nocciolo che i valori di picco della potenza dipendono oltre che dalla dimensione del batch di ricarica anche dalla sua ripartizione nel nocciolo e dalle modalità di shuffling della parte restante di nocciolo, è evidente che la soluzione sarà il risultato di un opportuno processo iterativo.

Prima di descrivere due metodologie operative che concettualmente compendiano il fine ultimo delle tante "ricette" esistenti, ricordiamo come già accennato nella prima parte di questo capitolo che gli schemi di gestione del combustibile nel nocciolo tendono nella loro generalità ad ottenere distribuzioni spaziali di potenza appiattite rispetto agli andamenti "naturali" dovuti alla forma e dimensioni del nocciolo reattore ed alla composizione isotopica del combustibile.

Le ragioni di questa tendenza sono già state richiamate ai paragrafi precedenti e vengono qui ripetute per comodità. Dato un certo reattore, la possibilità di ottenere da esso un ben definito valore della potenza totale $P = \int_{V_u} q'''(r)\,dr$ (dove l'integrale è esteso al volume del combustibile e l'integrale è esteso al volume complessivo V_u del combustibile) deriva dalla capacità di realizzare configurazioni, cioè disposizioni del combustibile, la cui distribuzione di potenza abbia un fattore di forma totale F_T compatibile con l'esigenza di rispettare il limite di potenza massima $q'''_{max}(r)$; deve cioè poter risultare:

$$P = \int_{V_u} \frac{q'''_{max}(r)}{F_T\ (r)}\ dr$$

E' immediato riconoscere che minore è il valore numerico del fattore $F_T\ (r)$ cioè più piatta è la distribuzione di potenza, maggiore è il valore della densità di potenza media $<q'''(r)>$ con i vantaggi economici che ne derivano.

D'altra parte è ovvio riconoscere che l'appiattimento nella distribuzione di potenza comporta un aumento delle fughe neutroniche alla periferia del nocciolo con conseguente riduzione della reattività e quindi della vita utile del nocciolo.

L'appiattimento nella distribuzione spaziale della potenza deve quindi essere ottimato facendo riferimento ai due fenomeni ricordati l'aumento della potenza media $<q'''>=q_{max}/F_T$ e la riduzione di reattività del nocciolo che hanno conseguenze economiche contrastanti.

Le tecniche concettualmente valide per ottenere in un reattore distribuzioni piatte della potenza sono molteplici. E' ad esempio possibile immaginare anzitutto una disposizione del materiale fissile in reattore (con riflettore) che produca una distribuzione spaziale di potenza perfettamente piatta cioè con fattore di forma unitario.

La Fig. 10.8.1 mostra quale dovrebbe essere la disposizione del materiale fissile e quale ne risulterebbe la distribuzione del flusso neutronico (quest'ultima ottenuta con calcoli in approssimazione della diffusione ad un gruppo e ad una dimensione) per ottenere la distribuzione di potenza radiale piatta. Le distanze dal centro reattore in ascisse sono espresse in unità di lunghezza di diffusione neutronica L. Per ottenere gli andamenti della figura si è ipotizzato che nella zona centrale del nocciolo del reattore il combustibile abbia concentrazioni isotopiche tali da dare luogo a un fattore di moltiplicazione infinito unitario.

Per mantenere costante la distribuzione radiale di potenza si dimostra che la concentrazione di fissile in prossimità della periferia del nocciolo deve essere circa doppia di quella al centro. Come si vede dalla figura il gradiente di concentrazione si sviluppa principalmente entro una distanza eguale o inferiore alle dimensioni di un elemento di combustibile. Già questa prima osservazione conduce a ritenere impraticabile una simile soluzione che d'altra parte anche se realizzata si deteriorebbe rapidamente con il funzionamento del reattore.

La soluzione ideale sopra analizzata fornisce comunque suggerimenti molto interessanti in quanto mostra come sia possibile ottenere distribuzioni radiali di potenza tendenzialmente piatte realizzando configurazioni dove la maggior parte del nocciolo abbia K_∞ piuttosto basso, cioè prossimo all'unità, e solamente una corona esterna relativamente sottile sia formata da elementi con maggiore reattività.

Questa osservazione è la base di riferimento per il principio generale di ricarica noto come "out-in loading".

Questa tecnica o modalità di ricarica comporta il posizionamento degli elementi freschi alla periferia del reattore, la loro permanenza in questa posizione per un ciclo di funzionamento e quindi il loro spostamento nei cicli successivi in posizioni più centrali come schematizzato in Fig. 10.8.2.

Contemporaneamente al movimento centripeto da un ciclo a quello successivo, questo combustibile a basso irraggiamento partecipa ad un più generale riordino o cambiamento di posizione nel nocciolo che coinvolge la maggioranza o tutto il nocciolo reattore e che viene effettuato all'inizio di ogni ciclo.

10.8.2. Principio del picco minimo di potenza e del massimo di reattività

Il principio o criterio del picco minimo di potenza e della massima reattività del nocciolo è stato suggerito come guida per la ricerca della configurazione di ricarica dalla General Electric (USA) per la gestione del combustibile nei BWR. Questo criterio si propone in definitiva come soluzione ottimale tra la tecnica "Out-In" che prevede il caricamento del combustibile fresco alla periferia del nocciolo con spostamento verso il centro nei cicli successivi e la tecnica opposta "In-Out" che prevede l'inserimento del combustibile fresco al centro del nocciolo per muoverlo poi nei cicli successivi verso zone più esterne o periferiche.

La tecnica "Out-In" come già visto comporta come conseguenza positiva l'appiattimento radiale del profilo di potenza e come conseguenza negativa la perdita di reattività del nocciolo.

Infatti a parità di sollecitazione massima del combustibile, ad esempio quella dovuta alla potenza lineare q'_{max}, il profilo appiattito comporta un aumento del valore della potenza media $<q'>$ e quindi della potenza complessiva P del reattore.

D'altra parte posizionare il combustibile fresco nella zona periferica risulta quasi sempre troppo penalizzante in quanto "l'importanza" neutronica di questa zona è sicuramente modesta a causa delle fughe neutroniche e richiede a parità delle altre condizioni l'impiego o immobilizzo di combustibile in quantità superiore a quella necessaria con altre configurazioni.

La tecnica "In-Out" produce al contrario il massimo di reattività del nocciolo ottenibile con quel numero di elementi di combustibile fresco, ma produce anche un valore estremamente sfavorevole del rapporto potenza massima potenza media, cioè un valore numerico elevato del fattore di forma in particolare per la componente radiale F_R.

A parità di sollecitazione massima del combustibile un profilo ad elevato fattore di forma radiale F_R (ed a pari fattore assiale F_Z) comporta la riduzione del valore della potenza media e quindi della potenza complessiva P erogabile dal reattore.

In Fig. 10.8.3 è riportato uno schema che riassume quanto detto.

Come esempio delle conseguenze sulla reattività iniziale e sul valore del picco di potenza che derivano dall'applicare differenti schemi di ricarica si riportano qui di seguito i risultati per due schemi dei quali il primo prevede che gli elementi freschi (25% del totale n=4) vengano allocati alla periferia del nocciolo, il secondo prevede che gli elementi freschi, sempre il 25% del totale del nocciolo, vengano caricati a scacchiera come indicato in Fig. 10.8.4.

Applicando questi due schemi alla centrale di Big Rock Point di progetto General Electric ed assegnate certe condizioni sia operative che di contenuto isotopico di fissile nel nocciolo eguali nei due casi, si sono ottenuti con un simulatore 3D i seguenti risultati:

Schema di ricarica	**K_∞ richiesto**	**F_T**
In periferia	1,3124	1,419
A scacchiera	1,3086	1,643

Per K_∞ richiesto si intende il valore del fattore di moltiplicazione infinito di inizio ciclo necessario per produrre un ciclo con potenza del reattore e durata eguali per le due configurazioni.

Come era da attendersi lo schema con ricarica in periferia fornisce il valore del fattore di forma di potenza F_T più basso tra i due mentre quello a scacchiera richiede una reattività iniziale inferiore a parità di energia prodotta durante il ciclo.

Il criterio del picco di potenza minimo e della massima reattività ha lo scopo di ricercare la configurazione di ricarica di massima che compendia al meglio gli aspetti positivi delle tecniche Out-In ed In-Out riducendone al minimo le conseguenze negative sopra ricordate. Il criterio si applica nel modo seguente.

Il nocciolo del reattore viene suddiviso idealmente in tre zone concentriche (visto in pianta) delle quali quella centrale per il nocciolo degli attuali reattori con potenza compresa tra 800 MWe e 1000 MWe occupa il 50% del volume totale, quella intermedia più piccola un volume attorno al 37,5% del totale e quella periferica occupa circa il 12,5% del volume totale.

Il combustibile viene diviso in tre gruppi, uno ad elevato arricchimento isotopico in fissile, il combustibile fresco, uno con arricchimento intermedio, il combustibile parzialmente utilizzato ed uno a basso arricchimento, gli elementi più fortemente esauriti.

Gli elementi a basso arricchimento si pongono nella zona periferica; nella zona intermedia si pongono elementi prevalentemente ad alto arricchimento e nella zona centrale elementi a medio ed alto arricchimento. La distribuzione radiale di $K_\infty(r)$ che ne risulta è del tipo di quella riportata in Fig. 10.8.5. Gli aggiustamenti sul $K_\infty(r)$ della zona intermedia e della zona centrale cioè la disposizione radiale degli elementi combustibile nuovi e meno nuovi e quindi in definitiva la determinazione della configurazione di ricarica di riferimento, viene eseguita in base alle seguenti osservazioni.

Se gli arricchimenti medi nelle due zone quella centrale e quella periferica coincidono, il picco di potenza più elevato P/A, dove P è il valore di potenza massima di zona ed A quello di potenza media di nocciolo, si trova sicuramente nella zona centrale come riportato in Fig. 10.8.6(a).

Per appiattire la distribuzione radiale di potenza e quindi ridurre il valore massimo di P/A si possono seguire differenti strategie e precisamente:

- ridurre l'arricchimento nella zona centrale;
- aumentare l'arricchimento della zona intermedia;
- entrambe le soluzioni assieme.

Ognuna di queste strategie significa in ultima analisi modificare la dimensione e/o la ripartizione del batch di ricarica nelle due zone, quella centrale e quella intermedia, ed adottare differenti percorsi di shuffling.

Nella Fig. 10.8.6(b) sono riportati i risultati conseguibili adottando l'ultima delle strategie alternative elencate sopra.

Per interpretare le Figg. 10.8.6(a) e (b) consideriamo l'andamento del fattore di forma radiale di zona cioè del rapporto P/A di zona in funzione dell'arricchimento isotopico in fissile della zona stessa.

La modifica dell'arricchimento isotopico in fissile di zona è ottenuta variando sia il numero di elementi freschi sia i percorsi di shuffling come già detto.

Diminuendo l'arricchimento isotopico in fissile della zona centrale ed aumentando quello della zona intermedia come indicato in Fig. 10.8.6(b) si modificano i valori del rapporto P/A di zona come riportato in Fig. 10.8.6(a).

Procedendo in questo modo si perviene ad una configurazione per la quale il picco di potenza della zona centrale eguaglia il picco di potenza della zona intermedia. Questa configurazione è quella con picco radiale di potenza minima.

Infatti se si andasse oltre nell'arricchire la zona intermedia e nel ridurre il contenuto in fissile della zona centrale, il fattore di forma P/A della zona intermedia supererebbe il valore precedente.

Se questo picco minimo di potenza è fatto coincidere con il picco di progetto cioè con il valore massimo consentito perchè compatibile con l'integrità del combustibile, allora la configurazione ottenuta soddisfa per quanto detto in precedenza anche alla condizione di massima reattività ottenibile con quel picco di potenza e con quella dimensione del batch di ricarica.

10.8.3. Il principio di Haling

Come evidente da quanto precede le due variabili più importanti per ottimizzare il ciclo del combustibile nel reattore sono il fattore di forma radiale F_R ed il bruciamento di scarico b_{SC} del combustibile.

Il bruciamento maggiore lo si otterrà ovviamente massimizzando la reattività del nocciolo e quindi la sua durata o vita dato un certo numero e tipo di elementi di combustibile a costituire il nocciolo stesso.

Nei reattori PWR in generale privi del controllo radiale della potenza, si verifica che la configurazione a maggiore reattività e quindi a più lunga vita o durata del ciclo è quella con il valore minore del fattore di forma radiale F_R **ad inizio ciclo.**

La ragione è dovuta alla minore variazione che subisce il profilo di potenza radiale durante il ciclo rispetto a tutti gli altri casi. Al crescere del fattore di forma radiale iniziale F_R infatti, la parte centrale del nocciolo "brucia" più velocemente provocando un appiattimento radiale e quindi un aumento delle fughe neutroniche che unitamente al consumo del combustibile conducono al rapido esaurimento della reattività del nocciolo.

Nei reattori bollenti, i Boiling Water Reactors BWR, la ricerca delle configurazioni di ricarica è condotta applicando il **principio di Haling**.

Il principio afferma che l'ottimazione delle prestazioni del nocciolo per ogni ciclo coincide con il **mantenimento del picco di potenza**, o che è lo stesso del fattore di forma di potenza, **ad un valore minimo e costante durante tutto il ciclo**.

Il principio è conseguenza dell'osservazione che in generale nei BWR i vantaggi economici che si ottengono con configurazioni appiattite sono superiori a quelli conseguibili con la riduzione nell'arricchimento in fissile del combustibile.

Questo principio è a rigori valido solamente se il fattore di moltiplicazione K_∞ del combustibile è una funzione decrescente linearmente con il bruciamento e se il rapporto flusso neutronico/potenza varia poco con il bruciamento b.

Queste limitazioni sono sufficientemente rispettate per la maggior parte del tempo di durata del ciclo e per il nocciolo nel suo complesso quindi il principio trova ampia applicazione anche se all'inizio del ciclo stesso l'elevato tasso di riduzione dei veleni bruciabili e/o l'elevato rapporto di conversione iniziale disturbano le condizioni di cui sopra.

Durante un ciclo di funzionamento a potenza la reattività del nocciolo è ovviamente mantenuta costante ed eguale a zero perchè il reattore sia critico, tuttavia per compensare la perdita di reattività dovuta al bruciamento del materiale fissile è necessario estrarre gradualmente le barre di controllo.

Questo movimento e la riduzione nella concentrazione locale dei veleni neutronici (Gd_2O_3) provocano sia singolarmente che congiuntamente **variazioni locali** delle proprietà moltiplicanti cioè di K_∞ locale.

Queste ultime variazioni producono cambiamenti nel profilo o distribuzione della potenza nel nocciolo durante il ciclo e questo contrasta con l'applicazione pratica, operativa, del principio di Haling.

Infatti si può dimostrare che il picco di potenza è mantenuto al suo valore minimo **se la distribuzione della potenza nel nocciolo non varia durante il ciclo.**

Per rispettare questa condizione è immediato riconoscere che il profilo di potenza di riferimento e quindi il valore minimo del fattore di forma sono dati dalla scelta delle condizioni di nocciolo a fine ciclo in quanto in questa ultima fase del ciclo non è possibile intervenire operativamente per modificare la distribuzione di potenza in quanto le barre di controllo sono in pratica completamente estratte ed i veleni neutronici bruciabili quasi completamente esauriti.

La distribuzione di potenza ottima è quindi determinata univocamente dalle condizioni di fine ciclo intese come valori a fine ciclo delle proprietà moltiplicanti, K_∞, degli elementi, e dall'eventuale ammontare di frazioni di barre di controllo ancora inserite e di veleni bruciabili residui.

Per ottenere la distribuzione di potenza cercata si eseguono calcoli iterativi tra la distribuzione di potenza e gli effetti del bruciamento di ciclo sulle proprietà moltiplicanti K_∞ degli elementi di combustibile. In pratica si assume una distribuzione di potenza di primo tentativo e si determina con questa la distribuzione dei valori di K_∞ degli elementi a fine ciclo. Con questi valori di K_∞ si calcola in teoria della diffusione la distribuzione di potenza di fine ciclo. Con questo ultimo profilo di potenza si determina la nuova distribuzione dei valori di K_∞ degli elementi; iterando questo procedimento si giunge generalmente a distribuzioni di potenza e distribuzioni di K_∞ di elemento mutuamente consistenti.

La distribuzione di potenza ottenuta alla convergenza rappresenta la distribuzione di potenza ottima cercata.

Un esempio di soluzione di un problema di convergenza tra distribuzioni consistenti di potenza e K_∞ locale è riportato indicativamente in Fig. 10.8.7.

Il calcolo monodimensionale è stato eseguito in teoria della diffusione assumendo le seguenti condizioni di fine ciclo.

- Esposizione media del combustibile 10.000 MWD/T
- Barre di controllo completamente estratte
- Veleni neutronici bruciabili esauriti
- Reattore in potenza al valore nominale con Xe in equilibrio
- Combustibile a composizione assiale uniforme
- Coefficiente di moltiplicazione infinito per combustibile caldo e pulito $K_\infty = 1,28$
- Decremento lineare di K_∞ con l'esposizione dato dalla: $K_\infty(b) = K_\infty(0) - 0,015b$, dove b è il bruciamento
- Le dimensioni del nocciolo reattore coincidono con quelle del BWR di Big Rock Point.

La verifica intuitiva che l'applicazione del principio di Haling produce il fattore di forma di potenza più basso realizzabile è data dalle considerazioni che si possono fare sui due profili di potenza A e B riportati in Fig. 10.8.8.

La curva A rappresenta la distribuzione di potenza secondo Haling cioè quella costante durante tutto il ciclo mentre la curva B rappresenta una distribuzione di potenza non vincolata e che presenta per un certo periodo del ciclo un fattore di forma **minore** della distribuzione A.

Per ottenere la distribuzione B è necessario che la rispettiva distribuzione delle proprietà moltiplicanti degli elementi di combustibile, in sintesi i K_∞ di elemento, sia caratterizzata nella zona centrale attorno al picco da valori di K_∞ inferiori a quelli che danno luogo alla curva A.

Dato l'andamento lineare assunto per il decremento di K_∞ con l'irraggiamento è evidente che occorre ipotizzare per la distribuzione B che l'esposizione accumulata dal combustibile nella zona centrale sia maggiore di quella corrispondente alla distribuzione A.

Questo risultato è possibile solamente se in un tempo precedente a quello considerato la potenza nella zona centrale era superiore a quella corrispondente della curva A.

Quindi in un tempo precedente a quello corrispondente alla situazione riportata in Fig. 10.8.8 ma sempre appartenente allo stesso ciclo, la curva B era caratterizzata da un fattore di forma di potenza maggiore della curva A.

Al contrario se le barre di controllo nella prima fase del ciclo sono posizionate in modo da ottenere per la curva B un fattore di forma molto basso, nella fase finale del ciclo i valori di K_∞ delle zone che erano controllate dalle barre saranno superiori ai corrispondenti valori di K_∞ generati dal profilo di potenza della curva A assunto costante durante tutto il ciclo. A fine ciclo il picco di potenza sarà quindi superiore a quello ottenuto con il profilo di potenza costante nel tempo.

In conclusione non è escluso che si possano realizzare configurazioni di nocciolo di ricarica con fattore di forma di potenza che durante alcune fasi di un ciclo sia inferiore a quello corrispondente al profilo di potenza costante ed ottenuto applicando il principio di Haling, ma è però inevitabile, come descritto in precedenza, che durante il ciclo, per periodi più o meno lunghi, il fattore di forma peggiori sensibilmente con le conseguenze che questo comporta sulla potenza complessiva erogabile dal reattore in condizioni di sicurezza o sulla durata del ciclo stesso come già ricordato nel precedente par. 10.8.1.

Il profilo di potenza alla Haling cioè quello costante su tutto il ciclo permette quindi di ottenere, come già detto, il valore minimo del fattore di forma di potenza per la durata di tutto il ciclo.

Il principio di Haling può fornire anche indicazioni operative per le sequenze di movimento delle barre di controllo come evidente dalle seguenti considerazioni.

La distribuzione sia assiale che radiale della reattività (K_∞) del combustibile consistente con il profilo di potenza Haling è, come già detto, quella di fine ciclo.

La differenza ΔK_∞ tra i valori iniziali di K_∞ e quelli di fine ciclo rappresenta la reattività (K_∞) che deve essere compensata localmente con gli assorbitori neutronici parassiti cioè con le barre e con il bruciamento neutronico.

Ad esempio noto il valore locale di K_∞ (r) del combustibile non controllato, quello corrispondente con controllo (barra inserita) ed il valore K'_∞ (r) desiderato per ottenere il profilo alla Haling, le sequenze di movimento delle barre necessarie per mantenere il profilo di potenza desiderato saranno quelle che rendono minima la differenza tra i valori attuali locali di K_∞ (r) ed i valori K'_∞ (r) desiderati.

A conclusione viene riportata in Tab. 10.8.1 la sequenza tipo di attività e possibili varianti collegate alla progettazione di un nocciolo di ricarica evidenziandone le scadenze temporali.

Allo scopo di presentare i risultati di un'applicazione pratica della ricerca della configurazione di un nocciolo di ricarica applicando il principio di Haling si riportano i risultati dei calcoli eseguiti con un programma di simulazione 3D per la ricerca della configurazione della terza ricarica della centrale Kernkraftwerke Muhleberg (Svizzera) dotata di un reattore BWR General Electric. Nelle Tab. 10.8.2 e Tab. 10.8.3 sono riportati i dati caratteristici di nocciolo e del combustibile presente in reattore.

In Fig. 10.8.9 è riportata la configurazione di scarica del combustibile a fine ciclo due determinata tenendo conto:

- della reattività dei singoli elementi di combustibile, (si scaricano per primi quelli a reattività minore);
- dell'approssimarsi ai limiti tecnologici (di integrità meccanica delle guaine cioè ai limiti di garanzia sull'esposizione massima e/o sul tempo massimo di residenza in reattore) per ogni elemento di combustibile.

La configurazione di ricarica riportata in Fig. 10.8.10 è stata definita:

- utilizzando le indicazioni di un ciclo di riferimento elaborato in precedenza;
- applicando il principio di Haling;
- nel rispetto dei limiti termici di progetto e delle basi di progetto riportati rispettivamente in Tab. 10.8.4 e Tab. 10.8.5.

Gli elementi freschi caricati ad inizio ciclo tre sono indicati in Fig. 10.8.10 con la lettera X.

Le caratteristiche di funzionamento a inizio ciclo, Begining of Cycle BOC, e fine ciclo, End of Cycle EOC, sono state ottenute come detto applicando il principio di Haling. Ad inizio ciclo si sono considerate inoltre due differenti configurazioni di barre di controllo indicate come sequenza A e seguenza B.

Le caratteristiche principali del nocciolo calcolate per il ciclo tre sono riportate nelle Tab. 10.8.6 e Tab. 10.8.7 mentre il profilo assiale medio di potenza di fine ciclo e di inizio ciclo per le sequenze A e B di movimento delle barre di controllo sono riportati in Fig. 10.8.11 e Fig. 10.8.12 rispettivamente.

Tabella 10.8.1

Mesi antecedenti il ricambio del combustibile		
15	(1)	Il responsabile dell'impianto dichiara la quantità di energia che dovrà essere prodotta al ciclo N e quali elementi di combustibile precedentemente usati desidera che vengano riposizionati in reattore
14	(2)	La Società di progettazione suggerisce alcune alternative di configurazioni di nocciolo variando il numero di elementi di combustibile nuovi e gli arricchimenti che soddisfano allo sviluppo della quantità di energia richiesta
13	(3)	Il responsabile dell'impianto modifica quanto suggerito in (2) al fine di minimizzare i costi di produzione del kWh, ordina l'uranio e la fabbricazione degli elementi di combustibile; inizia la progettazione di dettaglio
12	(4)	Inizia il caricamento del nocciolo al ciclo (N-1). Si può verificare che uno o più elementi di combustibile previsti per il ciclo successivo N non siano usabili. Vengono allora valutate alcune alternative come ad esempio proseguire l'utilizzo di uno o più elementi portandoli a rese energetiche maggiori oppure ordinare elementi nuovi a basso arricchimento isotopico
11	(5)	Inizia la produzione di potenza al ciclo (N-1). Se si verifica che il nocciolo abbia meno reattività del previsto e quindi il ciclo duri meno del previsto si eseguono i calcoli necessari per le necessità successive

Sequenza tipo di attività collegate alla progettazione di una ricarica del nocciolo

Segue Tabella 10.8.1

Mesi antecedenti il ricambio del combustibile		
9	(6)	La Società di progettazione presenta una configurazione di ricarica preliminare che mostra margini ridotti rispetto ai limiti autorizzati. Il responsabile dell'impianto conviene che possono essere cambiate alcune procedure operative per evitare di ridurre la potenza di esercizio ed ottenere i limiti termici autorizzati
6	(7)	Si dimostra che la configurazione di ricarica soddisfa alla maggioranza delle limitazioni di sicurezza eccetto che per il coefficiente di reattività da temperatura. Si decide di svolgere una nuova analisi di sicurezza per verificare l'accettabilità del coefficiente da temperatura
4	(8)	La Società di progettazione prepara il rapporto di sicurezza e lo manda al responsabile di centrale per un'eventuale revisione e copia viene inviata all'Ente di controllo per la sicurezza
3	(9)	L'Ente di controllo chiede un incontro ed ulteriore documentazione a giustificazione del nuovo limite al coefficiente di temperatura
3	(10)	Il responsabile di centrale dichiara la quantità di energia che dovrà essere prodotta al ciclo (N+1)
2	(11)	Il sistema elettrico al quale è collegata la centrale precisa che sarebbe altamente desiderabile prolungare il ciclo di due settimane. L'analisi dimostra che non occorrono modifiche alla configurazione

Sequenza tipo di attività collegate alla progettazione di una ricarica del nocciolo

Segue Tabella 10.8.1

Mesi antecedenti il ricambio del combustibile	
1	(12) L'Ente di controllo approva il progetto di ricarica ma chiede prove specifiche di avviamento del reattore dopo avvenuta la ricarica
0	(13) Si esegue il ricambio del combustibile con la configurazione approvata
	(14) Il responsabile di centrale e la Società di progettazione analizzano le prove normali e speciali di avviamento dell'impianto e dimostrano che il funzionamento avviene nel rispetto della sicurezza

Sequenza tipo di attività collegate alla progettazione di una ricarica del nocciolo

Tabella 10.8.2

	Ciclo 2	Ciclo 3
Potenza termica di progetto (MW)	847,4	997,2
Densità media di potenza (kW/l)	46,46	48,911
Flusso di calore medio (BTu/h ft^2)	141,336	151,791
Numero di fasci		
Iniziali	120	80
1ª ricarica	12	12
2ª ricarica	108	108
3ª ricarica	-	40
	------	------
Totale	240	240
Pressione del reattore		
Media di nocciolo (psia)	1032	1032
Portata di vapore (10^6 lb/h)	3,86	4,15
Portata totale di ingres. (10^6 lb/h)	27,56	29,70
Portata di by-pass (10^6 lb/h)	2,5	3,03
Ingresso nocciolo		
Entalpia (Btu/lB)	518,6	520,7
Temperatura (^oF)	526,3	527,3
Superficie di scambio termico (ft^2)	21,958	22,414
Peso totale U nel nocciolo (short tons)	49,97	49,5
Nocciolo		
Passo del reticolo (in.)	6,00	6,00
Rapporto in volume acqua/UO_2 (freddo)	2,60	2,60
Barre di controllo movibili		
Numero	57	57
Forma	cruciforme	cruciforme
Passo (in.)	12,0	12,0
Lunghezza	144	144
Ampiezza	9,75	9,75
Lunghezza di controllo	143,0	143,0
Materiale di controllo	B_4C	B_4C
Numero di tubi per barra	84	84
Dimensioni tubi	0,188 in. o.d. 0,025 in. wall	

Descrizione delle caratteristiche del nocciolo a fine ciclo due ed inizio ciclo tre

Tabella 10.8.3

Elemento di combustibile	Iniziale	1ª carica	2ª carica	3ª carica
N.ro barre per elemento	7x7	7x7	8x8	8x8
Passo del reticolo (in.)	0,738	0,738	0,640	0,640
Arricchimento medio di elemento (U235 wt%)	2,38	2,30	2,47	2,74
Controllo aggiuntivo				
Tipo	Nessuno	Veleno bruciabile	Veleno bruciabile	Veleno bruciabile
Numero		3/fascio	4/fascio	5/fascio
Lunghezza (in.)		143,0	143,0	143,0
Materiale di controllo		Gd_2O_3 (2,5 wt/%)	Gd_2O_3 (4,0 wt/%)	Gd_2O_3 (2,0 wt/%)
Posizione		Nel combu-stibile	Nel combu-stibile	Nel combu-stibile
Peso di U per elemento di combustibile (lb)	dished 422,7	412,7	403,7	403,2
	undished 430,9			
(kg)	dished 191,7	187,16	183,08	182,86
	undished 195,42			
Canale				
Spessore	0,08	0,08	0,08	0,08
Lunghezza (in.)	166,9	166,9	166,9	166,9
Rapporto in volume acqua/UO_2 (freddo)	2,48	2,53	2,60	2,60

Caratteristiche del combustibile presente in reattore al terzo ciclo

Segue Tab. 10.8.3

Elemento di combustibile	Iniziale	1ª carica	2ª carica	3ª carica
Barre combustibile (freddo)				
Materiale combustibile	UO_2	UO_2	UO_2	UO_2
Diametro pastiglie (in.)	0,487	0,477	0,416	0,416
Spessore della guaina (in.)	0,032	0,037	0,034	0,034
Materiale di guaina	Zr-2	Zr-2	Zr-2	Zr-2
Diametro esterno di guaina (in.)	0,563	0,563	0,493	0,493
Lunghezza attiva del combustibile (in.)	144	144	144	144
Lunghezza plenum (in.)	16,0	15,8	16,0	16,0

Caratteristiche del combustibile presente in reattore al terzo ciclo

Tabella 10.8.4

Potenza, MWt		997,2 8x8	7x7
Fattori di picco di progetto			
Grande ripartizione		2,08	2,20
Locale		1,22	1,24
Totale		2,53	2,72
Richiesta di esposizione del ciclo, MWd/t		4341	
Richiesta corrispondente di energia, MWd		214,600	
Data di spegnimento			
Data nominale di spegnimento		Agosto 1, 1975	
Esposizione media (MWd/t) del nocciolo		9970	
Disponibilità di combustibile	Numero		Esposizione media
Iniziale	80		11,392
Reinserito	32		12,419
1ª carica	12		4,459
2ª carica	104		6,058
Reinserito	4		442
3ª carica	40		0
Garanzia di esposizione (MWd/t)			
Iniziale		18,395	
Ricarica nocciolo 1		22,680	
Ricarica nocciolo 2		22,680	
Ricarica nocciolo 3		21,792	

Caratteristiche di base per il progetto della terza ricarica

Tabella 10.8.5

	(8 x 8)	(7 x 7)
Limiti termici ed idraulici		
Tasso massimo di generazione di potenza lineare (kW/ft)	$\leq$13,4	$\leq$18,5
Rapporto minimo di potenza critica (MCPR)	> 1,29	> 1,27
Limiti nucleari		
Coefficiente di potenza ($\Delta k/k/\Delta P/P$)		Più neg. di -0,01
Coefficiente di vuoto del moderatore		negativo
Sottocriticità a freddo con la barra più efficace estratta		
Base di progetto	$\leq$ 0,99	
Limite delle specifiche tecniche	$\leq$ 0,9975	
$K_{eff.}$ del sistema di controllo liquido (in stand by)	< 0,95	
Piscina accantonamento elementi spenti		
K_{∞} massimo di elemento in reattore	$\leq$ 1,238	
Valore massimo della capacità si controllo di una barra		
In squenza per potenza sotto al 10%. ΔK_{eff} supercritico	$\leq$ 1,3%	

Limiti di progetto della 3ª ricarica

Tabella 10.8.6

		Sequenza A	Sequenza B
Potenza reattore (MWt)		997,2	997,2
Esposizione media di nocciolo (MWd/t)		6787	6787
Flusso di calore massimo (Btu/h-ft^2)	(7x7)	354,865	349,649
	(8x8)	308,061	333,064
Potenza lineare corrispondente (kW/ft)	(7x7)	15,33	15,10
	(8x8)	11,65	12,60
MTM	(7x7)	1,45	1,45
	(8x8)	1,41	1,41
Massimo fattore di potenza media di elemento		1,292	1,300
Fattore di potenza assiale media di nocciolo		1,204	1,279
Fattore di potenza massimo di grande ripartizione		1,801	1,934
Numero di notches inseriti di barre di controllo		228	216
Frazione di vuoto media di nocciolo		0,385	0,400
Qualità media all'uscita nocciolo (%)		13,57	13,57

Si è assunto come fattore di forma locale di picco il valore 1,24 per fascio 7x7.

Si è assunto come fattore di forma locale di picco il valore 1,22 per fasci 8x8.

Caratteristiche di progetto all'inizio del terzo ciclo di funzionamento

Tabella 10.8.7

	BOC	EOC
Capacità di esposizione (MWd/T)	*4337*	
Energia prodotta (10^3 MWd)	*214,420*	
Margine di spegnimento minimo (ΔK_{eff})	*0,0102*	
Margine di spegnimento ad inizio ciclo (ΔK_{eff})	*0,0102*	
Diminuzione massima del margine di spegnimento dalle condizioni di inizio ciclo (ΔK_{eff})	*0,000*	
Flusso di calore massimo (Btu/h ft^2)	354,865	309,415
Margine termico minimo	1,41	1,379
Frazione di vuoto medio di nocciolo (%)	0,385	0,395
Titolo medio all'uscita del nocciolo (%)	13,57	13,57
Temperatura massima UO_2 (^oF)	3725	3020
Coefficienti di reattività		
Vuoto del moderatore $\Delta k/k/\Delta$Vuoto, % al 40% di vuoto entro il canale	$-14{,}0 \cdot 10^{-4}$	$-12{,}9 \cdot 10^{-4}$
Coefficiente di potenza ($\Delta k/k/\Delta P/P$)	- 0,063	- 0,058
Coefficiente Doppler ($\Delta k/k/\Delta^oF$) (a 1202 ^oF)	$-1{,}333 \cdot 10^{-5}$	$1{,}208 \cdot 10^{-5}$
Frazione di neutroni ritardati	$6{,}14 \cdot 10^{-3}$	$5{,}59 \cdot 10^{-3}$
Vita media (microsecondi)	40,06	41,83

Sommario delle caratteristiche principali di nocciolo calcolate per il ciclo 3. (Le condizioni operative a caldo sono riportate in Tab. 10.8.6)

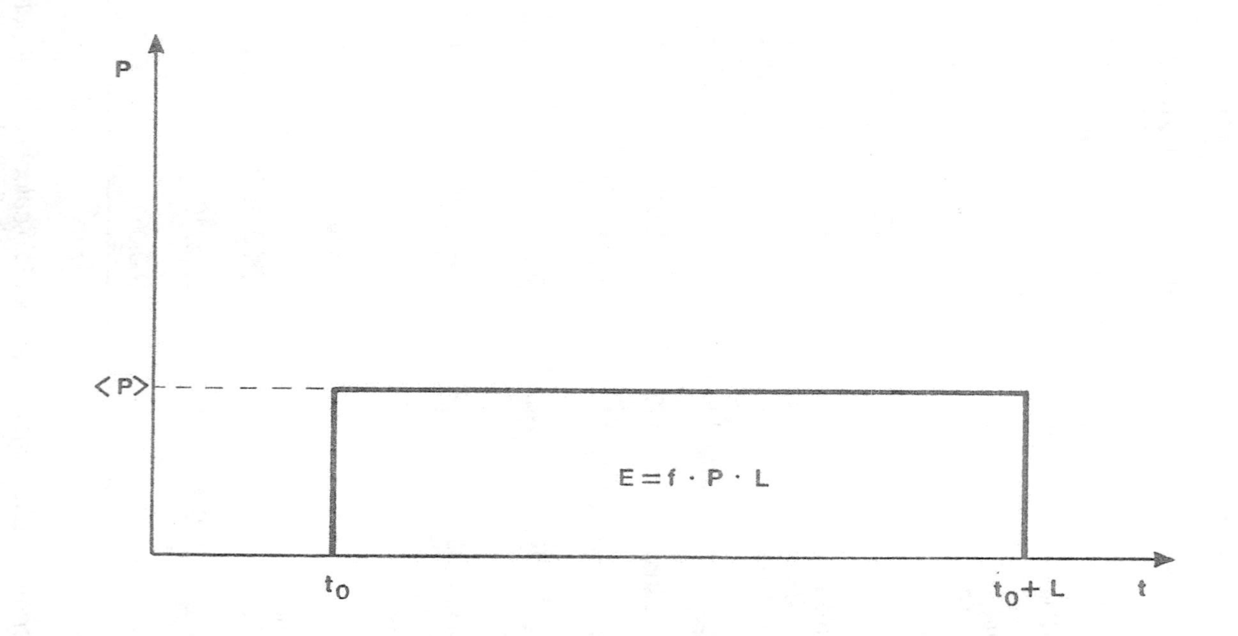

Fig. 10.2.1 *Energia sviluppata nell'intervallo di tempo L da un impianto con potenza nominale P e fattore di carico f*

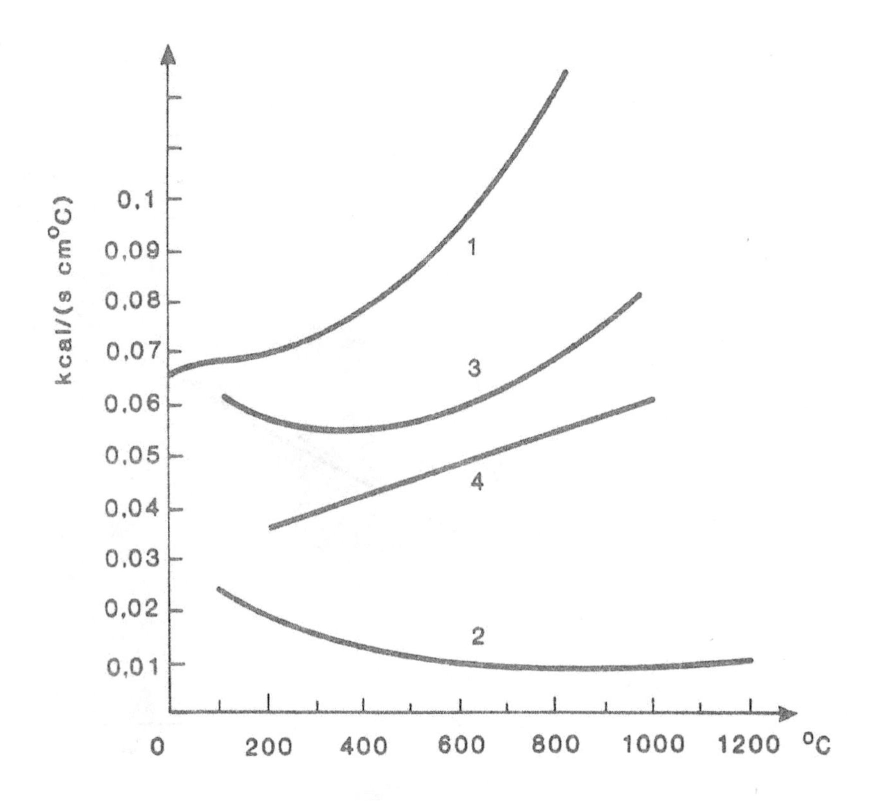

Fig. 10.2.2 *Conducibilità termica di vari combustibili: 1) uranio; 2) biossido di uranio; 3) monocarburo di uranio; 4) nitruro di uranio*

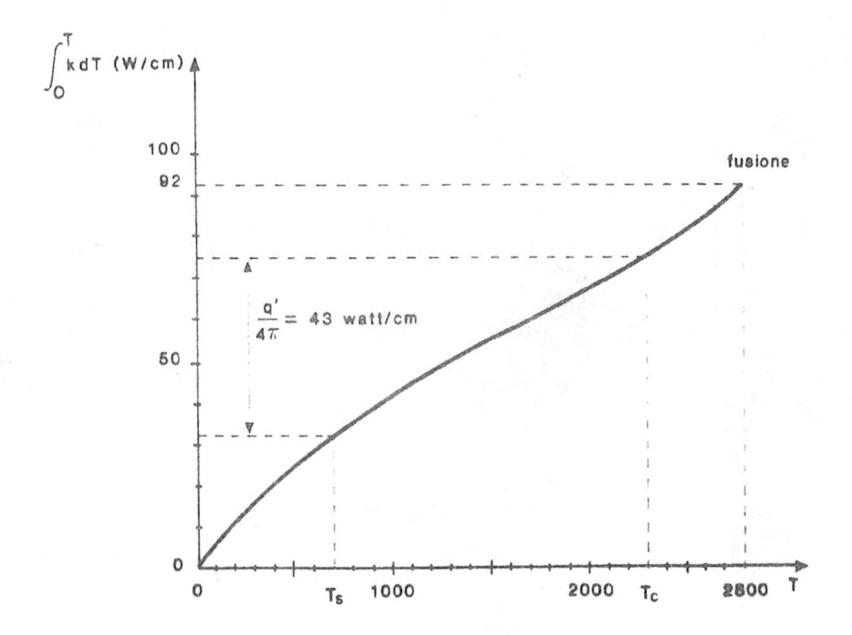

Fig. 10.2.3 *Integrale di conducibilità dell'ossido di uranio UO_2*

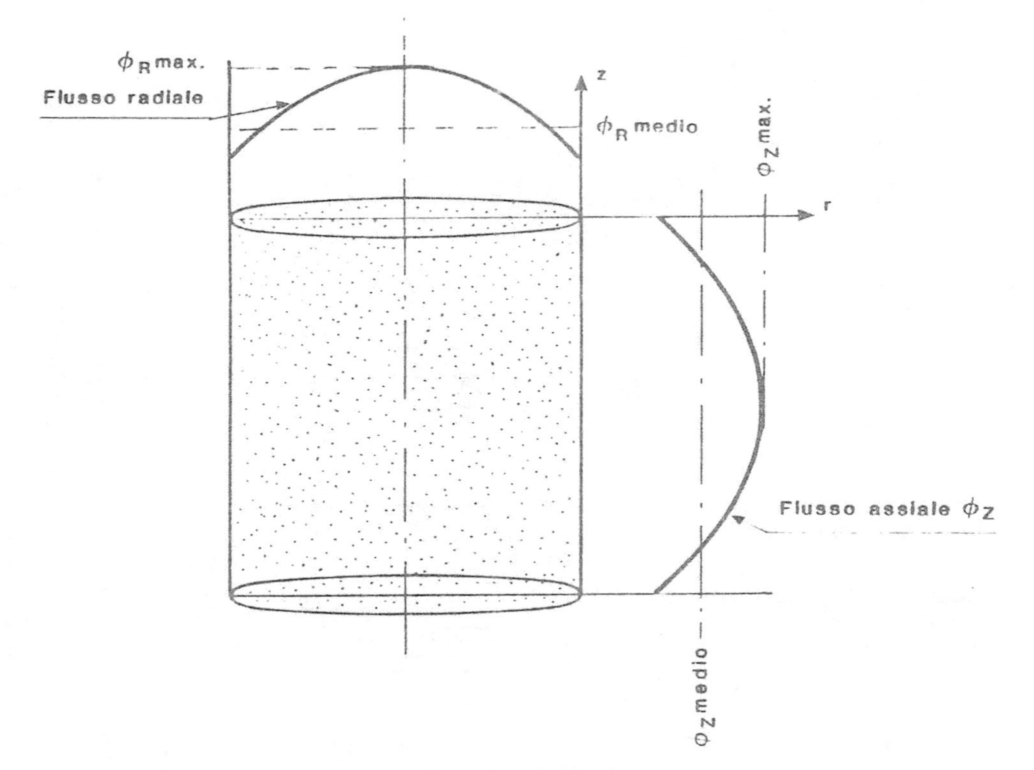

Fig. 10.2.4 *Distribuzione radiale ed assiale del flusso neutronico in un reattore cilindrico omogeneo*

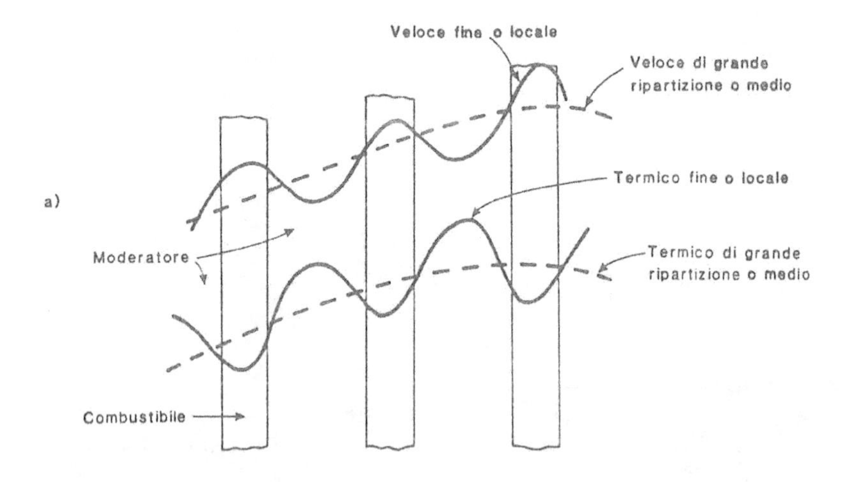

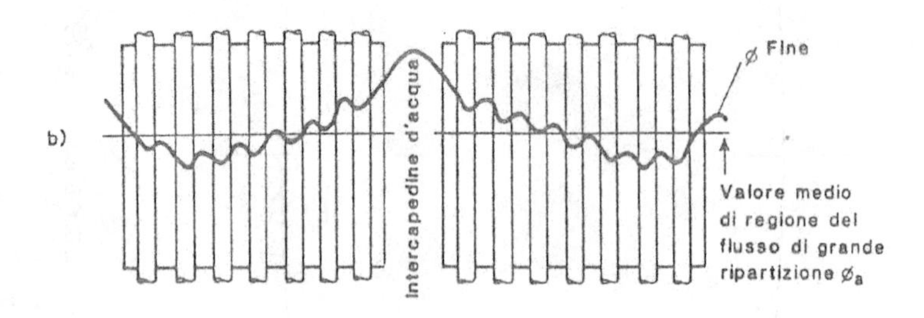

Fig. 10.2.5 *Distribuzione fine e di grande ripartizione del flusso neutronico; a) all'interno di un elemento di combustibile a barre, b) tra due di questi elementi distanziati da una intercapedine di acqua*

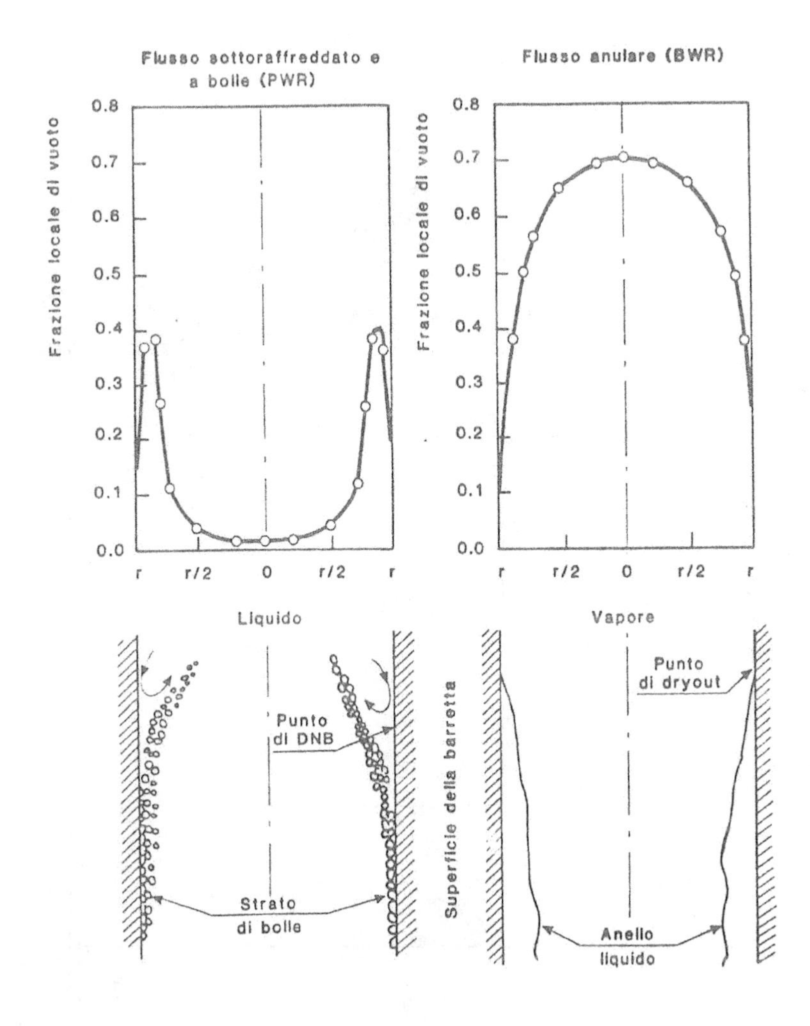

Fig. 10.3.1 *Schematizzazione del fenomeno di crisi nella trasmissione del calore in canali PWR e BWR*

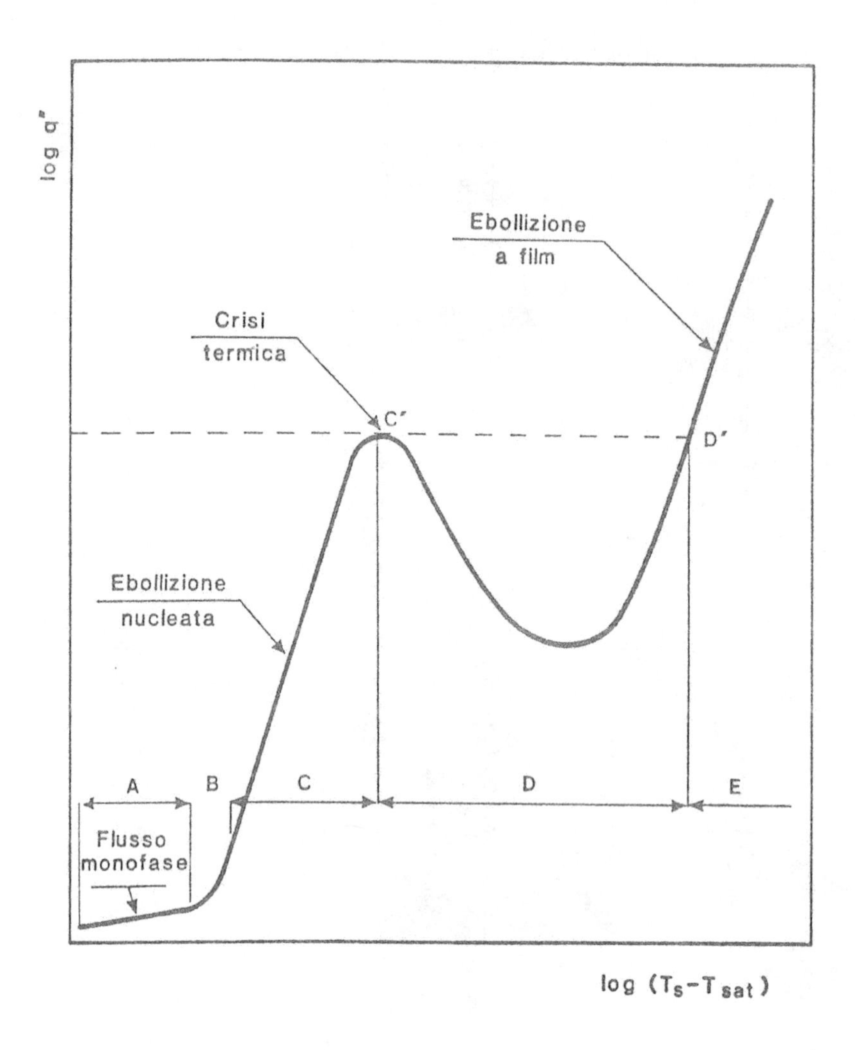

Fig. 10.3.2 *Flusso di calore q" trasmesso da una parete calda (T_s) in funzione della differenza di temperatura $\Delta T = (T_s - T_{sat})$*

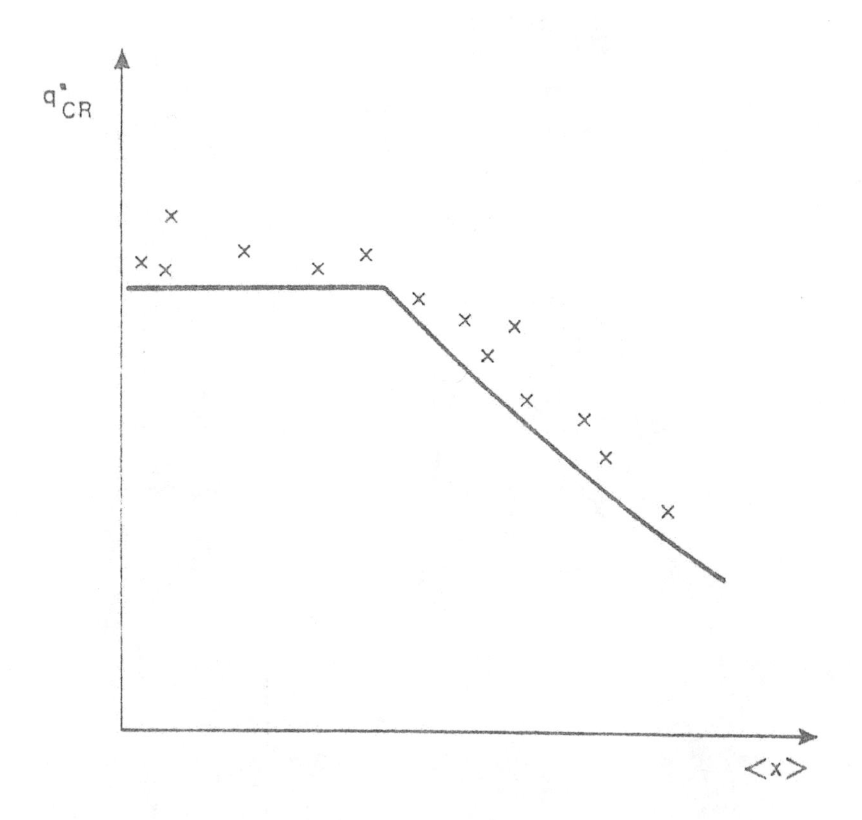

Fig. 10.3.3 *Flusso termico critico* q''_{CR} *in funzione del titolo* $<x>$ *del fluido refrigerante*

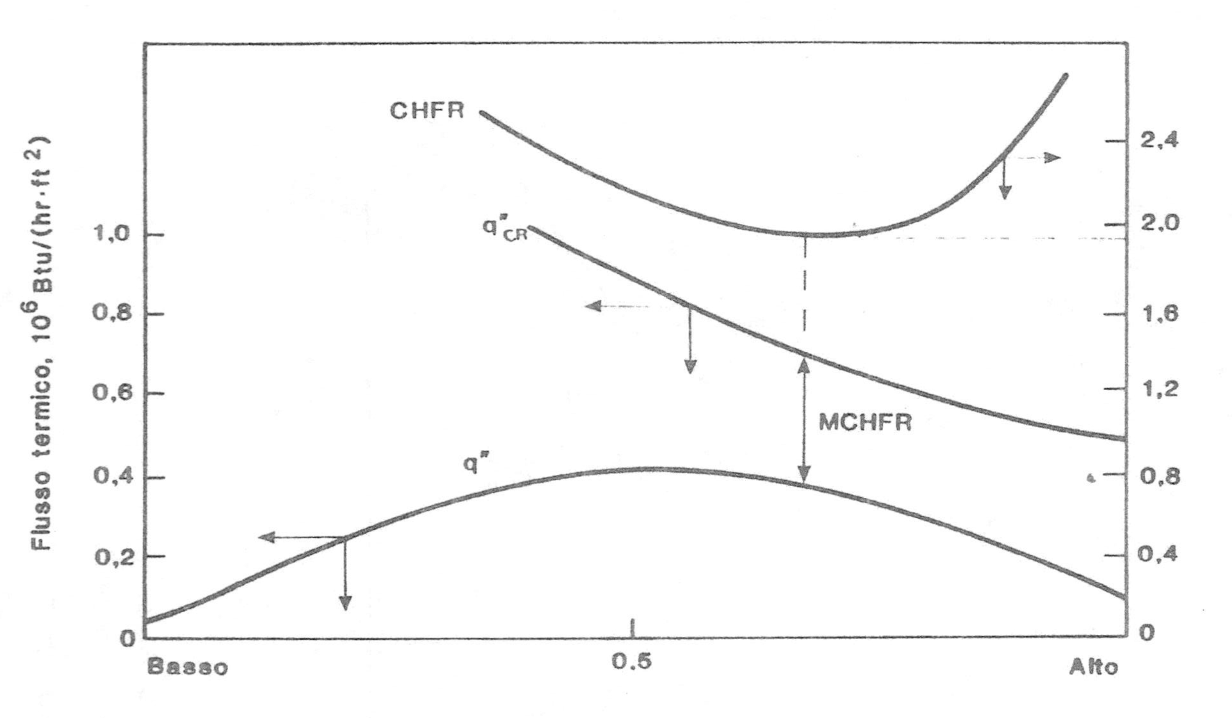

Fig. 10.3.4 *Flusso termico reale q", flusso critico q''_{CR} calcolato e CHFR. Andamenti tipici per un reattore ad acqua bollente BWR*

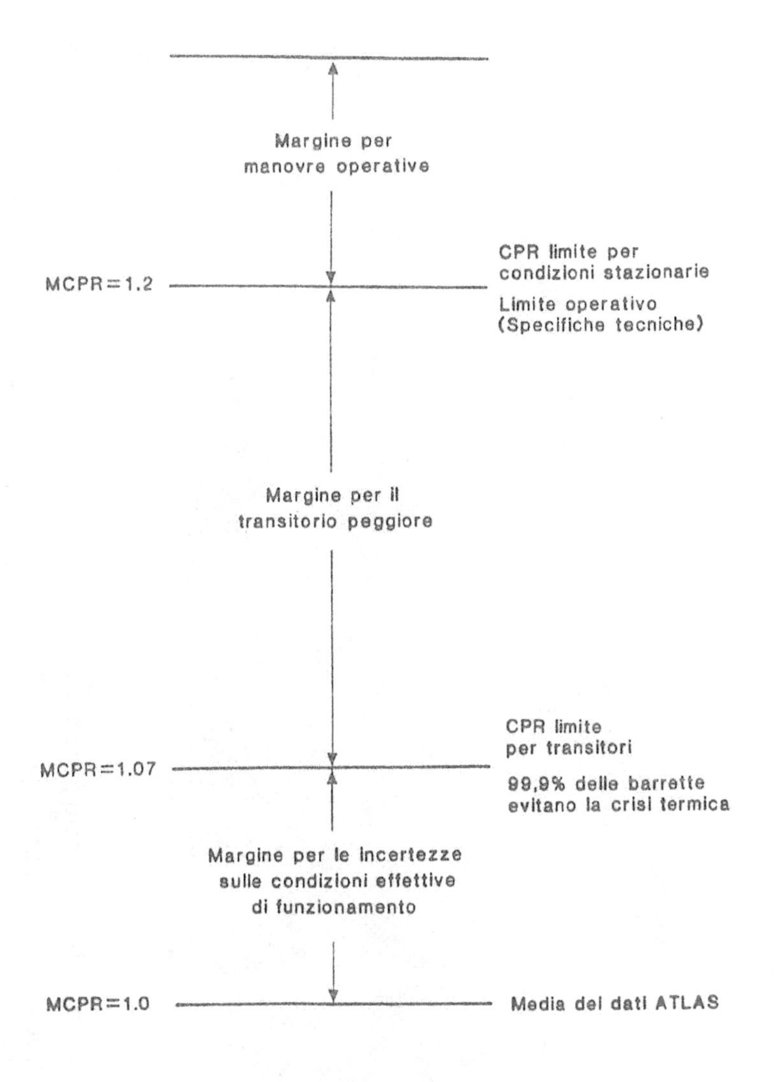

Fig. 10.3.5 *Derivazione schematica del limite MCPR*

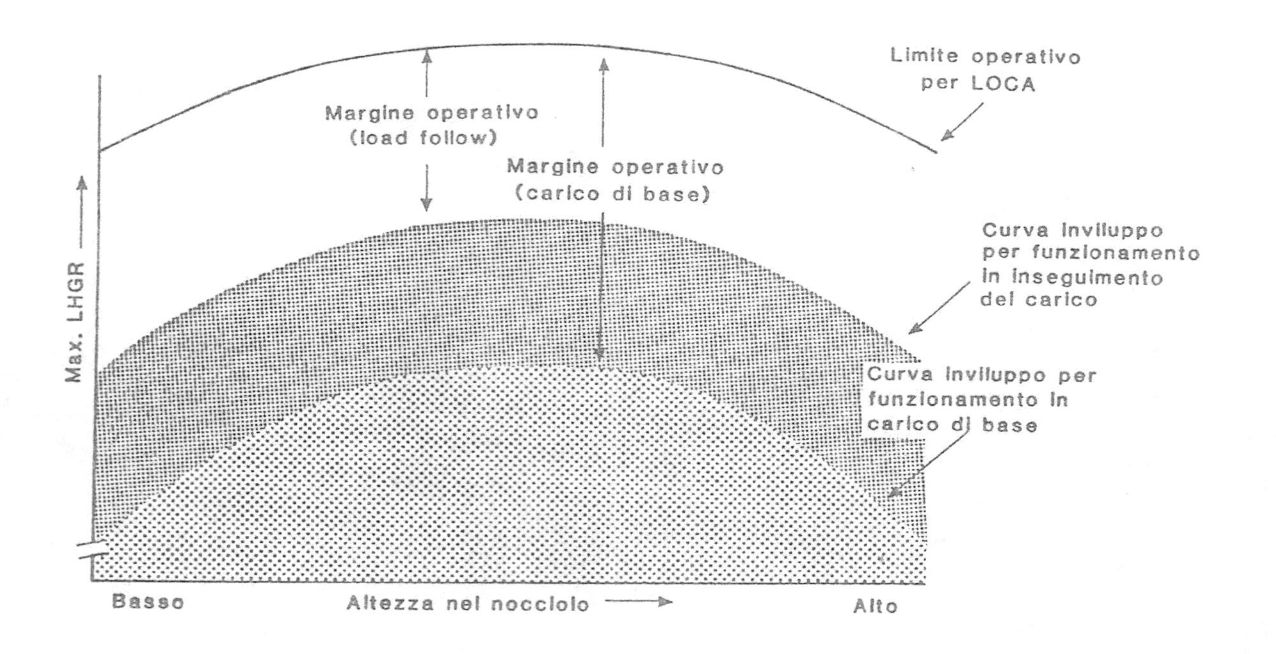

Fig. 10.4.1 *Margini operativi per funzionamento nominale e Load Follow rispetto alle condizioni ECCS-LOCA per un impianto tipo PWR*

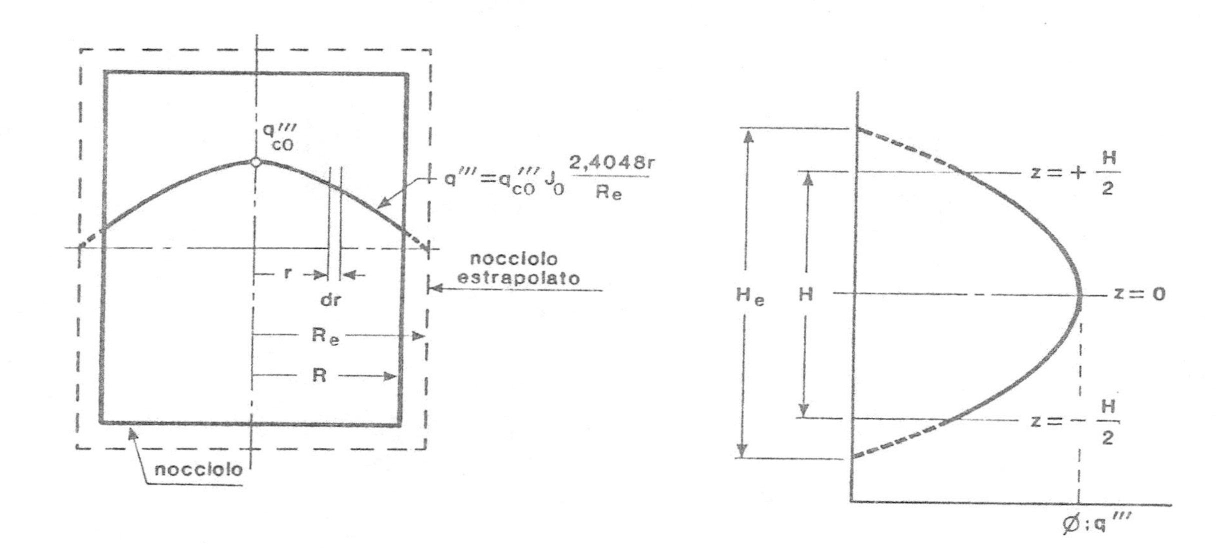

Fig. 10.5.1 *Distribuzione radiale ed assiale del flusso neutronico* ϕ o della densità di potenza q"' in un reattore omogeneo cilindrico nudo

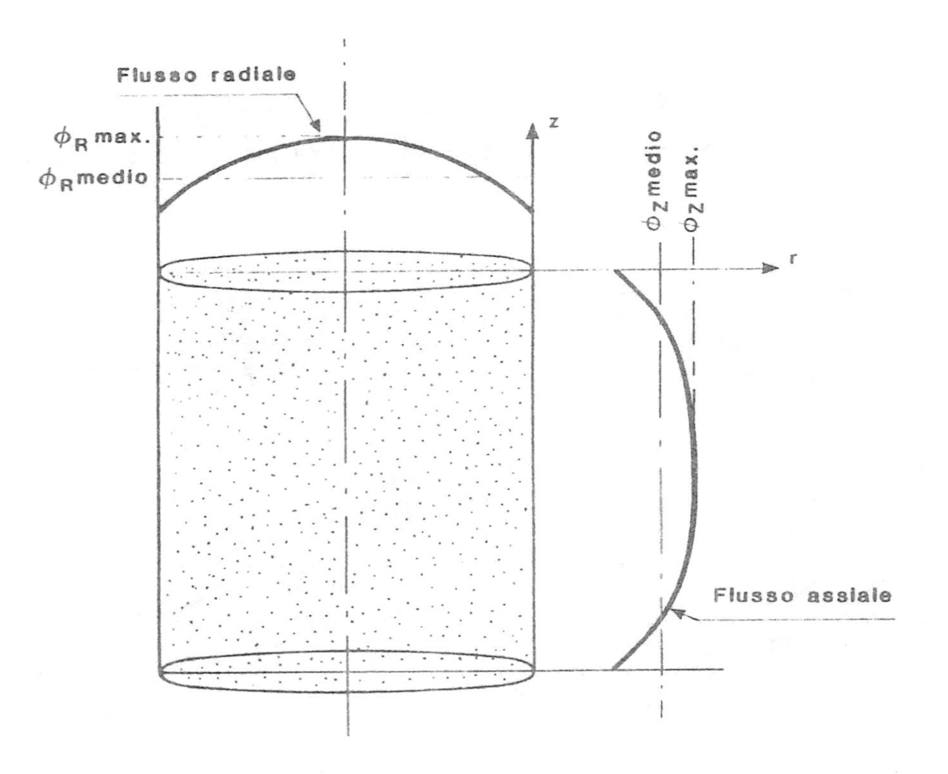

Fig. 10.5.2 *Distribuzione radiale ed assiale appiattita del flusso neutronico*

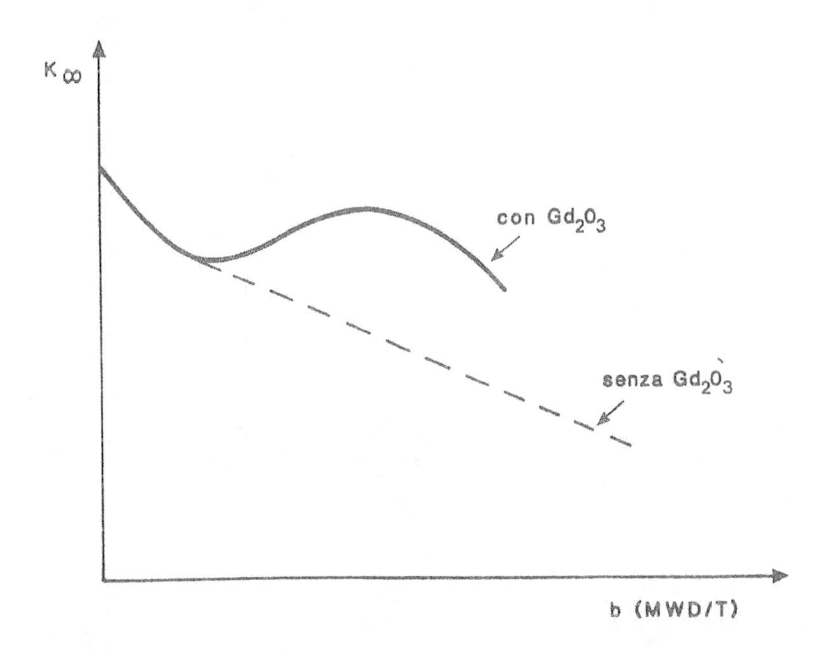

Fig. 10.6.1 *Andamento tipico del coefficiente K_∞ in funzione dell'irraggiamento b nei due casi, con e senza Gd_2O_3*

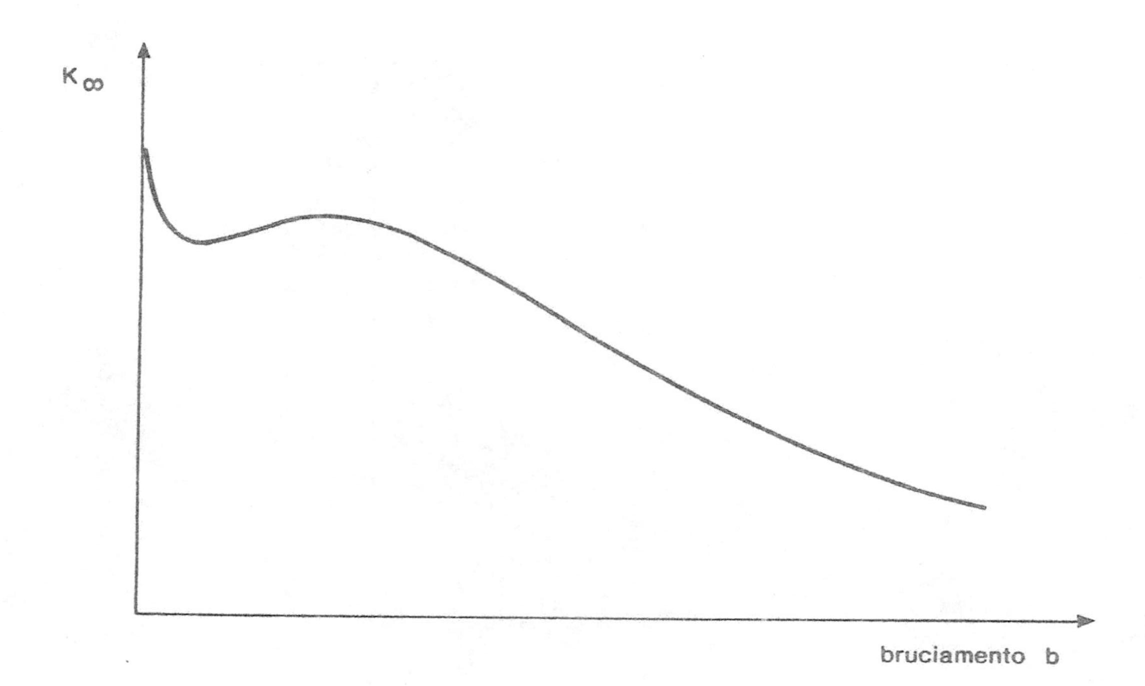

Fig. 10.6.2 *Andamento di K_∞ in funzione del bruciamento b (MWD/T)*

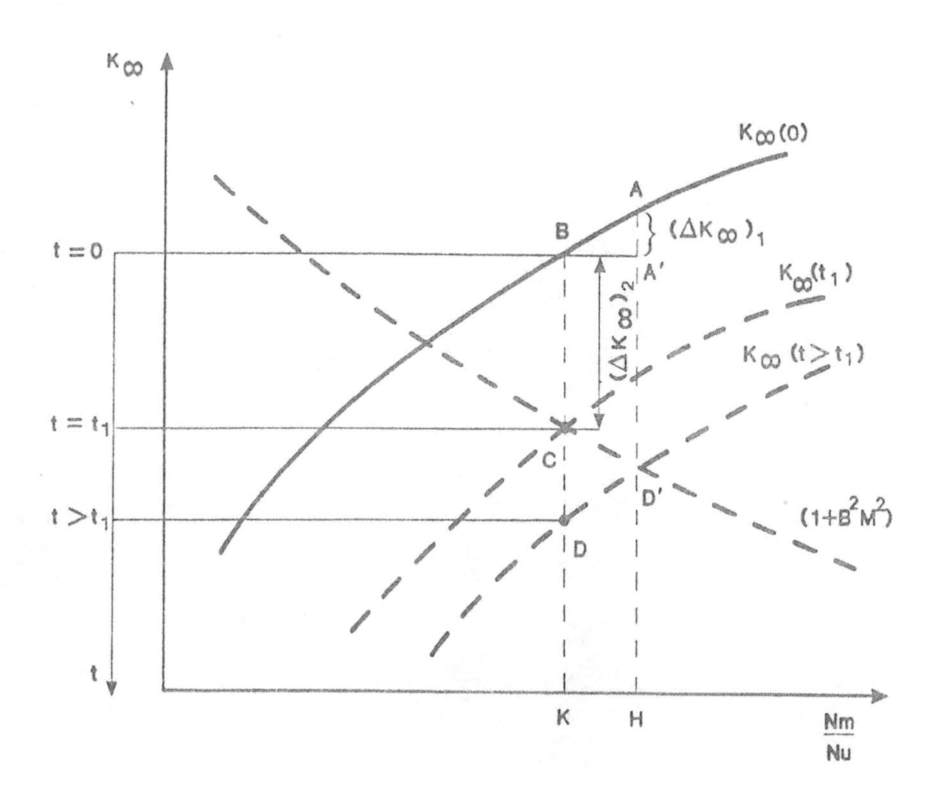

Fig. 10.6.3 *Effetto della potenza* $(\Delta K_\infty)_1$ *e del bruciamento* $(\Delta K_\infty)_2$ *sulla reattività* (k_∞) di un sistema moltiplicante

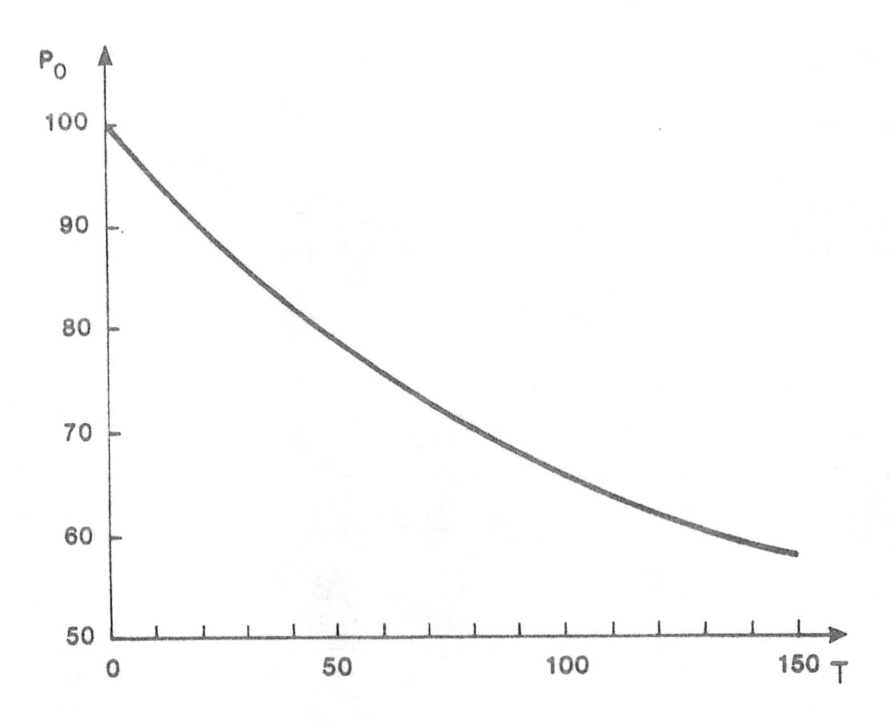

Fig. 10.6.4 *Prolungamento del ciclo in giorni (T) in funzione della potenza (P_0)*

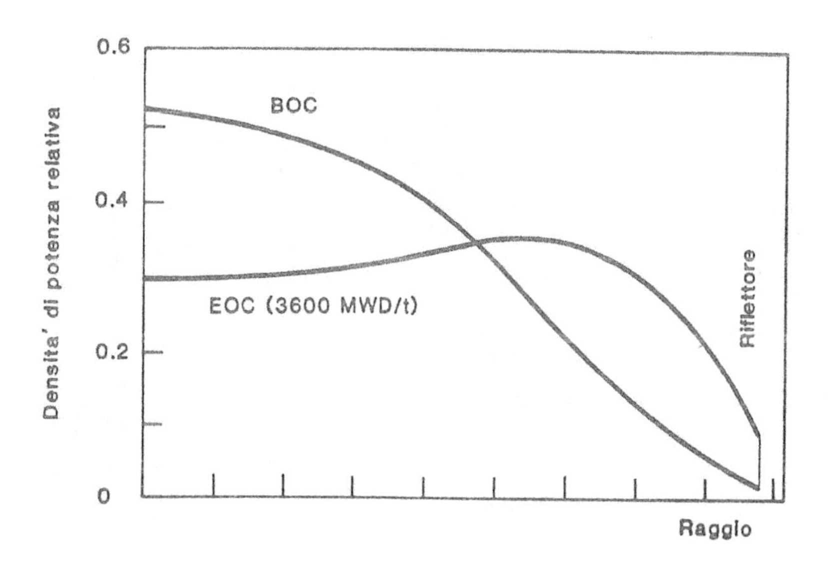

Fig. 10.6.5 *Distribuzione radiale di potenza ad inizio ciclo (BOC) e fine ciclo (EOC)*

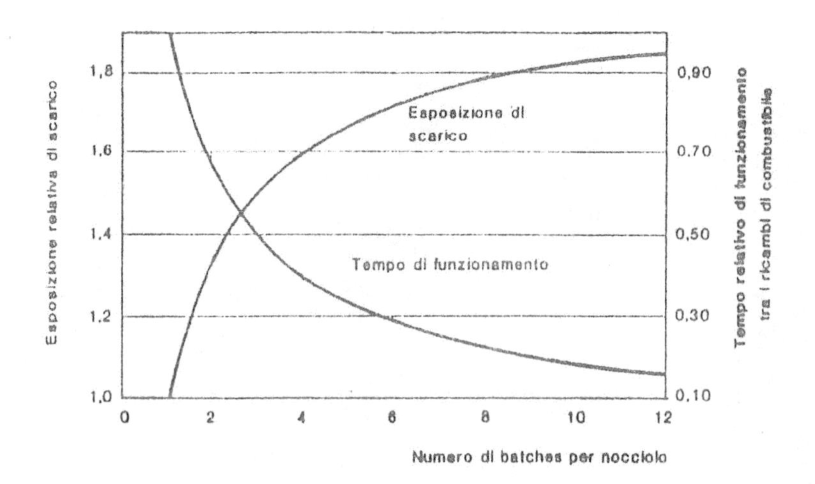

Fig. 10.7.1 *Relazione tra numero di batches (o frazioni di nocciolo di ricarica) esposizione (o resa energetica di scarico) e tempo di funzionamento relativo tra due ricambi*

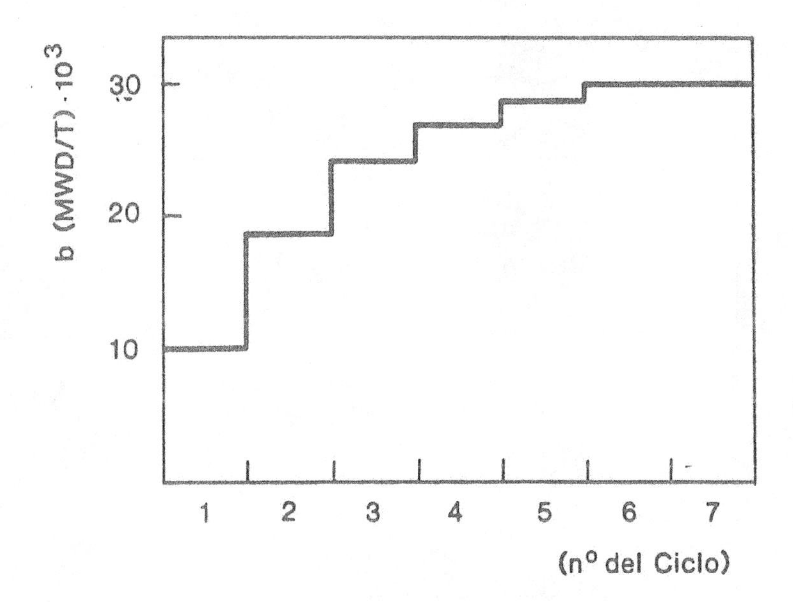

Fig. 10.7.2 *Andamento del bruciamento di ciclo* **b**, *dai cicli di transizione al ciclo di equilibrio*

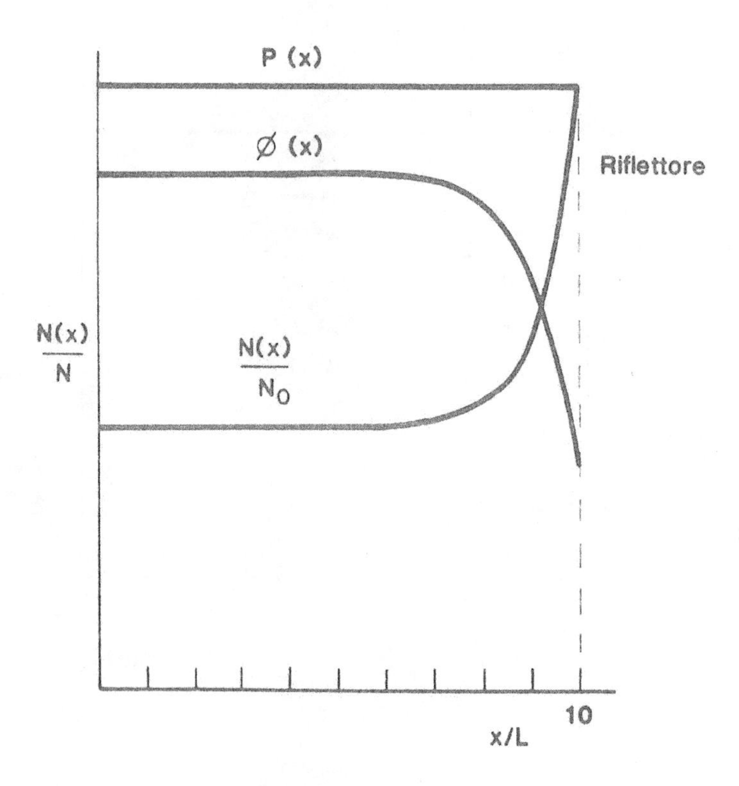

Fig. 10.8.1 *Distribuzione radiale di materiale fissile in un sistema moltiplicante con riflettore e distribuzione di flusso neutronico e di potenza ad essa consistenti*

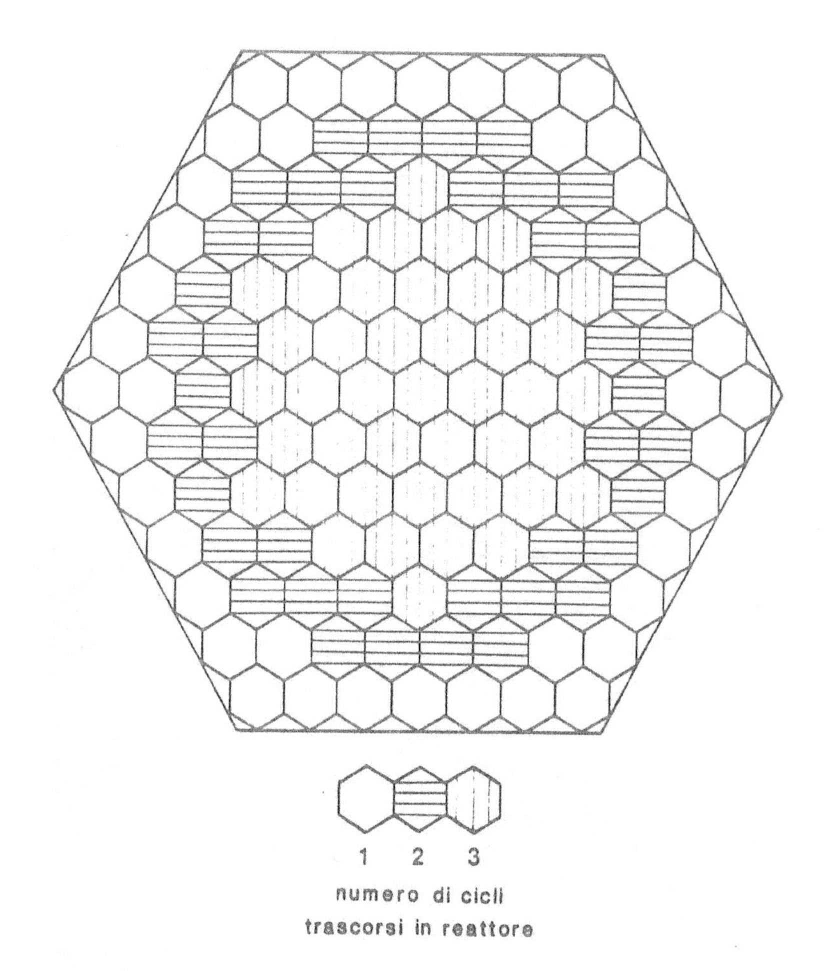

Fig. 10.8.2 *Schema di ricarica Out-In per n = 3*

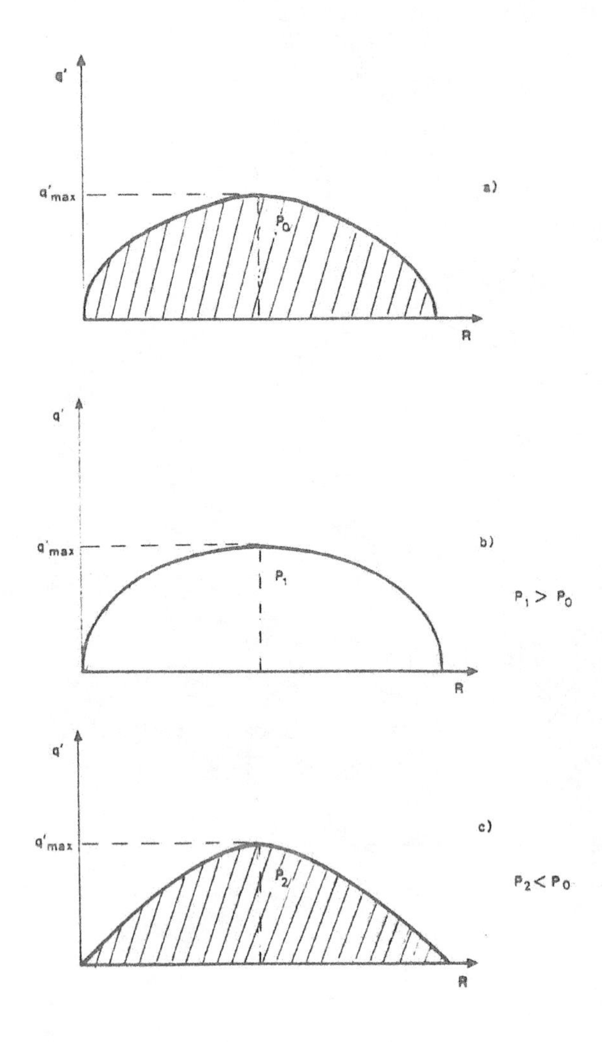

Fig. 10.8.3 *Profilo radiale e potenza P prodotta a parità di q'_{max} per caricamento rispettivamente: a) omogeneo; b) Out-In; c) In-Out*

a)

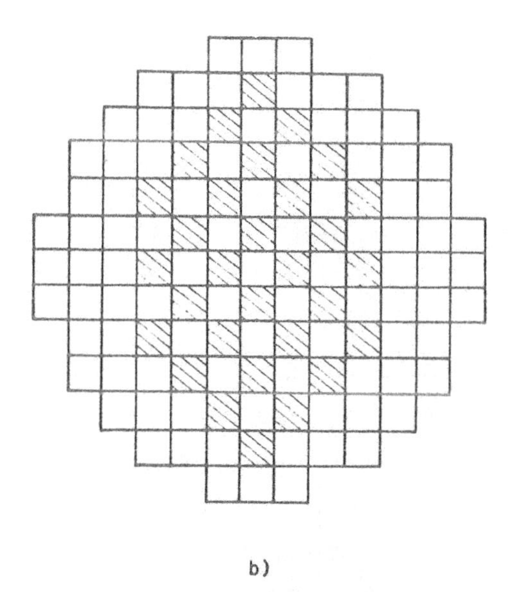

b)

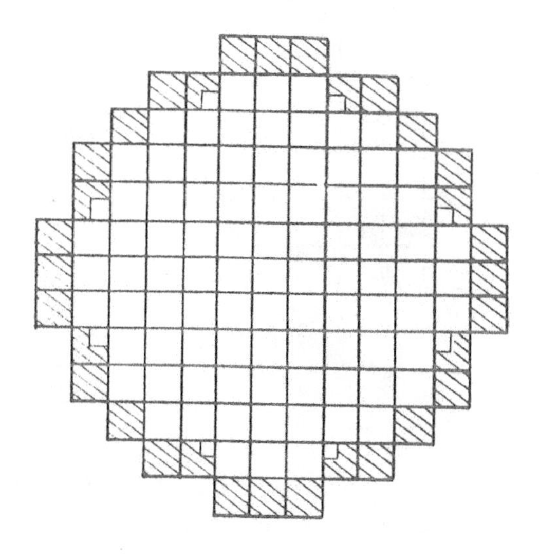

Fig. 10.8.4 *Schemi di ricarica: a) a scacchiera; b) Out-In*

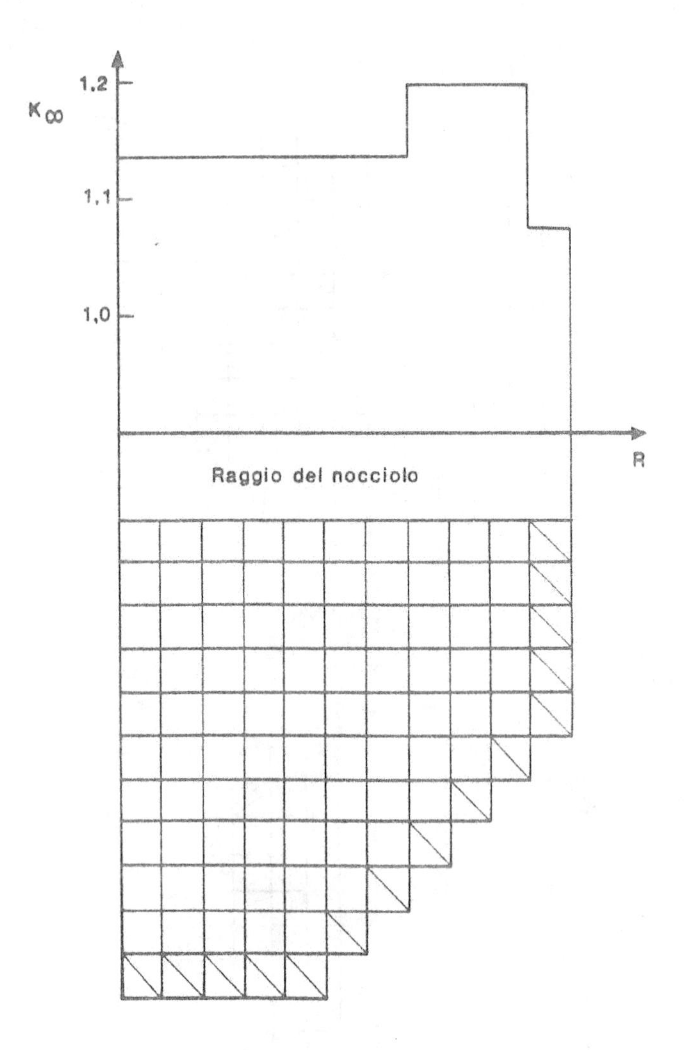

Fig. 10.8.5 *Andamento tipico radiale del fattore di moltiplicazione K_∞ in uno schema di ricarica basato sul principio della massima reattività e del picco minimo*

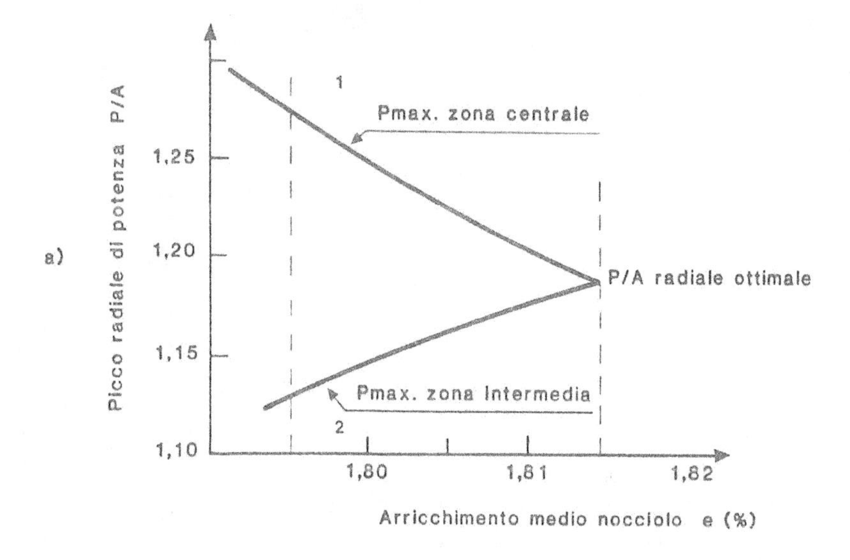

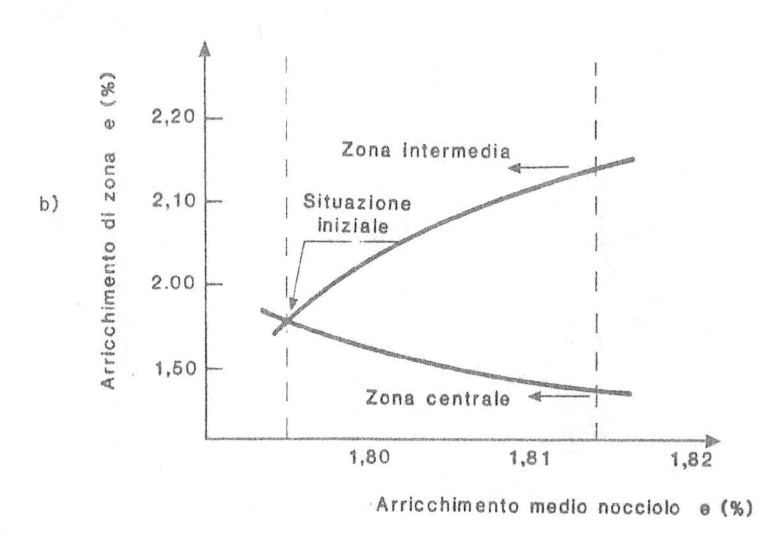

Fig. 10.8.6 *Picco radiale (P/A) ed arricchimento medio di zona in funzione dell'arricchimento medio di nocciolo*

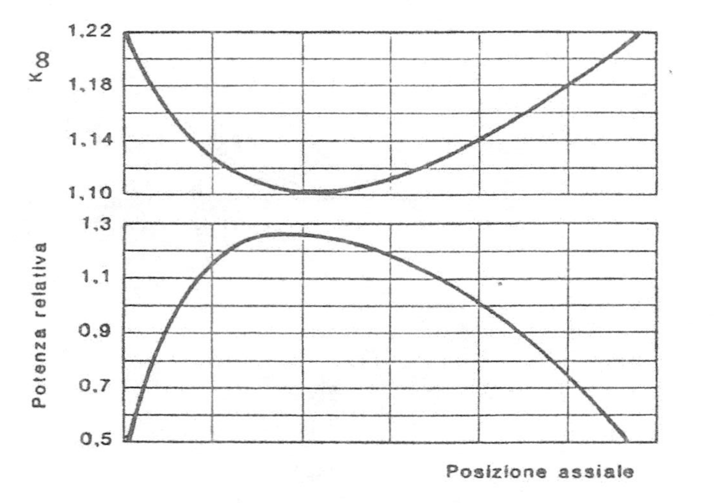

Fig. 10.8.7 *Soluzione alla Haling di un problema monodimensionale assiale; congruenza tra profilo del fattore di moltiplicazione K_∞ e potenza*

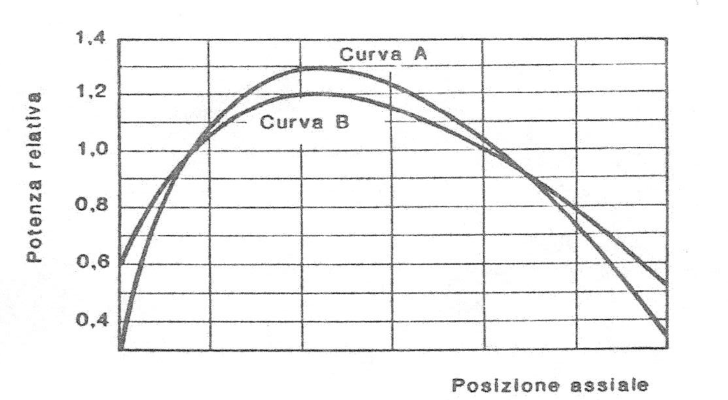

Fig. 10.8.8 *Distribuzione assiale di potenza secondo Haling (curva A) e a profilo variabile durante il ciclo (curva B)*

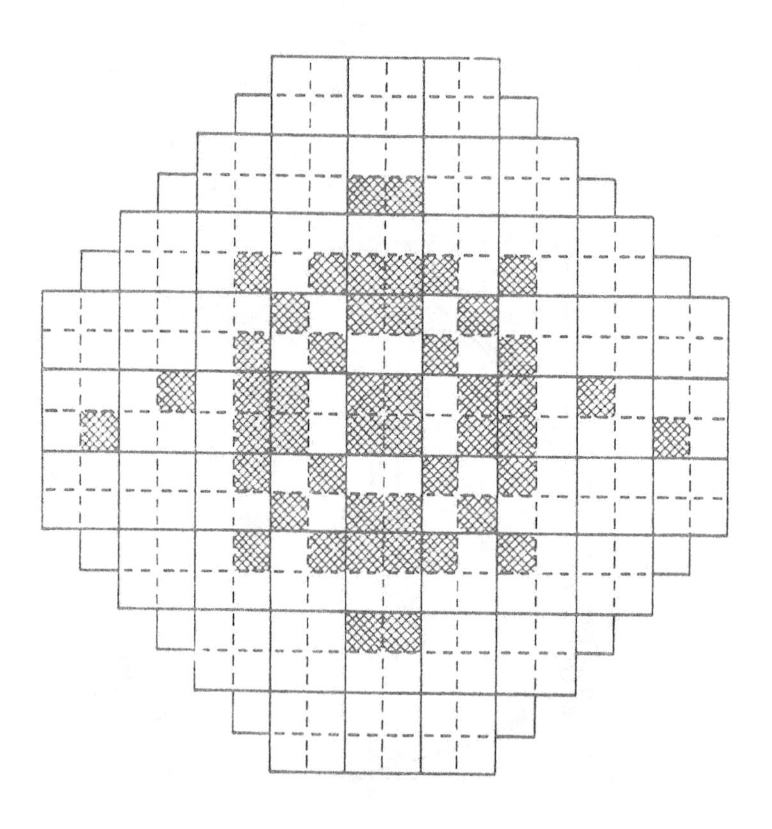

Fig. 10.8.9 *Configurazione a fine ciclo 2*

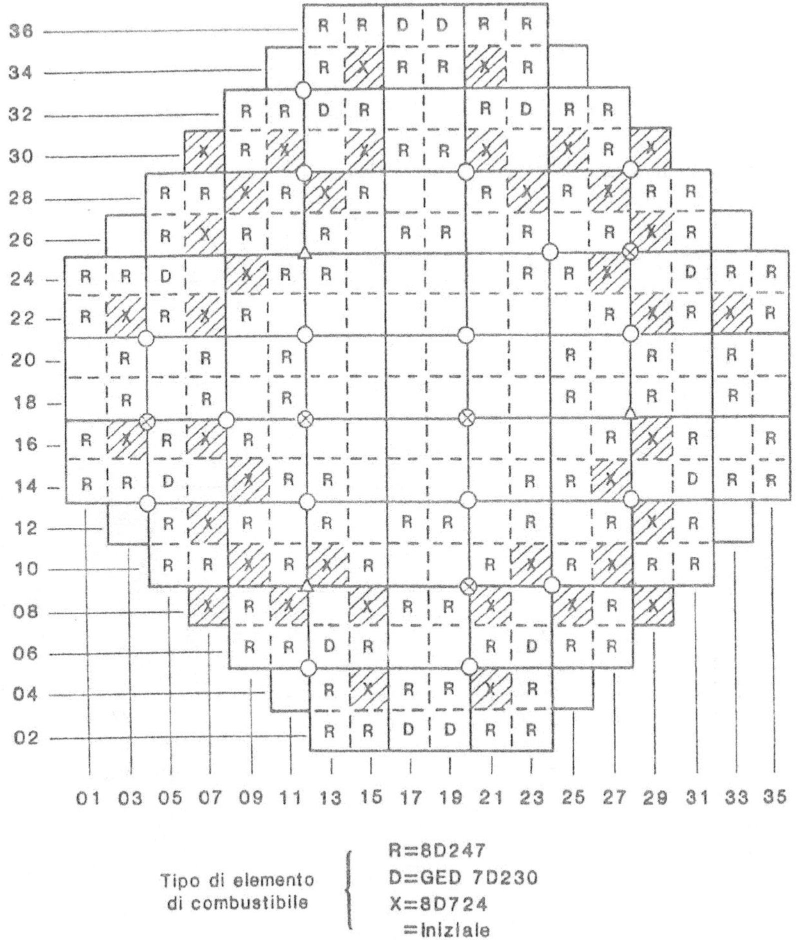

Fig. 10.8.10 *Configurazione di inizio ciclo 3*

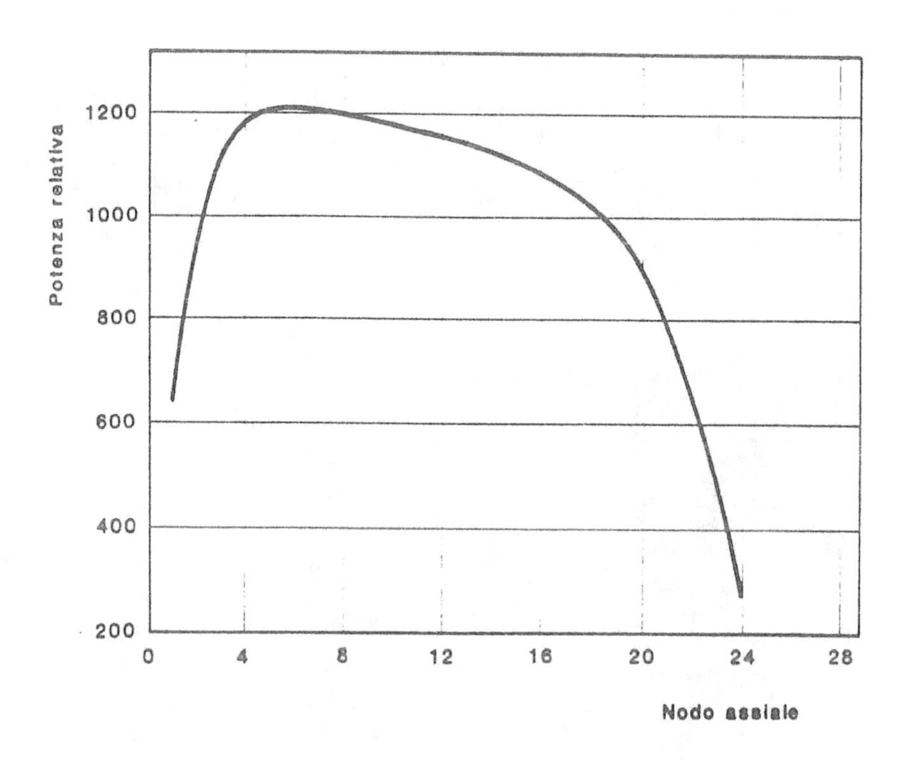

Fig. 10.8.11 *Distribuzione assiale di potenza secondo Haling*

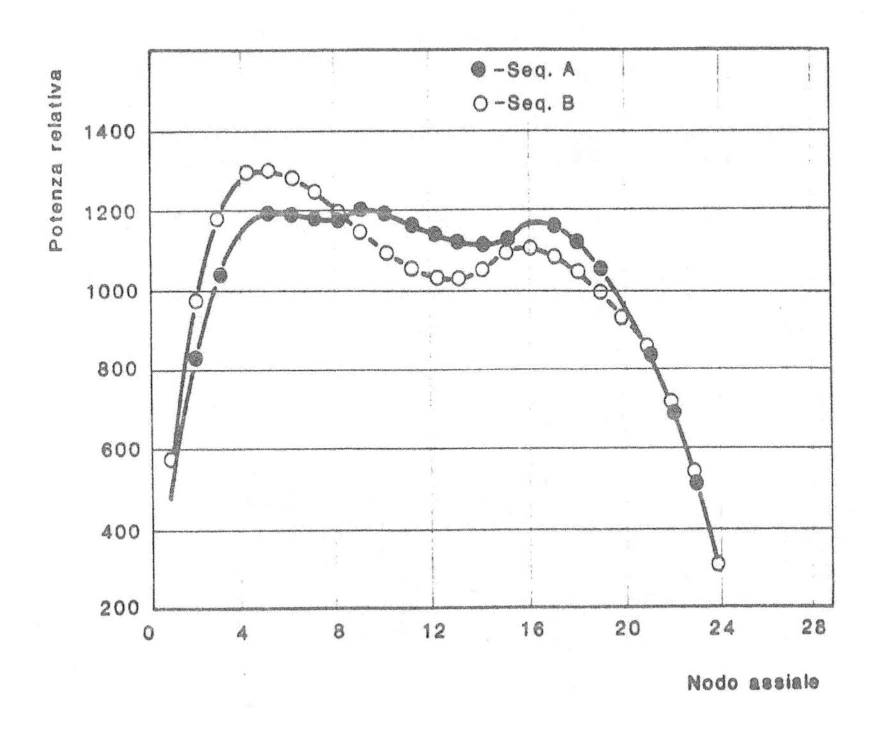

Fig. 10.8.12 *Distribuzione assiale di potenza ad inizio ciclo*

Testi Consigliati

- Weinberg e Wigner: "The physical Theory of Neutron Chain Reactors", University of Chicago Press.

- D.K. Holmes; R.V. Meghreblian: "Notes on Reactor Analysis", ORNL-CF 54-7-88, Part. II.

- John R. Lamarsh: "Introduction to nuclear Engineering", Addison Wesley.

- M. Salvy, M.L. Le Moigue; M.R. Marchal: "Genie atomique", Tome I - Presses Universitaires de France.

- Raymond L. Murray: "Nuclear Reactor Physics", Prentice Hall Inc.

- S. Glasstone: "Principles of Nuclear Reactor Engineering", D. Van Nostrand Company.

- Schultz: "Control of Nuclear Reactors and Power Plants" Mc Graw Hill.

- W. Marshall: "Nuclear Power Technology", Vol. 1-2-3 - Clarendon Press Oxford.

- P. Silvennoinen: "Reactor core fuel management", Pergamon Press.

CPSIA information can be obtained
at www.ICGtesting.com
Printed in the USA
BVHW021215130423
R14813300001B/R148133PG662048BVX00013B/13